suhrkamp taschenbuch
wissenschaft 759

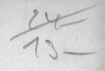

Der Titel dieses Bandes ist Moses Mendelssohns »Morgenstunden« entnommen, philosophischen Vorträgen des großen jüdischen Aufklärers. Mendelssohn gehört zu der Gruppe der Popularphilosophen in der zweiten Hälfte des 18. Jahrhunderts, die aus der Wolffschen Schule kamen, aber in ihrem Streben, der Gesellschaft zu nützen und sie nach ihren Vorstellungen zu beeinflussen, den Rahmen des »Systems« sprengten. Der vorliegende Band enthält Einzelstudien zur politischen Theorie verschiedener Popularphilosophen (Garve, Feder, Abbt, Eberhard, Engel) sowie eine Auswahl von deren Texten, die zeigen, wie diese Philosophen die Französische Revolution aufgenommen und verarbeitet haben.

In der stw liegen folgende von Zwi Batscha, Professor für politische Theorie an der Universität Haifa, herausgegebene Bände vor: *Materialien zu Kants Rechtsphilosophie* (stw 171); (zus. m. Richard Saage) *Friedensutopien. Kant/Fichte/Schlegel/Görres* (stw 267); (zus. m. Jörn Garber) *Von der ständischen zur bürgerlichen Gesellschaft* (stw 363); (zus. m. Hans Medick) Adam Ferguson, *Versuch über die Geschichte der bürgerlichen Gesellschaft* (stw 739); im Wissenschaftlichen Hauptprogramm: Zwi Batschas Buch: *Studien zur politischen Theorie des deutschen Frühliberalismus*.

Zwi Batscha

»Despotismus von jeder Art reizt zur Widersetzlichkeit«

Die Französische Revolution
in der deutschen Popularphilosophie

Suhrkamp

CIP-Titelaufnahme der Deutschen Bibliothek
Batscha, Zwi:
»Despotismus von jeder Art
reizt zur Widersetzlichkeit«:
d. Franz. Revolution
in d. dt. Popularphilosophie/
Zwi Batscha.
– 1. Aufl. – Frankfurt am Main:
Suhrkamp, 1989
(Suhrkamp-Taschenbuch Wissenschaft; 759)
ISBN 3-518-28359-6
NE: GT

suhrkamp taschenbuch wissenschaft 759
Erste Auflage 1989
Suhrkamp Verlag Frankfurt am Main 1989
Suhrkamp Taschenbuch Verlag
Alle Rechte vorbehalten, insbesondere das
des öffentlichen Vortrags, der Übertragung
durch Rundfunk und Fernsehen
sowie der Übersetzung, auch einzelner Teile
Satz und Druck: Wagner GmbH, Nördlingen
Printed in Germany
Umschlag nach Entwürfen von
Willy Fleckhaus und Rolf Staudt

1 2 3 4 5 6 – 94 93 92 91 90 89

Inhalt

Texte zur Rezeption
der Französischen Revolution

I Gründe für den Ausbruch der Revolution

II Die Zeit der verschärften Auseinandersetzungen
im In- und Ausland

A. Historische Betrachtungen

B. Die theoretische Auseinandersetzung über die
Radikalisierung des Revolutionsprozesses

Für Shullak

Einleitung

Der Titel dieses Bandes entstammt dem Vorbericht von Moses Mendelssohns »Morgenstunden«, jenen philosophischen Vorträgen, die der große jüdische Aufklärer in Berlin seinem Sohn Joseph und dessen beiden Freunden Simon Veit und Bernhard Wessely hielt. Mendelssohn stellt an der erwähnten Stelle fest, daß seine Philosophie nicht mehr »die Philosophie der Zeiten« ist, da sie zu viele Elemente der Wolffschen Schule enthält, die langsam gezwungen wird, neueren Denkansätzen zu weichen. Das System des Hallenser Philosophen hatte in der ersten Hälfte des 18. Jahrhunderts eine starke Vormachtstellung inne, die gerade deshalb zu Antagonismen führte.

Auch wenn sich Moses Mendelssohn als Schüler Wolffs betrachtet, so kann er doch *post festum* gleichwohl zu einer Gruppe von Philosophen gerechnet werden, die allerdings keine geschlossene, organisierte Einheit bildeten. Der Ausdruck Popularphilosophie – als Charakteristik einer philosophischen Strömung in Deutschland in der zweiten Hälfte des 18. Jahrhunderts – existiert als Sammelbegriff für jene Philosophen, die aus der Wolffschen Schule hervorgingen, aber in ihrem Streben, der Gesellschaft zu nützen und sie nach ihren Vorstellungen zu beeinflussen, den Rahmen des »Systems« sprengten und damit seine Enge und Geschlossenheit durchbrachen.

Natürlich vollzieht sich ein solcher Prozeß nicht unvermittelt. Ältere und neue Elemente aus der und »für die Welt« ersetzen zunehmend das durchlässig gewordene System, möge es der Sensualismus John Lockes oder der Einfluß der Moralphilosophie Shaftesburys und späterer schottischer Denker sein, ebenso verschiedene Elemente aus der Schule des Thomasius, ein gewisser Eklektizismus, eine Historisierung des philosophischen Denkens und als eines der wichtigsten Elemente: das Primat der praktischen Philosophie.

Mit dieser Entwicklung gewinnt auch der zum Begriff des Politischen gehörige Teil dieser neuen praktischen Weltweisheit eine andere Dimension, wenn auch nicht so sehr in den Resultaten der Anstrengungen des Denkens, so doch in der Beschäftigung mit der aufs konkrete Leben gerichteten Thematik. Ohne Zweifel war das politische Denken noch alten Traditionen verhaftet und ohne Zweifel bildeten die absolute Monarchie und die feudale Struktur der Gesellschaft noch die Basis für die intellektuellen Anstrengungen dieser Zeit, die sich auf Aufklärung und Reformen bezogen, nicht aber auf radikale Veränderung. So kann es auch kaum verwundern, daß noch am Ende des 18. Jahrhunderts gerade in Berlin die absolute Monarchie als Krönung der politischen Reflexion dargestellt wird, sei es in der direkten naturrechtlichen Lesart eines J. A. Eberhard oder in einer mehr empirisch-historischen Form bei J. J. Engel. Wenn sich auch Thomas Abbt der absoluten Monarchie verpflichtet fühlt, so sollte das Motiv dafür in seiner Verehrung des Prinzen von Schaumburg-Lippe gesehen werden, der für ihn in seiner Rinteler Zeit ein Ersatz für den Preußenkönig war. Der Göttinger J. G. H. Feder hingegen weicht von der Befürwortung der absoluten Herrschaft ab und zieht ihr eine konstitutionalistische Staatsform vor, und dies aus zwei Gründen: Erstens aufgrund der Zugehörigkeit Göttingens zu dem in Personalunion mit England verbundenen Königreich Hannover, das in seiner politischen Praxis der Gesetzesherrschaft doch näher stand als Preußen; und zweitens aufgrund des Einflusses, den die politische Theorie J. Lockes auf Feders Theoriebildung hatte.

In der Theorie des absolutistischen Staates kommt den Bürgern nicht der Status von politischen Subjekten zu; als Untertanen bleiben sie von jeglicher politischer Partizipation ausgeschlossen und besitzen nur die bürgerlichen Freiheiten, die ihnen der Fürst als Objekten seiner Willkür gewährt. Angesichts der Tatsache, daß daher eine Identifikation zwischen Bürger und Staat ausgeschlossen erscheint, muß es paradox anmuten, daß gerade die Aufklärer – und die Popularphilosophen unter ihnen – im absolutistischen Staat den Garanten für Reformen in Politik und Pädagogik, in Fragen der Ökonomie und der sozialen Fürsorge sahen. Die Kluft zwischen dem ökonomisch abhängigen und politisch unmündigen Individuum und dem versachlichten, mit absoluter Macht ausgestatteten Staat versuchte man mit Hilfe des überindividuellen Begriffs der Menschheit – der in der deutschen Aufklärung ein starkes Echo fand – zu überwinden. Dieser Begriff blieb aber bis zu den Stein-Hardenbergischen Reformen in Preußen ein abstraktes Postulat.

Erst mit diesen Reformen konkretisierten sich wirtschaftliche und politische Freiheiten; dazu hatte es in Deutschland eines verlorenen Krieges bedurft und des Anstoßes durch die Französische Revolution. Mit der Resonanz dieses historischen Ereignisses, das sich nun zum zweihundertsten Mal jährt, in den Schriften der Popularphilosophen beschäftigt sich der zweite Teil dieses Bandes. Die dort abgedruckten Originaltexte blieben in der Literatur zur Rezeption der Französischen Revolution in Deutschland bisher praktisch unberücksichtigt und werden daher an dieser Stelle dem Leser zugänglich gemacht. Ihre thematisch orientierte Auswahl möchte die Einführung in den Gegenstand erleichtern.

Die vorliegenden Beiträge sind Einzelstudien zur politischen Theorie verschiedener Popularphilosophen. Nur die erste Arbeit wurde im *Jahrbuch des Instituts für deutsche Geschichte* der Universität Tel-Aviv 1985 veröffentlicht. Von der zweiten wurden nur die ersten drei und der letzte Abschnitt im *Jahrbuch* 1986 verändert herausgegeben. Die übrigen Aufsätze sind Originalbeiträge.

Daß »Despotismus von jeder Art zu Widersetzlichkeit reizt« hat der französische Absolutismus praktisch erfahren müssen, während die Reaktionen in Deutschland zunächst auf die theoretische Neuorientierung der postwolffischen Popularphilosophie begrenzt blieben.

Kfar Hamakabi, im Herbst 1987   Zwi Batscha

Christian Garves politische Philosophie

Walter Abegg zum 80. Geburtstag

I

Der hugenottische Berliner Verleger François Théodore La Garde, der die *Kritik der Urteilskraft* von Immanuel Kant veröffentlicht hatte, hoffte auch das Naturrecht des berühmten Königsberger Philosophen, also seine Rechtslehre als erstes Stück der *Metaphysik der Sitten,* zu veröffentlichen. Nachdem er von Kant eine abschlägige Antwort erhalten hatte, schrieb er am 15. Juni 1791 seinem Freund, dem Kriegsrat Johann Georg Scheffner nach Königsberg: »Indessen habe ich Hoffnung, zum Ersatz ein Werk von Garve, dem Zweiten unter unsern Philosophen, zu erhalten, wobei ich nicht übel fahren werde als bei Kant, und damit tröste ich mich schon wieder und gönne dem jungen Mann, was ihm das Glück beschieden.«[1]

So hoch wurde einst Christian Garve eingeschätzt, der im 18. Jahrhundert, nach Christian Wolff und seinen Schülern, zusammen mit Moses Mendelssohn, das philosophische Denken in Deutschland bestimmte, bevor er schnell durch Kant und den deutschen Idealismus und durch die neuen romantischen Strömungen in Vergessenheit geriet.[2] Praktische Philosophie, wie sie insbesondere Garve repräsentierte, verlor an Wirkung. Die Diskreditierung der »seichten Aufklärung« und ihres Erbes erfaßte auch den Protagonisten der »Popularphilosophie«, der als Folge sich erweiternder Aufklärung und selbständigen, vorurteilslosen Denkens den allmählichen, von jeder Generation neu zu gestaltenden Fortschritt der menschlichen Gesellschaft erwartete. Vergessen ist, daß Garve es war, der als einer der ersten in Deutschland über die Bedeutung der »öffentlichen Meinung« reflektierte, die aristotelische Formulierung societas civilis sive res publica mit »bürgerlicher Gesellschaft« übersetzte, in ihr den citoyen vom bourgeois unterschied[3] und wahrscheinlich auch den Begriff von der »Totalität der Gesellschaft«[4] prägte und in das deutsche Schrifttum einführte.

Breslau, wo er 1742 geboren wurde, verließ er bis zu seinem Tode 1798 nicht häufig, für längere Zeit nur zum Studium in Frankfurt an der Oder, Halle und Leipzig, sowie für eine zweijährige Professur an der Leipziger Universität. Garve mußte nicht wie viele deutsche Schriftsteller auf erniedrigenden Hauslehrerposten ausharren, einem entré-billet in die Gelehrtenrepublik. Sein Lehrer und Mentor Gellert vermittelte ihm die Freundschaft maßgebender Persönlichkeiten der Leipziger Aufklärungsgesellschaft wie Zollikofer und C. F. Weiße[5], mit denen er noch in späteren Jahren eine langdauernde rege Korrespondenz führte. Zur Aufgabe seiner Leipziger Professur dürften neben einer ausgeprägten Bindung an seine Mutter auch die für ihn entmutigenden Gelehrtenzwistigkeiten beigetragen haben[6], denen der sehr sensible, damals dreißigjährige Garve kaum gewachsen war. Beschauliche Gelehrsamkeit, Provinzheimat und Mutternähe bildeten das Zentrum seines wenig bewegten Lebens, aus dem allenfalls seine Begegnung mit Friedrich II. hervorzuheben ist. Die kommentierte Übersetzung von Ciceros *De officiis*, die der Preußenkönig ihm damals auftrug[7], erschien zwischen 1783 und 1819 in sechs Auflagen, und trug wesentlich zu seiner Anerkennung in der Bildungswelt seiner Zeit bei.

Garve war einer jener Gebildeten, die in Deutschland seit 1770 an Einfluß gewannen, indem sie im Prozeß der Aufklärung das politische Bewußtsein steigerten, das sich in immer zahlreicheren Zeitschriften artikulierte. Seit dem Ausbruch der Französischen Revolution gewann diese geistige Haltung an Intensität und Ausbreitung, ohne aber konkrete politische Organisationsformen zu beanspruchen.

Garves letzte Lebensdekade war jedoch nicht nur durch die politischen Umwälzungen in Frankreich beeinflußt, sondern noch mehr durch die »geistige Revolution«, die die Schriften Kants und, in seinem Gefolge, Reinholds, Fichtes und anderer in der Philosophie hervorbrachten. Ein charakteristischer Ausdruck für diese Umbruchstimmung ist in einer Briefstelle Garves an Weiße vom 28. November 1797 zu finden: »Die Revolutionen in den Ideen, die in unserm Zeitalter vorgegangen sind, sind beinah eben so schnell und gewaltsam, als die im politischen System.«[8] So wie er sich mit den neuen Problemen im »Reiche der Ideen« beschäftigte, regten ihn die vielen Veränderungen an, die während seiner Lebenszeit in den Denk- und Verhaltensweisen der Menschen, aber auch in den sozialen Institutionen und in der Politik vor sich gingen. Sie fanden Ausdruck in den Veröffentlichungen Garves, der, als Schlesier geboren, Untertan dreier preußischer Könige war, die Preußische Aufklärung, das Preußische Allgemeine Landrecht – mit all seinen inneren Widersprüchen – entstehen sah, Kriegswirren erlebte und friedliche Blüte genoß. In seinen Schriften spiegeln sich die wesentlichen politischen Vorgänge seiner Zeit: der Unabhängigkeitskampf der 13 nordamerikanischen Kolonien, die Teilungen Polens, die Reformversuche Josefs II. und die darauf folgende Reaktion in Ungarn und Brabant, der gewaltsame Umbruch in Frankreich. Sein Interesse an den Ereignissen im Ausland – war doch »der jetzige Zustand von Europa selbst einer immer fortgehenden Revolution ähnlich«[9] – trübte nicht seinen Blick für das Geschehen in den deutschen Ländern mit seinen Auswirkungen auf die tradierte Begriffswelt. Er stellte sich den neu auftauchenden Fragen, z. B. nach dem Eigentum und seiner Sicherung auch bei territorialen Veränderungen und in Kriegszeiten, nach deren Einfluß auf den Patriotismus, auf das Münzwesen und auf die Entwicklung oder den Verfall kleiner Städte. Seine weitgespannte Aufmerksamkeit für sozialphilosophische Fragen richtete sich unter anderem auf die Frage des Verhältnisses von Adel und Bürgertum, wobei er die Bürger nicht mehr unter den alten Begriff der Stadteinwohner subsumierte, sondern die sich neu entwickelten Schichten der Staatsbeamten, Pastoren, Gebildeten und anderen Freiberuflichen meinte. In anderen Arbeiten reflektierte er die Lage der Bauern, den aristotelischen Sklavenbegriff und das Herr-Knecht-Verhältnis.

In seinen gesellschaftstheoretischen Konzeptionen fungieren als Motive menschlichen Handelns Ehrgeiz und Eigennutz[10], feudale wie bürgerliche Triebfedern also, andernorts wieder nur das bürgerliche Streben nach Reichtum[11], das er auch in den Anfangsstadien der Französischen Revolution erkennt: »Die Franzosen haben, (welches aller Welt unglaublich schien), ihren König und selbst die königliche Würde verachten lernen; aber das Geld haben sie lieb behalten.«[12] Dieser Satz gilt nicht nur für Frankreich. Auch in Deutschland sieht Garve ein ständig wachsendes Gewicht des nach Besitz strebenden bürgerlichen Elements: »Alles konkurriert leider, den Wert des Geldes in den Augen der Menschen immer größer und größer zu machen. Und es scheint, daß es eher möglich sei, einen Staat umzustürzen, eine Konstitution zu verändern, [...] als den Menschen unsrer Tage die Begierde nach Reichtum abzugewöhnen.«[13] Trotz seiner Kritik an der allgemeinen Atmosphäre des Gewinnstrebens bejahte Garve das moderne Privateigentum, wollte es aber – da er dem Staat soziale Aufgaben zuschrieb – durch den noch bei Christian Wolff dominierenden Begriff der »allgemeinen Wohlfahrt« und Nützlichkeit begrenzt wissen. Noch waren auch die deutschen ökonomischen und sozialen Verhältnisse nicht auf einer solchen Stufe der Entfaltung, denen eine besitzbürgerliche Theorie, wie sie J. Locke vertrat, entsprochen hätte. Als Kant seine Theorie in dieser Richtung entwickelte, wurde er allerdings durch Fichte korrigiert, der das Privateigentum in die soziale Verantwortung des Gemeinwesens eingebettet wissen wollte.

Nicht nur miterlebte politische, ökonomische oder soziale Tagesereignisse fanden in Garves Schriften ihren Niederschlag; er selbst vermerkt den starken Einfluß fremden Gedankenguts, das er durch Lektüre und seine umfangreichen Übersetzungsarbeiten kennenlernte, auf seine eigene Denkrichtung: »So weit ich mich zurück erinnere, hat mein vornehmstes Nachdenken darin bestanden, den Unterricht, den ich von anderen empfing, auszulegen, zu bestreiten, zu bestätigen. Ich habe im Grunde immer fremde Werke kommentiert [...]. Ich mag weniger Genie haben hervorzubringen, als gesunde Vernunft zu beurteilen und auszubilden, was schon gefunden ist.«[14] Trotz seiner unprätentiösen Selbsteinschätzung, der es nicht um Originalität geht, verdient Garve nicht, als bloß epigonaler Kommentator eingestuft zu werden, denn gerade seine »gesunde«, lebensgebundene Denkweise und vergleichsweise einfache Sprache haben die Philosophie aus den Wolken der Schul- und Transzendentalphilosophie auf die Erde der sozialen Praxis herabgeholt und sie dem Monopol der Universitätsscholaren entrissen. Die Lebensgebundenheit der sogenannten »Popularphilosophie« aber ist es wiederum gewesen, die zu ihrem raschen Verfall beigetragen haben dürfte, denn ohne den Halt an Systematik und Methodik, die ihr Dauerhaftigkeit gesichert hätten, endete mit dem Hinscheiden ihrer Träger und mit dem Aufstieg der Philosophie des deutschen Idealismus ihre Funktion als maßgebender Faktor der Gedankenwelt. Dennoch soll nicht verkannt werden, welchen bedeutsamen Platz die popularisierende Philosophie und Garve in der Geschichte des Denkens eingenommen haben. Er selbst verzeichnet ganz unumwunden und bescheiden: »Denn weit entfernt, mich Kanten an Tiefsinn und systematischem Geiste an die Seite zu setzen, erkenne ich vielmehr, daß ich zur Philosophie des Lebens gemacht [...] bin.«[15]

II

Diese der systematischen entgegenstehende, lebensbezogene Philosophie will die aus der Lebensrealität gewonnene Erkenntnis nutzbar machen; darum ist ihr Themenkreis kein fachlicher im üblichen Sinne. K. G. Schelle, ein Zeitgenosse, versuchte Garves Schriften folgendermaßen einzuteilen: 1. psychologische, 2. moralische, 3. ästhetische, 4. kulturgeschichtliche, 5. gesellschaftliche, 6. politische und staatswissenschaftliche, 7. biographische, 8. philosophische im engeren Sinne, 9. vermischte.[16] Diese Einteilung zeigt die breite Streuung des Interesses, die deutliche Bevorzugung der »praktischen Philosophie« und des Desinteresses an für die »Schulphilosophie« so typischen methodischen und epistemologischen Fragen. Beeinflußt in dieser Beschränkung auf eine lebensbezogene Philosophie wurde Garve auch durch die psychologische Einteilung in sittliche, ökonomische und politische Phänomene des gesellschaftlichen Lebens, wie er sie bei D. Hume exemplarisch kennenlernte.

Garve selbst deklariert sich in seinen *Betrachtungen* gegenüber den »echten« Philosophen als ein populärer Philosoph im »schlimmsten Sinne« und weiß sehr wohl, daß er in ihren Augen »ein Prediger des allgemeinen Menschensinnes, des Feindes aller echten Philosophie, sei. Ich gestehe ihnen, daß sie Recht haben. Ich gebe ihnen auch zu, daß dieser Menschensinn, dem ich anhänge, sich oft bei zwei Menschen, und bei einem und demselben, zu verschiedenen Zeiten widerspricht.«[17] Logisch deduzierte Wahrheiten lassen sich aber unter dem löcherigen Schirm möglicher Widersprüche nicht finden, und auch ein lumen naturale oder apriorische Ansätze allein sind bei der Verarbeitung konkreter Observationen kaum hilfreich. Da jedoch Beobachtung als Anfang und Urgrund der sensualistischen Philosophie von Sinneswahrnehmungen zu Erfahrungsbegriffen führt, die, durch synthetisierende Verallgemeinerungen zu Ideen gestaltet, in ihrer weiteren Verknüpfung nicht nur in der Beobachtung verankerte

Elemente enthält, kann Garve einerseits als Empiriker angesehen werden, andererseits, in einer ganz besonderen Bedeutung, als »Metaphysiker«, wie er sich selbst sieht, wenn er in der Zueignung seiner Sittenlehre an seinen alten Freund, den Rektor Manso, schreibt: »Ich für meinen Teil kann nichts Besseres, und nichts besser tun, als philosophieren: und meine Freunde müssen also, wenn ich ihnen eines meiner Bücher zueigne, mit etwas Metaphysik vorlieb nehmen.«[18]

Daß die Beschäftigung mit der Metaphysik im üblichen Sinne nicht gerade seiner Befähigung entsprach, bezeugt seine selbstkritische Einsicht, »nur der, durch Kunst, Geschichte und Welterfahrung, mit sinnlichen und praktischen Gegenständen Bekannte wählt den Weg a posteriori und verfolgt ihn mit Glücke«.[19] Erst die Verknüpfung allgemeiner Erfahrungsdata mit einer auf die Sinne gestützten Weltklugheit ergäbe eine wahre Philosophie, deren Höhepunkt die Einheit des Allgemeinen mit dem Besonderen bildet. Garve war sich der Schwierigkeit einer solchen Zusammenfügung und des Zwiespalts zwischen Theorie und Praxis, Naturrecht und Geschichte, Moral und Politik, Prinzip und Konkretem wohl bewußt, glaubte aber, sie mit der Behauptung abtun zu können, daß, solange Menschen Menschen seien, die Theorie immer Ausnahmen erleiden müsse.[20]

Ein geschlossenes, einheitliches und undurchdringliches System zu formen, ist natürlich viel schwieriger, als eine Theorie vorzulegen, in der modifizierende Ausnahmen für besondere konkrete Situationen zugestanden werden. Beispiele dieser letzten Art sind ohne Zweifel bei Garve zur Genüge zu finden.

Im Essay über die »Verbindung der Moral mit der Politik« äußert er einen Vorbehalt gegenüber der eigenen Darstellung: »Diese Sätze, die von unleugbaren Erfahrungen abstrahiert sind, haben dennoch Einschränkungen nötig, wenn sie nicht anstößig und dem Mißbrauche unterworfen sein sollen.«[21] In ähnlicher Einengung verfährt Garve mit der öffentlichen Meinung. Er mißt ihr eine erhebliche Bedeutung für Fortschritt und Staatsreformen zu, will sie aber nur für solche Zeiten reduziert wissen, in welchen »Ruhe möglich«[22] ist; in Krisenzeiten sei mäßigende Selbsteinschränkung geboten. Politische Stabilität wird also der Reform vorgezogen. Ein drittes Beispiel: Garve polemisiert in Verteidigung der Würde des Menschen und seiner Rechte gegen Kants Ablehnung des Widerstandsrechts, um schließlich in Anerkennung politischer Gegebenheiten dessen Standpunkt für die konkrete Wirklichkeit zu übernehmen.[23] Auch hier ist es für Garve ein Ausweg, politische Grundsätze für zukünftige, unvorhersehbare, nicht aber für gegenwärtige gegebene Verhältnisse aufzustellen. Die historische Relativierung dient auch dem Zweck, das Besondere dem Allgemeinen vorzuziehen. So kann von den europäischen Staaten schon ein rechtliches Verhältnis im gegenseitigen Verkehr gefordert werden, das den rechtlichen Beziehungen und deren Verbindung in einzelnen Staaten ähnlich ist, denn »die lange Dauer unserer Staaten, die beträchtliche Anzahl derselben, die auf einem nicht allzugroßen Raume nebeneinander existieren, und die immer wachsende Ähnlichkeit der Menschen, die in diesen Staaten wohnen, macht den wahren Grund jener Verbindungen«.[24] In den asiatischen Staaten hingegen, mit allen ihren Revolutionen, wo noch ganze Staaten verschlungen werden, können sich keine Verhältnisse konstituieren, aus welchen sich schon »heilige Rechte«[25] legitimieren ließen.

Wenn Garve auch beileibe keine Totalreform proponierte, beschäftigten ihn doch partielle Änderungsvorschläge für verschiedene Lebensbereiche wie das Armenproblem, dem er viel Aufmerksamkeit und reifliches Studium widmete. Er hoffte, daß Männer von Erfahrung aus seinen Erörterungen die notwendigen Konsequenzen ziehen würden, denn »*Vorschläge zu machen im allgemeinen ist leicht; ihre Ausführbarkeit zu zeigen durch die pünktliche Erörterung aller Umstände, die dabei zusammenlaufen, ist schwerer: sie wirklich und glücklich auszuführen, ist das wahre Werk politischer Weisheit!*«[26] So deutlich Garve politische Weisheit umschreibt, so vage bleibt er in seiner Definition der Politik selber – ein Wort, das er je nach Zusammenhang unterschiedlich gebraucht. Er, der »philosophische Moralist«[27], erblickt, wie Aristoteles, in Ökonomie und Politik, soweit diese als praktische Wissenschaften menschliche Tätigkeiten in den öffentlichen Bereichen gestalten, Teilbereiche der Sittenlehre, sind doch Gemeinwohl und Gedeihen des Einzelnen »politische und ökonomische Tatsachen [...] die gewöhnlichen, in jeder Gesellschaft zu erwartenden, Gegenstände aller Gespräche«.[28] Andernorts, besonders wenn er die Besonderheit des Philosophierens über moralische Themen hervorhebt, betont er wieder, daß »die gemeinere Wißbegierde auf physische oder politische Gegenstände gerichtet ist«[29], die unphilosophische Köpfe befriedigen könne, während der »philosophische Moralist«, losgelöst von empirischen Gehalten, in weltentrückter Ideenhöhe sich an moralischen Überlegungen vergnügt. In einer anderen Schrift erkennt Garve die Wichtigkeit positiver Erfahrungsdaten, mit deren Hilfe die Politik, also die konkrete Gestaltung des Zusammenlebens der Bürger, eine eigene Wissenschaft entwickelt, wenn er die Bereicherung der »Staatswissenschaft« durch die neuen Versuche ganzer Nationen mit ihren Regierungsformen – Frankreich also – erwähnt.[30] Nach seiner Übersetzung des *Wealth of Nations* von Adam Smith verzeichnet er mit Genugtuung, daß besonders die ökonomische Verwaltung, bis dahin nur Objekt starrer Routine, nun zu einem Gegenstand wissenschaftlicher Untersuchung und damit ein wichtiger Teil der Philosophie geworden sei: »Dadurch hat die Geschichte zugleich einen neuen Gesichtspunkt, größere Brauchbarkeit, und ein allgemeines Interesse gewonnen: indem sie jetzt nicht mehr bloß, für Krieg und Frieden, und die Unterhandlung unter Völkern, sondern auch für Ackerbau, Handel und die Gesetzgebung, besonders für die, welche die Auflagen und die innere Polizei betrifft, und endlich für die Kenntnis der menschlichen Natur selbst und die Gesetze ihrer Entwicklung, die belehrenden Facta sammelt.«[31]

III

Schon früher, 1793, hatte Garve enthusiastisch statuiert, daß die Ökonomie sozusagen den Zusammenfluß und Grenzposten von Politik, Moral und Naturkunde bilde[32] und durch ihre Neuheit erfrischend auf die intellektuelle Neugierde wirke. Seine oft grundsätzlichen Einsichten, seine unterschiedlich nuancierten Darstellungen und Betrachtungen hängen nicht nur mit der Verschiedenartigkeit der gerade behandelten Themenkreise zusammen, sie sind auch die Frucht des geistigen Erbes, das von Garve verarbeitet wurde. Als Eklektiker hatte er in seine Philosophie Elemente der Lehren von Platon, Aristoteles und Cicero, von Grotius und Montesquieu und von den schottischen Moralphilosophen aufgenommen und assimiliert. Den abstrakten Theorien der mittelalterlichen Philosophie war er ebenso abgeneigt wie der römisch-katholischen Religion, die er als eine Soziallehre für die niederen Klassen und als Instrument für die Erhaltung der bestehenden Zustände und des Gehorsams gegen die existierende Herrschaft ansah.[33]

Über sein Moralsystem schreibt Garve selbst, es sei dem platonischen angeschlossen[34], ein anderes Mal, daß die Sittenlehre der Stoa für ihn viel bestimmender sei als die Platons und Aristoteles'. In der Stoa fand er das Ideal der Vollkommenheit als dominierendes Element, von Platon entlehnte er die Harmonie als »Wesen der Tugend«.[35] War doch der Harmoniegedanke ein für die Aufklärung und den Neuhumanismus charakteristisches Postulat.

Für Garve scheint der Harmoniegedanke erhebliche Bedeutung gehabt zu haben. Er, der eine universalistische Ethik ablehnte und partikulare Moralansprüche an jeden Stand stellte, konnte mit Hilfe des Harmoniebegriffs die besonderen Verhaltensweisen einzelner Schichten koordinieren und dadurch die für jede Bevölkerungsgruppe spezifischen Pflichten mit den Bedürfnissen des Gemeinwohls verbinden.

Von seinem »Freund Aristoteles«[36] übernahm Garve u. a. methodologische und systematische Elemente und das Prinzip der Glückseligkeit als Triebfeder der Tugend[37], doch bestand sein Hauptanliegen in der Betonung des induktiven Denkansatzes. Garve wollte Aristoteles von den metaphysischen Sezierungsversuchen seiner scholastischen Interpreten und den Fallstricken ihrer Kommentare befreien, die er für völlig unbrauchbar erklärt: Immer wieder pries er die Methode, bei der Untersuchung der Phänomene vom Besonderen zum Allgemeinen fortzuschreiten und betonte, daß Aristoteles mehr ein beobachtender als spekulativer Kopf war, der sein System auf Beobachtung aufbaute.[38] Garve, der sich in seinen späteren Jahren hauptsächlich mit der Übersetzung der Ethik und Politik des Aristoteles beschäftigte, sah wie dieser die Bedürfnisnatur des Menschen als Ursache der Entwicklung von Gesellschaft und Staat.[39] In der Frage der Sklaverei aber wandte er sich gegen sein Idol. »Reichtum und Armut, Macht und Ohnmacht, nicht Verstand und Einfalt, nicht feiner Glieder- und grober Knochenbau bestimmt in der Wirklichkeit, wer Herr und wer Knecht sein soll«[40], eine Interpretation, die Ursache und Entwicklung von Sklaverei und Dienstbarkeit von der physiologischen auf die annehmbarere soziale und politische Begründung verschiebt.

Cicero entwickelte den platonischen und aristotelischen Bürgerbegriff für die Freien des Stadtstaates weiter, indem er in den

Pflichten gegenüber dem Gemeinwesen den moralischen Primat sah und in diesem politischen Gesellschaftsideal die subtile Befriedigung menschlicher Bedürfnisse. Es kann angenommen werden, daß Garve, der versierte De officiis-Übersetzer, von Ciceros Darlegungen über Gesellschaft und Gerechtigkeit, über Gleichheit und Bürgerrechte und -pflichten und über den Eigentumsschutz nicht unbeeindruckt blieb. Den ciceronischen Vollkommenheitsbegriff allerdings unterzog er einer kritischen Wertung aus zwei Gründen: Erstens wegen der von jeder konkreten Wirklichkeit abstrahierenden Form dieses Begriffes, der ihm deshalb als leer und unergründlich erscheint, »weil uns hier die Erfahrungen mangeln, auf welche alle unsre Begriffe gegründet sind«.[41] Daraus folgt auch die zweite Richtung seiner Kritik, daß nämlich so der abstrakte Tugendbegriff absolut gesetzt sei und es deshalb nur eine einzige, wenn auch unerreichbare Art der Tugend gäbe. In seiner historisch ausgerichteten und prozessualen Denkweise kennt Garve nur die graduell steigende, stufenweise verstärkte Erfüllung schuldiger Pflichten auf dem Wege zur vollkommenen, nie zu erreichenden Tugend, die nur als allgemeiner Maßstab benützt werden soll.

Nach Garves Auffassung vollzieht sich die graduelle Entwicklung nicht nur in der Zeit, sondern auch im Raum. Zu dieser Feststellung gelangt er in Übereinstimmung mit dem ciceronischen Gerechtigkeitsbegriff. Garve übernimmt diesen wie die drei anderen stoischen Kardinaltugenden – Mäßigkeit, Klugheit und Tapferkeit – vermittelt durch die Interpretation des Römers. »Cicero rechnet zur strengen Gerechtigkeit zweierlei: nicht Unrecht tun; und vor Unrecht schützen. Unsere Philosophen würden das letztere zu den Wohltaten rechnen. Sie sagen: die Gerechtigkeit ist die Beobachtung der Zwangspflichten, – von dieser Art ist ohne Zweifel die Unterlassung von Beleidigungen. Aber jemanden Beistand zu leisten: das ist nur eine Gewissenspflicht.«[42] Durch die Einbeziehung der Wohltat in den Gerechtigkeitsbegriff erlöst Garve diesen aus der Enge der abstrakten Theorie und erweitert ihn für die möglichen Grade menschlichen Handelns. In dieser neuen Auffassung von Gerechtigkeit stehen an einem Ende die Zwangspflichten und am anderen die Gewissenspflichten. Die menschlichen Handlungen in ihren diversen Nuancen hingegen bewegen sich an den verschiedenen Orten dieser weiten Skala. Das Verhältnis von Moral und Politik, ihre Verbindung und

Scheidung, war Gegenstand ausgedehnten und tiefgründigen Studiums für Garve, der eine Überbrückung der mittelalterlichen Kluft zwischen beiden durch die Rezeption des römischen Rechts beobachtet, die, mit den Hohenstaufern beginnend, sich seit dem 14. Jahrhundert auf breiter Grundlage durchsetzte. Der Rezeptionsprozeß habe, so Garve, mit dem großen Werke Grotius' seinen Abschluß gefunden. Dieser habe zwar kein neues Moralsystem erfunden, »aber er verband zuerst die Philosophie mit der Rechts- und historischen Staatswissenschaft«.[43] Garve betont die Wichtigkeit dieser Entwicklung, weil er in der modernen Naturrechtslehre ein neues qualitatives Element erblickt, durch das eine übergeordnete moralische Wertung für die positiven Gesetze und die durch sie bewirkten politischen Handlungen aufgedeckt wird. Die erste neue Formulierung des Moralprinzipes findet er schon bei Pufendorf vor, dessen Prinzip der Geselligkeit er einer zweifachen prüfenden Untersuchung unterzieht: erstens sei es selbst abgeleitet und kein Urprinzip, und zweitens müsse dem Menschen dargelegt werden, daß ihr eigenes Wohlergehen mit dem der Gesellschaft unzertrennlich verbunden sei. Da sich, wie Garve meint, die meisten moralischen Handlungen in der Gesellschaft vollziehen, kann er eine Verbindung zwischen moralischen Prinzipien und den Anfängen einer modernen Sozialwissenschaft herstellen: »Die Zergliederung der Verhältnisse, welche in der Gesellschaft, besonders der bürgerlichen, vorkommen, und die Untersuchung, was bei jeder derselben einzelnen Personen oder dem Ganzen schadet oder nutzt, macht daher in der Tat den wichtigsten und zugleich weitläufigsten Teil der moralischen Wissenschaft aus.«[44] Wenn Garve auch das aufklärerische Utilitaritätsprinzip als moralischen Maßstab für die empirische Analyse menschlicher Umgangsformen und Verhaltensweisen bestehen läßt, bemüht er sich doch gleichzeitig um ihre empirische Erforschung, die in zwei umfangreichen Bänden *Über Gesellschaft und Einsamkeit* ihren Niederschlag gefunden hat und ihm nicht umsonst den Ruf des »ersten deutschen Soziologen«[45] einbringen.

Moralischer Kriterien bedient sich Garve zur Brandmarkung sozialer und politischer Mißstände, wenn er den kategorischen Imperativ Kants benützt, um in einer für ihn seltenen Gefühlsaufwallung vier Hauptübel der Gesellschaft seiner Zeit anzuprangern: Die Sklaverei, den Despotismus, das Verhalten der sorgenlosen Herren gegenüber ihren Untertanen und die Herrschaft der Günstlinge.[46] Gewiß, viele seiner Zeitgenossen haben dies auch getan. Wenn aber der sonst so maßvolle und zurückhaltende Garve seiner Empörung die Zügel schießen ließ, mußte seine unverhohlene, für ihn uncharakteristisch emphatische Verurteilung nur die düstere Härte der damaligen Zustände unterstreichen.

Den Grundgedanken der moralischen Tätigkeit, jenes bis zur Liebe gesteigerte Wohlwollen, schreibt Garve – neben dem Ansatz bei Cicero – den schottischen Moralphilosophen zu. Eine Liebesethik findet sich jedoch schon bei Ch. Thomasius als zentrales Anliegen und hat sicher Spuren in der deutschen Spätaufklärung hinterlassen, wenn es auch keinen direkten Hinweis auf sie bei Garve gibt.[47] Hier muß auch die emanzipatorische Bedeutung dieser Liebesethik hervorgehoben werden, die einen Teil der politischen Handlungen aus dem Zwang der Rechtsnormen ausklammert und dadurch eine Freizone autonomer, vernunftmäßiger Aktivität errichtet: »Die verbindende Macht der Liebe soll nicht nur willkürliche Herrschaft verhindern und die Zuchtmittel der Autorität ersetzen, sie soll überhaupt die herrschaftsfreie Verwirklichung des Vertragszustands, die soziale ›Gleichheit‹ und spätere ›Brüderlichkeit‹ der Französischen Revolution vorwegnehmen.«[48]

Die Schotten, besonders Ferguson, hatten beträchtliche Einwirkung auf Garves Gedankenentwicklung.[49] Garve bezeichnet Hume als den Essayisten par excellence, der in seinen Augen Montaigne und Montesquieu übertrifft[50], und Adam Smith als den ersten unter seinen schottischen Lehrern und Freunden und als einen originellen Kopf.[51] Ferguson, dessen Moralphilosophie Garve übersetzte, vertrat nach seiner Auffassung das »Echt-Stoische« System, da der Mensch Glückseligkeit in ständiger Vervollkommnung seiner Natur finde, die sich in der auf Unerreichbares gerichteten patriotischen Aktivität im antiken Sinne ausdrückt. Man kann allerdings auch vermuten, daß Fergusons Konservatismus der Garveschen Skepsis und Behutsamkeit näher lag als die nach Reformen strebende und zukunftsgläubige Tendenz eines Adam Smith.[52]

Schon in seiner Polemik mit Nicolai stützt sich Garve in der Frage des Beginns des Christentums und der Etablierung der päpstlichen Macht und Autorität auf Ferguson.[53] Darin kann man

einen Versuch Garves erkennen, die Abstraktionen der Montes-
quieuschen politischen Theorie durch Fergusons sozialgeschicht-
liche Methode zu überwinden. Sosehr Garve Montesquieu als
politischen Schriftsteller schätzte, sah er seine Beurteilung der
Regierungssysteme von einem Begriffszwang durchdrungen und
glaubte, daß Ferguson diese Themen in seinem »vortrefflichen
Werke *Geschichte der bürgerlichen Gesellschaft*« richtiger gefaßt
und deutlicher auseinandergesetzt habe.[54] Ganz von Ferguson
übernommen sind die »verschiedenen Klassen oder Stufen der
bürgerlichen Gesellschaft«[55], wobei Garve »bürgerliche Gesellschaft« eben nicht mit der modernen Form der Gesellschaft identifiziert, sondern sie als das Ganze der sozialen Zusammenhänge
bewertet; bürgerlich bedeutet deshalb allgemein-gesellschaftlich.
»Die zunehmende Identität des bürgerlichen und des gesellschaftlichen Verhältnisses wird im Laufe des 18. Jahrhunderts immer
klarer ausgesprochen.«[56] In diesem Sinne können die Stufen der
bürgerlichen Gesellschaft als historische Formationen der Ge-
samtgesellschaft verstanden werden.
Auch in der Beurteilung der Arbeitsteilung und ihrer Folgen
wurde Garve von Ferguson beeinflußt. Vergleicht man die schottischen und deutschen Aufklärer, so kann man zu der Meinung
kommen, daß die deutschen nur den individuellen Entfrem-
dungsprozessen ihre Aufmerksamkeit schenkten und die für die
Schotten so wichtigen sozialen und politischen Implikationen
vernachlässigten.[57] Es ist aber auch die Möglichkeit nicht von der
Hand zu weisen, daß die in England bereits sichtbaren sozialen
Komponenten in der historisch-ökonomischen Entwicklung der
modernen Gesellschaft in Deutschland noch nicht erkannt werden konnten. Garve widmete den sozialen und politischen Folgen
der Arbeitsteilung seine volle Aufmerksamkeit und verwies zu
ihrer Veranschaulichung auf die Entwicklung im antiken Grie-
chenland, wo sie zur Entpolitisierung des Gemeinwesens führte.
Durch das Streben nach persönlicher Distinktion wurde die Beziehung zur Gesellschaft brüchig und trieb einen Keil zwischen
das Eigeninteresse und das der Gemeinschaft.[58] »Das Verlangen
nach Gewinn erstickt die Liebe zur Vollkommenheit«[59], lernte
Garve von Ferguson. Zu den Folgen des Arbeitsteilungsprozesses
in den Manufakturen meinte Garve, daß der Arbeiter an persönlicher Vollkommenheit verliere, während die Produktion selbst
vollkommener würde.[60] An anderer Stelle sagt er: »Eben die Tei-

lung der Arbeiten nämlich, welche zur möglich größten Vollkommenheit der Manufakturen unentbehrlich ist, schränkt jeden Arbeiter immer mehr auf die bloße Wiederholung einfacher Operationen ein, bereichert seinen Geist also mit immer weniger Kenntnissen, und gibt ihm zu einer lebhaften Äußerung seiner Kräfte immer geringere Veranlassung.«[61] Diese Sätze spiegeln beispielhaft die Gedankengänge seines schottischen Zeitgenossen wider.[62]

Auch von Friedrich II. war Garve seit seinen Unterredungen mit ihm während der Teschener Friedensverhandlungen 1779 tief beeindruckt. Er bezeichnete diese Begegnung als eine der wichtigsten Begebenheiten seines Lebens, die auf die Richtung seiner Arbeiten und Studien eingewirkt habe. In seinen zweibändigen *Fragmenten zur Schilderung des Geistes, des Charakters und der Regierung Friedrichs II.* ist der interessanteste Teil seine Darstellung der gegensätzlichen Positionen des Herrschers und des Privatmannes in moralischen und politischen Fragen, eine Thematik, die schon in der *Abhandlung über die Verbindung der Moral mit der Politik* eine zentrale Stelle einnimmt. »Es ist lehrreich für jeden Menschen, zu bemerken, wie sehr der Standort des Menschen in der Welt, seine Urteile, nicht nur über die Dinge außer ihm, sondern auch über seine eigenen Handlungen, und über die Moralität derselben abändert.«[63] Während das Bewußtsein des Privatmanns und dessen Artikulation von verschiedenen sozialen Umständen abhängt, ist das Denken des Herrschers ganz vom Zweck der Herrschaft bestimmt und insofern eindimensional. Die Staatsräson bestimmt die Handlungen der Könige, die der Moral des Privatmannes diametral entgegenstehen können. Die höchste Regentenpflicht besteht in der Verstärkung der Staatsmacht, während »der Privatmann [...], welchem an Ruhe, sicherm Eigentume, und ungestörtem Genusse seiner selbst mehr liegt«[64], der Maßstab fehlt, um die Motive des Herrschers oder die politischen Ereignisse beurteilen zu können. Auch die Bemerkung, daß unter Friedrich II. der »Machtzweck« Priorität einnahm[65] und alle wichtigen Entscheidungen außenpolitischen Machtaspekten unterworfen waren, weist auf diese Kluft zwischen Privatmoral und politischen Regentenbeschlüssen hin. So aber wird der Bürger zum Untertan, dem Gerechtigkeit, Heiligkeit der Verträge und Respektierung des Eigentums zustehen, zu einem Menschen, dessen Sorge nur seinem engen Familienkreise und der nächsten Umgebung gilt und dessen vaterländische Pflichten sich auf gehorsame Ausführung herrschaftlicher Edikte und arbeitsame Produktion beschränken. Wahrer Souverän ist der Fürst, der Grenzen und Verwaltungspraktiken ändert. Der Privatmann dagegen bleibt in seine begrenzte Häuslichkeit eingeschlossen, auf die Garve sich auch selbst beschränkt: »Doch ich will die öffentlichen Angelegenheiten denen zu beurteilen überlassen, die dabei mitwirken können. Unsere Glückseligkeit wird weit mehr durch unsere körperliche Konstitution, unsere häusliche Lage, unsere Gemütsart, und unsere freundschaftlichen Verbindungen bestimmt, als durch Krieg und Frieden, durch Regierungsform und die Konjunkturen in Europa.«[66] Im Gefolge der Revolution in Frankreich hat das Politische dann doch einen höheren Stellenwert in Garves Gedankenwelt erhalten. Was in normalen Zeiten den Geist nicht beschäftigen kann, wird in Epochen großer politischer Veränderungen mit ihren neuen Hoffnungen und Erwartungen Grund zur interessierten Teilnahme an den Gegenständen des Gemeinwesens.[67] Ist doch das Interesse für das Politische zwar dem Menschen eigen, wird aber erst durch äußere Begebenheiten und Anstöße aus seiner Latenz erweckt.

Es gibt zwar auch andere Äußerungen Garves[68], die über solchen politischen Minimalismus hinausgehen; vorherrschend jedoch ist seine Begrenzung auf die Moral des Privatmannes. Es sollte allerdings nicht vergessen werden, daß es für Garve und seine Zeit nach langer arbiträrer Herrschaft und Bevormundung ein Fortschritt war, wenn sich die Staatsmacht als Garant für die Privatsphäre des bürgerlichen Verkehrs verstand, in diesem Rahmen das Eigentum und das Einhalten von Verträgen absicherte und das Streben nach Tugend und »häuslichem Glück« verbürgte. Bürgerliche Freiheit sollte in dieser Welt abgeschirmt werden, die politische Freiheit hingegen mußte auf ihre Verwirklichung warten.

IV

Für eine politische Theorie, welche die aktive Mitwirkung des Bürgers an der Gestaltung des Gemeinwesens nicht vorsah, hat die Berufung auf die Menschenrechte keine revolutionäre Bedeutung, sondern bezeichnet den Versuch, sie mit den Lebensgegebenheiten zu vermitteln. Garve beschäftigt sich zwar mit dem Gleichheitsrecht in der ständisch gegliederten Gesellschaft, aber eben nicht in demselben Maße mit dem Problem der Freiheit. Politische Freiheit fordert er nicht, sondern nur die Vermeidung von Übergriffen in die individuelle Freiheit. Im allgemeinen fand die Frage der Menschenrechte bei ihm zu verschiedenen Zeiten ungleiche Aufmerksamkeit. Sah er 1783 noch den Grund aller Rechte im »allgemeinen Nutzen«, so wandte er sich 1797 gegen die deutschen konservativen Kritiker des Naturrechts, die die Formulierung unveräußerlicher Menschenrechte für den Ausbruch der Revolution verantwortlich machten.[69]

Hier sind zwei Bemerkungen nötig: zum einen vertritt auch Garve die geläufige These der Naturrechtslehre, daß die Menschen im Naturzustande sich veranlaßt sahen, zur Sicherung des Eigentums »Freiheit und Gleichheit der Rechte, gegen Friede und Sicherheit in einer gesetzmäßigen Unterordnung zu vertauschen«[70], daß also die Sozietät die reale Bedingung für die Erhaltung des Privateigentums darstellt. In ihr verschmelzen privater Wille mit historisch Gewordenem; ihre Erhellung ist moralische Aufgabe zum Zwecke der Realisierung der Menschenrechte. Zum anderen führt der sozialphilosophische Kontext seiner Schriften Garve zu der schlüssigen These, daß bindende Verpflichtungen, die schon im Naturzustande bestehen, auch in der bürgerlichen Gesellschaft Geltung haben. Zur Erörterung dieser wechselseitigen Pflichten wie auch des Herrscher-Untertanverhältnisses bedient sich Garve der »Idee eines Vertrages [...], gesetzt auch, daß ein solcher nie förmlich geschlossen worden sei«.[71] Er sieht diese Idee in ihrer dynamischen Funktion. Sie muß sich den sich immer erneuernden rechtlichen Ansprüchen anpassen und auf diese Weise die Vermittlung zwischen Historischem und Vernünftigem auf den jeweiligen Stand des Begriffes bringen. Denn, wo nur die Tradition die jeweiligen Rechtsnormen bestimmt, »da geben die Jahrhunderte der Unwissenheit und der Barbarei, die Gesetze für das Zeitalter der Aufklärung und der Sittlichkeit«.[72] Mit dem Versuch, Naturrecht und Geschichte zu versöhnen, weicht Garve aber von der Theorie des modernen Naturrechts ab. Ihre Kraft und Wirkung schöpfte diese gerade aus der axiomatischen Behauptung, sie stehe über Zeit und Raum.

Bezüglich der Anwendung der Menschenrechte bleibt Garve bei der Warnung stehen, die Freiheit des Menschen nicht dadurch aufzuheben, daß Menschen wie Tiere oder Vogelfreie mißachtet und behandelt würden. Wie problematisch eine solche Berufung auf die Rechte und die gemeinschaftliche Natur aller Menschen ist, offenbart sich überdeutlich, wenn Garve die bestehende Ungleichheit begründet. Sie habe zwei Quellen: die natürlichen und erworbenen menschlichen Eigenschaften und die gesellschaftlichen Verhältnisse, welche die geschichtliche Rangordnung und damit auch das Zufällige wie die durch Geburt festgelegte Zugehörigkeit zu einem gewissen Stand perpetuieren. Um eine positive Zukunft annehmen zu können, sei die Einsicht erforderlich, daß die »Ungleichheit der Menschen doch nur ihr eigenes Werk, ein willkürliches Institut, die Folge von Verabredungen und Meinungen sei, welche über die natürliche Gleichheit, oder die natürlichen Unterschiede, nicht auf immer die Oberhand behalten können«.[73] Denn die natürliche Gleichheit werde sich beständiger als die von der Gesellschaft verursachten und allmählich verebbenden Ungleichheiten erweisen; andererseits werde das Gemeinsame und Verbindende konkrete Differenzen überwinden und menschliche Solidarität ständische Vorrechte abbauen helfen. Kennzeichnend für eine solche Einstellung sind bürgerliche Vorbehalte gegenüber adeliger Präpotenz, ist aber auch das gestärkte Bewußtsein einer aufsteigenden Gesellschaftsschicht, die in moralisierenden Wertbestimmungen tröstende Kompensation für noch bestehende soziale Nachteile findet.

Wie aber sollen moralisierende Forderungen nach natürlicher Gleichheit in einer Gesellschaft verwirklicht werden, die von Ehrgeiz und Eigennutz motiviert ist? Garves Appell an den Fürsten erscheint zahm, wenn nicht fragwürdig: »Kein Recht muß von jedem Stande eifriger verteidigt werden, als dieses, daß er zu allem, was Tugend und Vollkommenheit heißt, gelangen könne [...] Und es hat sicher auf die Regierung eines Fürsten einen nützlichen Einfluß, wenn er sich von der Gleichheit des Menschen in der ersten Rücksicht überzeugt, gesetzt auch, daß er die Ungleichheiten derselben in der zweiten beibehält und befestigt.«[74] Auch hier verdrängt der philosophische Moralist den empirischen Analytiker.

V

Aus dem Obigen ergibt sich ein weiteres Dilemma für Garves politische Theorie. Einerseits ist die soziale Ungleichheit der Menschen eine von ihnen selbst, aufgrund von Abmachungen stipulierte Einrichtung, die alles menschliche Verhalten bestimmt. Andererseits soll der Fürst das natürliche gleiche Recht jedes Menschen zur Vervollkommnung seiner Tugend respektieren und verteidigen. Was ist nun das gegenseitige Verhältnis dieser subjektiven und objektiven Faktoren? Ist nach Garves Anschauungen einer dieser Faktoren dominierend oder liegt hier eine gleichwertige Beziehung vor? Seine Antwort ist einfach, soweit es die Einwirkungen der Natur oder des Klimas auf das menschliche Verhalten angeht. Garve zeigt sich als treuer Anhänger Montesquieus, wenn er »Sitten, Denkungsart und selbst die Sprache«[75] von der Natur des Bodens abhängig sieht oder die Tiefsinnigkeit und Abstraktheit der deutschen Philosophen teilweise dem nördlichen Klima zuschreibt. Deterministisch interpretiert ist in Garves sozialphilosophischen Reflexionen auch seine Annahme, daß sich die Neigungen und Gewohnheiten der Menschen nach ihren Beschäftigungen richten. Wenn er aber gegen die »falschen Weisen« zu Felde zieht, die die Glückseligkeit des Menschen eher von den Staatsverfassungen als von seinen persönlichen Eigenheiten und Familienverhältnissen abhängig sehen[76], deutet dies auf eine subjektiv-voluntaristische Gedankenrichtung hin. Verwickelter ist die Antwort, soweit es um soziale und politische Angelegenheiten wie Aufklärung, Religionsreformation und Staatsgeschäfte geht. Die Aufklärung, meint Garve, sei ein Faktum geworden, so daß reaktionäre Bemühungen wie das Wöllnersche Religions-Edikt nicht mehr »die bis zu einem gewissen Grade der Aufklärung gelangte Vernunft zu verdunkeln und zurück in Aberglauben zu treiben vermögen«.[77] Positive Weiterentwicklung der Aufklärung sei jedoch nicht ohne zusätzliche Anstrengungen möglich. »Durch die Schriftsteller allein kann die Aufklärung bei einer Nation allgemein werden«[78], schreibt Garve an Schiller. »Geist der Zeit« oder »des Zeitalters« ist die bisherige historische Entwicklung in ihren verschiedenen Bereichen auf einen gemeinsamen Nenner gebracht. Auch der Religionsreformator ist abhängig von »dem Geiste der Zeit, und seiner Vernunft, [die] immer nur so viel reiniget und verbessert, als dieser Geist zuläßt«.[79] So ist Luther eher ein Vereinigungspunkt der schon vor seinem »Wirken vorherrschenden Meinungen als ihr Stifter und Urheber, der aber das schon gärende Werk der Reformation weiterführt. Auch die Herrscher sind durch den Geist ihres Zeitalters geformt und werden zuerst von diesem gebildet und regiert [...], ehe sie wieder andere bilden und regieren«.[80] Eine Ausnahme – mit deutlichem Seitenblick auf Friedrich II. – bilden jene Regenten, die durch »außerordentliche Naturgaben« oder »zufällige Vorzüge« ihre offenbare Überlegenheit erweisen, – eine Ausnahme, die Garve allerdings durch den Hinweis auf die Abhängigkeit des Herrschers von der Treue und den Fähigkeiten seiner Untertanen wieder abschwächt.[81] Wenn, wie Garve schon 1783 erklärt, nicht nur gegenwärtige Not und unmittelbare Bedürfnisse Anlaß zu Gesetzen geben, sondern auch die Weisheit, so dürfte auch in dieser Feststellung sein Bestreben erkennbar sein, objektive und subjektive Faktoren zu vereinigen. Dieses Bemühen läßt sich kaum mit der Feststellung abtun: »So steht sozusagen Garve weder auf dem Kopf noch auf den Füßen, sondern schwebt ›frei‹ irgendwo in der Mitte, hat sich aber auch schon nicht gesetzt.«[82]

Diese Behauptung setzt sich darüber hinweg, was Garve als Ziel seiner Philosophie sah, die *praktisch* orientiert und deren wesentliches Moment das aktive Eingreifen des Menschen in gesellschaftliche Vorgänge war, und zwar schon durch sein zentrales Existential: die *Tätigkeit*. Ihre Begrenzungen und Möglichkeiten definiert Garve selbst: »Was notwendige Bestimmung der Natur ist, dem folgt der Mensch, ohne daß er es weiß; was aber sein freier Wille tun kann, das muß er nach der Übereinstimmung mit andern Menschen und der Gesellschaft regulieren.«[83] Um diesen Willen mit seinen Mitmenschen in Einklang zu bringen und ihn für moralische und politische Zwecke sinnvoll zu gestalten, dazu, und hauptsächlich dazu, existiert Philosophie.[84]

VI

Dieser Primat der praktischen Philosophie, der die ganze Popularphilosophie charakterisiert[85] und ihre Bestimmung als Instrument der Aufklärung kennzeichnet, kommt prägnant in Garves Frage zum Ausdruck: »Kann wohl die Philosophie, wenn sie nun einmal nicht zugelassen wird, die Dinge in der Welt zu bessern, etwas anderes tun, als das, was geschieht zu beschreiben?«[86] In einer solchen Situation, in der sie kaum praktisch werden konnte, befand sich die Philosophie im Mittelalter, ihrer dunklen Epoche, in welcher sie sich in inhaltslosen Spekulationen leerlief, ohne auch den Wissenschaften helfen zu können. Ohne den Bezug zur Wirklichkeit besteht jedoch die Gefahr, daß sich Philosophie entweder im Labyrinth obskurer Metaphysik verirrt, ohne neue Wahrheiten zu entdecken, oder in unfruchtbare Kontroversen über abstrakte und subtile Begriffe entzweit und sektiererisch zerfällt. – Erst durch die Vereinigung von moderner Wissenschaft und praktischer Philosophie, meint Garve, habe die Philosophie in der frühen Neuzeit ihre praktische Bestimmung wiedergefunden; wenn er in diesem Zusammenhang Bacon, Montesquieu und Kant erwähnt, will er darauf hinweisen, daß die empirische Wissenschaft, die moderne sozialwissenschaftliche Methode in der Politik und der Primat der praktischen Philosophie ihre angemessene Bedeutung erlangt haben. Diese Entwicklung faßt er in der Triade zusammen: »Von einer gänzlichen Unwissenheit gingen die Menschen zu den subtilsten Untersuchungen über die Natur und den Ursprung der Dinge über: und erst spät näherte sich ihre Philosophie der Erde und dem gesellschaftlichen Leben wieder.«[87]

Durch diese Annäherung stellte die Philosophie während der Aufklärungszeit in ihren analytischen wie in ihren moralischen Teilgebieten den aktiven Menschen in seinen sozialen Beziehungen in das Zentrum ihrer Reflexionen. So kann Garve schreiben: »Keine Werke der Philosophie erlauben mehr Erhabenheit im Ausdrucke mit mehr Scharfsinn in der Untersuchung verbunden, als die, welche von der Verwaltung der Staaten handeln«[88], denn sie beschäftigen sich mit der Anwendung praktischer Maximen in Staat und Gesellschaft. Diese Beschäftigung bleibt aber trotz ihrer Lebens- und Erfahrungskonnexionen und trotz ihrer Praxisorientierung von der Applikation hic et nunc weit entfernt. Denn praktische Philosophie bedeutet in Garves Verständnis nicht Rezept für sofortige Handlungen, sondern das Denken in Allgemeinbegriffen, die für die Erfahrung geltend, für die Gesellschaft nützlich, für die Anwendung bedeutungsvoll sind.

Garve selbst hatte außer seinem Streben nach Anschluß an die höheren Gesellschaftskreise keine sozialen Ambitionen. Er wollte das der Gesellschaft Vorteilhafte lehren, verlangte aber nicht, zu jenen zu gehören, die entscheiden, ob, wann und unter welchen Umständen seine Maximen angenommen würden. Um diesen dennoch allgemeine Verbreitung zu sichern, suchte Garve Hilfe bei den Lehrmethoden der popularisierenden Philosophie: »Das Wort Popularität soll nicht sowohl die Gegenstände bezeichnen, welche man behandelt, als die Art und Weise, wie man sie behandelt.«[89] Es müsse sich eine Form finden lassen, die »grundsätzlich allen philosophischen Untersuchungen die Möglichkeit einer gemeinfaßlichen, ja leichten Behandlungsweise«[90] verbürge und dadurch zu bisher von der Philosophie unberührten Bevölkerungsschichten durchdringe. Vorträge sollten durch Bilder, Beispiele, Einbildungskraft und Witz allgemein verständlich gemacht werden. Voraussetzung dieser Popularisierung sei klare Fassung der Gedanken und gemeinsame Erfahrungen und Sprache des Vortragenden und der Zuhörer, auch wenn der Sprachgebrauch des gemeinen Mannes ein anderer sei als der des Gesitteten. Um die Gemeinverständlichkeit der Sprache nicht zu mindern, sollten schwerfaßliche, dichterische und wissenschaftliche Ausdrücke vermieden werden. Den Anhängern Kants, die den Popularphilosophen mangelnde Gedankentiefe vorwarfen, hielt Garve entgegen, man könne auch über augenscheinliche Dinge unpopulär philosophieren und so schreiben, daß die Ausdrucksweise nicht von der Thematik bestimmt werde. Gründlichkeit der Untersuchung und Ungezwungenheit des Vortrags seien nicht konträr; sie könnten auch gegenseitig hilfreich sein. Zu dieser Neigung Garves, schwierige Gedanken leichtverständlich darzustellen, ist bemerkt worden, daß sie dem Ideal seines Leipziger Freundeskreises um Gellert, Weiße und Zollikofer entsprach.[91] Gerade in seinem Falle kann eine prästabilisierte Harmonie zwischen Schriftsteller und Publikum angenommen werden: »Für Garve umfaßt ›Popularität‹ Form und Inhalt, genauer: ist als Form der Mitteilung nur der nach außen getretene Mitteilungsgehalt; und ebenso umfaßt sie Autor und Publikum, darf deren Kommunikationsweise bezeichnen, weil beide Seiten als räsonierende konvergierend gedacht werden.«[92]

Diese Art von Mitteilung, die in Freundeskreisen, Lesegesellschaften, literarischen Zirkeln, einer regen Korrespondenz und anderen Formen zwischenmenschlicher Kommunikation ihren Ausdruck fand, war ein besonderes Kennzeichen der sozialen

Struktur der Aufklärung. Zu den auf der einen Seite voluntaristischen, auf der anderen durch Institutionen geprägten Verhältnissen gehört zunächst die Freundschaft: »Sie war Korrelat der Herauslösung der Gebildeten aus dem ständischen Sozialgefüge innerhalb des umfassenden gesellschaftlichen Veränderungsprozesses der Modernisierung und seine Differenzierung der gesellschaftlichen Struktur mit den Folgen der Individualisierung.«[93] Garve lernte diese besonderen Beziehungen in Leipzig kennen, und noch Jahre später sagte er in einem Brief an Zollikofer: »Ihr neulicher Brief hat mich für ein langes Stillschweigen schadlos gehalten; so viel Wahrheit, Vernunft, Männlichkeit und Freundschaft war darin. Es würde mir eine große Herzstärkung sein, wenn ich Sie oder Leute von Ihrer Art zuweilen sprechen könnte. Es gibt hier viele geschickte Männer. Aber Leute, die über ihre moralischen Empfindungen nachgedacht hätten, oder an dem Nachdenken Anderer darüber ein Interesse fänden, gibt es nur wenige. Und ich bin fast in allen andern Sachen unwissend, außer in diesen, und werde es noch immer mehr.«[94] Die »geschickten Männer« in Breslau hatten funktionelle Soziatäten errichtet, welche gegenüber den »moralischen Empfindungen« indifferent waren. Dies bezeugte Garve, wenn er zu Beginn des Vortrages vor der Schlesischen Oeconomischen Gesellschaft meint, weil er ihr nicht nützen könne, wolle er sie wenigstens unterhalten.[95] In der Literatur der damaligen Zeit läßt sich auch eine 1794 in Breslau errichtete Lesegesellschaft für Kandidaten der Theologie feststellen, die ihnen bei der Anschaffung von neuen Büchern und deren Verbreitung behilflich sein solle.[96] Im übrigen aber meinte 1797 ein anonymer Schriftsteller: »An größere gelehrte Zirkel ist hier gar nicht zu denken. Man fing an, kleine Kreise von den gebildeten Teilen der Einwohner zu versammeln, und sie den Sociétés spirituelles ähnlich zu machen; aber immer behielt das Fleisch über den Geist die Oberhand.«[97] Der Verfasser tröstet sich, daß vielleicht das 1796 gegründete Lesezimmer beim Herausgeber der Schlesischen Provinzialblätter Streit einen Anfang zum Besseren bedeuten könnte. Zwar fand Garve auch in seiner Breslauer Zeit einige Freunde wie C. J. Pacsensky, mit dem ihn ein inniges Verhältnis verband, sowie den Hofrat Klöber; in den letzten Jahren seines Lebens pflegte er gute Verhältnisse zu seinen literarischen Freunden, den Rektoren Manso und Schneider – die Herausgeber seiner Werke – sowie zu seinem Kollegen Fülleborn, der nach seinem Tode die Ausgabe seiner Übersetzung der aristotelischen Politik besorgte. Seine fortdauernde Sehnsucht aber nach seinen Leipziger Freunden hielt die Erinnerung an diese so intensiven Beziehungen wach. Sieht man den Leipziger und Breslauer Freundeskreis zusammen, so ergibt sich, daß ihm ein Adliger, ein Pastor, ferner Staatsbeamte, Freiberufliche und Gelehrte angehörten – also eine typische Erscheinung der Aufklärungsgesellschaft.[98]

VII

Garves Anhänglichkeit an Schlesien und dessen Hauptstadt wie die Erfahrung politischer Veränderungen und Grenzverschiebungen während seines Lebens bewegten ihn, sich ausführlich der Frage des Patriotismus zu widmen. Neuerdings ist die Vaterlandsliebe als »eine Gesinnung aus Anhänglichkeit an Heimat und überkommene Institutionen aus Einsicht und gemeinnützigem Willen«[99] definiert worden: genau dies war ein Anliegen Garves. Wie ließen sich die überkommenen Institutionen Schlesiens mit dem gemeinnützigen Willen für Preußen vereinigen, wie geschichtlich Entwickeltes rational mit den neugeschaffenen Fakten der Gegenwart verbinden und für die Zukunft absichern?
Einer Freundin in Leipzig allerdings stellte Garve den Patriotismus als »Phantom« dar. Da der Begriff der Gesellschaft für den einzelnen zu abstrakt sei, zu weit, um ihn mit der Empfindung zu fassen, werde dafür ein Phantom angenommen, »welches wir selbst ausschmücken, und unter dessen Bilde wir diese unsichtbare Gottheit, das Vaterland anbeten«.[100] Diese für Garve uncharakteristische, abschätzige Charakterisierung des Patriotismus ist vielleicht nicht mehr als der Versuch des 25jährigen Magisters, sich durch pejorative Exzentrik zu profilieren. Denn sonst, wie in seinen Kommentaren zu Cicero, wertet er den Patriotismus der Antike als nachahmungswürdige und gesellschaftsgestaltende Gesinnung und behauptet wie Cicero, daß zum Großmut im tätigen und öffentlichen Leben nichts so sehr beitrage wie patriotischer Geist und »Liebe zum Vaterland«, daß die Heimat Rechte auf unsere Dienste habe und in der Hierarchie der Pflichten die Hingabe zu Eltern, Verwandten und Freunden erst nach ihnen stehen.[101] Er trauert den guten alten Zeiten in Hellas nach, »da noch

jedes Bürgers Schicksal von dem Schicksale seiner Nation abhing, und da Liebe zum Vaterlande noch Leidenschaft war«[102], die durch den Egoismus der Privatmenschen vernichtet wurde. Was zu Solons Zeiten noch instinktbegründet war, kann in der neuen Zeit nur noch erleuchtete Vernunft tun: Menschen zu Patrioten zu formen. Aufgeklärter Patriotismus muß sich über die Liebe zu Provinz und Staat hinaus zum Kosmopolitismus und zur allgemeinen Menschenliebe weiterbilden.[103]

Wie sehr Garve seine Provinz liebte, wie stark »das übersteigerte, oft sentimentale Gebundensein an die Heimat«[104] war, kann der kurzen Autobiographie entnommen werden, in der Garves Freund und Verwandter, der Jurist E. F. Klein, seine Sehnsucht nach »der alten freien Verfassung, der Stadt Breslau«[105] und seine Verbitterung über die Benachteiligung der heimatlichen Manufakturen zugunsten der Berliner Fabriken erwähnt. Klein fügt hinzu: »Besonders groß war der Haß der Schlesier gegen die Berliner, weil diese mit vornehmer Verachtung auf die Schlesier, als Provinziale herabsahen.«[106] Das Herabsinken Schlesiens zur Provinz wurde von Garve auf die Mitte des 14. Jahrhunderts datiert, als Schlesien für Jahrhunderte an die böhmische Krone fiel. Seit der Zeit der Reformation wurde es zu einem Land beider Konfessionen, was sich im Zeitalter der Gegenreformation dahin auswirkte, daß die protestantischen Adeligen nicht in den Zivildienst aufgenommen wurden und deshalb ihre berufliche Laufbahn und ihr soziales Prestige in anderen deutschen Ländern suchten: »Denn, wenn das Vaterland nicht eine Laufbahn für nützliche Tätigkeit eröffnet; wenn in demselben dem Verdienste nicht würdige Belohnungen ausgeteilt werden: so verliert sich auch der patriotische Gemeingeist.«[107]

Die Annexion Schlesiens durch Preußen sieht Garve als unproblematisch und ihren Verlauf als reibungslos an. Seine Verehrung des Preußenkönigs dürfte für diese Beurteilung eine Rolle gespielt haben. Er bemühte sich, zwischen Provinzialanhänglichkeit und Staatspatriotismus zu vermitteln, indem er Wege zu weisen suchte, wie sich Liebe zu der geschichtlich gewachsenen Provinz mit der Realität des zwangsgeschaffenen Staatsgebildes in einen neuen Ganzstaatspatriotismus verbinden kann. Bei Provinzialverfassungen unterschied er solche, deren Ursprung in der besonderen geographischen Lage, und andere, wie z. B. in Ungarn, die in übergroßer »Liebe und Ehrfurcht« beruhen, die deshalb auch den Anstrengungen Josephs II. zur Vereinheitlichung der Monarchie widerstanden. Weitere Unterschiede dürfe es in großen Staaten nicht geben, da ungleiche Behandlung einzelner Landesteile, und verschiedene fiskalische Belastungen unberechenbare und negative Wirkungen haben können. Nur eine allgemein auferlegte Last sei tragbar, da sonst Eifersüchteleien und Mißgunst zwischen den Provinzen die Entfaltung allgemeiner Vaterlandsliebe vereiteln würden. Um regionalen Partikularismus zu überwinden, müsse einerseits rücksichtslose Nivellierung vermieden werden, wie sie Joseph II. in Ungarn versuchte; andererseits dürfe zu starke Anhänglichkeit an alten Gepflogenheiten nicht die allmähliche Neuformation erschweren. Denn »nur dann wird ein Gemeingeist und ein echter Patriotismus in einem Staate möglich, wenn die verhaßten Rivalitäten zwischen den Provinzen aufhören; wenn jede anfängt ihr besonderes Interesse und ihre ausschließlichen Rechte zu vergessen, und ihren Vorteil nur in dem Flor und in der besten Regierung des ganzen Staates zu finden«.[108] Auch Garves Verbindung des Patriotismus mit der Liebe zur Landschaft wirkt wirklichkeitsfremd, weil er den »Provinzialstolz« der Bevölkerung mit ihrer Unkenntnis anderer Landesteile begründet und eine vom Staat angeregte Bevölkerungsmigration empfiehlt. Ein solcher Vorschlag kann in der damaligen Situation eine Begründung allenfalls darin finden, daß Garve die Möglichkeit der Mobilität überschätzte. Was aber für Gebildete wie ihn gelten konnte, war für den größten Teil der Bevölkerung noch nicht realisierbar.

Die Bindung an Landesverfassungen begründete Garve hauptsächlich politisch, die Anhänglichkeit an die Heimat und ihre Menschen eher soziologisch, nämlich mit der »Vorliebe, für die in ihrem Lande eigenen Sitten, Gewohnheiten, häuslichen und geselligen Einrichtungen«[109], die Solidarität und gegenseitige Zuneigung erweckt. Analog zu Rousseaus an Genf orientierten Anschauungen über Demokratie zeichnet Garve die idealen Züge einer solchen Gemeinschaft: »Wenn, mit einer prunklosen aber geschmackvollen Reinlichkeit, mit einer Gastfreiheit ohne Zwang und Aufwand, bei den Einwohnern einer Stadt, oder einer Gegend, noch die Gleichheit unter ihnen, oder auch nur der Schein derselben sich verbindet: so ist der Zauber unnennbar, mit welchem das gesellschaftliche Leben daselbst Gemüter, die nicht schon durch Üppigkeit und Stolz verwöhnt sind, an sich zieht.«[110] In dieser Idylle einer noch vorindustriellen Lebensweise und Gesellschaftsstruktur findet selbst vermeintliche Gleichheit eine positive Wertung, während die scheinbare Freiheit schlechter wegkommt, da die Spekulation über sie wichtige Güter vergessen läßt, wie »das Glück der Sicherheit und der Ruhe der Staaten«.[111]

Wenn Garve am Ende dieses Aufsatzes die »Abhängigkeit von einer und derselben Gesetzgebung«[112] erwähnt, nicht aber die Teilnahme an ihr, so meint er, es solle nicht erst der aktive Bürger, sondern schon der Untertan seine Vaterlandsliebe erweisen. Neben der Erfüllung der allgemeinen Pflichten gegenüber dem Gemeinwesen beweist sich der Patriotismus auch schon durch eine Ortsveränderung, wenn diese dem Dienst am Ganzen nützt. Er ist eben nicht nur eine rechtliche Verordnung und kann auch nicht nur mit legalistischen Denkweisen erfaßt werden. Ebensosehr verlangt er nach einer moralischen Gesinnung, um erfüllt werden zu können, und »so muß die politische Verbindung einer gemeinschaftlichen Gesetzgebung und Regierung, durch das sittliche Band der Liebe und Zuneigung, unterstützt werden«.[113] Aber die Liebe zu dem großen Gesamtstaat geht einher mit der historischen Entwicklung und bildet den Höhepunkt in einer Geschichtsphilosophie, welche die Bildung von den niederen zu den höheren Stufen des Gemeinwesens begrifflich erfassen will; Europa bestehe nur mehr aus großen Staaten, schreibt Garve, und die Zeit der Kleinstaaterei sei überholt. In diesen größeren Formationen fänden auch Waren und Reichtümer, Künste und Wissenschaften viel größere Umläufe und Wirkungsmöglichkeiten. Dadurch wird wiederum »teilnehmende Sympathie« erweckt, die auf die Weiterentwicklung dieses Geschichtsverlaufes positiv einwirkt. Preußen ist für Garve ein Beispiel dieser Entwicklung.

VIII

Reformieren wollte auch Garve, aber allmählich, behutsam, bedingt u. a. durch die Formung einer öffentlichen Meinung. »So viel ist gewiß, daß die gründlichsten Verbesserungen, die bei einer Nation in Staat, Kirche und Wissenschaften geschehen, diejenigen sind, welche durch die öffentliche Meinung, wenn eine vorhanden ist, geleitet und durch diese bestätigt werden.«[114]

In einem 1802 veröffentlichten Aufsatz führte er den Begriff auf das französische Wort *opinion publique* zurück, nicht aber das Phänomen selbst, dessen Ursprung er im Gemeingeist der antiken Republiken findet. Viele deutsche Aufklärer warfen die Frage auf, inwieweit die Aufklärung für den Ausbruch der Französischen Revolution verantwortlich sei. Garve diskutierte sie unter dem Aspekt des Verhältnisses zwischen Revolution und öffentlicher Meinung. Ihre Vorbereitungsfunktion in den kritischen Tagen vor dem Beginn der Umwälzung erkannte er an, wenn er auch der Berufung ihrer Führer auf diese »qualita occulta« nicht beistimmt. Bezeichnend für Garve ist einerseits seine Betonung der Wirkungskraft der öffentlichen Meinung, andererseits der Hinweis auf beeinträchtigende Faktoren. Kategorisch erklärt er: »Einer einleuchtenden Wahrheit aber, wenn sie einmal dahin gekommen ist, ihr Licht in viele Köpfe zu verbreiten, kann keine menschliche Macht die Ausbreitung und die Wirksamkeit verwehren.«[115] Die Meinungen müßten unabhängig voneinander sich bei einzelnen Menschen ohne äußere Einflüsse bilden und dann, ohne institutionellen Zwang und ohne spezifische Verfahren, wie durch eine unsichtbare Hand geleitet, zu einem allgemeinen Konsens zusammenfließen. »Selbstdenken und Selbsturteilen auf der einen Seite, und Teilnehmung an gewissen Gegenständen auf der anderen Seite müssen bei Vielen vorhanden sein, wo eine Stimme in Publikum erschallen soll, die man Volksstimme nennen kann.«[116] Zu den »Gegenständen«, die interessierte Teilnahme erfordern, um sie zu Objekten der öffentlichen Meinung zu machen und diese reformierend zu beeinflussen, zählt Garve Reflexionen über Politik, Ökonomie und Belletristik.

Frei von traditionellen Bindungen können selbstdenkende Menschen in der Gesellschaft durch das Medium der öffentlichen Meinung an den Vorbereitungen zu Reformen in den für sie wichtigen Lebensbereichen mitwirken. Da jedoch Erörterungen über Einzelfälle ihnen nicht die nötige kritische Distanz zu den allgemeinen Fragen ermöglichen würden, verlangt Garve in einem seiner letzten Werke von den »friedliebenden Gelehrten«, sich nur mit allgemeinen Prinzipien und nicht mit dem Besonderen zu beschäftigen. Nur dann könnten die Leidenschaften den Schriftsteller oder Leser nicht stören, jene »Unparteilichkeit« zu entwickeln, die bei der Beurteilung öffentlicher Angelegenheiten notwendig ist.[117] Da Garve daran gelegen ist, daß sich keine revolutionäre öffentliche Meinung bildet, sollen die Schriftsteller ihre Themen in gelassener Ruhe und ohne Erwähnung besonderer Mißstände erörtern, kommt den Schriftstellern eine entscheidende Rolle in der Formung der öffentlichen Meinung zu, da erst durch sie Meinungen und Gedankengänge, die im kleinen Kreis privater Unterhaltung entstehen, einem weiteren Publikum zugänglich gemacht werden. Sie müssen sich ihrer Verantwortung als Vorhut der Menschheit bewußt sein, denn »weiter als diese hervorragenden Menschen, diese Lehrer des Menschengeschlechts in der Erforschung der Wahrheit und Erkenntnis der Irrtümer gekommen sind, wird die öffentliche oder gemeine Meinung wohl nie fortschreiten«.[118] Es besteht kein Zweifel, daß Garve sein und seiner Freunde Selbstbewußtsein normativ artikulierte.

Auch in anderer Hinsicht hat Garve die Bedingungen und Grenzen der öffentlichen Meinung beschrieben. »Sobald Parteien, Vereinigung Vieler unter irgend ein Oberhaupt, sobald Verabredung und Einfluß stattfinden, so hört das, was eigentlich öffentliche Meinung genannt werden kann, auf, oder sie verliert wenigstens den Charakter, nach welchen sie auf eine gewisse Autorität Anspruch machen kann.«[119] Die deutschen Aufklärer sahen sich selber nicht als eine Partei, sie wollten durch ihr Wirken das bonum commune per se verbessern und verändern; Organisationen, die spezifische politische Ziele verfolgten, waren ihren Intentionen fremd. Sie wollten von der Mitte aus nach allen Richtungen agieren, keine Partikularinteressen verfolgen. Nach Garves Ansicht dürfen irrationale Elemente, ob nun persönlicher oder sozialer Natur, die Meinungsbildung nicht beeinflussen, und deshalb sollen auch weder Individuen noch Völker, die zu rationalem Urteil unfähig sind, an der Ausbildung der öffentlichen Meinung teilnehmen. Beispiele der Unterjochung »roher« durch »aufgeklärte« Nationen habe es schon in der Vergangenheit gegeben. Umgekehrt können untere Volksklassen durch die allmähliche Aneignung der geistigen Errungenschaften der gebildeten Schichten Anschluß an die meinungsbildende Öffentlichkeit finden. Mit dem Fortschritt der Kultur werden sich in allen Gesellschaftsschichten Talente finden, die Zugang zur geistigen Allgemeinheit haben. Dann sei die Atmosphäre für Reformen geschaffen: »Wenn eine Nation weit genug in der Kultur vorgerückt ist, daß sehr viele Einzelne sowohl Interesse als Fähigkeit haben, selbst über die Gegenstände nachzudenken, welche das öffentliche Wohl betreffen; – wenn alsdann in dieser Nation viele Einzelne oder der größere Teil im Stillen die Schädlichkeit eines gewissen Mißbrauchs, die Notwendigkeit irgend einer Verbesserung entdeckt hat; – wenn die Übereinstimmung der Meinungen hierüber nach und nach laut und ruchbar wird: – dann ist der Zeitpunkt da, wo die Veränderung unumgänglich ist; wo aber auch die Reform mit dem glücklichsten Erfolge unternommen wird.«[120]

Dieses aufklärerische bildungsbürgerliche Element in Garves Ausführungen über die öffentliche Meinung steht in Widerspruch zu denjenigen Georg Forsters. Forster beschreibt Ende 1793 die Entwicklung und Funktion der öffentlichen Meinung für den Revolutionsprozeß in Frankreich, während Garve normative Vorstellungen vorlegt. Forster legitimiert mit ihr die Stufen des Geschehens seit dem Ausbruch der Revolution, während Garve ihre Rolle als Motor möglicher zukünftiger Reformen behandelt. Vehement und schnell wirkt sie bei Forster, langsam und mit Augenmaß bei Garve. Ist die öffentliche Meinung für Forster »das Werkzeug und die Seele der Revolution«, also ein Politikum par excellence, so soll sie nach Garve als vorbereitendes gesellschaftliches Element für späteres politisches Handeln wirken. Für Forster ist sie politische Macht; was sie nicht erzwingen mag, vermag die revolutionäre Armee. Nach Garves Meinung soll sie weder direkt auf die Politik wirken noch sich um ihre Verwirklichung sorgen. Forster meint: »Diese bewegende Kraft ist allerdings nichts rein Intellektuelles, nichts rein Vernünftiges, sie ist die rohe Kraft der Menge.«[121] Garve will, daß ihre Initiierung und Ausbildung leidenschaftslos vor sich geht; die ungebildete, rohe Menge darf nicht auf sie wirken. Ihre Intensität und Aktivität erkennt Forster in Paris, im Zentrum des Geschehens, während Garve ihre Entstehung und ihre Wirkung nicht derart lokalisiert sieht. Die Initiative soll bei Garve auf die »Obern«, die Schriftsteller und Gelehrten beschränkt bleiben, während sie sich bei Forster als Druck von unten manifestiert. In diesem Sinne kann bei Forster von einer demokratischen öffentlichen Meinung gesprochen werden, bei Garve von einer dem aufgeklärten Publikum angemessenen.

IX

Über Regierungssysteme und die Art der Regierung gab sich Garve keinen Illusionen hin. Er kennt die Mängel menschlicher Einrichtungen, auch die des preußischen Staates. Zwar seien viele Fehler in der Staatskunst, viel Roheit der Sitten durch die Aufklärung beseitigt worden; damit diese jedoch zur vollen Wirkung gelangen könne, verlangt Garve von seinen Zeitgenossen, vernünftigen Gehorsam auch gegen noch unvollkommene Gesetze.[122] »Nämlich alles, was einer Regierung Ansehn und Festigkeit verschaffen kann, ist entweder die Ehrfurcht des Volks für gewisse Personen und Familien, oder es ist die für gewisse Ideen, das heißt, für Einrichtungen, Verfassungen, Meinungen und Sitten.«[123] Daß diese Ehrfurcht nicht nur aus vernünftiger Einsicht erwächst und daß Gewaltmißbräuche in allen Regierungsformen vorkommen[124], war Garve selbstverständlich bewußt. Deshalb müsse der Haufen an Gehorsam gewöhnt werden, damit Ruhe und Ordnung im Staate gesichert sind.

Die beste Voraussetzung dafür bietet der aufgeklärte Absolutismus. Er muß sich allerdings von allen Willkürpraktiken befreien und die Staats- und Volkswohlfahrt als seinen Hauptzweck setzen. Garve gründet Herrschaft auf rationale Grundlagen. Der Tyrann ist ein Feind des Menschengeschlechtes, er strebt nach größerer Macht und höherem Ansehen und will diese »mit dem Leben, der Gesundheit und dem Wohl vieler Tausenden von Untertanen und Freunden erkaufen«.[125] 1797 beschuldigt er die Verteidiger der Monarchie in Frankreich, daß sie bereit seien, selbst den »willkürlichen Despotismus« in Schutz zu nehmen. Über die Alleinherrschaft unter dem Banner der Religion, wie bei Mohammed oder Johannes von Leiden, sagt er: »Der schwärmerische Regent ist immer der größte Despot, denn er regiert mit göttlicher Autorität.«[126] Aufgeklärter Absolutismus dagegen bedeutet in seinen Augen eine Form rationaler Herrschaft durch Gesetze, denen sich auch die Regenten durch ihren Verstand unterwerfen. Machtmißbrauch soll im Aufgeklärten Absolutismus ausgeschlossen sein. Sanktionierte Gegenmaßnahmen im Eventualfall erwähnt Garve allerdings nicht.

Im Hinblick auf die konkreten Regierungsformen erörtert Garve ausführlich die Vor- und Nachteile von vier verschiedenen Möglichkeiten: erstens die Einschränkung der absoluten Herrschaft durch einen geheimen Rat, wie es seiner Meinung nach in England geschehe; zweitens ein Staatsrat aller Minister unter dem Vorsitz des Königs; drittens die Beratung des Königs mit jedem einzelnen seiner Minister, wodurch der Weg zu einer Favoritenregierung geebnet werde. Die vierte, von Friedrich ii. praktizierte Regierungsart, nämlich der nur schriftliche Kontakt der Minister mit dem König, führt zu Schwierigkeiten, die Garve in seinen *Fragmenten* hervorhebt.[127] Er sieht die Gefahr des Dualismus von Kabinett und Ministerium. »Die schlimmste Folge aber ist, daß aus dem Kabinett leicht noch ein zweites weniger angesehenes, aber mächtigeres Ministerium wird. Die Kabinetträte sollen nämlich im Grunde nur Sekretarien sein. Da sie aber täglich den Fürsten sehen und sprechen; da sie gewöhnlicher Weise die Vorträge aus den Berichten der Minister machen und die Antworten an dieselben aufsetzen: so bekommen sie natürlicher Weise auf den Fürsten sowohl, als auf die Geschäfte, den größten Einfluß.«[128] Garve befürchtet, »je mehr der Mann im Dunkel ist, der einen Fürsten zu lenken Gelegenheit hat: desto mehr ist er der Versuchung ausgesetzt, diesen Einfluß zu mißbrauchen«.[129]

Garve blieb Anhänger des Aufgeklärten Absolutismus auch angesichts der neuen französischen politischen Theorien. Zu dreien von ihnen nahm er 1797 Stellung. Der erste betrifft die Gewaltentrennung im Sinne Montesquieus. Die für ihn unakzeptable Teilung von Legislative und Exekutive erwähnt er gar nicht. Die Teilung zwischen gesetzgebender und richterlicher Gewalt akzeptiert er, da die Vernunft eine Trennung der allgemeinen Gesetzgebung von ihrer jeweils besonderen Anwendung gebietet. Zu dem von England ausgehenden Grundsatz, daß die Bürger alle Staatsausgaben bewilligen müßten, da der Staat zum Schutz ihres Eigentums errichtet sei, schreibt er: »Warum sollte es so viel schwerer sein, vernünftige und gerechte Auflagen, als gerechte Gesetze zu machen? Und warum sollte ich als Bürger über meinen Beutel weit absoluter, als über meine Handlungen zu gebieten haben?«[130] Zu der These, daß die Exekutive durch das Volk oder seine Repräsentanten stets neugewählt werden müsse, stellt er sich völlig negativ. Da Regieren eine Kunst ist und Wissenschaft voraussetzt, ist zweckmäßig, sie Personen zu belassen, die auf ihre Aufgabe von Jugend an vorbereitet worden sind. Ständige Neuwahl der Obrigkeit führe nicht zu besserer Regierung. Denn: »der Zufall herrscht bei diesen Wahlen eben so, als bei der

Bestimmung des Regenten durch die Erbfolge, und die Kabalen und Leidenschaften herrschen bei jenen weit mehr, als bei irgend einer andern Art der Besetzung öffentlicher Ämter«.[131]

X

Garve, der sich als bürgerlicher Schriftsteller betrachtete und zugestand, daß Standesvorurteile seine Gedankengänge beeinflussen mochten, hatte zeitlebens die Aspiration, Zugang zur Adels- und Hofgesellschaft zu gewinnen, obwohl in Breslau nach seinen eigenen Angaben Standesschranken besonders starr waren.[132] Er hüllte sein Bestreben in den Mantel der Wißbegierde, um durch eigene Beobachtung zuverlässiges Material über die verschiedenen Gesellschaftsschichten zu sammeln.[133] Den Vorwurf der Eitelkeit, den schon Zeitgenossen erhoben, suchte I. L. Woltmann mit dem Hinweis zu entkräften, daß Garve im Gegensatz zu Gellert für die höheren Kreise schreiben wollte und deshalb »in die Gesellschaften der höheren Stände [ging], um die Sprache und Vorstellungsart zu lernen, wodurch sich am leichtesten auf sie wirken ließ«.[134] Die Forschung hat ihm Eitelkeit bestätigt und nachgewiesen, daß seine Lehre von der Geselligkeit eine Ideologie war, hinter welcher der Wunsch nach Umgang mit vornehmen Kreisen stand.[135]

Garve sah die ständische Gesellschaft als eine historisch-soziale Notwendigkeit an, die sich durch die Vergesellschaftung der Arbeitsteilung entwickelte; zugleich sah er die ihr zugehörige Tendenz, mit ihren moralischen allgemein-menschlichen Postulaten die sozialen Unterschiede zu verringern, wenn auch nicht völlig aufzuheben. Wie oft in seinen Reflexionen stellt er ein idealisiertes Hellas an den Anfang der historischen Entwicklung, das in der Einfachheit seiner sozialen Strukturen noch von ständischer Differenzierung verschont ist. Er rekonstruiert eine Gesellschaftssituation, in der Ackerbau und beginnendes Handwerk den Anfang der Gesetze und verbindlichen sittlichen Normen konstituieren, die das Verhalten der Menschen regulieren. Wenn es weder Macht noch Sklaverei gibt und alle Bürger ihr Leben noch durch ihre eigene Arbeit erhalten, dann »ist diese Nation in demjenigen glücklichen Mittelstande, der, bei Privatpersonen und bei politischen Körpern, die Ausbildung der Talente und Tugenden am meisten befördert«.[136] Es herrscht noch eine relative Gleichheit, die erst durch die Ansammlung von Reichtümern zerstört wird und die Entwicklung einer streng gegliederten Ständegesellschaft unvermeidlich macht. »Die Scheidewand, welche die Gesetze und die Gewohnheiten zwischen dem Adelsstande und dem unadeligen gemacht haben, ist unter den Absonderungen, die sich jetzt unter den Menschen in der bürgerlichen Gesellschaft finden, die größte und wesentlichste. Sie ist es deswegen, weil sie einen lebenslänglichen und erblichen Unterschied hervorbringt, und weil sie nie übersprungen werden kann.«[137] Die Nichtadeligen können ihre soziale Stellung nur durch andauernde, angestrengte Leistung verbessern. Was den Adel auszeichnet, sind seine Sitten, deren Verfeinerung er sich ohne materielle Sorgen durch intensiven gesellschaftlichen Verkehr und Zugang zum Hofe widmen kann. Für Garve sind diese Umgangsformen Beispiel und Vorbild. »Es gibt gewisse Vollkommenheiten im Äußern und Innern des Menschen, (und unter diese gehört vorzüglich die Feinheit der Sitten im gesellschaftlichen Umgange), die schlechterdings nicht hätten aufkeimen können, wenn in der großen bürgerlichen Gesellschaft nicht eine kleinere sich hervorgetan, sich über den Rest ihrer Mitbürger erhoben, und eben durch diese Entfernung von den Übrigen, und den sich darauf gründenden Stolz, sich fester und inniger miteinander vereinigt hätte.«[138] Der natürlich-ungezwungenen Spontaneität adeligen Benehmens stellt Garve das erkünstelte Vornehmgetue, das »bürgerliche air«, die verkrampfte und mißlungene Nachahmungssucht, die sich als affektierte, der Umgebung lästige Förmlichkeit manifestiert, gegenüber, wozu sich eine gewisse Blödigkeit und der Mangel an Freimütigkeit und Zurückhaltung gesellen.

Auf einer bestimmten historischen Entwicklungsstufe hat der Adel seine Aufgabe als Elite im Dienste des Gemeinwesens erfüllt. In der Gegenwart jedoch sah Garve »die Verwandlung des Adelsstands in eine Partei, die um ihre Vorrechte kämpft«[139] als ihr Hauptkennzeichen an. Der Begriff Partei kennzeichnet die Verhaltensform einer Sondergruppe, die aus Abneigung gegen die große Gesellschaft sich in ihrer Eigenheit abkapselt wie einstmals die christlichen Sekten. »Eine ähnliche Partei nun macht der Adel im Staate aus. Er hat nicht nur Vorzüge, die er über die übrigen zahlreichen Mitbürger zu behaupten, sondern er hat auch Rechte, welche er gegen sie zu verteidigen hat.«[140] Diese Degradierung des Adels zu einer Interessengemeinschaft, die bloß ihre Vorrechte verteidigt, transformiert die Elite zur Partei. Ihr stellt Garve allgemeine »bürgerliche« Werte entgegen. In seiner Zeit glaubt er zu erkennen, daß die Kluft zwischen Adel und Bürgertum durch das »Gefühl des Menschen« bereits verringert wird, oder durch Erziehung wird verringert werden können. »Und diese Erziehung, diese Ausbildung allen Ständen gemein zu machen: dazu haben wir bisher die Mittel noch nicht gefunden. Hieraus entspringt immer noch eine Absonderung der Stände, [...] welche doch auf das Persönliche und Wesentliche im Menschen, auf Vernunft und Moralität Einfluß behält. Aber der Mittelstand, der sogenannte Bürgerstand ist es jetzt nicht mehr, der sich auf diese Weise vom Adel unterscheidet.«[141] Bürgerliche Würde sollen nur die natürlichen bestätigen; auch der Adel soll dem Leistungsprinzip unterworfen sein, das seinen Ursprung in der Natur des Menschen hat. Dadurch werde sich eine neue »menschliche« Elite herausbilden. Da Geschmack eher dem Adel, Gelehrsamkeit dem Bürgertum eigen ist, weist Garve mit dem Diktum »Gelehrsamkeit vereiniget sich immer mehr und mehr mit Geschmack«[142] auf eine fortschreitende Verringerung des Unterschiedes zwischen den beiden Ständen hin.

Damit steht Garve im Widerspruch zu der Auffassung von adeligen und bürgerlichen Verhaltensweisen, die sich im *Wilhelm Meister* widerspiegelt: »Ich weiß nicht, wie es in fremden Ländern ist, aber in Deutschland ist nur dem Edelmann eine gewisse allgemeine, wenn ich sagen darf, personelle Ausbildung möglich. Ein Bürger kann sich Verdienst erwerben und zur höchsten Not seinen Geist ausbilden; seine Persönlichkeit aber geht verloren, er mag es stellen, wie er will.«[143] Demgegenüber sah Garve den bürgerlichen Gelehrten als den Mittel- und Ausgangspunkt zur Überwindung ständischer Abgrenzungen und Vorurteile. Revolutionen können diese Überwindung nicht erzielen, »durch welche alle diese Grenzlinien der Stände vermischt, alle Schlagbäume über den Haufen geworfen würden«[144], sondern nur der Gelehrte ist berufen, diesen Durchbruch zu den Prinzipien der moralischen Allgemeinheit zu vollbringen. Von diesem Wege darf sich der Gebildete nicht abbringen lassen; weder durch das Lob von oben noch durch das Niedrige, das ihm schmeichelt. »So ist es gut, wenn er sich mit beiden Klassen verbindet, und dadurch selbst gleichsam das Band unter ihnen wird.«[145]

Eine ähnliche Aussage liegt von Friedrich Gedicke vor, die als charakteristisch für das Selbstverständnis der Berliner Mittwochgesellschaft gelten kann. Er sieht den »Mittelstand als das Zentrum der Nation, von wo die Strahlen der Aufklärung sich nur allmählich zu den beiden Extremen, den höheren und niederen Ständen hin verbreiten«.[146] Zweifelsohne ging die Aufklärung in Deutschland von den mittleren Schichten aus, aber die Hoffnung, daß es diesen gelingen könne, auf die Dauer die ständische Struktur zu überwinden, hat sich als unrichtig erwiesen. Ihre Ideale, mit denen sich Christian Garve identifizierte und zu deren populärer Verbreitung er viel getan, genügten weder zur Überwindung der ständischen Gesellschaft noch zur Meisterung der neuen nationalen und sozialen Fragen, die sich nach 1800 einstellten.

Anmerkungen

1 *Briefe an und von Johann Georg Scheffner*, hrsg. von Arthur Warda, München und Leipzig 1918, Bd. 2, S. 36.
2 Vgl. Kurt Wölfel, »Christian Garve«, in: *Schlesien. Eine Vierteljahresschrift für Kunst, Wissenschaft und Volkstum*, 1959, IV. Jahrgang, S. 74. Ähnlich auch Daniel Jacoby, »Christian Garve. Zur Universitätsfeier seiner Vaterstadt«, in: *Vossische Zeitung*, 1911, Nr. 31/32, Sonntagsbeilage, S. 244.
3 Christian Garve, »Über die Maxime Rochefoucaults: Das bürgerliche Air verliert sich zuweilen bei der Armee, niemals am Hofe«, in: *Versuche über die verschiedenen Gegenstände aus der Moral, der Literatur und dem gesellschaftlichen Leben von Christian Garve*, erster Teil, Breslau 1798, S. 303 (künftig: *Maxime*).
4 Garve, *Über Gesellschaft und Einsamkeit*, erster Band, neue, unveränderte Auflage, Breslau 1804, S. 273.
5 Garves Briefe an die beiden liegen gedruckt vor. Vgl. Anm. 8 u. 75.
6 »Die Lage, in welcher viele Gelehrte sich befinden, trägt dazu bei, sie furchtsam, klein, und abhängig von andern Menschen zu machen«, in: *Über den Charakter Zollikofers an Herrn Kreissteuereinnehmer Weiße in Leipzig*. Von C. Garve, Leipzig 1788, S. 21. Ähnlich auch im Artikel von Jacoby, (Anm. 2), S. 245.
7 Näheres über die Übersetzung: Karl Eduard Bonell, *Friedrich des Großen Verhältnis zu Garve und dessen Übersetzung der Schrift Ciceros von den Pflichten nebst einer Betrachtung über das Verhalten der Schule gegen die Übersetzungen der alten Classiker*, Berlin 1855.

Hans Jessen, »Der Philosoph Christian Garve und der König«, in: *Schlesien*, (Anm. 2), 1963, VIII. Jahrgang, S. 89/90.

8 *Briefe von Christian Garve an Christian Felix Weiße und einige andere Freunde*, zweiter Teil, Breslau 1803, S. 257 (künftig: *Briefe Weiße*).

9 Garve, *Abhandlung über die Verbindung der Moral mit der Politik, oder einige Betrachtungen über die Frage, inwiefern es möglich sei, die Moral des Privatlebens bei der Regierung der Staaten zu beobachten*, Breslau 1788, S. 69 (künftig: *Verbindung*).

10 Garve, *Über Gesellschaft und Einsamkeit*, Breslau 1794, erster Band, S. 244. Diese Stelle ist charakteristisch für Garve.

11 Garve, *Eigene Betrachtungen über die allgemeinsten Grundsätze der Sittenlehre. Ein Anhang zu der Übersicht der verschiedenen Moralsysteme*, Breslau 1798, S. 130 (künftig: *Betrachtungen*).

12 *Briefe Weiße*, II. Teil, S. 5.

13 Ebd.

14 Garve, *Anhang einiger Betrachtungen über Johann Macfarlands Untersuchungen die Armut betreffend, und über den Gegenstand selbst, den sie behandeln: besonders über die Ursachen der Armut den Charakter der Armen, und die Anstalten sie zu versorgen*, Leipzig 1785, Vorrede, S. IV (künftig: *Armut*).

15 Garve, *Übersicht der vornehmsten Prinzipien der Sittenlehre, von dem Zeitalter des Aristoteles an bis auf unsere Zeiten. Eine zum ersten Teile der übersetzten Ethik des Aristoteles gehörende und aus ihm besonders abgedruckte Abhandlung*, Breslau 1798, S. 184 f. (künftig: *Übersicht*).

16 Karl Gottlob Schelle, *Briefe über Garves Schriften und Philosophie*, Leipzig 1800, S. 136.

17 *Betrachtungen*, S. 1 f.

18 In der Vorrede zu den *Betrachtungen*. In einem Brief an seine Leipziger Freundin von Juli 1767 schreibt Garve: »Ich glaube, Sie müssen es schon bemerkt haben, daß es eins von meinen Steckenpferden ist, [...] über alles, was in und um mich herum vorgeht, zu philosophieren, jede Begebenheit, wenn sie auch die natürlichste und gewöhnlichste von der Welt ist, zu erklären und aus Gründen zu zeigen, wie sie möglich gewesen ist.« In: Christian Garve, *Vertraute Briefe an eine Freundin*, Leipzig 1801, S. 53.

19 Garve, »Beobachtungen über die Kunst zu denken«, in: *Versuche über die verschiedenen Gegenstände aus der Moral, der Literatur und dem gesellschaftlichen Leben*, zweiter Teil, Breslau 1796, S. 345.

20 Garve, »Über den Unterschied zwischen Theorie und Praxis, in Beziehung auf die Abhandlung eines anderen Schriftstellers über denselben Gegenstand in der Berlinischen Monatsschrift«, in: *Vermischte Aufsätze, welche einzeln oder in Zeitschriften erschienen*

sind. Neu herausgegeben und verbessert von Christian Garve, Zweiter Teil, Breslau 1800, S. 417.
Über Garves fortdauernden Einfluß auf Gentz schreibt Wittichen: »Die Denkart Garves ist von einem sehr beträchtlichen Einfluß auf Gentz gewesen; sie hat ihm den Übergang von der spekulativen Betrachtung des Staat zu historischem Denken erleichtert.« In: *Briefe von und an Friedrich von Gentz*, hrsg. von Friedrich Carl Wittichen, München und Berlin 1909, 1. Bd., S. 129.

21 Garve, *Verbindung*, S. 122.
22 Garve, »Über die öffentliche Meinung«, in: *Versuche über verschiedene Gegenstände aus der Moral, der Literatur und dem gesellschaftlichen Leben*, fünfter Teil, Breslau 1802, S. 324.
23 Dazu auch Michael Stolleis, *Staatsraison, Recht und Moral in philosophischen Texten des späten 18. Jahrhunderts*, Meisenheim am Glan 1972, S. 84.
24 *Verbindung*, S. 86.
25 Ebd.
26 *Armut*, S. 136.
27 *Übersicht*, S. 124.
28 Garve, *Über Gesellschaft und Einsamkeit* (Anm. 4) erster Band, S. 32.
29 Garve, *Einige Züge aus dem Leben und Charakter des Herrn C. J. Paczensky v. Tenczin aus dem Hause Schleibitz*, Breslau 1793, S. 39 f.
30 Garve, »Übersetzung und Erläuterung der Rede Kleons, eines Atheniensischen Demagogen, im 37. Kapitel des 3. Buchs Thucydides«, in: *Vermischte Aufsätze* (Anm. 20), erster Teil, S. 44.
31 Garve, Über die Veränderungen unserer Zeit in Pädagogik, Theologie und Politik, in: *Vermischte Aufsätze* (Anm. 20), zweiter Teil, S. 195 f.
32 Siehe Anm. 29, S. 55 f.
33 *Übersicht*, S. 124.
34 *Übersicht*, S. 51.
35 *Betrachtungen*, S. 50.
36 *Übersicht*, S. 335.
37 *Betrachtungen*, S. 23.
38 *Übersicht*, S. 31.
39 Garve, Einige Gedanken über Sklaverei und Despotie, Fragment, S. 136, in: *Die Politik des Aristoteles. Übersetzt von Christian Garve*, hrsg. und mit Anmerkungen begleitet von Georg Gustav Fülleborn, zweiter Teil, Breslau 1792.
40 Garve, ebd., S. 140.
41 *Philosophische Anmerkungen und Abhandlungen zu Ciceros Büchern von den Pflichten von Christian Garve. Anmerkungen zu dem Ersten Buche*, Breslau 1783, S. 40.

42 Ebd., S. 96-98. In der korrelierten Anmerkung polemisiert Garve mit Mendelssohn, der Garve vorgeworfen hatte, im Anschluß an die Übersetzung der Moralphilosophie von Adam Ferguson, nicht scharf genug zwischen Gewissenspflicht und Zwangspflicht unterschieden zu haben. Vgl. Moses Mendelssohn, *Jerusalem oder über religiöse Macht und Judentum*, Berlin 1783, S. 52.

43 *Übersicht*, S. 143.

44 Ebd., S. 148.

45 Lutz Geldsetzer, »Zur Frage des Beginns der Deutschen Soziologie«. Der Aufsatz ist hauptsächlich Garves *Gesellschaft und Einsamkeit* gewidmet und nennt Garves Methode »phänomologisch-deskriptive Bestandsaufnahme von Formen der Vergesellschaftung«. In: *Kölner Zeitschrift für Soziologie und Sozialpsychologie*, 15 (1963), S. 529-541.

46 *Übersicht*, S. 250-254.

47 Werner Schneiders, *Naturrecht und Liebesethik. Zur Geschichte der praktischen Philosophie im Hinblick auf Christian Thomasius*, Hildesheim, New York 1971. Schneiders findet zwar eine Verbindung, aber sie ist so allgemein, daß sie wenig zur Aufhellung der Thematik beiträgt: »Das Wohl der ganzen Menschheit ist für Garve – wie für den frühen Thomasius und für das Naturrecht der socialitas – letztes Prinzip sowohl der Tugend als auch der Gerechtigkeit« (S. 326, Anm. 36).

48 Rolf Grimminger, »Aufklärung, Absolutismus und bürgerliche Individuen. Über den notwendigen Zusammenhang von Literatur, Gesellschaft und Staat in der Geschichte des 18. Jahrhunderts«, in: ders. (Hrsg.), *Deutsche Aufklärung bis zur Französischen Revolution 1680-1789*, München 1980, S. 55.

49 Dazu zwei Beispiele: Michael Stolleis, »Über die Verbindung der Moral mit der Politik. Ein Beitrag zur Spätphase der Aufklärungsphilosophie in Deutschland«, in: *Archiv für Rechts- und Sozialphilosophie*, 33 (1969), S. 275; Daniel Jacoby, Aufsatz aus Anm. 2, S. 251.

50 Garve, »Einige Beobachtungen über die Kunst zu denken«. Siehe Anm. 19, S. 427.

51 J. E. Gruner, »Adam Smith und Christian Garve«, in: *Neue Berlinische Monatsschrift*, VI. Bd., Berlin und Stettin 1801, S. 38. Vgl. Garve, *Vermischte Aufsätze* (Anm. 20), S. 181 f.

52 Hans Medick, *Naturzustand und Naturgeschichte der bürgerlichen Gesellschaft. Die Ursprünge der bürgerlichen Sozialtheorie als Geschichtsphilosophie und Sozialwissenschaft bei Samuel Pufendorf, John Locke und Adam Smith*, Göttingen 1973.

53 *Schreiben an Herrn Friedrich Nicolai von Christian Garve, über einige Äußerungen des ersten in seiner Schrift, betitelt: Untersuchung der Beschuldigung des P. G. gegen meine Reisebeschreibung*, Breslau 1786, S. 86.

54 Garve, Über die Kunst zu denken (Anm. 19), S. 413 f. Dazu: Albert Hirschmann, *Leidenschaften und Interessen. Politische Begründungen des Kapitalismus vor seinem Sieg*, Frankfurt 1980, S. 312 ff.

55 Garve, *Über Gesellschaft und Einsamkeit*, zweiter Band, Breslau 1800, S. 270.

56 Ernst Mannheim, *Aufklärung und öffentliche Meinung. Studien zur Soziologie der Öffentlichkeit im 18. Jahrhundert*, hrsg. und eingeleitet von Norbert Schindler, Stuttgart 1979, S. 72.

57 Roy Pascal, »The Concept of ›Bildung‹ and the Division of Labour – W. von Humboldt, Fichte, Schiller, Goethe«, in: ders., *Culture and the Division of Labour. Three Essays on Literary Culture in Germany*, Warwick 1974, S. 28.

58 Garve, »Über zwei Stellen des Herodots«, in: *Versuche* (Anm. 19), Teil 2, Breslau 1801, S. 19.

59 Adam Ferguson, *Abhandlung über die Geschichte der bürgerlichen Gesellschaft*, zweite Auflage, Jena 1923, S. 306.

60 Garve, *Über Gesellschaft und Einsamkeit*, Teil 1, S. 85.

61 Ebd., S. 41.

62 Ferguson, *Abhandlung* (Anm. 59), S. 257: »Dementsprechend gedeihen Manufacturen am besten, wo der Geist am wenigsten zu Rate gezogen wird und wo die Werkstatt ohne besondere Anstrengung der Phantasie als eine Maschine betrachtet werden kann, deren einzelne Teile Menschen sind.«

63 Garve, *Fragmente zur Schilderung des Geistes, des Charakters und der Regierung Friedrichs des Zweyten*, zweiter Teil, Breslau 1798, S. 216 (künftig: *Fragmente*).

64 Ebd., S. 218. Auch Reinhard Bendix, *Könige oder Volk. Machtausübung und Herrschaftsmandat*, Frankfurt 1980, hebt im 2. Teil, S. 238-242, die verschiedenen Standpunkte des Herrschers und des Privatmannes hervor und erklärt ihre Entwicklung aus dem Lutherismus, was sicher möglich ist, insoweit es sich um innenpolitische Zusammenhänge handelt. Für Garves Argumentation, die sich mehr auf die Außenpolitik konzentriert, scheint diese Erklärung ungenügend.

65 Walter Merk, »Der Gedanke des gemeinen Besten in der deutschen Staats- und Rechtsentwicklung«, in: *Festschrift Alfred Schultze zum 70. Geburtstage*, hrsg. von Walter Merk, Weimar 1934, S. 504.

66 *Briefe Weiße*, Erster Teil, S. 410.

67 *Versuche*, 5. Teil. 1802, S. 372 f.

68 Garve, *Philosophische Abhandlungen zu Ciceros Büchern von den Pflichten*, Breslau 1785, S. 140: »Daher auch die Beschäftigung mit diesen Gegenständen, – selbst die Einbildung, daß man daran Teil habe, – zu einer gewissen Erhabenheit der Seele beitragen kann. Und vielleicht ist dieß eine der Ursachen, warum in freien Staaten so viele

unerschrockene standhafte Männer, zum Vorschein kommen, weil die allgemeine Richtung der Gemüter auf die politischen Geschäfte geht.«

69 Garve, »Über die Veränderung unserer Zeit« (Anm. 31), zweiter Teil, S. 286.

70 Garve (Anm. 68), S. 236.

71 »M. Payley's Grundsätze der Moral und Politik. Aus dem Englischen übersetzt. Mit einigen Anmerkungen und Zusätzen von Christian Garve«, Frankfurt und Leipzig 1788. Aus Anhang einiger *Betrachtungen* (Anm. 11), S. 484.

72 Ebd., S. 496.

73 Garve, *Maxime*, S. 435.

74 Garve, *Fragmente*, II, S. 164.

75 *Briefwechsel zwischen Christian Garve und Georg Joachim Zollikofer nebst einigen Briefen des erstern an andere Freunde*, Breslau 1803, S. 239.

76 *Briefe Weiße*, zweiter Teil, S. 226.

77 Ebd., S. 47.

78 Christian Garves Brief an Friedrich Schiller vom 17. Oktober 1794, in: *Schillers Werke*, Nationalausgabe, 35. Bd. In Verb. mit Liselotte Blumenthal hrsg. v. Günter Schulz, Weimar 1964, S. 72-75.

79 Garve, *Fragmente*, 2. Teil, S. 271.

80 Ebd., S. 305.

81 »Der größte Künstler muß zu dem Werke, welches er macht, einen convenienten Stoff finden. Der König, welcher große Siege erficht muß eine schon brave und treue Nation anzuführen haben; ein König, welcher Ackerbau, Künste und Wissenschaften, in einem Menschenalter, zu einem hohen Grade des Flors bringen soll, muß schon fleissige Ackerleute, fähige Köpfe und nachdenkende Gelehrte unter seinen Untertanen vorfinden«. In: Garve, *Gillies Vergleichung zwischen Friedrich dem zweiten und Philipp dem Könige von Macedonien. Schlesische Provinzialblätter*, hrsg. von Streit und Zimmermann, Breslau 1791, S. 422.

82 Gerd Siep, *Literatur und Öffentlichkeit*, hrsg. von Christa Bürger, Peter Bürger und Jochen Sasse-Schutte, Frankfurt 1980, S. 151.

83 Garve, Über die Schwärmerei (Anm. 67), S. 406.

84 Garve, *Maxime*, S. 429.

85 Diethild Maria Meyring, *Politische Weltweisheit. Studien zur deutschen politischen Philosophie des 18. Jahrhunderts*, Münster 1965, S. 112.

86 Garve, »Versuch über die Prüfung der Fähigkeiten«, in: *Sammlung einiger Abhandlungen aus der Bibliothek der schönen Wissenschaften und freien Künste*, Leipzig 1779, S. 11.

87 Garve, *Fragmente*, erster Teil, S. 241.

88 Garve, »Über den Einfluß einiger besondern Umstände auf die Bildung unserer Sprache und Literatur« (Anm. 86), S. 469.

89 Garve, »Von der Popularität des Vortrages«, in: *Vermischte Aufsätze, welche einzeln oder in Zeitschriften erschienen sind. Neu herausgegeben und verbessert von Christian Garve*, Bd. V, erster Teil, Breslau 1796, S. 353.

90 Helmut Holzhey, »Der Philosoph für die Welt – eine Chimäre der deutschen Aufklärung«, in: *Esoterik und Exoterik der Philosophie*, hrsg. von Holzhey und Zimmerli, Basel/Stuttgart 1977, S. 128.

91 Michael Stolleis, *Staatsraison, Recht und Moral in philosophischen Texten des späten 18. Jahrhunderts*, Meisenheim am Glan 1972, S. 1.

92 Kurt Wölfel, *Christian Garve, Popularphilosophische Schriften über literarische und gesellschaftliche Gegenstände*, Stuttgart 1974, im Nachwort, zweiter Band, S. 47.

93 Hans Erich Bödeker, »Thomas Abbt: Patriot, Bürger und bürgerliches Bewußtsein«, in: *Bürger und Bürgerlichkeit im Zeitalter der Aufklärung*, hrsg. von Rudolf Vierhaus, Heidelberg 1981, S. 223.

94 Aus einem Brief an Zollikofer vom 8. Mai 1782 (Anm. 75), S. 300.

95 »Über die Lage Schlesiens in verschiedenen Zeitpunkten, und über die Vorzüge einer Hauptstadt vor Provinzialstädten. Eine Vorlesung in der Schlesischen Oeconomischen Gesellschaft in Breslau gehalten«, in: *Vermischte Aufsätze, welche einzeln oder in Zeitschriften erschienen sind*, Breslau 1796, Bd. 5, erster Teil, S. 231.

96 C. F. Jastrau, »Nachrichten von einer unter einigen Breslauischen Predigern und Candidaten errichteten theologischen Lesegesellschaft«, in: *Schlesische Provinzialblätter*, hrsg. von Streit und Zimmermann, 20. Bd., Juli bis Dezember 1794, Breslau 1794, S. 60-64.

97 Anonym: Über den Lokalcharakter der Breslauer mit Hinsicht auf Luxus und Lebensgenuß. (Auszug eines Briefes aus Breslau), in: *Journal des Luxus und der Moden*, hrsg. von F. J. Bertuch und G. M. Kraus, 12. Band, Jahrgang 1797, Weimar 1797, S. 397.

98 Seine Briefe von Breslau nach Leipzig zeugen von dieser Sehnsucht. Dazu gehören erstens die beiden Bände Briefe an den Kreissteuereinnehmer C. F. Weiße (Anm. 8), an den Pastor Georg Joachim Zollikofer (Anm. 75) und die Briefe an die Frau eines Advokaten, welche in der Literatur als *Vertraute Briefe an eine Freundin*, Breslau 1801, erscheinen. Hinzuzufügen wären diesbezüglich noch einige seiner Nachrufe: »Über den Charakter Zollikofers an Herrn Kreissteuer-Einnehmer Weiße in Leipzig von C. Garve«, Leipzig 1788. »Einige Züge aus dem Leben und Charakter des Herrn C. J. Paczensky v. Tenczin aus dem Hause Schleibitz, entworfen von Christian Garve«, Breslau 1793. »Beitrag zur Charakterschilderung des Herrn von Klöber, Verfassers von Schlesien vor und seit 1740«, in: *Schlesische Provinzialblätter* 1796, Stück 1.

99 Rudolf Vierhaus, »»Patriotismus‹ – Begriff und Realität einer mora-
lisch-politischen Haltung«, in: *Deutsche patriotische und gemeinnüt-
zige Gesellschaften, Wolfenbüttler Forschungen*, Band 8, München,
1980, S. 17.

100 Garve, *Vertraute Briefe an eine Freundin*, Leipzig 1801, S. 199 f.

101 Garve, *Philosophische Abhandlungen zu Ciceros Büchern von den
Pflichten.*

102 Garve, »Kritische Wälder oder Betrachtungen über die Wissenschaft
und Kunst des Schönen«, in: *Neue Bibliothek der schönen Wissenschaften und freien Künste, neunten Bandes erstes Stück*, Leipzig
1769, S. 30.

103 Garve, »Einige Gedanken über die Vaterlandsliebe überhaupt, und
über die Vorliebe insbesondere, welche in einem großen Staat die
Einwohner jeder Provinz für diese ihre Provinz haben«, in: *Versuche*, 2. Teil, Breslau 1801, S. 244: »Vielleicht ist es die natürliche Stu-
fenfolge, in dem Fortgange des Menschengeschlechts zu seiner Vollkommenheit, daß die Vorliebe der Menschen, für kleine Landstriche,
die sie ihr Vaterland nennen, in den Patriotismus gegen große Staaten, und diesen Patriotismus in die weltbürgerliche Gesinnung und
allgemeine Menschenliebe übergeht«. Dieses Essay wird weiterhin
als Vaterlandsliebe angeführt.

104 Werner Milch, »Christian Garve«, in: *Kleine Schriften zur Literatur-
und Geistesgeschichte*, Heidelberg/Darmstadt 1957, S. 126.

105 Ernst Ferdinand Klein, in: *Bildnisse jetztlebender Berliner Gelehrter
mit ihren Selbstbiographien*, hrsg. von M. S. Lowe. Zweite Sammlung: L. Bendavid, E. F. Klein, F. S. Sack, Berlin 1806, S. 30. E. F.
Klein schrieb auch eine politische Streitschrift zu Garves »*Verbindung*«: *Schreiben an Herrn Professor Garve über die Zwangs- und
Gewissens-Pflichten und der Gerechtigkeit besonders bei Regierung
der Staaten*, Berlin und Stettin 1789.

106 Ebd., S. 29.

107 Garve, »Über die Lage Schlesiens in verschiedenen Zeitpunkten und
über die Vorzüge einer Hauptstadt vor Provinzialstädten«, in: *Vermischte Aufsätze*, Breslau 1796, erster Teil, S. 247.

108 Garve, *Vaterlandsliebe*, S. 204.

109 Ebd., S. 212.

110 Ebd., S. 214 f.

111 Ebd., S. 174 f.

112 Ebd., S. 239.

113 Ebd., S. 235.

114 Garve, »Über die öffentliche Meinung«, in: *Christian Garve's sämtliche Werke*, vierzehnter Band, fünfter Teil der *Versuche*, Breslau
1802, S. 323.

115 Ebd., S. 298 f.

116 Ebd., S. 310 f.

117 Garve, *Betrachtungen*, S. 260: »Indes werden bescheidne und fried-
liebende Gelehrte weit lieber diese Gegenstände im Allgemeinen, als
in Rücksicht auf den Zustand der Dinge in ihrem Vaterlande, untersuchen. Von dem letzteren sind sie selten genau unterrichtet, um
nicht zuweilen die Tatsachen irrig vorzustellen [...] Es mischen sich
überdies, sobald der Schriftsteller auf das Besondere und Gegenwärtige kommt, entweder bei ihm selbst, oder doch bei seinen Lesern,
Leidenschaften ein, welche der Reinheit und Unparteilichkeit ihres
Urteils Eintracht tun«.

118 Garve, »Über die öffentliche Meinung«, S. 239.

119 Ebd., S. 322.

120 Ebd., S. 323 f.

121 Georg Forster, »Parisische Umrisse«, in: Georg Forster, *Werke in
vier Bänden*, herausgegeben von Gerhard Steiner, dritter Band,
*Kleine Schriften zur Kunst, Literatur, Philosophie, Geschichte und
Politik*, Leipzig 1970.

122 Garve, »Über zwei Stellen des Herodots«, in: *Versuche*, Teil 2,
S. 124 f.

123 Ebd., S. 112.

124 Brief Ch. Garves an Georg Joachim Zollikofer (Anm. 75), S. 351.

125 Garve, *Verbindung*, S. 80.

126 Garve, »Über die Schwärmerei« (Anm. 67), S. 368.

127 Garve, *Über Gesellschaft und Einsamkeit*, zweiter Band, Breslau
1800, S. 112.

128 Garve, *Fragmente*, 1. Teil, S. 166.

129 Garve, *Fragmente*, 1. Teil, S. 166.

130 Garve, »Über die Veränderungen unserer Zeit in Pädagogik, Theologie und Politik«, in: *Vermischte Aufsätze*, 2. Teil, Breslau 1800,
S. 276.

131 Ebd., S. 276 f.

132 *Briefe Weiße*, zweiter Teil, S. 199: »Überdies sondern sich hier noch
die Klassen und Professionen mehr ab: die Kaufleute haben ihren
Klub, das Militär den Seinigen. Die Subalternen in den Kollegien,
und einige Geistliche besuchen die Ressource, von der ich zuerst
redete; die vornehme Welt hat ihre Assembleen«.

133 Garve, Vorrede zum ersten Teil der *Versuche*, Breslau 1793, S. VIII.

134 *Karl Ludwig Woltmann in Geschichte und Politik. Eine Zeitschrift*,
herausgegeben von Karl Ludwig Woltmann, 1800, erster Band, Berlin, S. 291 f.

135 Werner Milch (Anm. 104), S. 127.

136 Garve, »Über zwei Stellen des Herodots« (Anm. 122), S. 92.

137 Garve, *Maxime*, S. 347.

138 Ebd., S. 440.

139 Reinhard Koselleck, *Preußen zwischen Reform und Revolution. All-gemeines Landrecht, Verwaltung und soziale Bewegung von 1791 bis 1848*, Stuttgart 1967, S. 80.

140 Garve, *Maxime*, S. 350.

141 Garve, *Fragmente*, 2. Teil, Breslau 1798, S. 151.

142 Garve, *Maxime*, S. 447.

143 Johann Wolfgang Goethe, *Wilhelm Meister Lehrjahre*, fünftes Buch, drittes Kapitel, in der zweiten Auflage der dtv-Dünndruckausgabe, Stuttgart 1979, S. 312.

144 Garve, *Maxime*, S. 443.

145 Garve, »Über den Stolz«, in: *Versuche*, fünfter Teil, Breslau 1802, S. 513.

146 Norbert Hinske, »Mendelssohns Beantwortung der Frage: Was ist Aufklärung? oder Über die Aktualität Mendelssohns«, in: *Ich handle mit Vernunft. Moses Mendelssohn und die europäische Aufklärung*, hrsg. von Norbert Hinske, Hamburg 1981, S. 103, Anm.

J. G. H. Feder zwischen Aristokraten
und Demokraten

I

Im Frühjahr des Jahres 1793 veröffentlichte der Göttinger Professor der Philosophie Johann Georg Heinrich Feder im *Neuen Göttingischen historischen Magazin* einen Artikel mit dem Titel: »Ueber Aristokraten und Demokraten in Teutschland«. Diese Zeitschrift bildete einen neuen Typus der Aufklärungsliteratur: »Der Polyhistorismus der Frühaufklärung wich der wissenschaftlichen Spezialisierung, die seit der Mitte des Jahrhunderts einsetzt.«[1] Die beiden Herausgeber, Christoph Meiners und Ludwig Thimoteus Spittler – beide Ordinarien an der Universität –, wollten dem neuen Geist gemäß eine Fachzeitschrift mit kritischen wissenschaftlichen Arbeiten zur Geschichte veröffentlichen. Beide brachten durch ihre Tätigkeiten auch gute Voraussetzungen dafür mit; Meiners als wirkungsvoller Popularisator der zur Universalhistorie zugehörigen Anthropologie und Ethnologie und Spittler als anerkannter Spezialist der Landesgeschichte. Als treue Aufklärer betonen sie schon in der Vorrede zum ersten Band 1787, daß sie dem Publikum »Nachrichten und Beschreibungen von musterhaften neuen Anstalten und ... von zu bessernden Mängeln und Mißbräuchen«[2] vorlegen wollen, um so der Zeitschrift eine praktische, auf das konkrete Leben gerichtete Tendenz zu verleihen.

Es erscheint dann nur selbstverständlich, daß einer der beiden Herausgeber zur Zeit der Französischen Revolution, als die öffentliche Meinung in Deutschland in zwei feindliche Lager gespalten war, einen Artikel zu diesem Thema veröffentlichen will. Ebenso selbstverständlich wirkt es, wenn Christoph Meiners seinem ehemaligen Lehrer, gegenwärtigen Kollegen im Fach der Philosophie an der Georgia-Augusta und besten persönlichen Freund, J. G. H. Feder, den ausgearbeiteten Entwurf seines Artikels gibt, um von ihm noch vor der endgültigen Redaktion Anmerkungen und Ratschläge zu erhalten. Dies muß im Spätherbst des Jahres 1792 gewesen sein.[3] Über den weiteren Verlauf bis zur Veröffentlichung schreibt Feder: »Da ich nun bei mehreren Stellen desselben Anstoß befürchtete, und doch der Arbeit das Todesurtheil nicht schlechtweg sprechen wollte: so erbot ich mich den Hauptinhalt desselben auf meine Weise einzukleiden und unter meinem Namen drucken zu lassen.«[4] Dies geschah zwar, doch nun wurde Feder durch eine neue »Stelle« zum Stein des Anstoßes für die Regierung, und der Artikel selbst wurde zu einem der Gründe für das »Todesurtheil«, welches den königlichen Hofrat J. G. H. Feder ereilte und aufgrund dessen er 1797 von Göttingen nach Hannover versetzt wurde.

Die Hauptthesen von Feders Studie lassen sich folgendermaßen resümieren:

a. In der Einleitung bedauert Feder, daß politische Ansichten generell der Dichotomie Aristokratie-Demokratie untergeordnet werden, dadurch verenge sich das Spektrum öffentlicher Auseinandersetzungen. Er hingegen fühle sich keiner der beiden Gruppierungen zugehörig, und falls er sich zu einer Identifikation genötigt sähe, würde er sich »zufolge seiner äußerlichen Verhältnisse, Verehrter Königlicher Rechte und Würden«[5] und dank seiner Neigung und Überzeugung, als Royalist bekennen.

b. Unter großer Vereinfachung kann behauptet werden, daß die Demokraten für die Rechte des Volkes streiten, während die Aristokraten die Vorrechte der höheren Stände befürworten.

c. Feder, der im moralischen und politischen Bereich keine statischen Begriffe anerkennt, sondern von graduellen Abstufungen und prozessualen bzw. fließenden Übergängen ausgeht, will, um der Wahrheit näher zu kommen, die den politischen Gegner diskreditierenden Auseinandersetzungsformen in drei, für jede politische Gruppierung gültige Abstufungen kanalisieren: äußerste, heftige und gemäßigte.

d. Während die radikalen Demokraten alle von der Herkunft abgeleiteten politischen Ungleichheiten als Verstoß gegen die Menschenwürde betrachten und kein Mittel scheuen, um sie zu beseitigen und ein Reich der Freiheit auf internationaler Ebene errichten wollen, sieht ihr Gegenpol, die äußerste Aristokratie, jede politische Erneuerung als Hochverrat an und verabsolutiert die gegenwärtigen Eigentumsverhältnisse. Sie will die unteren Schichten auf Dauer von der politischen Willensbildung ausgeschlossen sehen, denn der Geist der Aufklärung bedeutet für sie eine reale Gefahr, die sich im Ausbruch der Revolution manifestiert hat und den theoretischen Vordenkern der Aufklärung zugeschrieben wird.

e. Die heftigen Demokraten wollen die Abschaffung der Privilegien des Adels durchsetzen, streben aber eine nicht-revolutionäre Aufhebung der Ständegesellschaft durch die modernen Volksbewegungen an, während die Anschauung der Mitte bei den Aristokraten die Einmischung der Gelehrten in Staatsangelegenheiten nur über Staatsmänner vermittelt als legitim betrachtet; sie sind gegen Veränderungen der traditionellen politischen Strukturen und verstehen sich gleichwohl nicht als Verteidiger des Despotismus, sind aber von der Entwicklung in Frankreich enttäuscht.

f. Die Gemäßigten beider Parteien wissen zwar »zwischen theoretischen Meynungen und praktischen Gesinnungen bey sich und andern zu unterscheiden«[6], ein jedoch nur vermeintlicher Vorzug, der letztlich auf ein gestörtes Theorie-Praxis-Verhältnis verweist. In ihrer Sterilität distanzieren sie sich von jeder Auseinandersetzung über die Staatsform, da sie im Grunde einem Pragmatismus anhängen, der den Erfolg einer jeden Staatsform als abhängig vom sittlichen Zustand der Menschen betrachtet. Die gemäßigten Demokraten bevorzugen das englische Regierungssystem und sind für gewaltlose Reformen in diese Richtung. Sie glauben an die Macht der Wahrheit, postulieren Freiheit der Rede und der Presse und alles, »was gründliche, folglich regelmäßige Aufklärung befördert«[7], die sich im sozialen Bereich durch einen Kompromiß zwischen den Ständen ausdrücken soll. Die Kompromißbereitschaft der Aristokraten wiederum zeigt sich darin, daß sie bereit sind, freiwillig auf einen Teil ihrer Privilegien zu verzichten und sich mit einer klugen Mehrheit zu arrangieren. Dieser Gruppe sind all jene zuzurechnen, die bestimmte Vorrechte durch Vernunftgründe legitimiert wissen wollen.

g. In Deutschland ist die Zahl der radikalen Aristokraten größer als die ihrer demokratischen Gegenspieler, was sich auch auf die gemäßigten Teile beider Gruppierungen bezieht.

h. Revolutionäre Entwicklungen wie in Frankreich sind in Deutschland nicht zu befürchten. Es gibt kein Bedürfnis danach und auch keine Veranlassung dafür; eine tiefe Religiosität, die Reichsverfassung mit ihren unabhängigen Herrschern und Völkerschaften sowie die fehlende nationale Einheit sind alles Gründe, die gegen den Ausbruch einer Revolution in Deutschland sprechen.

i. Angesichts der Konsequenzen, die Feders Aufsatz für ihn persönlich hatte, muß folgende Äußerung geradezu als Antizipation gelesen werden: »Darf es hiebey nicht auch für Etwas angerechnet werden, daß von den Göttingischen Gelehrten, unter denen so mancher fleissige Schriftsteller ist, doch auch nicht einer etwas geschrieben hat, was ihm den Vorwurf einer Begünstigung oder Bewunderung der Neufränkischen Idee zuziehen könnte? Man hat wohl das Gegentheil davon einigen zur Schande anrechnen wollen.«[8]

j. Feder konstatiert, daß in gewissen Teilen Deutschlands die Göttinger Professoren wohl nur aus einem Mißverständnis heraus des Demokratismus beschuldigt werden[9], da sie doch nur ihre vollen Freiheitsrechte als Hochschullehrer ausüben.

k. Deshalb kann schon bei manchem Aristokraten der Verdacht des Jakobinismus entstehen, »wenn er erfährt, daß unsere Lehrer des Naturrechts unveräußerliche Menschenrechte und unwandelbare Grundrechte der Nationen behaupten, und es gerade zu für Ungerechtigkeit erklären, mit Unterthanen seien sie schwarz oder weiß, wie mit Vieh zu handeln; daß unsere Lehrer der Staatswirtschaft die Leibeigenschaft, das Lotto und unproportionelle Auflagen für schädlich erklären, und unsere Geschichtslehrer die Schandthaten der Großen eben so geschichtsmäßig erzählen, als die Verbrechen des Pöbels...«[10]

l. Wie wir von Feder wissen, war gerade dieser Teil ausschließlich von ihm geschrieben und wurde als Anspielung »auf den eben abgeschlossenen Vertrag mit England wegen Ueberlassung der Hannöverischen Truppen bezog(en)«[11], obwohl er eigentlich das Verhalten der Gutsherren gegenüber ihren Leibeigenen tadeln wollte, da es die »teutschen Fürsten« waren, »die ihre gezwungenen Soldaten an Holländer und Engländer nach Africa, West- und Ost-Indien hin verkauften«.[12] Feder will von dem Vertrag mit England zu diesem Zeitpunkt noch gar nichts gewußt haben und fühlte sich daher zu Unrecht angegriffen.

Der Abdruck solcher Sätze in einer im Kurfürstentum Hannover im Frühling 1793 erschienenen Zeitschrift hat den Herausgebern einen Verweis der Behörden eingebracht (mit dem sich wenigstens Spittler identifizierte), den diese wiederum dem

Verfasser übergaben. Feder, gekränkt, daß an seiner Loyalität gezweifelt wird, sendet einem Minister seine Verteidigung, die seiner Ansicht zufolge ihren Zweck nicht verfehlte.[13]

II

Johann Georg Heinrich Feders Leben läßt sich in drei Hauptabschnitte einteilen. Der erste ließe sich als Vorbereitung bezeichnen und dauert 28 Jahre (15.5.1740 - 1768). Während dieser Zeit lebt Feder in Bayern. Im zweiten Abschnitt erreicht das Wirken dieses Popularphilosophen seinen Höhepunkt, der durch die Göttinger Professur gekennzeichnet ist (1768-1797). Der dritte Abschnitt – nach Feders Übersiedlung nach Hannover – nimmt quantitativ die kürzeste Zeit ein (1797-22.5.1821) und kann qualitativ als Antiklimax bezeichnet werden. Feders frühe Entwicklung ist typisch für viele deutsche Schriftsteller und Gelehrte. Das protestantische Pfarrhaus als Ort der ersten Erziehung und Ausbildung[14], Studien an einer Hochschule, dann die berühmte Hofmeisterstelle, die eine ganze Reihe von Gelehrten aus Feders Zeit innehatten[15], bis dann die glückliche Wendung zum erwünschten Beruf erfolgt. Der Geburtsort Feders heißt Schornweißach und liegt nördlich von Neustadt an der Aisch. Mit 11 Jahren kommt der Jüngling mit der Familie nach Neustadt, und 1757 beginnt er an der Universität Erlangen Philosophie und Pädagogik zu studieren. Philosophie studierte er hauptsächlich bei dem Wolffianer Succov, entfernte sich aber langsam durch einen gewissen Skeptizismus von der demonstrativen Methode Wolffs. Retrospektiv stellt er selbst fest, daß er zu diesem Zeitpunkt bereits mehr nachgedacht als die Werke anderer gelesen habe. Zur gleichen Zeit übte er sich fleißig im Disputieren, einer Kunst, die er auch während seiner glücklichen Göttinger Jahre weiter entwickelte; seine ersten Fortschritte in der Poesie machte er durch den intensiven Verkehr mit dem Dichter C. D. F. Schubart. Nach beendigtem Studium begannen 1760 die Jahre des Hauslehrers. 1764 kam Feder mit seinen Zöglingen wieder nach Erlangen, er erhielt ohne Prüfung die Magisterwürde und reichte 1765 seine Inauguraldissertation ein: *Homo natura non ferus*, in der er sich mit dem Pessimismus Rousseaus auseinandersetzte, wie er in dessen zweiten *Discours* zutage tritt. 1765 wurde Feder auf das Casimirianum nach Coburg berufen, zunächst als Professor für Metaphysik und später auch für Logik. Die Wolffschen Grundsätze überzeugten ihn nun noch weniger, und er begann mit dem Studium von Hollmann und Crusius einerseits und Darjes (Logik und Moral) und Achenwall (Naturrecht) andererseits.

Im Jahre 1767 erschien sein erstes Buch: *Grundriß der Philosophischen Wissenschaften nebst der nötigen Geschichte*. Dieses Buch, über weite Teile oberflächlich geschrieben und eklektisch zusammengesetzt, ohne besondere inhaltliche Tiefe und ohne einen festen philosophischen Standpunkt, entsprach gewissermaßen dem Geist der Zeit, den Feder selbst in seiner Antrittsvorlesung dahingehend charakterisiert hatte, daß Psychologie und Belletristik die Philosophie ablösten. Feder sendete ein Exemplar an Ernesti nach Leipzig, dieser nimmt Kontakt mit Münchhausen in Hannover auf, und die vorsichtigen Schritte dieses ersten Kurators der Georgia-Augusta bringen Feder 1768 als Ordinarius für Philosophie nach Göttingen. Max Wundt kommentiert diese Entwicklung eindeutig: »Wohl auf keinem anderen Wissensgebiet hätte man dort einen so dürftigen Ausweis als genug für ein Ordinariat angesehen.«[16]

Doch nun begann Feders Aufstieg. Seine Bücher waren zwar mehr geschickt als lehrreich geschrieben, aber sie entsprachen völlig den intellektuellen Bedürfnissen der Epoche und wurden unentbehrlich im zeitgenössischen universitären Lehrbetrieb. Seinen aus der Coburger Zeit stammenden *Grundriß* benutzte noch Kant als Kompendium, seine »Logik und Metaphysik« von 1769 brachte es bis 1790 auf sieben Auflagen, während sein 1770 erschienenes »Lehrbuch der Praktischen Philosophie« bis 1781 fünf Auflagen erreichte. Hier trafen sich die subjektiven Möglichkeiten und das persönliche Verständnis des Gelehrten und Schriftstellers mit den objektiven Bedürfnissen der Zeit und fanden zu einer gegenseitigen Übereinstimmung. Anders dürfte dann die Reaktion auf sein Hauptwerk *Untersuchungen über den menschlichen Willen*, 4 Teile (1779-1793), gewesen sein, obwohl Feder gerade in ihm sein *opus magnum* sah und es Lockes Buch über den menschlichen Verstand gleichsetzen wollte. Selbst die kritische Würdigung dieses Werkes durch Feders Freund Christoph Meiners aus dem Jahre 1800 – dessen Veröffentlichung Feder noch vor der Drucklegung eingesehen hatte und in der Meiners die Schulgelehrten und Journalisten angriff, die Feders *Untersu-*

chungen ignorierten oder mit einer »hönisch-mitleidigen Miene« erwähnten[17] – konnte nach einer Kritik an der Anordnung des Materials und der Art und Weise, wie der Verfasser den Stoff bewältigte, lediglich dem ersten und dritten Band zustimmen. Das große Lob, daß der Verfasser alle seine theoretischen Grundsätze in der Praxis verwirklichte, gehört in eine andere Kategorie und sagt mehr über die Persönlichkeit Feders aus, als über die Resonanz seiner schriftstellerischen Arbeiten. Die Reputation des einst so populären Lehrers und von Verlegern gesuchten Schriftstellers scheint nun ihren Zenit überschritten zu haben.

Die neunziger Jahre treiben in Deutschland den Kantianismus in seinen verschiedenen Spielarten durch Reinhold, Fichte, Maimon und Schelling bereits über seinen Höhepunkt hinaus. Aber gerade zu dieser Zeit erlangte die Kantische Philosophie in Göttingen dennoch eine kurze, wenn auch weder tiefe noch durchschlägige bzw. dauerhafte Aufmerksamkeit durch drei aufeinander folgende Ordinarien: Bürger, Buhle und Bouterweck, welche alle den Versuch unternahmen, Kritische Philosophie zu lesen.[18] Göttingen war zu sehr auf antispekulativen Grundsätzen errichtet, als daß eine spekulative Philosophie dort Fuß fassen konnte. Gottlob Ernst Schulze – der Schwiegersohn Feders und ein bedeutender Antikantianer – kommt 1811 von Helmstadt nach Göttingen und setzt nach dem 1810 verstorbenen Meiners die antiidealistische Tradition fort.

Feder, der die Kantische Philosophie bis zu seinem Lebensende nicht verstand und sie nur als neue Scholastik und Wortklauberei ansah, hat sich durch jene mit Garve gemeinsam verfaßte und in den *Göttingschen Anzeigen zu Gelehrten Sachen* am 19. 1. 1782 veröffentlichten Rezension blamiert und seinem Ansehen geschadet. Die Literatur zu diesem Thema ist differenziert[19], doch hier sollen nur einige Punkte angeführt werden, die Feder in seiner Autobiographie betont[20]:

a. Garve schlug vor, die Rezension von Kants *Kritik der reinen Vernunft* zu übernehmen; daß ihm dies die Göttinger überließen, sieht Feder retrospektiv als Fehler an. Er selbst war durch das »übermäßige Glück«, welches ihm damals zuteil wurde, »ein wenig übermüthig«.

b. Feder kürzt die Rezension und gibt zu, daß ihr beleidigendster Teil, der den Kantischen Kritizismus mit dem Idealismus Berkleyscher Prägung vergleicht, von ihm stammt.

c. Er litt schwer unter den Folgen der Auseinandersetzung. Die Zahl seiner Studenten sank, seine Bücher fanden keinen Absatz, einige seiner Kollegen wandten sich von ihm ab. Er wurde krank, aber eine spätere Harzreise mit seinen Kollegen erneuerte sein Selbstvertrauen.

d. Obwohl sich das Auditorium erneut füllte und sein Ruf wiederhergestellt war (1787 war das Jahr seines ersten Prorektorats), schlug der Versuch einer antikantischen Zeitschrift, die er gemeinsam mit Meiners zwischen 1788-1791 herausgab, fehl.

e. Es gab einen Teil der Konservativen Aufklärer in Deutschland, die den Ausbruch der Französischen Revolution durch den Geist der Aufklärung ausgelöst sehen wollten. Feder spricht vom »Synchronismus der revolutionären Strebungen in der politischen und in der gelehrten Welt. Daß die eine dieser Revolutionen die andere erzeugt habe, wird keinem unterrichteten Zeitgenossen zu behaupten einfallen. Aber daß der politische Zustand der Zeit einigen Einfluß gehabt hat auf die Ereignisse unter den Philosophen ... ist kaum zu verkennen«[21], wobei nicht nur der Inhalt, sondern hauptsächlich die Ausdrucksweise gemeint ist.

Man kann sicher mit Feder übereinstimmen, wenn er behauptet: »doch ist es außer Zweifel, daß die Kantische Revolution mehr als alles übrige meynem Beyfall Abbruch that«[22]; Feders Ansehen war zwar angegriffen, aber seinen eigenen Aussagen zufolge ließ sich seine Reputation zunehmend wiederherstellen, und es ist unwahrscheinlich, daß er nur wegen der Auseinandersetzung mit Kant Göttingen verließ[23]; die Gründe dafür sind nicht weniger in den Ereignissen, Schriften und Verhaltensweisen Feders zwischen 1792-1794 zu finden.

Feders Zustand des »übermäßigen Glücks« begann sich zu erneuern. Man vergegenwärtige sich seine Lage vor der Auseinandersetzung mit der Kantischen Vernunftkritik. Ein Hochschullehrer, dessen wissenschaftlicher Aufstieg mit der Blütezeit einer neuen Hochschule beinahe identisch ist, der gerade der vernachlässigten Praktischen Philosophie zu einer Vorrangstellung verhilft, der zur Mode wird und den Begriff des Neuen verkörpert, der einen alten, aber berühmten Wissenschaftler und Lehrer wie Achenwall, dem es an akademischer Zustimmung fehlt, ersetzen muß, der in Göttingen häufig zeitgenössische Philosophen rezensiert und dies auch noch von Hannover aus fortführt, der zu seinen Schülern Ferdinand von Braunschweig, den Grafen Stadion, die Fürstin Gallizin und später auch die königlichen Prinzen zählen kann – Feder lebt im Bewußtsein, der Erfüllung seiner Ziele sehr nahe zu sein.

Trotz seiner Erfolge kann festgehalten werden, daß Feder seinen Beruf nicht absolut setzte, sondern auch bei dessen Beurteilung ein Maß gesunder Skepsis nicht fehlen ließ, wie folgende Äußerungen belegen:

a. Feder postuliert unter anderem, »das Reich der Erkenntnis zu erweitern, Lücken in den Wissenschaften auszufüllen, Dunkelheit aufzuklären...«[24]

b. Da aber lebendige Menschen dieses Postulat verwirklichen sollen, zeigen sich in deren Berufsleben auch die egozentrischen Züge der pedantischen Gelehrten, die ihre Gleichgültigkeit gegenüber der Gesellschaft demonstrieren, wenn sie in ihr »nichts von ihren Wissenschaften auskramen« können[25] oder für diese etwas einzuholen vermögen.

c. Feder differenziert zwei Haupttypen von Gelehrten. Der erste geht über seinen Beruf hinaus, indem er erkennt, daß »auch im Leben des Gelehrten nicht alles Gelehrsamkeit, Schreiberei und Streitigkeiten sind«.[26]

d. Den zweiten Typus verkörpern alle jene, die »selbst auf Kosten ihrer Ganzheit als Menschen«[27] ihr Leben als Forscher und Wissenschaftler zur höchsten Vollkommenheit bringen wollen.

e. Feder selbst zählt sich zum ersten Typus, und in seiner Beschreibung der wöchentlichen Wanderungen mit seinem Freund Meiners in der reizvollen Umgebung Göttingens läßt er durchblicken, wen er dem zweiten Typus zurechnet: »Dem freilich noch arbeitsameren Heyne möchten diese Spaziergänge allerdings nicht gefallen.«[28] Damit ist der Gegensatz sowohl personifiziert als auch individualisiert, und ganz im Sinne jener Empfindsamkeit der Aufklärung kann Feder auch seine und Meiners Gefühle während ihrer kurzen Ausflüge in Worte fassen: »Manchmal umarmten wir uns unter freiem Himmel, im dankbaren Gefühle des Glückes unserer Freundschaft; himmlisch heiter von Heinberge auf die vom farbigen Lichte der untergehenden Sonne beleuchtete Gegend hinabsehend.«[29]

Feders Hannoversche Zeit ist zunächst durch die politischen Veränderungen gekennzeichnet, die die Stadt in der Epoche Napoleons treffen. Auf die Invasion der Franzosen 1803 erfolgte später der Einmarsch der preußischen Truppen, und zeitweise sind sogar Spanier im Land. Diese Entwicklung zeitigt im wesentlichen zwei Folgen: a) Feder stellte die hierarchische – den deutschen Höfen ähnliche – Struktur des französischen Militärs fest. Die Idee des *citoyen* hat ihren Stellenwert eingebüßt, die revolutionären Ziele sind verschwunden. b) Wie viele der Gebildeten Deutschlands, die in der ersten Phase der Französischen Revolution die Ereignisse im Nachbarland begrüßten, sich aber im neuen Jahrhundert der nationalen Idee zuwandten und diese gegen den frühen Kosmopolitismus eintauschten, so bedauerte auch Feder den Ausgang der Schlacht bei Jena und Auerstädt; das »beglückteste Jahr meines Lebens« wird ihm die Niederlage Napoleons, und die Nachricht über die 1815 gegründete Christliche Konvention zwischen Preußen, Österreich und Rußland »überrascht, entzückt, begeistert«[30] ihn.

Seine berufliche Aktivität konzentrierte sich in der Pagenschule der Stadt, Georgianum genannt, die aber 1811 geschlossen wurde. Dort war Feder Direktor und unterrichtete naturwissenschaftliche Fächer, die er von der Naturgeschichte ausgehend noch in Göttingen zu studieren begonnen hatte. Er will sich nun »aufs Practische und Feststehende« konzentrieren. Stellvertretend war er auch zweimal für kurze Zeit Leiter der Königlichen Bibliothek. Er baute auch seine bereits in Göttingen begonnene Mineraliensammlung weiter aus, so daß ihm der Übergang nicht schwer fiel. Nach 1811 erteilte er hauptsächlich Privatunterricht und rezensierte häufig in den *Göttingischen Gelehrten Anzeigen*. Feder bezeichnet die Zeit zwischen seinem achtundfünfzigsten und einundsiebzigsten Lebensjahr rückblickend »als eine der angenehmsten Perioden meines Lebens«.[31] Da seine Ambitionen im Leben befriedigt wurden, will er den Rest seiner Kräfte benutzen, um anderen zu helfen. So kann der Greis in seinen letzten Jahren wohltätig, heiter und seinem Schicksal dankend leben, und die vielen Auszeichnungen von in- und ausländischen Institutionen geben seinem Leben einen versöhnlichen Abschluß.

Feder, der sich als glücklichen Menschen betrachtet, dem seine zentralen Wünsche in Erfüllung gingen, ist sich bewußt, kein neues philosophisches System geschaffen zu haben. Er fühlt sich eher zum »Ausbessern und Nachhelfen, als zu großen Entwürfen und Schöpfungen«[32] berufen, und obwohl er weiß, daß ihm aufgrund mangelnder Qualifikationen[33] keine sichtbare Ausbildung einer Schule gelungen ist, nimmt er trotzdem an, daß er nicht »ohne alles Verdienst gearbeitet« hat. »Ich suchte anwendbare Philosophie aus den natürlichsten, oder nicht füglich zu bestreitenden Vorstellungsarten zu entwickeln, das Wahre und Gute, was sie enthielten, durch vernünftige Gründe jedweder Art zu befestigen.«[34] Gerade diese Art von Philosophie war an der damals noch jungen Universität Göttingen gefragt, und so konnte Feders Jugendtraum, dort zu lehren, Wirklichkeit werden.

III

Die Georgia-Augusta wurde offiziell 1737 eröffnet und sollte nach dem Vorbild der Universität in Halle gestaltet werden. Doch muß auf eine tiefgreifende Differenz zwischen beiden Hochschulen hingewiesen werden: Göttingen beseitigte die Vorrangstellung der theologischen Fakultät und konnte mit dieser auch den Ballast der alten Lehrfächer wie der Rhetorik, Grammatik, Poetik und Dialektik sowie die Übung in den scholastischen Spitzfindigkeiten aus ihrem Programm streichen. Die Vorrechte der Theologen wurden nun dem Staat übertragen; »die erste moderne Universität« wird zu einer Staatsanstalt, das Staatsoberhaupt erhält die Rektoratswürde, und die Staatsinteressen werden zum Motiv der hochschulpolitischen Aktivitäten.[35] »Das Ziel Gerlach Adolphs von Münchhausen, des eigentlichen Gründers und hervorragenden ersten Kurators der Universität war es, dem Zeitgeist entsprechend die lehrende und forschende Tätigkeit ganz auf die praktische Brauchbarkeit abzustimmen, abstrakte Spekulationen lagen ihm fern. Die tragenden Grundprinzipien des Absolutismus der Gedankenwelt der Aufklärung und der merkantilistischen Reflexionen haben bei der Gründung Pate gestanden.«[36] Diese Grundsätze verlangten eine Atmosphäre der Toleranz, sie zielten auf die Überwindung der kontemplativen Komponente in der Beziehung zur konkreten Welt, sie waren von Praxisbezogenheit durchdrungen, gingen deshalb auf das Faßbare und Erkennbare und verhalfen in diesem Geist des Utili-

tarismus vielen modernen Wissenschaftszweigen zu ihrer Verselbständigung. Davon, daß diese Tendenzen zu einer Präferenz
positivistisch orientierter Lehrfächer führten, legt folgender Umstand ein beredtes Zeugnis ab: Zum Zeitpunkt der Ankunft Feders in Göttingen (1768) studierten 402 von 653 Studenten Jura.
Da in Deutschland gerade diese Ausbildung für den Staatsdienst
notwendig war, ist die Rolle Göttingens für die Vorbereitung der
Staatsbeamten nicht zu unterschätzen.[37] Es kann also nicht verwundern, daß in einer Hochschule, in der die empirischen Wissenschaften hochgeschätzt wurden, der spekulativen Philosophie
kein exponierter Stellenwert eingeräumt wird. »Die ›historische‹
Erkenntnis im Sinne der Zeit verdrängt die ›philosophische‹.«[38]
Die Ankunft Johann Georg Heinrich Feders in Göttingen ist mit
einer wichtigen Zäsur verbunden. Durch Münchhausens Tod im
Jahre 1770 geht die Gründerzeit zu Ende. Mit der faktischen
Übernahme der Verantwortung für die Universität durch den
neuen Kurator Georg Brandes in Hannover und der enormen
Hilfe, die er durch seinen späteren Schwiegersohn Christian
Gottlob Heyne aus Göttingen erhält, »begann eine neue Epoche
in der Geschichte der Universität Göttingen, die Epoche der ganz
großen Blüte ...«.[39] Es kam eine große Anzahl neuer Professoren
an diese Hochschule. Gehörten zur ersten Generation berühmte
Wissenschaftler wie Boehmer, Michaelis, Pütter, v. Haller und
Kaestner, so waren die führenden Namen der zweiten Generation
Heyne selbst, Schlözer, Blumenbach, Beckman, v. Martens, Lich-
tenberg, Spittler und Heeren. Und diese Hochschullehrer der
Georgia-Augusta repräsentierten in ihrer Gesamtheit weitaus
mehr als nur die Summe aller einzelner. Am 6. 1. 1807 schreibt der
alte Heyne an Feder: »Erhält sich die heilige Flamme wahrer
Gelehrsamkeit, die nicht in bloßer Speculation bestehen darf, in
Göttingen, so kann sich von hier aus wieder Wärme und Licht
verbreiten. Einzelne Menschen wirken das nicht; es muß eine
ganze öffentliche Anstalt seyn.«[40]
Natürlich besteht eine innere Dialektik zwischen dem Geist einer
»öffentlichen Anstalt« und den Individuen, aus welchen diese
Institution zusammengesetzt ist. Durch das Monopol der Berufungen für die Kuratoren in Hannover sollte eben diese besondere Qualität der Georgia-Augusta erhalten werden. Der dritte
Kurator der Universität, Ernst Brandes (1791-1810), hat in seinem aufschlußreichen Buch zur Geschichte der Göttinger Uni-

versität einige der Gründe angegeben, die es ermöglichten, vorzügliche Lehrer und Wissenschaftler nach Göttingen zu holen: Erstens die allgemeine Achtung für den Professorenstand und die anderen gelehrten Mitglieder. Als zweites Element sieht Brandes die bestmögliche Vorsorge für den Unterhalt derselben, und der dritte Faktor bildet eine zweckmäßige »Lehr- und Schreib-Freiheit«.[41] Brandes weiß, wie wichtig gerade das letzte Element für die Suche nach Wahrheit und für die stetige Erneuerung der Forschung ist, auf der anderen Seite muß er aber einräumen, daß die Zensurfreiheit nur den Professoren gewährt ist und daß diese einer allgemeinen Regel unterworfen sind, nichts gegen den Staat, die Religion und die Sitten drucken zu lassen.[42] Brandes selbst erwähnt die »weise und sparsame Anwendung« dieses Rechts und daß seine endgültige Form sich jeweils nach Zeit und Umständen richten müsse. Natürlich legte man bei Berufungen für die Georgia-Augusta auf gute Lehrer, berühmte und anerkannte Wissenschaftler Wert, die der Universität zur Anziehung neuer Studenten verhelfen sollten, und suchte deshalb einen relativ großen Freiraum für Lehre und Forschung zu ermöglichen. Besonders wurde die philosophische Fakultät bevorzugt, denn »diese Facultät enthält das Salz der Erde, dessen alle anderen Facultäten bedürfen«.[43] Eine weitere Komponente für den Geist dieser Universität bildete nach Brandes die Berufung ausschließlich solcher Gelehrter, von denen angenommen werden konnte, daß sie sich in keine politischen Auseinandersetzungen verwickeln lassen würden und deren reales Verhalten aufgrund ihrer Zurückhaltung dann auch dazu beigetragen hat, daß »im Allgemeinen die Wissenschaften sehr an Achtung und Würde gewonnen haben«.[44]

In der modernen Forschung hebt Carl Haase drei Gründe hervor, die maßgeblich zur Konzentration besonders qualifizierter Gelehrter in Göttingen beigetragen haben: Erstens die hervorragenden Bibliotheksverhältnisse, zweitens den von vornherein postulierten Vorrang der Erfahrungswissenschaften und drittens »aber die allen Professoren gewährte Zensurfreiheit, die Gewährleistung der Freiheit wissenschaftlichen Arbeitens«.[45] Diese beiden Darstellungen von Brandes und Haase von der Universität Göttingen sollten eher komplementär als konträr betrachtet werden. Die Berufungen durch den Staat – und nicht, wie damals üblich, durch die Kooptation der Hochschule selbst – brachten letztlich nur Vorteile mit sich[46], die althergebrachte Mißbräuche verhindern halfen; historisch betrachtet handelte es sich um einen Fortschritt in der Hochschulpolitik.

Das neue System bewährte sich. Schon Münchhausen gelang es, den Adel auf die Universität aufmerksam zu machen und diesen zu veranlassen, seine Söhne nach Göttingen zu schicken.[47] So gelang es also sowohl im Hinblick auf den Lehrkörper als auch im Hinblick auf das studentische Publikum, die Göttinger Universität für jene akademischen und gesellschaftlichen Schichten attraktiv zu gestalten, die in den Augen der hohen Regierungsbeamten eine qualitative Vorrangstellung besaßen. Um aber in der damaligen Zeit zu einer »öffentlichen Anstalt« zu werden, mußte die Komponente der Öffentlichkeit den engen Universitätsrahmen sprengen. Dies geschah durch die Vermittlung zweier – damals sehr wichtiger – Institutionen: Gesellschaften und Zeitschriften.

1739 bildet Johannes Mathias Gesner nach dem Vorbild Gottscheds in Leipzig die »Deutsche Gesellschaft«, die zum Vorläufer der 1751 gegründeten »Societät der Wissenschaften« mit ihrem ersten Präsidenten Albrecht von Haller wurde. An ihr orientierten sich dann die Gründungen weiterer Gesellschaften, in denen die Göttinger Hochschullehrer ein zusätzliches Feld für ihre Aktivitäten fanden und die ihnen als Vermittlungsinstanzen zum interessierten Publikum dienten. Weitere Möglichkeiten, sich als kritische Schriftsteller ausweisen zu können, boten verschiedene Zeitschriften, so unter anderem seit 1738 die »Göttingische Zeitung«, aus der dann die berühmten »Göttingischen Gelehrten Anzeigen« hervorgingen. Durch diese Möglichkeit, sich an eine breitere Öffentlichkeit wenden zu können, sollte zum einen Gelehrsamkeit und Gemeinwohl miteinander verknüpft und zum anderen ein erhöhtes Streben nach wissenschaftlichem Erfolg und persönlicher Reputation motiviert werden. Trotz der großen Bedeutung, die die philosophische Fakultät in der Entwicklung der Universität gewann, war das Fach der Philosophiegeschichte im 18. Jahrhundert in Göttingen bedeutungslos. Samuel Christoph Hollmann, dessen erstes Hauptwerk in Verbindung zur alten Scholastik stand, wurde zwar bereits 1734 nach Göttingen berufen; dieser habe sich aber »schnell dem philosophiefeindlichen Geiste angepaßt«.[48] J. G. H. Feder war der zweite Lehrer im Fach der Philosophie, der eine typische Common-sense-Philosophie vertrat, für die wahr ist, was »alle Menschen nicht anders als so denken können«.[49] Der dritte war Christoph Meiners; in ihm »steigerte sich die geschmälzte Wassersuppenphilosophie«, wie Lichtenberg das Treiben dieser Philosophen nannte, »noch um ein erhebliches«.[50]

IV

Ähnlich wie Moses Mendelssohn im Vorbericht zu seinen *Morgenstunden*[51] sieht auch J. G. H. Feder seine eigene philosophische Entwicklung im Rahmen der geistigen Strömungen seiner Zeit, die sich schließlich auch im Spezifischen des Denkens manifestiert. »Der Geist der Zeit hat, wie auf die Bildung des Schriftstellers, so auf das Schicksal seiner Arbeiten einen entscheidenden Einfluß. 15 oder 20 Jahre früher würde ich schwerlich philosophiert haben wie damals; oder hätte ich es gewagt, in einer so leichten Rüstung und mit einer so sceptischen Miene aufzutreten: die Wortführer hätten mich an irgendeine der Wolffischen Lehranstalten verwiesen, die Anfangsgründe der Philosophie erst zu lernen. Aber man war der schwerfälligen, weitschweifigen, und doch am Ende die verheißende Einsicht und Gewißheit nicht bewirkenden, Demonstrir-Methode müde.«[52] Feder schrieb zwar auch in Form von Paragraphen, hält sich aber für einen besseren Philosophen als seine Wolffianischen Vorgänger, »bis auch dieser Periode Ende da war, und schwere Rüstung wieder Mode ward; zwar nicht im Geschleppe vieler Paragraphen, aber durch die vielen neuen Wörter, nicht minder lästig und imponierend«.[53] Feders philosophisches Schaffen kann als ein Denken in der Zeit des Überganges zwischen zwei dominierenden Schulen betrachtet werden. In bezug auf die erste Schule befindet er sich in der Position des Angreifers, von der nachfolgenden jedoch wird er überrollt.

»Despotismus von jeder Art reizt zur Widersetzlichkeit«, meint Mendelssohn an der oben angeführten Stelle, was also bedeutet, daß der Akt, der aus den Fesseln der demonstrativen Deduktionsmethode herausführt, eine Tat der Befreiung ist, und daß der Weg von den strengen logischen Prinzipien zu einer anderen Philosophie zu einem gewissen Umbruch führt. Vielleicht ließe sich die Quintessenz der dogmatischen Philosophie mit dem Absolutismus vergleichen, wo alles auf einem rationalen Wege von oben nach unten führt und hierarchisch wie im Feudalsystem gegliedert ist, bis der neue dritte Stand erscheint und sich diesem politischen System und seiner Denkart mit »Widersetzlichkeit« entgegenstellt. Sicher hatte das Bürgertum in Deutschland noch nicht zu seinem Selbstvertrauen gefunden, seine neue Philosophie war noch weitgehend orientierungslos und versuchte von verschiedenen theoretischen Quellen zu profitieren, bis der Kritizismus eine neue Phase in einer veränderten Zeit einläutet, eine Philosophie der Allgemeinheit und Notwendigkeit postuliert und sein Denken auf festen, bürgerlichen Grundsätzen mit politischer Freiheit und formeller Rechtsgleichheit begründet. Feder dagegen kann geradezu als Repräsentant dieser politischen Ungewißheit gesehen werden; er versuchte des öfteren – ohne daß Zweifel an seiner persönlichen Integrität aufkommen sollten –, sozusagen das gerade Passende zu schreiben, um es dann in einem anderen Kontext erneut und widersprüchlich darstellen zu können.

Daher rührt auch Feders Plädoyer für eine Philosophie der Wahrscheinlichkeit, »um die menschliche Erkenntnis überall, zumal aber bei wichtigen Gegenständen, wenn sie nicht bis zur Gewißheit erhoben werden kann, zur vernünftigen Wahrscheinlichkeit zu bringen«[54]; analog dazu propagiert er einen subjektiven Wahrheitsbegriff[55], in dessen Rahmen er allerdings Sätze formuliert, die scheinbar eine mechanische Verbindung von Wolff und Locke herstellen: »Diese Erkenntniß zu erlangen, muß man, wie überall, Nachdenken über die Natur der Dinge und Erfahrungen mit einander verbinden.«[56] John Lockes Erkenntnistheorie war es schließlich, mit deren Hilfe sich der junge Göttinger Gelehrte von Wolffs strenger Systematik löste. Von Locke – den Feder auch als »Original-Genie« bezeichnete – übernahm er die sensualistische Basis für das menschliche Wesen, daß alle Erkenntnis nur in den Sinnen begründet sein kann, mögen dies äußere oder innere sein. Lockes Philosophie war ihm auch die Basis für die Ursprünge der Begriffe, für die symbolische Erkenntnis durch die Sprache und für seine Begeisterung für die »Ideenassociationen«: »Ideenassociation ist das große Triebrad in der menschlichen Seele. Und es lassen sich ja nach und nach durch bloße Coexistenz allem ihrem Wesen nach gar nicht zusammengehörige Vorstellungen in bleibende Verbindung mit einander bringen.«[57]

Da Locke die Existenz angeborener Ideen verneint und in seiner

Theorie alle menschlichen Gefühle – auch das moralische – auf äußere Wirkungen gründet, wird die Empfindung zur zentralen Kategorie für die Wahrnehmung äußerer Eindrücke und das Gefühl zur Basis der empirischen Psychologie, die in der englischen Philosophie ihre Wurzeln hat und die von Feder unter dem Titel einer »Special-Psychologie« als eigene Wissenschaft ausgearbeitet wird.[58] Die Erkenntnistheorie Lockes übernahm später dessen Nachfolger Search, und Feder setzte sich für die Übersetzung seiner Schriften ins Deutsche ein. Von Search wiederum war der Schotte Reid beeinflußt, der Begründer der Philosophie des *common sense*, der im Vertrauen auf diesen nach keiner weiteren Legitimation der Wahrheit suchen zu müssen glaubte.

So werden Selbstbeobachtung und Erfahrung zu zentralen Begriffen in der Philosophie Feders. Das Subjekt mit seiner Vielfalt von Erfahrungsmöglichkeiten und seiner Breite möglicher Lebenshorizonte streift den abstrakten Begriff als Erkenntnisbegründung ab und vermittelt dem neuen Bürger ein neues Lebensgefühl, wenn auch noch keineswegs Sicherheit darüber besteht, worin die Möglichkeit von Gefühlen und Empfindungen eine positive Bewertung erfährt. »Kurz, die Hochaufklärung wird in unterschiedlichen Verbindungen erkenntnispsychologisch und moralisch empfindsam zugleich, sie vollzieht insgesamt jene Wende zum Subjekt, die das weitere 18. Jahrhundert entscheidend bestimmen wird.«[59] Mit dem Einrücken des konkreten Subjekts in das Zentrum der Philosophie ändern sich auch die Schwerpunkte des philosophischen Denkens: Erkenntnistheorie, Logik, Metaphysik und Dialektik werden weitgehend von Moralphilosophie, Anthropologie, Ethnologie, Geschichte, Ästhetik und politischer Wissenschaft verdrängt, kurz: »Mit dem Menschen hat es die Philosophie zu thun, alles was sie behandelt, geschieht am Ende immer in Beziehung auf ihn.«[60] Diese neue, praktische Philosophie ist für das Leben bestimmt und entnimmt diesem ihre Themen, wie Feder selbst in Hannover zur Zeit der französischen Besatzung konstatiert: »Zum theoretischen und practischen Philosophieren gab es wichtige Anlässe und Aufforderungen genug.«[61] Das praktische Leben fordert den Menschen zum Nachdenken über seine Handlungen auf, und die Konsequenzen sollen dann wieder in das konkrete Leben einfließen.[62] Auf diese Weise soll die praktische Philosophie mit ihrer Betonung des *common sense* und ihrer unmittelbaren Beziehung zur

Wirklichkeit zum Hauptmodus aufklärerischen Denkens werden; dies blieb freilich ein uneingelöster Anspruch, der naiv an die allgemeine menschliche Vernunft und deren Verwirklichung in der konkreten Welt glaubte. Für Johann Georg Heinrich Feder war der Übergang vom Wolffianismus zur *Common-sense*-Philosophie gleichbedeutend mit dem von der »Stuben«- zur Naturphilosophie, deren Anwendung in ihrer geschichtlichen Form er als Naturhistorie bezeichnete, und die ihm in ihrer praktischen Form, »dem fleißigen Aufenthalte in Gottes freier Welt«[63] viele glückliche Stunden brachte.

John Lockes psychologisierende Erkenntnistheorie war aber nicht der einzige Antrieb für Feders »Special-Psychologie«. Die ersten Zweifel an Wolffs System, die schon den 25jährigen jungen Philosophen quälten, wurden durch Hume und Sextus[64] ausgelöst. In bezug auf seine eigenständige philosophische Entwicklung fühlt sich Feder der Humeschen Moraltheorie und dem Sympathiebegriff von Hutcheson und Smith verpflichtet, ferner bezeichnet er sich auch als Schüler des Schotten Home, des Franzosen Helvetius und des Deutschen Sulzer.[65] Feders intellektuelle Entwicklung läßt sich anhand der in den Einleitungen zu seinen Werken angegebenen Literatur recht gut nachvollziehen; dabei erstaunt die Fülle des anthropologischen Materials, das er bereits in seinen jungen Jahren in Göttingen verarbeitet hat. Es liegt im übrigen nahe, zwischen der Ausstattung der Göttinger Bibliothek, die sich unter dem Patronat von Brandes und Heyne besonders reichhaltig entfaltete, und dem zentralen Stellenwert der Geschichte für Feders Denken eine Parallele zu ziehen. Ganz offen gesteht uns Feder 1782, daß ohne die »Philosophischen Geschichtsschreiber und Geschichtsforscher«[66] er vielleicht nie im Stande gewesen wäre, sich an seine Arbeit zu wagen. Aber relevant sind für seine Forschungen nicht jene Geschichtsforscher, die einzelne Völker oder Personen untersuchten, »sondern vielmehr aus der Vergleichung vieler solcher Particulargeschichten, und mit Hilfe der psychologischen Grundlehren, die Geschichte der Menschheit, die natürliche Geschichte der Sitten, ans Licht zu bringen sich Mühe gegeben haben; die Iselins, Fergusons, Krafts, Millars, Homes und andere in der neuen Literatur genugsam bekannte Männer ... Und hier darf denn auch das unentbehrliche Werk des großen Montesquieu nicht ungenannt bleiben; ... sondern auch sicher eine der wirksamsten Erweckungen zur Philosophie der Geschichte überhaupt, und zur gründlichen Untersuchung der Einflüsse des Klimas und anderer physischer und moralischer Ursachen der Sitten geworden ist.«[67] Bei allen diesen Denkern bestimmen soziologische und ökonomische Bedingungen, anthropologische und ethnologische Faktoren den historischen Prozeß und die verschiedenen Herrschaftsstrukturen. Die individualistische Naturrechtstheorie mit ihrem absoluten Rechtsanspruch muß nun einer relativistischen Betrachtung weichen, die neben den verschiedenen historischen Stadien auch geographische Eigenständigkeiten differenziert, die Gesellschaftsstrukturen und die aus ihnen hervorgehenden individuellen Verhaltensweisen beeinflussen.[68] Es werden die diversen historischen Stadien der menschlichen Gesellschaft erforscht, um so den Weg für eine zukünftige, moralische Vollkommenheit unter den verschiedensten Bedingungen freizulegen. Diese historische Betrachtungsweise war geradezu typisch für Göttingen, und Feders Werk ist diesbezüglich nur ein partikularer Ausdruck einer allgemeinen Tendenz: »Diese Verbindung von Rationalismus und Geschichte ist ausschlaggebend für die verschiedenen Fachrichtungen in Göttingen. Theologen wie Mosheim und Michaelis, Juristen wie Schmaus, Pütter und Hugo, Philologen wie Heyne dachten historisch und versuchten Texte als Ausdruck der jeweiligen Zeit und der Gesellschaft zu verstehen, in der sie entstanden waren.«[69]

Das geschichtsphilosophische Denken beinhaltet aber auch noch eine weitere Dimension, und zwar die Hoffnung auf eine neue Zukunft, auf die Gestaltung nützlicher und humaner gesellschaftlicher Einrichtungen. Bezogen sich der Adel und der Hof zur Legitimation ihrer Rechte auf traditionelle politische Strukturen, so will der um seine soziale Stellung und sein eigenständiges politisches Bewußtsein kämpfende Bürger sich einen festen Platz in der künftigen Gesellschaft sichern. Dies wird ihm aber nur möglich, wenn er mit Hilfe der Vernunft ständische Vorurteile und herrschaftliche Privilegien abzubauen fähig ist. Als Parameter dieses allgemeinen Vernunftbegriffs dient letztlich das Leistungsprinzip, das den Bürger als Mensch mit gleichen Rechten und Pflichten an die Spitze des historischen Prozesses setzt. Die Geschichte der bürgerlichen Gesellschaft kann die Sozietät der gleichberechtigten Bürger erst durch die Dimension der Zukunft einzulösen versuchen[70], die im Optimismus des Fortschritts der

Aufklärung im Übergang zu einer neuen historischen Epoche wurzelt.

Im Prozeß der Aufklärung spielen allerdings verschiedene Faktoren eine Rolle. So meint z. B. Salomon Maimon, daß ihre zentrale Pointe nicht in der Erlangung neuer Kenntnisse liegt, »sondern vielmehr auf Wegschaffung der uns von andern durch Erziehung und Unterricht beigebrachten falschen Begriffe«.[71] Die Befreiung von Überzeugungen, die uns von äußeren Autoritäten auferlegt wurden, sei der erste Schritt in der Aufklärung, dem dann die Selbstreflexion zu folgen habe, um Rückschritte zu vermeiden. Die Befreiung von Autorität und das Ausfüllen dieses Vakuums durch eigene Reflexion wird als Eklektik bezeichnet. Indem man die persönliche und historische Welt der Erfahrung der eigenen Kritik zugänglich macht, kann man zu einem vernünftigen Urteil gelangen. Dieser Eklektizismus blieb allerdings, und darin lag seine große Schwäche, die Begründung der Möglichkeit seines eigenen Wissens selbst und daher auch seiner Allgemeingültigkeit und Notwendigkeit schuldig. Mit Recht kann daher festgestellt werden: »Die eklektische Philosophie der deutschen Aufklärung stand ebenso wie der westeuropäische Empirismus in der Tradition der Skepsis, und die Skepsis war a limine gegen Universalwissen angetreten... Und so gab es innerhalb der eklektischen Philosophie doch einen Bereich, der historisch und empirisch immer auszumachen war: Das war die Legitimität der eigenen Position.«[72] Die Beurteilung dieses Eklektizismus betont negative und positive Aspekte. Die negativen beginnen mit dem deutschen Idealismus und erstrecken sich über Zeller und Windelband bis auf den heutigen Tag. So behauptet Klaus P. Fischer: »Today, their names have been forgotten and their works gather dust in a few German university libraries. ... These empiricists were not only shallow and unsystematic...«[73] Zum positiven Charakter dieser »seichten« Philosophen äußert sich Nicolai Merker: »Hat es innerhalb der deutschen Ideengeschichte jemals zwei philosophische Generationen gegeben, die mit entschlossener Sammlung unermüdlich kritisierten, ... so sind es die beiden Philosophiegenerationen gewesen, die in jenen 50 Jahren wirkten, die wir das ›Zeitalter Lessings‹ genannt haben.«[74]

V

Der Empirismus, der selbst zwischen dem Rationalismus und dem Skeptizismus steht, diente methodisch dazu, die starre Position des rationalen Dogmatismus zu unterwandern und dessen absolute Vormachtstellung in Frage zu stellen. Allerdings ginge man mit der Annahme fehl, Feder habe sich völlig dem Empirismus verschrieben und von allen allgemeinen Begriffen distanziert. Im Gegenteil, die Philosophie wird gerade notwendig, um mit ihrer Hilfe zu einem vernunftgemäßen Urteil über den Menschen zu kommen, und um das Besondere im Allgemeinen wahrzunehmen; darüber hinaus untersucht die Philosophie auch die Verschiedenheit der menschlichen »Denkarten, Gemüthszustände, Neigungen und Charaktere der Menschen«; aber ihre wichtigste Aufgabe besteht in der Bekämpfung eines puren Positivismus: »Sie bewahrt endlich vor einem der gefährlichsten Irrthümer, in welchem der gemeine Empirismus ohne wissenschaftliche Einsicht so leicht verfällt, daß man auf einzelne Wahrnehmungen zu viel Gewicht legt, für dauerhafter, eingreifender, umfassender das Individuelle hält, als es ist und seyn kann.«[75] So sollen besondere Erkenntnisse und einzelne Erfahrungen unter allgemeine Kategorien subsumiert werden und von moralischen Postulaten durchdrungen den Weg zur tugendhaften Menschheit bahnen. Die praktische Philosophie[76] – als neue Wissenschaft gerade am Anfang ihrer Entwicklung – sollte auf diesen Grundsätzen errichtet werden. Im Gegensatz zur Schulphilosophie ist sie für die Anwendung im praktischen Leben bestimmt[77]; eben jener Sphäre der sozialen Wirklichkeit, in der sich das neue Bürgertum zunehmend zu behaupten beginnt und seinen Einfluß geltend macht, dessen empirische und philosophische Aspekte auf diesem Wege ihren Ausdruck finden. Auf der einen Seite dient der Empirismus als Fundament der modernen Naturwissenschaften, die wichtige Aufschlüsse und Impulse für die neuen ökonomischen Prozesse geben; auf der anderen Seite tragen die allgemeinen Begriffe wie unveräußerliche Menschenrechte, Konstitutionalismus und Gewaltenteilung wesentlich zum Kampf des dritten Standes um seine politische Emanzipation von feudaler Herrschaft bei.

Auch die natürlichen Gesetze entspringen der deduktiven Vernunft, während die positiven Gesetze deren Konkretisierung unter den besonderen Bedingungen der empirischen Wirklichkeit zur Aufgabe haben. Allerdings werden natürliche und positive Gesetze in Göttingen noch in verschiedenen Fächern gelehrt. Bis kurz vor Feders Ankunft lehrte man noch nach der von Thomasius in Halle bestimmten Teilung von Moral, Recht der Natur und Politik[78], wobei letztere sich mit der klugen Beförderung der rechten Mittel zur Verwirklichung der Postulate der praktischen Philosophie beschäftigt.[79] Die Definition ihrer Ziele ist bei Feder nicht ganz einheitlich; 1767 nennt er die Glückseligkeit und »das wahre Beste« als Ziele[80], während es 1770 heißt: »So nenne man ihn den ersten und allgemeinen Grundsatz der praktischen Philosophie: ›Suche dein wahres Wohl.‹«[81] Es handelt sich letzten Endes jedoch nur um verschiedene Formen der Betonung des eudämonistischen Elements in der Aufklärungsphilosophie, die das Streben aller Menschen nach immerwährendem Genuß durch die Glückseligkeit hervorhebt.

Der Bürger jener Zeit, der sich von politischer Bevormundung und sozialer Abhängigkeit befreien will, muß sich auf sich selbst und seine Mitbürger verlassen können. Diese erscheinen ihm in der doppelten Gestalt des Mitkämpfers und des Konkurrenten. Kants Begriff aus dem Jahr 1884 von der ungeselligen Geselligkeit war so zufällig nicht, denn er thematisiert die in der Gesellschaftlichkeit des Menschen angelegte Möglichkeit des Konkurrenzverhältnisses. Feder selbst bestimmt in Anlehnung an die schottischen Moralphilosophen die Selbstliebe und die Sympathie zu Grundpfeilern menschlichen Handelns. Die Selbstliebe bezeichnet den Trieb zur Glückseligkeit, der aber ohne Begrenzung in Eigennutz und Selbstsucht mündet, und zu dessen Ausdruck dann Neid, Mißgunst und Feindseligkeit werden. Nur durch die Begrenzung, durch die Sympathie, welche die Folgen eigener Handlungen auf andere Menschen berücksichtigt, und durch Mitleiden und Wohlwollen kann die Selbstliebe ihre Aktivität in angemessener Weise vollziehen. Auf der Suche des bürgerlichen Subjekts nach seiner historischen Wahrheit bleibt das Verhältnis von Selbstliebe und Sympathie zunächst zwiespältig, denn es stellt sich die Frage, ob beides angeborene Grundtriebe sind oder ob Sympathie lediglich als Modifikation von Selbstliebe aufzufassen ist. Im Anschluß an Hutcheson entscheidet sich Feder, beide als Grundtriebe zu bezeichnen[82], analog zu der seit Shaftesbury bekannten Differenzierung zwischen dem Trieb zur eigenen Glückseligkeit und dem zum allgemeinen Besten. Doch als Vermittlungsglied auf dem Weg zum allgemeinen gesellschaftlichen Besten fungiert, als lebendiger Faktor intersubjektiver Kommunikationen, der unmittelbare Nächste: »Unsere und andere Glückseligkeit zu befördern, ist bey allen menschlichen Handlungen hervorleuchtende Absicht«[83], eine Intention, die auf eine solidarische Beziehung verweist, in der der Nächste weder als Konkurrent noch als gleichgültiges Objekt betrachtet wird, sondern als Mitgefährte auf dem Wege zum Allgemeinwohl, und somit einen neuen Modus intersubjektiver Beziehungen andeutet. Daraus folgt ebenfalls die Rücksichtnahme auf das Schicksal des Anderen[84], das Empfinden des Wohlwollens, und, wo notwendig, auch des Mitleids, in das auch die Hilfe für den, der sie benötigt, einbezogen ist.[85] Von dieser Intersubjektivität erfolgt die Erweiterung zur Geselligkeit: »Die Glückseligkeit des Menschen, dessen Naturtriebe einmal erwacht sind, ist so sehr an die Geselligkeit angeknüpft, daß er, um sich mittheilen und theilnehmen zu können, wenn angemessene Gegenstände ihm fehlen, der leblosen Natur Empfindung, und Thieren Vernunft, andichtet.«[86]

J. G. Zimmermanns und Chr. Garves Versuch einer Klärung des Verhältnisses von Individuum und Gesellschaft geht über das freiwillige Element der Geselligkeit hinaus und sucht das Problem der neuen sozialen und normativen Verbindung zwischen den neuen Bürgern in der Gesellschaft auszuarbeiten, während für A. Ferguson der Mensch ein von Natur aus soziales Wesen ist.[87] Vor dem Hintergrund der Emanzipation der Gesellschaft vom Staat im Laufe der beiden großen Revolutionen am Ende des 18. Jahrhunderts entwickeln sich die in der menschlichen Natur wurzelnden Möglichkeiten zunehmend zur sozialen Wirklichkeit, und somit auch zur Grundlage aller moralischen Orientierung. Die Qualität dieser Entwicklung bedeutet nicht zuletzt eine Antizipation geistiger Entwicklungen des 19. und 20. Jahrhunderts: »Wie ohne das Beysammenseyn und die gesellschaftlichen Verbindungen des Menschen der größere Theil der moralischen Begriffe zwar gar keinen Gegenstand und keine Veranlassung haben würde; so finden sich hingegen im gesellschaftlichen Leben der Menschen gar bald mehrere Ursachen der Entwicklung, Ausbreitung und Vervollkommnung dieser Begriffe.«[88] Die Emanzipation der Gesellschaft bildet also die Voraussetzung und notwendige Bedingung für allgemeine Moralbegriffe und eine humane Tugendlehre.

Im Begriff der Moral drückt sich das Bedürfnis der frühbürgerlichen praktischen Philosophie aus, allgemeine Gesetze des menschlichen Handelns – analog zum Gesetzesbegriff der Naturwissenschaften – zu finden. Das Wissen um die Gesetzmäßigkeit moralischer und sozialer Verhaltensweisen sollte ja auch die Möglichkeit eröffnen, mit Hilfe eben dieser Gesetze aktiv in die Gestaltung der sozialen Wirklichkeit einzugreifen, um dadurch die Kräfte der Beharrung in Frage zu stellen. Die Moral, einmal der göttlichen Sanktion enthoben, bezieht sich nun in der Sphäre der menschlichen Verantwortung auf alle zustimmungsfähigen – d. h. nicht von übergeordneten Instanzen verfügten – Rechte und muß vor dem individuellen Gewissen bestehen können. Sicher ist die Rechtmäßigkeit einer Handlung vom allgemeinen Einverständnis des *common sense* abhängig, aber die Entscheidung für sie erfolgt als ein Akt des freien Willens, der sich nach subjektiven Richtigkeitsvorstellungen bestimmt. Die Ethik des bürgerlichen Subjekts soll neben den Pflichten und Rechten der Menschen auch den Weg der Tugend bestimmen, deren Ziel in der vollkommenen irdischen Glückseligkeit liegt; sie soll also das Vergnügen und die Zufriedenheit befördern, um sich der menschlichen Vollkommenheit und dem sozialen Allgemeinwohl zu nähern. Um die Erreichbarkeit dieser zukünftigen Vision zu gewährleisten, muß die Theorie der Moral die *vita activa* und den tätigen Menschen in ihr Zentrum stellen. Das passive Warten auf die Erlösung im Jenseits wird von einem aktiven Eingreifen in die *conditio humana* abgelöst und bildet so die eigentliche Verheißung des neuen bürgerlichen Bewußtseins: »Tugend ist *Kraft*, die Thaten thut, herrschender Trieb. Anhaltend wirksam, nicht periodische Laune, abhängig von dem Befinden des Körpers, abwechselnd mit den Gesellschaften, unter denen man lebt.«[89]

Feder führt nun in die Definition der beständigen Aktivität des Bürgers als dem einzigen tugendhaften Verhalten im Streben nach Glückseligkeit weitere Differenzierungen ein, indem er den verschiedenen Völkern in spezifischen historischen Situationen verschiedene Eigenschaften zuschreibt; ebenso erwartet er – darin Plato und Garve folgend – von jedem Stand ein ihm angemessenes Verhalten, und er ordnet – darin Montesquieu folgend – jedem Regierungssystem einen besonderen herrschenden Geist zu.[90] Indem Feder konsequent die Tugend als höchstes Ziel der praktischen Vernunft setzt, drückt er im Akt ihrer Differenzierung indirekt nur die politische Rückständigkeit des deutschen Bürgertums aus. Ihre hierarchische Struktur findet folgenden Ausdruck: a. echte und vollständige Tugend; b. politische Tugend; c. physische oder Temperamentstugend. Seine Begründung für die verschiedenen Abstufungen der ersten beiden Tugendarten lautet: »Wahre und vollständige Tugend muß mehr seyn als Vaterlandsliebe, mehr als williger Gehorsam gegen die Gesetze des Staates.«[91] Feder stellt die Aktivitäten für das Gemeinwesen und die politische Organisation unter die verinnerlichten Werte des Individuums und weist damit auf die Grenzen hin, die dem noch unentwickelten deutschen Bürgertum in der ständischen Gesellschaft gesetzt sind, einer Gesellschaft, die dem moralischen Menschen keine politischen Aktivitäten abverlangt und auf diese Weise den *status quo* erhält. Der von Feder seinen Mitbürgern anempfohlene Sittenkodex enthält einen Katalog frühbürgerlicher Tugenden wie Arbeitsamkeit, Fleiß, Sparsamkeit, Bescheidenheit und zusätzlich die strikte Negation libertiner Verhaltensweisen, die meistens unter dem Begriff der »Wollust« verdeckt werden. Handelt es sich also um eine Mischung aus englischem Puritanismus und friedrizianischem Preußentum, analog der geographischen Lage des Königreiches Hannover, oder um die Negation der politischen Kultur des Hofes durch das aufsteigende Bürgertum?

VI

Die Differenz zwischen Moral und Naturrecht läßt sich in der neueren praktischen Philosophie Deutschlands bis auf Thomasius zurückverfolgen. Während der Begriff der Moral auf subjektive Gewissenspflichten zurückzuführen ist[92], schließt der Begriff des Naturrechts in seiner allgemeinen Bedeutung diejenigen Pflichten ein, die für äußere Handlungen maßgeblich sind, um die aus dem Staatsrecht abgeleiteten allgemeinen Rechte und Pflichten nötigenfalls mit Sanktionen durchzusetzen.[93] Diese Rechte und Pflichten im Staate stellen eine logische Ableitung aus dem Naturrecht »in der engsten Bedeutung« dar, das die natürlichen Rechte im vorpolitischen Zustand thematisiert, und in diesen den eigentlichen Legitimationsgrund für die Errichtung eines möglichst gerechten Staatszwecks erblickt. Feders Ausführungen, soweit sie die Suche nach allgemeinen Gesetzen in der Natur und der sittlichen Welt ausdrücken, entsprechen ganz dem Geist der Zeit. Diese Gesetze der neuen bürgerlichen Allgemeinheit müssen – so Feder – »in der Natur, in den unabänderlichen Eigenschaften der Dinge ihren Grund haben«[94], und sie existieren »vermöge des Einstimmigen und Unveränderlichen in den sittlichen Empfindungen«[95] der Menschen. Die menschliche Natur wird so zur Basis der bürgerlichen Naturrechtstheorie, und sie kann dies vermöge ihrer unveränderlichen Eigenschaften; in diesem Sinne übernimmt die bürgerliche Naturrechtstheorie Kategorien des klassischen Naturrechts – etwa Außerzeitlichkeit, Allgemeinheit und Notwendigkeit –, also Eigenschaften, die in ihrer Abstraktheit eine dynamische und den *status quo* sprengende Kraft haben können. In diesem Zusammenhang muß allerdings betont werden, daß Feders Anlehnung an das Naturrecht nur eine Seite seiner politischen Theorie ausmacht.

Ernst Landsberg weist 1898 auf »diese letzte Verflachung des Naturrechts« bei Feder hin, deren Darstellung sich in Halbheiten manifestiert und unvereinbare Gegensätze zu verbinden sucht: »Ihr fällt es nicht schwer in einem Athem ›Preßfreiheit‹ ›mit Censur‹ zu fordern, oder die Gesetze der Natur als den Umständen nach veränderlich hinzustellen.«[96] Die von Landsberg angedeuteten Schwierigkeiten in Feders Theorie, Unvermitteltes unbedingt vermitteln zu wollen, können schon seinem Programm aus dem Jahre 1770 entnommen werden: »Der Lauf der Dinge in der Welt erfolgt nach einem mehr durchflochtenen System von Gesetzen, als das System der Rechtslehren ist, welches aus allgemeinen Begriffen entsteht. Das System des Philosophen kann in seiner Arbeit richtig seyn. Nirgends scheint es gefährlicher als hier, alles unter ein allgemeines System bringen zu wollen. Man hat Ursache sich zu hüten, das, was wirklich ist, zu verwerfen. Aber man hat vielleicht auch Ursache nicht alles zu rechtfertigen.«[97] Der Versuch, antagonistische Qualitäten, wie sie einerseits in der Geschichte und andererseits im Naturrecht ihren Ausdruck finden, als Einheit zu behandeln, muß schließlich fehlschlagen. Obwohl historisch betrachtet der Staat durch Gewalt errichtet wurde, glaubt Feder, daß schon in der nächsten Generation der Versuch seiner rechtlichen Begründung erfolgt.[98] Nach dem anfänglichen Akt des Unrechtes fällt also dem Naturrecht die Legitimation zukünftiger Zwecke zu. Daher ist der Schluß naheliegend, daß dem Naturrecht in Feders politischer Theorie keine konstitutive, sondern eine bloß regulative Aufgabe zukommt, um in das historische Gemeinwesen normative Elemente aufzunehmen, die dann als Legitimationsgrund für einen zukünftigen konstitutionellen Staat dienen können. Trotz fehlender Systematik und weitgehender Skepsis war Feder eindeutig gegen die absolute Willkürherrschaft und gab einem Rechtsstaat, der auf verschiedene Art regiert werden konnte, den Vorzug, wobei die Variationsbreite erheblich ist: sie reicht vom »Royalisten« aus dem Jahre 1793 hin zu einer demokratisch legitimierten allgemeinen Bürgerherrschaft und schließt einen vom Volk akzeptierten Monarchen ebenso ein wie eine an Aristoteles orientierte polisähnliche Gemeinschaft, in der die drei guten Regierungsformen miteinander verbunden sind.[99] Die Gründe für die Legitimation des Konstitutionalismus liegen dann – ganz nach John Lockes Vorbild – im Gesellschafts- bzw. Staatsvertrag, der die politische Herrschaft treuhänderisch dem Souverän überantwortet und ihn verpflichtet, die Verwirklichung der Rechte des Bürgers zu gewährleisten. Das allgemeine Beste als »letzter, entscheidender Grund aller wahren natürlichen Rechte der Menschen unter einander«[100] kann dann entweder als die allgemeine Glückseligkeit oder die Wahrung des Privateigentums aufgrund der unveräußerlichen subjektiven Rechte bezeichnet werden, denn schließlich erwächst aus dem Absterben der absoluten Herrschaft und der feudalen Hierarchie die Möglichkeit des Bürgers, seine neue Freiheit zu erlangen und auf diese gestützt, Eigentum zu erwerben und abzusichern.

Das Hauptanliegen Feders besteht zweifellos in dem Versuch, eine das allgemeine Recht verbürgende Konstitution zu etablieren, ein Anliegen, das er trotz verschiedener Kompromisse stetig voranzutreiben sucht. Nur sind seine verschiedenen praktischen Ansätze nicht immer unter einen Nenner zu bringen. Man erinnere sich nur seiner naturrechtlichen Positionen aus dem Jahre 1793, die ähnlich axiomatisch klingen, wie die »self evident truth« in der Präambel der amerikanischen Unabhängigkeitserklärung vom 4. Juli 1776, und man wird sich folgender Intention seines Werks nicht verschließen können: Feder will die konkrete Wirklichkeit nicht revolutionieren, keine völlig auf reinen Prinzipien aufgebaute neue Gesellschaftsform errichten, er möchte – ohne sich dabei persönlich zu exponieren oder gar zu gefährden – eine erhöhte Übereinstimmung des Staates mit den Bedürfnissen des

Bürgertums herstellen und votiert daher für eine konstitutionelle Herrschaft im Sinne des politischen Kompromisses von 1688 in England, in der Interpretation der Whigs. Auf jeden Fall ist angesichts von Feders theoretischer Uneinheitlichkeit Vorsicht geboten bei der Suche nach einem »Ganzen«. In diesem Sinne könnte der Klassifizierung Diethelm Klippels zufolge Feders Konzept der Verflechtung von naturrechtlichen und historischen Elementen der älteren deutschen Naturrechtslehre zugeordnet werden: *Erstens* »tritt... die Begrenzung von Herrschaft durch eine moralisch verpflichtende Selbstbindung des Herrschers in den Vordergrund«[101]; *zweitens* sei zwar bei Feder »ein Gefährdungsbewußtsein gegenüber Herrschaft und staatlicher Tätigkeit«[102] vorhanden, jedoch ohne das System des aufgeklärten Absolutismus selbst in Frage stellen zu wollen; und *drittens* – soweit für Feders Theorie relevant – stellt Klippel fest, daß im älteren deutschen Naturrecht die angeborenen Rechte nur im Naturzustand Geltung besitzen, und »gegen ihre vertragliche Modifikation, oder Aufhebung, insbesondere durch den Sozialvertrag nicht resistent«[103] sind. Daraus folgt, daß die natürlichen Rechte nur in ihrer »engsten Bedeutung«, also nur im vorpolitischen Zustand, zu ihrer vollen Geltung gelangen, da sie in diesem Stadium nicht von der historischen Welt und ihren Sachzwängen relativiert werden können. In diesem Zustand ist ihr normativer Charakter absolut, ihre Konkretisierung jedoch bloß theoretischer Natur, denn die reale Wirklichkeit folgt anderen Gesetzmäßigkeiten.

Im Naturzustand ist das Individuum auf sich selbst angewiesen; es steht außerhalb aller festen und spezifisch sozialen Verbindungen. Erst die Vergesellschaftung, die in einem späteren historischen Stadium in die Ständegesellschaft mündete, bringt die zentralen Kategorien des Naturrechts in seiner weiteren Bedeutung mit sich.[104] Der Naturzustand selbst ist Feder zufolge kein »Stand einer allgemeinen Feindseligkeit«[105], weil der Krieg aller gegen alle durch die soziale Triebstruktur des Menschen verhindert wird. Feder distanziert sich hier von Hobbes oder Spinoza und ist in seinen Grundintentionen den Ausführungen eines John Locke viel näher. Feder nimmt bereits für den Naturzustand drei konkrete subjektive Rechte an. Das erste ist das Recht auf Unabhängigkeit; seine Begründung ist negativer Art. Wer nur vom Willen eines anderen abhängig ist, kann entweder Sklave oder Leibeigener sein, aber nicht Subjekt eines künftigen bürgerlichen Gemeinwesens: »Wenn aber der Unterthan Herr über etwas ist, ein Eigentum und eine gewisse Freyheit hat: so ist er Bürger, die Regierungsart ist bürgerlich, und es ist ein freyer Staat«[106], wogegen Sklaven nur Objekte einer despotischen Herrschaft werden können. Das zweite unveräußerliche Recht ist das Recht auf Gleichheit; Feder verleiht ihm in seiner Konstruktion sowohl einen formalen als auch einen materialen Sinn. Formal zählt es ohnehin zum Gedankengut der meisten Naturrechtstheorien, in denen die Gleichheit aller Freien die Grundlage der Vertragstheorie bildet. Aus dieser läßt sich dann die Gleichheit der Rechte aller postulieren und die Forderung ableiten, »die Gränze seines Rechtes beym Anfang des gleichen Rechtes der Anderen anzuerkennen«.[107] Die materiale Gleichheit bezieht sich auf jenen von Rousseau und Montesquieu gepriesenen früh- und kleinbürgerlichen gesellschaftlichen Zustand, in dem geringe materielle Differenzen die ökonomische Basis einer aufstrebenden wahren Republik mit vollen bürgerlichen Tugenden in kleinen politischen Einheiten bilden, oder in der Sprache Feders: »Wo alle nichts oder gleich viel haben, wie viel geringer ist da nicht das Bedürfnis der Gesetze und der Obrigkeiten... Da erhält sich noch die Gleichheit, die nach den Lehren des natürlichen Rechts unter allen Menschen seyn soll.«[108] Einerseits führte die relative wirtschaftliche Gleichheit zu jener speziellen Form der agrarischen Demokratie des 18. Jahrhunderts, doch andererseits bildete das unveräußerliche Recht auf Freiheit die Basis des modernen Liberalismus, dessen Entwicklung sich wesentlich dem freien Eigentum verdankt. Feder verbindet nun eine positive Sicht des freien Eigentums und seiner Entwicklung mit einer scharfen Verurteilung jeder Form von kollektiven Eigentumsverhältnissen, da diese seiner Meinung nach die Motivation zur menschlichen Freiheit, zum Fleiß und zum Streben nach den Annehmlichkeiten des Lebens ersticken. Sein Ausgangspunkt ist sicher jenes berühmte fünfte Kapitel in John Lockes *Second Treatise of Government*.[109] Die Inbesitznahme des freien Bodens und die Vereinigung von menschlichem Fleiß und der Natur bilden die Grundlage zur Schöpfung des freien Eigentums. Feder ist allerdings nicht bereit, die bei Locke gegebenen Einschränkungen des Eigentumsbegriffes zu akzeptieren, er hält die Anhäufung von Eigentum für legitim, so lange niemand Schaden erleidet.[110] Dies gilt seiner Meinung nach auch für die Periode vor Einführung der Geldwirtschaft. Da Feder im

Erwerb und der Anhäufung von Eigentum im wesentlichen die bürgerliche Absicht der Begründung oder Erweiterung des Besitzes sieht, gilt ihm diese Handlungsweise als Akt der Freiheit, und das Lob des Besitzbürgers findet bei Feder einen eindeutigen Ausdruck: »Aber nicht nur die nothdürftige Erhaltung der Menschen, sondern auch ihre vollkommene Glückseligkeit hängt vom Eigenthum äußerlicher Güter gar sehr ab. Glückseligkeit des Menschen besteht hauptsächlich in freyer Thätigkeit in der mit Hoffnung verknüpften Verfolgung gewisser Absichten und der dazu dienenden Mittel.«[111]

VII

Wie die Glückseligkeit in der konkreten Welt und unter den jeweiligen partikularen Umständen zu erreichen ist, lehrt die Klugheit. Diese manifestiert sich in der »Fertigkeit..., in Personen, Zeiten und Umständen sich zu schicken; und dadurch sein Glück in der Welt zu machen«.[112] Diese Schicklichkeit oder *decorum* äußert sich im selben Bereich wie das *ius*, nämlich in äußeren Handlungen und deren Konsequenzen, während die Postulate des *decorum* und *honestum* beide in der Sphäre des nicht Erzwingbaren in der Pflicht gegen sich selbst liegen. Das Naturrecht bezieht sich auf das Allgemeine und Notwendige, während Klugheit mehr an lebenspraktische Konkretion gebunden ist und ihren Geltungsbereich deshalb auch nur für partikulare Umstände begründen kann. Der moralische Wert der Klugheit wird daher auch geringer geschätzt als der der Tugend, und ihre Hauptaufgabe besteht im Einsatz der richtigen Mittel, die als Anleitung zum Erreichen eines gesetzten Zwecks dienen. Weitere Merkmale der Klugheit sind richtige Improvisation, das Erfassen einer einmaligen Gelegenheit, Intuition für den richtigen Augenblick, und sie bedarf darüber hinaus der »lebhaften Einbildungskraft und richtigen Beurteilungskraft«.[113]
Diese Merkmale gekoppelt mit der Erfahrung und der Kenntnis der Geschichte charakterisieren also die Fähigkeit, aus einer sich ständig wandelnden Wirklichkeit die richtigen Lehren zu ziehen. Die epistomologischen Grundlagen der Klugheit liegen also nicht im diskursiven Verstand, sondern in der Intuition und in der richtigen Beurteilung der empirischen Materie. Das *decorum* als

Teil der praktischen Philosophie bildet keine neue Erscheinung; erstaunlich ist vielmehr, daß es sich trotz einer langen Tradition noch als Teil einer frühbürgerlichen politischen Theorie erhält. Feder selbst setzt den systematischen Beginn der Klugheitslehre bei Aristoteles an, dem er unterstellt, mehr den klugen Bürger als den rechtschaffenen Mann gesucht zu haben[114]; und seit dieser Zeit gehört *phronesis* – oder später *prudentia* – in dieser oder jener Abwandlung zum Bestand der politischen Theorie. Zur Entwicklung der Klugheitslehre in der frühen Neuzeit stellt Grimminger fest: »Das Ideal der politischen Klugheit entstand und expandierte mit dem Wachstum der Staatsräson während des gesamten 17. Jahrhunderts, sein Geltungsbereich hat sich jedoch am Ende des 17. Jahrhunderts entscheidend erweitert. Die politische Klugheit ist also für alle weltlichen Angelegenheiten zuständig.«[115] Die am Ende der Religionskriege entstandene säkulare Staatsform eröffnete dem neuen Bürgertum einen Freiraum, der es ihm erlaubte, in relativer Unabhängigkeit seine Angelegenheiten auch vom Standpunkt des Anständigen, Schicklichen und Passenden beurteilen zu können. Während in Deutschland dann Thomasius die Differenzierung von *ius* und *decorum* vollzieht, die Wolff wieder überwindet, will Feder – im Gegensatz zu seinem Lehrer Achenwall[116] – ihre gegenseitige Beziehung der Zweck-Mittel-Relation unterordnen: »Und der *Klugheit sich zu befleißigen*, bleibt eben so Gebot der Vernunft, als rechtschaffen gesinnt zu seyn. Wie aber die äußern Güter den innern nachstehen: so muß die Klugheit immer der Rechtschaffenheit untergeordnet seyn.«[117] Bei aller Aufmerksamkeit, die Feder der lebenspraktischen Klugheit zuteil werden läßt, als guter deutscher Philosoph verleiht er den inneren Werten doch eine größere Bedeutung als jeder möglichen Handlungsorientierung in der äußeren Welt; eine Rangordnung, auf die er auch 1793 nicht verzichtet, als die äußere Welt nicht wenig mitzuteilen hatte.

Bereits 1770 taucht in Feders Werk die Dreiteilung der Klugheitslehre in a) Allgemeine Klugheitslehre, b) Haushaltslehre, c) Staatsklugheit oder Politik[118] auf, und dieses Schema behält er trotz verschiedener Nuancierungen und Akzentverschiebungen im großen und ganzen bei. So wird in der »Grundlehre« von 1782 der Politikbegriff erweitert und die ersten beiden Abteilungen in die Allgemeine Praktische Philosophie und die Tugendlehre einverleibt.[119] Die Entwicklung der zur Politik gehörenden Teilwissenschaften hat in dieser Zeit an Umfang und Tiefe gewonnen und trägt zu den neuen Differenzierungen Feders bei, ebenso aber auch die Fülle der einem weiteren Erfahrungshorizont entnommenen Literatur, die sich mit sozio-ökonomischen Fragen der konkreten Wirklichkeit beschäftigt, ein Prozeß, den Feder mit folgenden Worten zusammenfaßt: »Kenntniß der Welt, das heißt der vornehmsten Kräfte, die die merkwürdigsten Begebenheiten in der Welt bewirken, und der Gesetze nach denen sie wirken. Geschichte, Philosophie und Umgang mit der Welt können sie verschaffen.«[120]

Die das individuelle Handeln bestimmenden Maximen gehören der allgemeinen Klugheitslehre an und bilden einen Kanon von Verhaltensweisen für den im persönlichen Freiraum handelnden Bürger; in Feders Worten sind es: Gegenwart des Geistes, Vorsicht, Behutsamkeit, Entschlossenheit, Biegsamkeit und Standhaftigkeit.[121] Alles in allem Herausforderungen für das neue Bürgertum, sich von absoluter Herrschaft und ökonomischen Zwängen zu befreien, einerseits zwar mit Vorsicht, Behutsamkeit und Biegsamkeit, andererseits aber mit Entschlossenheit, Standhaftigkeit und in Gegenwart aller seiner Geisteskräfte den Weg nach vorne anzutreten. Feders Ratschlag für das bürgerliche Subjekt: »Wagen, wo *viel zu gewinnen*, und *wenig zu verlieren* ist«[122], spricht in diesem Zusammenhang wohl für sich. Das neue Selbstbewußtsein des Bürgertums, dessen Sicherheit aus der Ablösung von traditionellen Bindungen resultiert, verlangt dann geradezu nach dem Imperativ: »Ein jeder *soll* für sich selbst sorgen.«[123]

Der aufklärerische Harmonieglaube soll dann zwischen den verschiedenen persönlichen Widersprüchen und den antagonistischen ständischen Interessen vermitteln und mit Hilfe der Staatsklugheit das *bonum commune* erzielen: »So ist die Staatsklugheit die Wissenschaft von den Regeln, die Kräfte und Verhältnisse der bürgerlichen Gesellschaft zum besten ihrer Mitglieder anzunehmen.«[124] In Feders Untersuchung der Politik aus dem Jahre 1782 fällt auf, daß er deren Gegenstandsbereich auf die ganze Verwaltung – hauptsächlich die innere – ausdehnt: Kameralistik und Justizwesen, Finanz- und Polizeiwesen, Erziehungs- und Religionsfragen, Probleme der Regierungsform und der Öffentlichkeit, Auseinandersetzungen über Monopole und Zünfte, und die ganze materielle Basis der Gesellschaft in ihrer beruflichen Differenzierung und sozialen Problematik, kurz, was Hegel »das System der Bedürfnisse« nennt. Dies geschieht vor dem Hintergrund der Hypothese eines möglichen ständischen Gleichgewichtes, das Freiheit und Sicherheit zu seinen Grundpfeilern hat und den Antagonismus zwischen den natürlichen Rechten des Einzelnen und den positiven Herausforderungen der Gesellschaft problemlos lösen kann. Die Basis dieser Gesellschaftsstruktur bildet – wie üblich in den theoretischen Reflexionen seiner Zeit – die Landwirtschaft, »denn von ihr hängt die Erhaltung des Lebens bei wachsender Bevölkerung nothwendig ab«.[125] Sie befördert dazu Gesundheit und gute Sitten und gibt durch ihre Produkte Anstoß zur Entwicklung von Gewerbe und Handel. In diesem Zusammenhang verurteilt Feder Frondienste und Leibeigenschaft und erhebt den freien Bauern zum Grundpfeiler der neuen Ökonomie. Den Aufschwung des Gewerbes – nachdem das Bevölkerungsdefizit nach dem Dreißigjährigen Krieg überwunden war – begrüßt Feder ausdrücklich: »Sie (die Gewerbe) sind die natürlichsten Veranlassungen, daß die Menschen einander näher rücken, zu großen volkreichen Städten sich vermehren; woraus zwar einige nachtheilige Folgen, aber auch die Vortheile der mehreren Sicherheit, Freyheit und Aufklärung entspringen.«[126] Positiv bewertet er auch die mit der Ausdehnung der gewerblichen Arbeit einhergehende Arbeitsteilung, die die Produktion und den Lohn erhöht und so den Zugang zu den Bequemlichkeiten des Lebens erleichtern hilft.

Natürlich befürwortet Feder den freien Handel als Grundlage des freien Marktes, der wiederum den freien Verkehr und neue Handelswege anregt und allgemein zu positiven Handelsbilanzen führt, d. h. insgesamt zum materiellen und geistigen Fortschritt beiträgt. So fordert Feder für diese Ökonomie des freien Wettbewerbes konsequent die Beseitigung aller institutionellen Hemmnisse, wie Monopole, Innungen und Zünfte. Zur Sicherung der Liquidität der neuen monetären Ökonomie hält er die Errichtung von Banken für erforderlich. Die Entwicklung einer freien Marktökonomie, steigender Arbeitslohn und zunehmende Industrialisierung begünstige »auch in Rücksicht auf ihre Erfindung und Vervollkommnung, Künste und Wissenschaften und den Geist des freyen Nachdenkens«.[127] Man darf vermuten, daß Feder bei der Betrachtung der modernen Ökonomie als Basis der Aufklärung und Wissenschaft mehr von Adam Smith[128] und dem englischen Beispiel als von den deutschen Verhältnissen beeinflußt wurde. Zweimal geht er in diesem Zusammenhang auch auf mögliche Eingriffe des Staates ein. Erstens mit der Empfehlung an den Monarchen, seine Einkünfte im Inland zu investieren, Landstraßen und Kanäle zu bauen, neue Dörfer anzulegen, Städte zu verschönern und Arbeitshäuser zu errichten, und zweitens mit der Erörterung der Zweckmäßigkeit einer Staatsintervention mit dem Ziel der Beseitigung der Armut; ein Problem, das zu Feders Zeiten auf breite Resonanz stieß. Es sei hier nur Garves Arbeit über die Ursachen der Armut erwähnt[129]; zwei Jahre vorher hat die Königliche Sozietät der Wissenschaften in Göttingen bereits eine Preisfrage über die »vorteilhaftesten Einrichtungen der Werk- und Zuchthäuser« gestellt, deren Beantwortung[130] Feder sicher bekannt war. Staatliche Interventionen im allgemeinen und Eingriffe in das Eigentumsrecht im besonderen sind für Feder ebenso untaugliche Mittel zur Beseitigung von Armut und Arbeitslosigkeit wie eine Umverteilung der Güter. Seine Vorschläge sind insofern zeitgemäß, als daß er zur Selbsthilfe und zu autonomen Organisationen auffordert, denn er möchte die reformatorische Ungeduld der neuen Bürger nur von deren eigenen Aktivitäten bewältigt wissen. Letztlich propagiert er ein vorweggenommenes Subsidiaritätsmodell, in dessen Rahmen einerseits die Arbeitsunfähigen durch öffentliche Kassen unterstützt werden und andererseits jede Gemeinde und Klasse als dem Staat untergeordnete Einheiten ihre Mitglieder selbst versorgt. Er lehnt also jede etatistische Lösung im sozialen Bereich ab, und daher kann die gemeinsame, aber auf verschiedene gesellschaftliche Gruppierungen verteilte soziale Verantwortung zur Bewältigung des Armenproblems in einer zukunftsweisenden Perspektive gesehen werden. Feder weist darüber hinaus der bürgerlichen, also nichtstaatlichen Öffentlichkeit eine Aufsichts- bzw. Kontrollfunktion bei der Handhabung dieses Problems zu.[131]

Feders begeistertes Plädoyer für den freien Markt und seine Betonung der ökonomischen Motivation als bestimmender Wert für die Handlungsweise des modernen Bürgertums muß im Zusammenhang folgender drei Themenkomplexe gesehen werden:

a. Der erste bezieht sich auf eine Problematik, zu der Feders Ausführungen mehr Allgemeines als Konkretes enthalten und die auch andere Theoretiker der Aufklärung beschäftigte. Feder betrachtet die Beziehung von Moral und Ökonomie als Teil der Politik und geht davon aus, daß zwischen beiden kein

Widerspruch zu bestehen braucht, da sie beide vom Gegenstandsbereich her mit Natur und Wahrheit zu tun haben. Aus diesem Grund verwirft er z. B. die politische Theorie Mandevilles, da diese seiner Ansicht nach nicht moralisch begründet ist. Um der Moral einen höheren Stellenwert in der Gesellschaft zu verschaffen, sollen gute Sitten und Gesinnungen mit den Mitteln der Belohnung, Aufsicht und beispielhaftem Verhalten gefördert werden. Die Aufsicht will er dann ganz im Sinne Rousseaus den »würdigsten Mitglieder(n) der Gesellschaft« anvertrauen: »Zur bürgerlichen Tugend in der engsten Bedeutung, Ergebenheit gegen die Gesetze, Vaterlandsliebe und der genaueren Vereinigung der Bürger unter einander, können gewisse feierliche Versammlungen aller oder der vornehmsten Mitglieder des Staats, vielleicht auch Nationalkleidungen«[132] beitragen. Aber auch dieser ernstgemeinte Versuch Feders, die sich entfaltende bürgerliche Wirtschaft in moralische Handlungsanleitungen einzubetten, schlug in der Praxis fehl; ebenso der Versuch, dem expansiven Streben des Besitzbürgers und seiner Wertskala mit religiösen Motiven Grenzen zu setzen. Grimminger faßt diesen Widerspruch wie folgt zusammen: »Das umfassend moralische Heilsbewußtsein der Aufklärung läßt sich mit ihrem ökonomisch instrumentellen nicht reibungslos verbinden; gleichwohl treten beide mit dem gleichen Ethos der Pflichten auf, und sie bleiben auch bei allen undurchschauten Konflikten voneinander abhängig.«[133]

b. Wie soll Feders antizipierende Vorstellung eines freien Marktes und einer freien Konkurrenz in einer noch ständisch geprägten Gesellschaftsform überhaupt funktionsfähig sein? In seinem Artikel »Ueber Aristokraten und Demokraten« aus dem Jahre 1793 vertritt er zwar einen gewissen Abbau adeliger Privilegien, bleibt aber doch weit davon entfernt, mit seinen Forderungen auf die ökonomischen Grundlagen der von ihm propagierten freien Wirtschaft abzuzielen. Bleibt es also schließlich doch den freien Bauern und Gewerbetreibenden, den freien Händlern und den übrigen freien Bürgern überlassen, durch ihre ökonomische Tätigkeit die ständischen Vorrechte in der bestehenden Gesellschaft zu durchbrechen?

c. Die Unterordnung der Klugheit unter die Moral deutet auf eine einheitliche Wertskala in Feders Gesellschaftstheorie hin. Andererseits sieht Feder in besagtem Artikel, in dem er sich zwischen den gemäßigten Aristokraten und deren demokratischer Gegenseite einordnet, das Positive beider Positionen darin, daß bei ihnen zwischen »theoretischen Meynungen und praktischen Gesinnungen« unterschieden wird. Man wird sich also fragen müssen, wie im Kontext dieser Differenzierung eine verbindliche Skala moralischer Werte überhaupt existieren kann und ob schließlich nicht dieser vermeintliche Vorteil der Unterscheidung jede gesellschaftsverändernde Theorie zur praktischen Untätigkeit verurteilt, da ihr keine »praktische Gesinnung« entspricht. Oder kann daraus der Schluß abgeleitet werden, daß für das Bürgertum zu Feders Zeit keine reale Vermittlungsmöglichkeit zwischen Gedanke und Tat besteht? Schließlich bleibt noch die Frage offen, ob Feder, der bis 1782 der Einheit von Theorie und Anwendung das Wort redete, schließlich in seinem Artikel von 1793 zu der Überzeugung gelangte, daß das Theorie-Praxis-Problem unlösbar sei und daß diejenigen recht behalten haben, die eine Vermittlung für unmöglich halten?

VIII

Eine politische Theorie, die allgemeine philosophische Begriffe und empirische Tatsachen, Erfahrungen und Normen, Geschichte und Naturrecht, *common sense* und wissenschaftliche Theorie, idealistische Deduktion und anthropologische und geographische Fakten, eine expandierende bürgerliche Ökonomie und eine sie regulierende allgemeine Moral miteinander in Einklang zu bringen sucht, wird sich der Schwierigkeit nicht entziehen können, gleichzeitig konservative und radikale Elemente in ihre Konstruktion aufnehmen zu müssen, die den Vorwurf der Inkonsequenz provozieren. Allein die Komplexität des Verhältnisses von normativen und empirischen Strukturen äußert sich bei Feder dahingehend, daß er einerseits den Status quo verteidigt, sich vorsichtig im Hinblick auf ein moralisches Widerstandsrecht verhält und andererseits *post festum* die Gründe für den Ausbruch einer Revolution zu erklären versucht. So rät er z. B. 1782 den »Untergebenen und Geringeren«, sich der »göttlichen Schickung« oder der »guten und nothwendigen Ordnung« anzupassen, natürlich »ohne Haß und Widersetzlichkeit«, denn schließlich ist das Glück an keinen Stand gebunden und auch die »Großen« haben ihre »eigenen Leiden und Beschwerden«.[134] August Wilhelm Rehberg hätte sicher nicht anders argumentiert, nur war dieser ganz in die traditionsgebundene Ständegesellschaft integriert, während für Feder zukunftsweisende Normen ein gewisses Gewicht besitzen. Aber der vorsichtig gewordene und oft auch ängstlich wirkende Feder huldigt dem Bestehenden nicht nur im sozialen Bereich; auch im Politischen läßt sich – etwa nach der Eroberung des Kurfürstentums Hannover durch französische Truppen – diese Verhaltensweise beobachten. Indem der Direktor des Georgianum die »nothwendige Achtung für positives Recht« einer moralischen Betätigung der Bürger vorzieht und jeden Vorschlag zur Verbesserung des gegenwärtigen Zustandes als »Utopie« ohne Bezug zur Realität verurteilt, dokumentiert er sein Einverständnis mit dem Status quo und den Wunsch, die historische Entwicklung stillzustellen. »Denn ein nach vernünftiger Beurtheilung nicht nur unnütziger, sondern im Ganzen die Uebel mehrender, wo wohl alle gesellige Ordnung, wer weiß auf wie lange, störender Widerstand ist unvernünftig, also innerlich unrecht.«[135] Daß man auch unter napoleonischer Herrschaft zu anderen Vorschlägen gelangen kann, belegen Fichtes *Reden an die deutsche Nation*, die freilich von anderen Prämissen ausgehen.

Feder bevorzugt keine spezielle Regierungsform. Eine Demokratie – natürlich im Sinne des 18. Jahrhunderts – kann er sich genauso vorstellen wie eine polisähnliche Gesellschaft oder eine demokratisch legitimierte Monarchie, deren gemeinsamer Nenner die Gesetzesherrschaft im Gegensatz zur Willkürherrschaft ist. Feders Äußerungen zum Widerstandsrecht von 1782 tragen sicher keine moderne revolutionäre Vision[136], denn sie beziehen sich mehr auf die Intention des klassischen Widerstandsrechts gegen Usurpation. Bei Feder etwas schwächer ausgeprägt als etwa bei John Locke, ist es doch – trotz aller erwähnten und erforderten Vorsichtsmaßnahmen – von moralischer Bedeutung, auch wenn es dem Leser die politischen Konsequenzen letztlich vorenthält, die sich aus den moralischen Implikationen ergeben. Vorsicht und Behutsamkeit sind auch dann für Feder charakteristisch, wenn er sich mit der Veränderung der Fundamentalgesetze durch einen Akt »von oben« auseinandersetzt; denn er fürchtet jede Form der Anarchie, der prinzipiell – und darin stimmt er mit Kant überein – jede legitime Herrschaft vorzuziehen ist. So betrachtet er die Herrschaft des Gesetzes als den großen Fortschritt gegenüber jeder Willkürherrschaft, und in ihr manifestiert sich das politische Denken der Aufklärung auf ihrem Höhepunkt: »Diese bürgerliche Freiheit verwirklicht sich aber, und hier liegt die Erfahrungsgrenze des 18. Jahrhunderts, im Gehorsam gegen die Gesetze.«[137]

Der »Gehorsam gegen die Gesetze« bezeichnet das Spezifikum der Republik des 18. Jahrhunderts, und deshalb kann diese politische Kultur – denn sie ist für die politischen Theoretiker und Revolutionäre mehr als bloße Regierungsform – nur als Basis einer negativen Revolutionstheorie gelten. Denn, so Feder, es entstehen so leicht keine Neuerungen, »wo Willkür und einzelne Beyspiele wenig Einfluß haben...; auch hat der Republikaner zu viel Achtung für sich, sein Volk und sein Land... Alte Gewohnheiten und Gebräuche behaupten sich also in Republiken am leichtesten«.[138] Es ist kein unbedachter Konservatismus, der sich in diesen Sätzen äußert, sondern sie sind Ausdruck der Überzeugung, daß sich in der Republik das Ideale zum Realen entwickelt hat und daher der Wunsch nach einer Überwindung des republikanischen Systems vereitelt werden müsse. Eine jede Veränderung, welche durch die Zeitumstände sicher von Nutzen sein wird, kann nur durch eine allgemeine Zustimmung bewirkt werden. Eine solche Zustimmung wird *mutatis mutandis* auch für Veränderungen im Rahmen der Monarchie gefordert: Will z. B. der Landesherr das innere Gleichgewicht oder die Verteilung der Macht zwischen den Ständen ändern oder vor dem Hintergrund gewandelter ökonomischer Verhältnisse die politische Herrschaft erneuern, was natürlich einen bedeutenden Einfluß auf das ganze Gemeinwesen hat, so bedarf es allgemeiner Zustimmung, »denn alle Mitglieder eines Staates kommen in andere Verhältnisse«.[139]

Im Hinblick auf eine Revolutionstheorie, die sich mit den für den Ausbruch der Revolution verantwortlichen Faktoren beschäftigt, sei auf die Differenz zwischen den Ideologen und den Revolutionären selbst hingewiesen: »Oft sind diejenigen die gefährlichsten und schädlichsten Mitglieder der Gesellschaft, welche die gewaltsamen Angriffe auf das Wohl und die Gesetze selbst nicht ausüben, aber die Gründe dafür in andern erzeugen... Jene, indem sie die Gemüther verderben, die Denkart verfälschen«[140], sind es, die den allgemeinen Konsensus unterminieren und Schuld an den

Aktionen der von ihnen verführten Menschen tragen. Dieser von einer moderaten Position aus vorgetragenen Argumentation gegen radikale oder revolutionäre Aufklärer entspricht umgekehrt die konservative Beschuldigung der Aufwiegelei an die Adresse der gemäßigten Aufklärer. Auf diese Weise werden sowohl die ideologische als auch die politische Argumentation (gegen Willkürherrschaft und für die Veränderung der sozioökonomischen Machtverteilung zwischen den Ständen) zu Faktoren für einen radikalen Umbruch. Ähnlich argumentiert auch Christian Garve[141], während der Göttinger auch radikale Wenden in andern Lebensbereichen als Revolution bezeichnet und dabei behauptet, daß Menschen aus den niedrigsten Klassen »die größten Revolutionen oft schnell bewirkt«[142] haben, wobei kein Zweifel bestehen kann, daß es sich dabei um eine Anspielung auf Martin Luther handelt. Feder führt in seinen revolutionstheoretischen Überlegungen – gestützt auf Montesquieu – den Ausbruch einer Revolution auf die Entzweiung und den durch sie entstehenden Widerspruch zwischen Staatsverfassung und der allgemeinen Sittlichkeit zurück. Geraten die beiden Faktoren, d. h. die staatlich-politische Struktur auf der einen und die Sozialstruktur auf der anderen Seite in einen Entwicklungswiderspruch, dann – so Feder – ist »die Epoche einer Revolution nahe«[143]. Die Stabilität eines staatlichen Gemeinwesens und der sittliche Erfolg einer politischen Gesellschaft ist nur vor dem Hintergrund eines harmonischen Zusammenspiels von geographischen, historischen, religiösen, ökonomischen, sozialen und juristischen Faktoren gewährleistet; eine Störung dieser Interaktion hat unweigerlich Destabilisierung zur Folge.

Zur Charakterisierung der Revolution verwendet Feder auch psychologische Kategorien wie Neugierde, die Begeisterung für das Neue und das Erwachen von Leidenschaften, um daran anschließend »Parteyengeist und die Sectiererei« zu verurteilen. Die Reduktion politischer Phänomene auf seine »Special-Psychologie« diente ihm nicht zuletzt dazu, den Machtkampf von Kirche und Staat zu verschleiern. Insgesamt ist die moralisierend-psychologisierende Darstellungsweise der Aufklärung für ihn charakteristischer als die Intention, eine genuin politische Revolutionstheorie formulieren zu wollen. Diese Behauptung kann am besten damit belegt werden, daß Feder im Sommer 1793 die politischen Kategorien Demokratie und Aristokratie[144] in psychologische umfunktioniert, um seine politischen Äußerungen von 1792 zu korrigieren. Wie die meisten Gebildeten seiner Zeit sucht Feder seiner Jakobinerfeindlichkeit auch einen theoretischen Ausdruck zu verleihen, um sich als treuer Untertan zu bekennen; so behauptet er z. B., daß durch Leidenschaft in Bewegung geratene Volksmassen nur durch eine »geordnete Regierungskraft« im Zaume gehalten werden könnten; ansonsten würden nur Kräfte der Zerstörung frei. Mit der »geordneten Regierungskraft« ist selbstredend nicht die französische Revolutionsregierung gemeint, denn »ein solcher unaufgeklärter, einseitiger, schwärmerischer Eifer fürs Gute tödtet als falscher Patriotismus die Menschenliebe auf dem Altar des Vaterlandes, opfert die Menschenrechte von Millionen den gesellschaftlichen Vorrechten Weniger oder auch die allgemeine Sicherheit einer mißverstandenen Freiheit auf«.[145]

Ohne Zweifel war die Französische Revolution ein Ereignis, dem sich ein Philosoph, dessen theoretische Anstrengungen dem praktischen Leben galten, auf keinen Fall entziehen konnte. Doch was Feder – wie so viele seiner Zeitgenossen in Deutschland – anstrebte, war die bewußte, Schritt für Schritt durchgeführte Reform. Er vertrat die Meinung, daß mit dem Fortschritt der Rationalität und der Sozialität des Menschen die Voraussetzungen von zukunftsweisenden Reformen gegeben sind. Da in der Natur keine Sprünge möglich sind, kommt Feder zufolge nur ein angemessenes Zusammenspiel aller relevanten Faktoren zur ständigen Verbesserung in Frage: »Politische Reformen müssen also mit dem sittlichen Zustande der Menschen im Verhältnisse stehen, und mit denselben zugleich fortgeführt werden; nicht voreilig nach Ideen streben, die dem zeitigen Charakter eines Volks noch nicht angemessen sind.«[146] Zeitlich koordiniertes Vorgehen soll dazu beitragen, daß alle Faktoren zur richtigen »Reife« gelangen; dieser Begriff selbst vereinigt analog zu Feders politischer Theorie wiederum progressive und konservative Elemente. Das Verhältnis von Reformnotwendigkeit und Reformfähigkeit bestimmt Feder letztlich als einen kumulativen Prozeß: »Erst dieses Vorurtheil ausrotten, dann jenes angreifen: erst ein erweckendes Beispiel recht zur Reife kommen lassen, dann ein zweytes aufstellen, und ein drittes, ehe man Umformung der Denk- und Lebensart des großen Haufens zum Gegenstand anderweitiger mehr umfassender Bemühungen sich machen kann.«[147]

IX

Der Sturm der politischen Auseinandersetzungen in den Jahren 1792-1796 erfaßte auch die Universität Göttingen. Einige Ereignisse der Zeit sollen daher chronologisch und thematisch zugleich dargestellt werden.[148] An der insgesamt positiven Rezeption der Französischen Revolution in Deutschland zur Zeit ihres Ausbruchs bestehen heute in der Forschung keine Meinungsverschiedenheiten. Die Hoffnungen, die die Aufklärung erweckt hatte, nahmen politische Konturen an, und man vermutete, daß der Fortschritt in der Verwirklichung der Menschenrechte nun begonnen hatte und daß diese Entwicklung – wenn auch ohne Blutvergießen – langsam und »von oben« ihren Weg nach Deutschland finden würde. »Wem wäre das Herz nicht warm geworden, als er von den ersten Ereignissen in Frankreich hörte, hat selbst Heyne in späterer Zeit zugestanden«[149], wobei für Göttingen hinzuzufügen wäre, daß Schlözer in seinen »Staatsanzeigen« den Sturm auf die Bastille pries und der junge Sartorius nach Paris eilte. Die Regierung in Hannover, so Carl Haase, begnügte sich bis Mitte 1792 mit der Anwendung der vorhandenen Gesetze und Anordnungen; repressiv wurde sie erst in der zweiten Hälfte dieses Jahres bis etwa 1794/95. In diese Zeit fallen die Einführung und Verschärfung der Zensur vom 24. 11. 1792, die Beaufsichtigung von Lesegesellschaften, die Einschränkung der Vereinigungsfreiheit und das Vorgehen gegen die Studentenverbindungen. Es kann als sicher angenommen werden, daß ein Teil der Göttinger Jugend und der Studenten in ihrem Verhalten lauter, radikaler und engagierter war als ihre Kommilitonen oder älteren Mitbürger. Christoph Meiners zufolge fanden allerdings alle damit verbundenen Erscheinungen in Göttingen früher ein Ende als anderswo. Auf jeden Fall wurde Ende Oktober 1792 der Regierung hinterbracht, daß unbekannte Studenten mit Kokarden, die den französischen glichen, von Göttingen nach Kassel ritten.[150] Ferner sei die Anwesenheit einiger Göttinger – darunter vier Professorenkinder – in den radikalen Zirkeln der Mainzer Klubbisten erwähnt. Allerdings behauptet schon Johan Stephan Pütter in seiner Autobiographie, daß die von den in Mainz lebenden Göttingern vorgetragenen Ideologien nichts mit den Lehren der Universität ihrer Heimatstadt zu tun haben, dennoch wurde der Schluß gezogen, »daß es Göttingische Grundsätze seyn möchten, die jene wenige von unserer Universität ganz entfernte und mit derselben in keiner Verbindung weiter stehende einzelne Personen in ihren Handlungen, Reden und Schriften zu billigen schienen. – Kaum konnte man, daß nicht unserer Universität beynahe im Ganzen vorgeworfen wurde, die hiesigen Lehrer seyen Democraten, Freyheit- und Gleichheitsprediger«.[151] Zu den radikalen Göttingern gehörte der Generalsekretär der Mainzer Administration Bleßmann; der exponierte Mainzer Jakobiner Georg Christian Wedekind, Sohn eines Göttinger Professors; der Sohn des Juristen Böhmer, Dr. G. W. Böhmer; Theresa, Heynes Tochter und Georg Forsters Frau; und die berühmte Caroline, Tochter des Orientalisten Michaelis, damals Schwägerin des oben erwähnten Böhmer, später Frau von A. W. Schlegel und Schelling, über die übrigens am 16. 8. 1794 ein Aufenthaltsverbot für Göttingen verhängt wurde. Insbesondere der junge Böhmer trug zum Verdacht einer Verbindung zwischen Göttingen und Mainz entscheidend bei. Er wurde im Sommer 1792 Sekretär des General Custine und sandte in dieser Funktion eine unerwünschte Botschaft an die Göttinger Universität: Custine verspreche ihr und der Stadt seinen Schutz. Diese Botschaft erreichte den Prorektor Planck am 5. November 1792 und stellte zusammen mit dem Erscheinen der Kokarden des Überbringers eine ernste Herausforderung der Regierung dar.

In dieser Atmosphäre der Radikalisierung und Polarisierung trug die erste Maßnahme der Regierung eindeutig die Kennzeichen der Gesinnungsschnüffelei. Am 19. 11. 1792 berichtet der Professor der Theologie Marezoll an seinen Prorektor, daß er per Post ein Paket Bücher erhalten habe, zugleich aber den Besuch des Postbeamten, der den Inhalt der Sendung überprüfen wollte, um, falls notwendig, »das ihm verdächtig scheinende hinwegzunehmen«. Diese Maßnahme, schon 4 Tage vorher in Göttingen eingeführt, wurde dem Prorektor nicht gemeldet und verletzte auf diese Weise den Stolz der Korporation doppelt. In der Senatssitzung drückte dann Schlözer mit dem Satz »Der Postmeister soll uns sagen, was wir lesen dürfen?«[152] das Absurde der Situation aus. Die durchaus untertänig formulierte Antwort des Senats führt nun den Ruhm und die Ausstrahlung der Universität gerade auf ihre akademische Freiheit in Lehre und Forschung zurück, und betont, daß man revolutionäres Gedankengut nur bekämpfen könne, wenn man dessen Inhalt auch kenne. Auch die Studenten schlossen sich diesem Schreiben durch ein eigenes Votum an. Es ist jedoch anzunehmen, daß weder der Brief des Senats noch die Argumente der Studenten die Regierung umstimmten. Anscheinend hatte ein stilles Abkommen zwischen Heyne und seinem Schwager Ernst Brandes dazu geführt, die Verordnung im Sande verlaufen zu lassen.

Angesichts der 1792 herrschenden liberal-konservativen Grundzüge, die auch die englische Regierung vertrat und deren Politik den Göttinger Professoren nach der Resignation über die Ereignisse in Frankreich als Vorbild diente[153], verwundert es, wie sich die Fronten zwischen der Regierung in Hannover und den Lehrern an der Georgia-Augusta-Universität verschärften. Auf die fehlgeschlagene Anordnung zur Gesinnungsschnüffelei folgen nun Versuche, den vermeintlichen politischen Gegner vor dem Hintergrund von Gerüchten und bloßen Vermutungen zu denunzieren, und so heißt es dann in einem von beiden Kuratoren in Hannover unterzeichneten Schreiben vom 11.12.1792 an den Prorektor in Göttingen: »... daß in den Rheingegenden und im Reich ein Gerücht verbreitet ist, wie den in Göttingen Studierenden Democratische, mit denen bisher in Deutschland bestehenden Verfassungen unverträgliche Grundsätze eingeflößt werden.«[154] Der Text schließt mit der Behauptung: »Zudem verbreitet sich der Geist der Insubordination und eine Neuerungssucht in Ansehung der Landesverfassung immer mehr ...«[155]

Die Antwort der Göttinger Hochschullehrer vom 25.12.1792 benennt recht genau die Struktur dieser neuen Form der Auseinandersetzung, die die vielfältigen Facetten des Konflikts auf ein pures Freund-Feind-Schema reduziert: »So wenig es uns also befremdet hat, daß die Göttingischen Professoren vor einiger Zeit in mehreren öffentlich erschienenen Schriften als Vertheidiger des Despotismus aufgestellt wurden, so leicht können wir es jetzt erklären, wenn wir von einer anderen Seite her, democratischer Grundsätze beschuldigt werden, denn jede der streitenden Parteyen sieht in der Hitze alles für Anhänger der anderen an, was nicht mit ihren Grundsätzen auch ihre Sprache führt.«[156] Die Verabsolutierung von Meinungsdifferenzen führt zunehmend zur Unversöhnlichkeit zwischen den Parteien. Als Anlaß zur Eskalation des Konflikts mag die von der Regierung des Kurfürstentums Hannover im Frühjahr 1793 an die Sozietät der Wissenschaften in Göttingen gerichtete Forderung gedient haben, Georg

Forster und Philipp Friedrich von Dietrich wegen ihrer politischen Betätigung aus der Gesellschaft zu entlassen. Der Schwiegervater Forsters, Heyne, Sekretär der Gesellschaft seit 1770, rang mit der Regierung um das Prinzip der Differenzierung zwischen wissenschaftlicher Qualifikation und politischer Einstellung und bewahrte letztlich die Freiheit der wissenschaftlichen Forschung, indem er sie aus den politischen Kämpfen des Alltags herauszuhalten vermochte. Heyne gelang es, in einem würdevoll geführten Kampf und mit einer kompetenten Argumentation die Intention der Regierung zu vereiteln[157], politisch Andersdenkende aufgrund ihrer Anschauungen im Bereich von Staat und Gesellschaft aus einer wissenschaftlichen Gesellschaft auszugrenzen.

Sofern diese ideologische Zuspitzung vor dem Hintergrund der Ereignisse in Frankreich für die zwei Jahre von 1792 bis 1794 noch eine gewisse Plausibilität hat, wird sie spätestens ab dem Frühjahr 1796 vollends unverständlich. Die französische Verfassung aus dem Jahre 1795 hatte einen sehr moderaten, Polarisierung vermeidenden bürgerlich-republikanischen Charakter. Um den Erfahrungen aus dem revolutionären Konvent vorzubeugen, wurde die Legislative auf zwei Häuser verteilt und der oft mißbrauchte, weil wenig differenzierte Begriff der *volonté generale* durch den eindeutigen und operationalen Begriff der Mehrheit ersetzt; und der wieder eingeführte Zensus bedeutet die Verbannung der kleinbürgerlichen und besitzlosen Schichten aus der politischen Sphäre. Es bedurfte schon einer ausgesprochen reaktionären Gesinnung, mit der ein Anonymos in der Beilage zur Nr. 143 des *Straßburgischen Weltboten vom 7. März 1796* die Göttinger Universität und ihren Lehrkörper angriff. In einem Memorandum vom 26. 3. 1796 verlangten die beiden Kuratoren Kielmannsegge und v. Beulitz eine öffentliche Antwort der Universitätsbehörden, um die Öffentlichkeit zu überzeugen, daß der Artikel »solche mit der äußersten Unverschämtheit verbreiteten wenn noch so wahrheitswidrigen öffentliche Gerüchte« enthalte.

Die Antwort des Prorektors Christoph Meiners vom 31. März 1796 wird am 16. April 1796 in der Extra-Beilage der Nr. 62 der *Frankfurter Kaiserlichen Reichs-Ober-Post-Amts-Zeitung* veröffentlicht. Meiners betrachtet die verleumderischen Anschuldigungen, die die Universität Jena mit einbeziehen, weitgehend als

Fortsetzung des schon vor Jahren begonnenen Kampfes gegen die Georgia-Augusta-Universität:

1. Er stellt fest, daß die Zeit der übermäßigen Politisierung vorbei ist. Sogar unter den Studenten ist es nicht mehr möglich, politische Propaganda zu betreiben.
2. Die Studentenorden wurden nicht zu politischen Keimzellen.
3. Die Darstellung der Feier vom 14. Juli 1795 auf der Bergfestung Plesse ist in allen ihren Zusammenhängen falsch.
4. Es entspricht nicht der Wahrheit und den Tatsachen, daß in Göttingen deutsche und französische Freiheitslieder in der Öffentlichkeit gesungen werden; nur in Privatgesellschaften wird dies geduldet.
5. Die Störung beim Anwerben für die Hannoverischen Truppen erfolgte nicht nur von seiten »enthusiastischer Freiheitsfreunde«, sondern auch von Personen mit entgegengesetzten Meinungen »aus einem plötzlich aufwallenden Mitleiden«.
6. Zusätzlich zu den bekannten Verleumdungen werden auch noch drei Hochschullehrer denunziert. Es heißt über Schlözer, Spittler und Sartorius, daß sie dazu beitragen, »die Aufklärung zu bewirken« (was auf eine Identifikation mit den Menschenrechtspostulaten und politischer Gesetzesherrschaft hinweisen soll).

Meiners Replik auf die Beschuldigung besagt im einzelnen, daß

a. an der »wahren Aufklärung« alle Lehrer der Universität arbeiten;
b. dazu aber nicht gehöre, über die Vorzüge der französischen Konstitution zu lesen;
c. im Rahmen der Vorlesungen der drei genannten Hochschullehrer über das 18. Jahrhundert auch die Französische Revolution erwähnt wurde; und
d. kein Lehrer eine ältere oder moderne Verfassung in politisch mehrdeutiger Weise auslegte.

Nürnberger weist darauf hin, daß keiner der drei genannten Hochschullehrer zum Zeitpunkt der Veröffentlichung des Pamphlets ein Anhänger der Französischen Revolution war.[158] Sartorius, der sich nach einer anfänglichen Begeisterung von der Revolution distanzierte, dokumentiert seine Haltung in zwei kleineren Arbeiten aus den Jahren 1793/94.[159] Mit seiner Suche nach dem Weg der Mitte zwischen der »Neuerungssucht« und der »Steifheit«[160], seiner Negation jeder politischen Lehre, die auf apriorischen theoretischen Fundamenten gegründet ist, und seinem Verständnis von Politik als Erfahrungswissenschaft steht er in der Tradition eines nüchternen und ausgewogenen Verständnisses von Politik. Über Spittler berichtet Nürnberger: »Für Spittlers Abkehr von der Französischen Revolution waren entscheidend die Erfahrungen des Herbstes 1789 – bis er, wie seine Politikvorlesung zeigt, in einer Art historischer Distanz die Errungenschaften der Französischen Revolution zu begreifen versuchte.«[161] Schlözer schließlich zog sich immer mehr aus dem öffentlichen Leben zurück, und inzwischen wird auch die These vertreten, daß seine politische Theorie jedes Widerstandsrecht ablehnt.[162] Die von Schlözer im Geiste einer kritischen Aufklärung edierten *Staatsanzeigen* wurden ebenfalls ein Opfer des öffentlichen Meinungsstreits; und in der letzten Ausgabe schreibt er: »Reformen brauchen wir Deutsche; unmöglich kann's immer beim Alten... bleiben: aber vor Revolution bewahre uns lieber Herre Gott!« (18. Bd., 1793, S. 560)

Das im Pamphlet des *Straßburgischen Weltboten* für Göttingen und Jena gleichermaßen behauptete Glimmen »des Feuers der Freyheit« bezieht sich aber nicht ausschließlich auf die genannten Göttinger Hochschullehrer, »welche die Befreiung von politischen und religiösen Vorurteilen« beabsichtigen, sondern ebenso auf die »Kantische Philosophie, welche in Teutschland im größten Flore ist, und auf die ersten Grundsätze der Menschenrechte zurückführt«. Sicher war zu dieser Zeit der Einfluß der Kantischen Philosophie in Jena erheblich. Bis 1794 lehrte Reinhold dort, dann Fichte, der 1796 seine Blütezeit erlebt und an der dortigen Hochschule die Ansichten vieler Studenten beeinflußt; mehr als fragwürdig erscheint der Vergleich von Göttingen und Jena, soweit es sich um die Anwendung Kantischer Grundsätze auf die politische Theorie selbst handelt. Dies drückt sich symptomatisch in der Arbeit von Sartorius aus dem Jahre 1793 aus, in der er jeden philosophischen Systemgedanken, der sich Allgemeingültigkeit anmaßt, verwirft und nur dem Partikularen in der Politik bestimmende Bedeutung zumißt.

So wurden 1796 Schlözer, Spittler und Sartorius als Sympathisanten der Französischen Revolution dargestellt. Ob nun, wie G. Steiner behauptet, dieser Reihe auch noch Johann Georg Heinrich Feder hinzugefügt[163] werden muß, soll anhand seiner Arbeiten der Jahre 1792/94 untersucht werden.

Wie bereits ausgeführt, zeichnet sich Feders politische Theorie durch ein eigentümliches Nebeneinander von konservativen und radikalen Elementen aus. Anhand zeitgeschichtlicher und lebensgeschichtlicher Umstände soll nun abschließend dem Einfluß von historischen und politischen Entwicklungen auf seine Theoriebildung nachgegangen werden.[164]

Feder selbst bezeichnet diese Phase seines Lebens als »Meere der literarisch-politischen Stürme«[165], eine Zeit, in der ihn schriftstellerische Äußerungen ebenso wie politisches Verhalten als Sympathisanten der Revolution im Nachbarland erscheinen lassen und damit in Konflikte verwickeln, die schließlich zu seiner Relegation aus Göttingen führten.

Wenn Feder seinen Bericht in der Autobiographie zu den Ereignissen in Göttingen während der revolutionären Epoche mit dem Jahre 1793 beginnen läßt, so wählt er einen Zeitpunkt, zu dem sein Ansehen, das durch die gemeinsam mit Garve verfaßte Rezension der Kantischen Vernunftkritik erheblichen Schaden erlitten hatte, bereits wiederhergestellt war. Dies bestätigt im übrigen nur die Annahme, daß es nicht diese Kritik war – wenigstens nicht sie allein –, die den Ausschlag für seine Versetzung nach Hannover gab; die »literarisch-politischen Stürme« der Jahre 1792/94 trugen nicht weniger dazu bei. Zur Zeit der Niederschrift der Autobiographie, als Feder sich den neuen nationalen Ideen verbunden fühlte, war es allerdings vorteilhafter, der Kant-Kritik die Schuld zuzuschreiben und nicht der Sympathie für die Ereignisse in Frankreich. Letztlich ist die Darstellung seiner Versetzung nach Hannover aber wenig präzis, so teilt er z. B. weder den Zeitpunkt noch den Grund dafür mit, daß ihm nahegelegt wurde, die Stelle am Georgianum in Hannover zu akzeptieren. Feder teilt zunächst ohne jede zeitliche Angabe mit, daß er von zwei Vorschlägen aus Hannover den zweiten angenommen habe, und vereitelt so jede Möglichkeit einer Rekonstruktion des kausalen oder logischen Zusammenhangs zwischen den Ereignissen in Göttingen und den Vorschlägen aus Hannover, zumal er die undurchsichtige Personalpolitik diskret mit den Worten kommentiert, »daß einige Personen meine Versetzung der Universität zuträglich erachteten«.[166]

Feders positive Haltung zur Revolution findet zu dieser Zeit ihren ersten prägnanten Ausdruck in einem Artikel vom 7. Mai 1792 im *Neuen Hannoverischen Magazin*, in dem er in einer gewissen Weise Nietzsche antizipiert, alles Durchschnittliche verächtlich macht, um das Extreme, Übermäßige hervorzuheben. Feder betrachtet die Revolution einerseits als außerordentliches Moment, dem er aber andererseits doch auch universelle Eigenschaften zuschreibt: »Und solche Revolutionen gehören doch auch zur besten Welt. Unterdrückte Kräfte werden dadurch frei gemacht; alles lebt zu höheren Graden der Empfindung und Tätigkeit auf.«[167] Allgemein seien Aktivität und Dynamik im Leben dem Stillstand und einer gewissen Degeneration vorzuziehen, und es ist nicht ausgeschlossen, daß Feder mit diesen Aussagen zum ersten Mal Aufmerksamkeit bei staatlichen Stellen erregte. Ab Ostern 1793 gewinnen die verschiedenen Ereignisse und Feders theoretische und politische Ansichten zunehmende Relevanz für die sich anbahnende Auseinandersetzung mit Hannover. Sein Artikel über »Aristokraten und Demokraten« hatte neben der Rüge an die Herausgeber auch eine Kluft zwischen Feder und einigen seiner Kollegen verursacht. Zum einen stellt Feder Mißstimmigkeiten mit Spittler, einem der Herausgeber, fest und zum anderen mit seinem Kollegen Heyne, der sogar eine von ihm erbetene Rezension nicht veröffentlichen will. Es ist anzunehmen, daß Heyne, Spittler und andere Kollegen nach den schon erwähnten Auseinandersetzungen mit der Regierung in Hannover im November und Dezember 1792 an einer Wiederherstellung des gegenseitigen Vertrauens interessiert waren und zusätzliche Provokationen vermeiden wollten; Feders Artikel konnte wohl nur als Störung dieses Prozesses empfunden werden.

Einen weiteren Baustein dieser Entwicklung beschreibt Feder selbst: »Im Frühjahr 1793 legte ich die Perücke ab; also zu einer Zeit, wo es *politisch* verdächtig machen konnte, sein eigenes Haar und abgeschnitten zu tragen. Verhaßt und beschwerlich wegen des Gebrauchs der Brille, war sie mir schon lange. Hat vielleicht der Geist der Zeit doch wirklich einigen Einfluß auf den Entschluß gehabt? Wenigstens hatte ich damals schon einige Vorgänger unter meinen Bekannten, und viele folgten bald nach.«[168] Heynes Einschätzung seines Kollegen Feder schließt sich nahtlos an diese Überlegungen an: »... wiewohl *Mangel an Klugheit* und eine, bisweilen an Schwachheit gränzende Nachgiebigkeit ihm noch oft an mir mißfielen.«[169] Die Frage der Klugheit eines solchen Verhaltens hängt natürlich von den Intentionen des Handelnden selbst ab. Will er weiter als Königlich Britischer Hofrath und Ordinarius an der Universität bleiben, muß er nicht nur jegliche Provokation vermeiden, sondern die Erwartungen erfüllen, die in diesen beiden Funktionen an ihn gestellt werden. Ein offensives Eintreten für die eigenen Ansichten und eine in diesem Sinne persönliche Authentizität ließen im Jahre 1793 im Kurfürstentum Hannover weitere Konsequenzen seitens seiner Kollegen oder der Regierung unausweichbar werden.

Im Sommer 1793 verfaßt Feder seine Verteidigung auf die Reaktion der Regierung auf seinen Artikel vom Frühjahr des Jahres. Während der Wintermonate widmet er sich einer kleinen Schrift für eine wohltätige Gesellschaft zur Unterstützung von Witwen und Waisen: Dieses moralische Vademecum für Soldaten enthält wenig Originelles, dafür aber viele Phrasen über Mut, Kampfmoral, das Verhalten während des Krieges und ähnliches. Im nachhinein mißt Feder dieser kleinen Arbeit aber einen anderen Stellenwert zu: »Diese kleine Schrift trug vielleicht viel dazu bey, meine patriotischen Gesinnungen in ein günstigeres Licht zu setzen, obgleich sie nicht aus der Absicht, dieß zu bewirken, entsprang.«[170] Feder scheint ein intuitives Gespür dafür gehabt zu haben, daß seine politische Integrität aufgrund der Ereignisse der letzten Monate in Hannover gelitten haben mußte, denn anläßlich eines Ereignisses, von dem gleich zu sprechen sein wird, schreibt er: »Mein besonderes Benehmen half vielleicht den Glauben an die Gesetzmäßigkeit meiner Gesinnungen dort zu befördern.«[171] Das Ereignis selbst, das von neuem die politische Problematik um Feder verschärfte und intensivierte, fiel in sein zweites Prorektorat im Sommersemester 1794, ein Zeitpunkt, zu dem die Göttinger Studenten ihn noch für einen Demokraten hielten, der sich nur aus politischer Opportunität als Aristokrat ausgibt. Feder kritisierte diese studentische Meinung mit dem Argument, daß veränderte politische Umstände auch eine Revision der eigenen Einschätzung der Ereignisse in Frankreich erforderlich mache. Feder mußte sich in einer großen Gesellschaft dem Gesang der Marseillaise widersetzen, was ihm von der »democratischen Partei« übelgenommen wurde, deren Mitglieder daraufhin an drei aufeinander folgenden Abenden das Lied auf offener Straße sangen. Offen bleibt, ob diese Vorfälle 1796 auch in der Zeitung und in Meiners Replik erwähnt wurden. Was in diesem Zusammenhang aber verwundert, ist Feders Erstaunen darüber, daß »die Studenten, die mehr als ich wußten, unter sich als Democraten und Aristocraten geteilt und gespannt waren«.[172] Diese Feststellung kann doch nur auf einen fehlenden Kontakt zur Realität deuten, oder aber diese richtig zu beurteilen. Zwar wurde durch persönliche Gespräche »die Ordnung... wiederhergestellt«, doch in Hannover blieb über die auf rein akademischer Ebene herbeigeführte Einigung Unzufriedenheit bestehen, ein Umstand, der dem Ansehen des Prorektors weiter abträglich war.

Feders Verständnis der Französischen Revolution, das er mit den Worten ausdrückt: »Nicht nur in meiner Familie bezeugte ich es laut, wie glücklich ich mich schätzte, solche große für die Menschheit ersprießliche Veränderungen noch zu erleben«[173], wurde zweifellos von vielen Zeitgenossen geteilt. Allerdings sind diese von 1789 inspirierten Äußerungen und die mit ihnen verbundenen Hoffnungen unter den veränderten politischen Bedingungen des Jahres 1793 nicht mehr opportun. Feders Schlußfolgerung lautet denn auch, dem revolutionären Enthusiasmus zu entsagen und seine Bewertung der Ereignisse in Frankreich und ihre Folgen für Deutschland zu revidieren. Anlaß zu dieser nun im nachhinein getroffenen Feststellung hatte Feder bereits, als er zur Zeit des Ausbruchs der Revolution einem Minister in Hannover seine Revolutionsbegeisterung vortrug, der ihn daraufhin fragte, was denn bei einem Sieg der Revolution die Folgen für England oder das Kurfürstentum Hannover sein würden. Zunehmend muß sich der Göttinger Professor davon überzeugen lassen, daß vor der Revolution niedergeschriebene Sätze während ihres Verlaufs unter Umständen eine andere Bedeutung annehmen und daß die jeweils aktuelle Wirklichkeit die Basis zum Verständnis politischer Fragen darstellt, die aufgrund ihrer Entwicklung auch Veränderungen im Verständnis des Politischen erforderlich macht. Es muß Feder sicherlich erschüttert haben, als ihn ein Mainzer Klubbist in einem Brief daran erinnert, von ihm zuerst über die Menschenrechte gehört zu haben und ihn nun schweigen zu sehen, wenn diese mit Füßen getreten werden.

Feder, der mit öffentlichen Äußerungen über die Verwirklichung der Menschenrechte durch die Französische Revolution nicht gespart hatte, wurde sich scheinbar erst nach seinem Artikel vom Frühjahr 1793 bewußt, daß er von der Hannoveranischen Regierung als Sympathisant der Revolution betrachtet wurde und inso-

fern bei der »Obrigkeit« den Verdacht der politischen Illoyalität erregt hatte. Ebenfalls nachteilig wirkte sich aus, daß er und andere Kollegen in Göttingen von der Regierung für Freimaurer gehalten wurden. Feders Reflexionen über einen möglichen Einfluß der Freimaurerei auf die politischen Ereignisse in Frankreich müssen vor dem Hintergrund seiner Mitgliedschaft im Illuminatenorden, die von etwa 1783 bis 1795 dauerte, gesehen werden. Er berichtet ausführlich über seine Motive, Aktivitäten und Überlegungen, soweit es den Orden betrifft, dem er angehörte. Seine Behauptung allerdings, daß dieser Orden in Göttingen gar nicht existierte und er auch nie an einer Versammlung teilgenommen habe, ist wenig glaubwürdig.[174] Und sicher hat auch D. M. Meyering recht, daß Feder den Orden aus Ängstlichkeit verließ, nachdem deutlich geworden war, daß die Hannoveranische Regierung den Illuminaten politische Absichten unterstellte.[175] Feder schätzte an der Freimaurerei besonders das Motiv der freiwilligen zwanglosen Gemeinschaft von Gleichgesinnten.[176] Aber mehr noch sah er in ihr eine Vereinigung zur Erziehung und Veredelung des Menschen, und dies ganz im Sinne der Aufklärung: »Ich bin mir bewußt Gutes mitbefördert, insbesondere alles mehr auf pädagogisch-moralische Zwecke hingeleitet, die täuschenden Erwartungen wichtiger Geheimnisse und anderer Maurischer Thorheiten kräftig bestritten, und Manchen von Abwegen abgehalten zu haben.«[177] Rudolf Vierhaus faßt die Gemeinsamkeiten von Trägern und Programmen der Aufklärung und Freimaurerei zusammen: »Betonung der prinzipiellen Überlegenheit der moralischen Persönlichkeit über die Zugehörigkeit zu Staat, Konfession, Stand; Glaube an ein Gemeinsames aller Menschen vor ihrer Partikularisierung im praktischen Leben; Aufruf zur Menschenfreundlichkeit, zur Achtung der Tugend, zur religiösen Toleranz.«[178] Aufklärer und Freimaurer wandten sich – auch häufig in Personalunion – an dasselbe Publikum und meinten auch dieselben Gegner zu haben; in diesem Sinne, gewissermaßen als ein eigenständiges Organ für die Verwirklichung der Ziele der Aufklärung, ist auch Feders Mitgliedschaft im Illuminatenorden zu verstehen. Das im Laufe der Entwicklung dann Illuminaten und Jakobiner »in einen Topf gehörten, galt vielen Gegnern der Revolution als ausgemacht«.[179]
Es bleibt noch zu präzisieren, welche Aspekte, Intentionen oder Grundsätze der Französischen Revolution Eingang in Feders po-

litische Theorie gefunden haben bzw. welche Elemente im Zuge der revolutionären Entwicklung eine zusätzliche Aufwertung erfuhren, denn »daß ich mich zu *einigen* derjenigen Grundsätze bekannt habe, die beim Ausbruche der Französischen Revolution zur Rechtfertigung gebraucht oder gemißbraucht wurden, erweisen meine Lehrbücher«.[180] Dazu zählen die unveräußerlichen Menschenrechte, die Gesetzesherrschaft, die Negation jeder Willkürherrschaft, die Verurteilung von Sklaventum und Leibeigenschaft, die Möglichkeit eines moralischen Widerstandsrechts, die Bejahung einer demokratischen Regierungsform, allgemein die Vorzüge einer Republik und die Unantastbarkeit des bürgerlichen Privateigentums. Um sein Bekenntnis allerdings wiederum abzuschwächen und zu relativieren – und dies ist typisch für Feder –, distanziert er sich von den Lehren Rousseaus, »mit welchen man die begangenen Ungerechtigkeiten und wilden Schwärmereyen vertheidigen wollte«[181], insbesondere von Rousseaus antimonarchistischen und antiaristokratischen Tendenzen, von seiner Lehre über die Unveräußerlichkeit der Volkssouveränität, von dem Postulat, daß jegliche Obrigkeit und Gerechtigkeit von der Zustimmung der Majorität eines Volkes abhängig sein sollen und von der Unverträglichkeit des Erbadels mit dem allgemeinen Besten. Feders Versuch, seine Respektabilität und intellektuelle Integrität zu beweisen, muß allerdings schon deshalb befremdlich erscheinen, weil die Distanzierung vom »revolutionären Rousseau« einer Kritik an dessen Begriff vom allgemeinen Willen, seiner Vorstellung von der Teilnahme des Bürgers an der Gesetzgebung, seiner bürgerlichen Religion und der erstrebten Einheit von Moral und Politik eigentlich gar nicht bedarf. Feder weiß für sein Mißfallen an der vorrevolutionären Französischen Regierung schließlich auch nur einen Grund anzugeben: »Daß kein Unadeliger zu hohen Officiersstellen in der Armee, gleich den Adeligen gelangen sollte.«[182] O ideales ancient régime, daß Du Dich nur in diesem einen Punkt der Kritik Feders unterziehen brauchtest! Einmal mehr sollte deutlich geworden sein, wie schwer es der Königlich Britische Hofrat seinen Kritikern macht, innerhalb seiner Argumentation zwischen Apologetik, Ideologie und wissenschaftlicher Betrachtung zu unterscheiden.

In einem anderen Zusammenhang stellt sich Feder nochmals der problematischen Beziehung seiner Lehre zur Französischen Revolution. Feders Behauptung, daß sich seine politische Theorie schon vor dem Ausbruch der Revolution herauskristallisiert hatte und durch diese keine bemerkenswerte Änderung erfuhr, ist im großen und ganzen zuzustimmen. Er erwähnt, daß er neben Rousseau auch Locke und andere »Freidenker« lehrte, sowie auch »orthodoxe Schriftsteller«. »Nur habe ich mir während jener brausenden Zeit es mir zur Pflicht gemacht, die revolutionären Irrlehren schärfer zu beleuchten und zu widerlegen.«[183] Besonders habe er sich gegen die »Rousseauischen Grundirrthümer« gewandt. Feder schreibt Rousseau allerdings einseitig eine die revolutionäre Entwicklung begünstigende Theorie zu, ohne andere Rousseau-Interpretationen auch nur zu erwähnen.[184] Analog dazu wird dem Leser vorenthalten, was für eine Bedeutung zum Beispiel Lockes Stellung zum Widerstandsrecht haben kann und ob in seiner Theorie nicht auch »Irrlehren« vorzufinden sind. Mit der Zwischenposition, die Feder angesichts der »gemäßigten Aristokraten« und der »gemäßigten Demokraten« einnimmt, manövriert er sich in das Dilemma, einerseits die Bedeutung des Adels mit wenn auch zum Teil kritischen Einschüben hervorzuheben und andererseits dem Leser auch die Bedeutung der freiheitlichen Grundrechte vermitteln zu wollen. Er weicht dem Konflikt, der aus der Forderung einer praktischen Anwendung dieser natürlichen Rechte entstehen kann, bewußt aus, indem er sich letztlich affirmativ zu den politischen Realitäten verhält. Zum Beispiel nimmt er als gegeben hin, daß man als Bürger eines Staates dessen Gesetzen unterworfen ist oder anders ausgedrückt: »daß man stillschweigend sich unterwirft, wenn man die Wohlthaten der bürgerlichen Gesellschaft... erhält«.[185] Der Göttinger Professor berührt in diesem Zusammenhang die Frage nicht, wie man sich zu verhalten hat, wenn man anstatt »Wohlthaten« nur unterdrückende und die natürlichen Rechte des Menschen mißachtende Maßnahmen erfährt. Mit seinem Rückzug auf die Ebene akademischer Auseinandersetzungen vermeidet er die Konsequenz, theoretischen Ansprüchen auch praktische Taten folgen lassen zu müssen. Es ist deshalb nicht ohne Ironie, wenn Feder ausgerechnet in diesem Zusammenhang emphatisch den Stellenwert der Freiheit der Presse betont, die ihm als unabdingbares Medium zur Konstitution der bürgerlichen öffentlichen Meinung gilt. Im Gegensatz zur höfischen Kultur sei das Bürgertum auf die Bildung von Lesegesellschaften, Freundeszirkeln, Geheimlogen und Salons angewiesen und könne, um seine Kultur, Kommunikation und ein Bewußtsein seiner gemeinsamen Interessen zu entfalten, auf eine freie Presse nicht verzichten. Ausschlaggebend für Feders politisches Votum bleibt aber der Umstand, daß er dieses neue bürgerliche Selbstverständnis sicher nicht anders ausdrücken würde als Kant: »Räsoniert, so viel ihr wollt, nur gehorcht.«[186]

Mit ebenso großer Ambivalenz behandelt Feder die Frage, ob die Pflicht des gehorsamen Untertanen der des kritischen Philosophen und frei urteilenden Moralisten vorzuziehen sei. Bei seinem Versuch, den neuerlichen Zwiespalt zu vermeiden, muß er schließlich doch eingestehen, daß »er in dem Falle, solche Materien behandeln zu müssen, die mit den Gründen der gesellschaftlichen Rechte und Pflichten in naher Verbindung stehen, mit ängstlicher Genauigkeit untersucht, ob er auch alles gethan habe, was er konnte, um Anstoß zu vermeiden«.[187] Vor diesem Hintergrund werden auch der Pressefreiheit wieder ihre Grenzen gezogen, denn Feders »ängstliche Genauigkeit«, »Anstoß zu vermeiden«, kann ja nur bedeuten, der Geltung der moralischen und politischen Kritik keine praktisch folgenreiche Dimension zuordnen zu wollen. Zu dieser Strategie, Kritik letztlich in reiner Abstraktion zu belassen, gesellt sich bei Feder noch eine zweite, nämlich praktische Veränderungsvorschläge in die »schlechte Unendlichkeit« zu verbannen und ihnen damit jede kritische Intention in bezug auf die konkrete Wirklichkeit abzusprechen. In diesem Sinne bittet Feder wirklich um Verzeihung, wenn er Grund zum »Anstoß« gab, und verspricht alles, was in den gegenwärtigen Zeiten einer »pflichtmäßigen Vorsicht« widerspricht, entweder ganz zurückzunehmen oder »verhältnismäßig abzuändern«, er stellt also Kritik unter Gehorsam und versucht dies philosophisch durch die Sein-Sollen-Differenz zu untermauern: »*Selbstprüfung* bey dem, was geschehen *soll*, nicht vermessene, lieblose Verurtheilung *anderer* in dem, was *geschehen* ist, dadurch zu veranlassen; so ist gewiß auch Wunsch und Absicht des Verfassers in diesen Untersuchungen und allen seinen Schriften gewesen. Besonders bey jenen Lehrpunkten, die auf politische Angelegenheiten und das anscheinende Interesse der Zeiten unmittelbare Beziehung haben.«[188] Feders Arrangement mit den herrschenden Kräften scheint den Vorrang vor Kritik, Pressefreiheit und der wissenschaftlichen Suche nach Wahrheit zu haben.

E. Pachaly meint, in diesem Zusammenhang auch Rückwirkungen

auf die wissenschaftliche Entwicklung ausmachen zu können: »Es mußte den wissenschaftlichen Fortschritt hemmen, wenn Feder bei der Ausarbeitung seiner Werke von der ängstlichen Besorgnis erfüllt war, nichts zu sagen und zu schreiben, ›was der öffentlichen Ruhe und Wohlfahrt nachtheilig ist‹, und in zweifelhaften Fällen lieber keine Entscheidung zu treffen.«[189]

Diese Aussage ist allerdings insofern etwas fragwürdig, als daß nicht davon ausgegangen werden kann, daß Feder 1793 den wissenschaftlichen Fortschritt noch wirklich hätte hemmen können. Die Popularphilosophie – in die die Lehre des Göttinger Lehrers und Schriftstellers einzuordnen ist – war zu diesem Zeitpunkt schon ebenso von der Transzendentalphilosophie verdrängt worden, wie der Stand der philosophischen Forschung insgesamt die Common-sense-Philosophie hinter sich gelassen hatte. Soweit es die »literarisch-politischen Stürme« betrifft, blieben die meisten Protagonisten der neuen Strömung zu sehr in der akademischen Sphäre befangen, als daß sie eine radikale Änderung der deutschen Gesellschaft *hic et nunc* gefordert hätten. In diesem Refugium herrscht dann wenigstens die subjektive Gewißheit, die positiven Züge des politischen Aufklärungspostulats vorgezeichnet zu haben. Soweit es die Verbindung der Freiheit des Denkens mit dem Fortschritt in den Wissenschaften betrifft, kann man auch von Feders objektiver Zustimmung überzeugt sein, denn in derselben Schrift aus dem Jahr 1793, der seine Apologie vorangeht, läßt sich auch der königliche Hofrat vernehmen: »Also muß man nicht durch despotische Censur und Preßzwang die Früchte des Geistes und den Trieb zum Denken unterdrücken, wenn Künste und Wissenschaften gedeihen sollen.«[190] Wie ist diese Stelle mit Auszügen aus Feders Verteidigung in Einklang zu bringen? Man muß sich nur den Artikel Feders vom Frühjahr desselben Jahres vergegenwärtigen, in welchem die Gemäßigten unter den Demokraten und Aristokraten gerühmt werden, weil sie »zwischen theoretischen Meynungen und praktischen Gesinnungen bey sich und andern zu unterscheiden« vermögen, was Feder allerdings nur in der Theorie bewußt war und ihm praktisch versagt blieb, obwohl er seine politische Theorie zwischen diesen beiden Gruppen ansiedelte – und 1797 seine Versetzung nach Hannover doch nicht vereiteln konnte. Für sein unsystematisches System war es eine Dichotomie mehr und vielleicht ein weiterer unbewußter Widerspruch, den zu lösen er nicht vermochte.

Anmerkungen

1 Joyce Schober, *Die deutsche Spätaufklärung* (1770-1790), Bern/Frankfurt/M. 1975, S. 249.

2 *Göttingisches historisches Magazin*, aus der Vorrede zum 1. Band, Hannover 1787. Diese Zeitschrift erschien 1787 und 1791 mit je einem Band, in den drei dazwischen liegenden Jahren mit je zwei Bänden pro Jahr. Von 1792 an erschien sie, wie viele andere Zeitschriften, mit dem Zusatz »Neues« vor dem Titel. Als *Neues Göttingisches historisches Magazin* erscheinen noch drei Bände; zwei im Jahr 1792 und einer 1794. Der erwähnte Aufsatz dürfte zu Michaelis 1793 erschienen sein und befindet sich auf den Seiten 544-577.

3 Ich komme zu dieser Feststellung aufgrund des Inhalts des Artikels. Er ist nach den Auseinandersetzungen zwischen der Universität und der Regierung im Spätherbst 1792 und vor der Hinrichtung des Königs von Frankreich entstanden. Am 25. 2. 1793 schreibt J. G. H. Feder an Karl Leonhard Reinhold: »Eine besondere Veranlassung, die ich hier hatte, bewog mich vor kurzem, über die deutschen Aristocraten und Democraten in das Göttingische Historische Magazin etwas einrücken zu lassen, was ihnen Einstimmigkeit unserer Gesinnungen auch in dieser Sache beweisen kann, wenn es ihnen ohngefähr zu Gesicht kommt«. In Ernst Reinhold, *Karl Leonhard Reinholds Leben nebst einer Auswahl von Briefen*, Jena 1825, S. 377 f.

4 *J. G. H. Feder's Leben, Natur und Grundsätze. Zur Belehrung und Ermunterung seiner lieben Nachkommen, auch Anderer die Nutzbares daraus aufzunehmen geneigt sind*, Leipzig, Hannover, Darmstadt 1825, S. 137 (zit. als *Leben*).

5 J. G. H. Feder, *Ueber Aristokraten und Demokraten in Teutschland* (Anm. 2), S. 545 (zit. als *Aufsatz*).

6 Ebd., S. 549.

7 Ebd., S. 553. Der Ton, in dem Feder die Gemäßigten beider Parteien und deren Grundsätze darstellt, läßt vermuten, daß er deren politischen Standort weitgehend teilt.

8 Feder, Aufsatz, S. 556.

9 Zu diesen Beschuldigungen vgl. Abschnitt 9 dieses Beitrags.

10 Feder, Aufsatz, S. 557.

11 Feder, *Leben*, S. 137.   12 Ebd.

13 Wie Feder in seiner Autobiographie, S. 138, mitteilt, hat er »einen guten Theil (dieser Verteidigung, Z. B.) derselben... der Vorrede zum vierten Bande der Untersuchungen über den menschlichen Willen einverleibt«.

14 Gert Ueding, »Popularphilosophie«, in: *Hansers Sozialgeschichte der deutschen Literatur*, Bd. 3. *Deutsche Aufklärung bis zur Französischen Revolution 1680-1789*, hrsg. von Rolf Grimminger, München

1980, S. 612: »Die meisten Popularphilosophen entstammen dem protestantischen Klerus.« Ähnlich unter dem Aspekt der deutschen Literatur: Walter H. Bruford, *Die gesellschaftlichen Grundlagen der Goethezeit*, Frankfurt, Berlin, Wien 1979, S. 242: »Doch ist es interessant und ein Anzeichen für die literarische Kultur des protestantischen Pfarrhauses, sich zu vergegenwärtigen, welche Rolle Pfarrersöhne für das Entstehen einer unabhängigen deutschen Literatur gespielt haben, Leute wie Lessing, Wieland, Claudius, Hölty, Miller, Boie, Bürger, Heinse, Lenz und Schubart.«

15 Walter H. Bruford, *Die gesellschaftlichen Grundlagen* (Anm. 14), S. 235: »Es ließe sich eine lange Reihe berühmter Männer aufzählen, die wenigstens für kurze Zeit Hofmeister waren. Dazu würden gehören: Gellert, C. F. Weiße, Gleim, Götz, C. G. Heyne, Musäus, Hamann, Winckelmann, Herder, Boie, Voß, Lenz, L. Wagner, Jean Paul, Kant, Hölderlin, Fichte, Hegel und Schleiermacher.«

16 Max Wundt, *Die deutsche Schulphilosophie im Zeitalter der Aufklärung*, Tübingen 1945, S. 291: »Nicht zu vergessen ist, daß in dieser Zeit ein Lehrer der Philosophie an der Universität von Nöten war. Hollmann war zu alt und trocken, Beckman las nicht, und der Einfluß Webers sank rapide.«

17 Christoph Meiners, *Allgemeine kritische Geschichte der älteren und neueren Ethik oder Lebenswissenschaft nebst einer Untersuchung der Fragen: Gibt es auch wirklich eine Wissenschaft des Lebens? Wie sollte ihr Inhalt, ihre Methode beschaffen seyn?* Erster Theil, Göttingen 1800, S. 324.

18 Götz von Selle, *Die Georg-August-Universität zu Göttingen 1737-1937*, Göttingen 1937, S. 178 f.: »Es war in Göttingen schlecht um die Philosophie bestellt, und insbesondere um die Kantische. Man hatte sie wohl auch in Hannover verdächtig gemacht, so daß kaum ein Mann berufen worden wäre, der sich als Anhänger der kritischen Philosophie bekannt hätte. So lag ihre Vertretung in den Händen jüngerer Leute. Bürger scheint ein volles College gehabt zu haben, aber Buhle und auch Bouterweck, der sich rühmte, Kantische Ideen zuerst in Göttingen vom Katheder aus verkündet zu haben, konnten kaum eine Vorlesung zustande bringen«.

19 Dazu unter anderem: Emil Arnoldt, *Gesammelte Schriften*, Bd. IV: Kritische Exkurse im Gebiete der Kantforschung, Teil 1, Berlin 1908, 1. Abhandlung: Vergleichung der Garveschen und der Federschen Rezension. S. 9 ff. Günter Schulz, »Christian Garve und Immanuel Kant: Gelehrten-Tugenden im 18. Jahrhundert«, in: *Jahrbuch der Schlesischen Friedrichs-Wilhelm Universität zu Breslau*, Bd. V, Würzburg 1960, S. 123 ff. Götz von Selle, *Die Georg-August-Universität* (Anm. 18), S. 176-178. Zuletzt auch: Luigi Marino, *I maestri della Germania. Göttingen 1770-1820*, Torino 1975.

20 J. G. H. Feder, *Leben*, S. 117-129.
21 Ebd., S. 127.
22 Ebd., S. 78.
23 Auch in der Sekundärliteratur wird diese Ansicht vertreten: Ernst Landsberg, *Geschichte der Deutschen Rechtswissenschaft*, Dritte Abtheilung, München und Leipzig 1898. In den Anmerkungen im ersten Halbband zum elften Kapitel auf S. 279 heißt es u. a.: »J. G. H. Feder … 1768 als o. Prof. der Philosophie nach Göttingen berufen, vertrat dort mit glänzendem Erfolg dieses Fach, bis er im Konflikt mit Kant traurig, wenn nicht ganz würdelos scheiterte, ging deshalb 1797 als Direktor des Georgianums …«. Ähnlich Götz von Selle a. a. O., S. 176: »Feder hat diesen Streich bitter bereut, denn er brachte ihn eigentlich um sein Ansehen und vertrieb ihn letzten Endes, wenn auch erst nach Jahren von der Universität«.
24 J. G. H. Feder, *Camillus. Bild eines im Glück und Unglück großen Mannes*, Hannover 1809, S. 143 (zit. als *Camillus*).
25 J. G. H. Feder, *Untersuchungen über den menschlichen Willen*, Zweyter Theil, Lemgo 1782, S. 609 (zit. als *Willen II*).
26 Feder, *Leben*, S. 115.
27 Walter H. Bruford, *Die gesellschaftlichen Grundlagen* (Anm. 14), S. 325.
28 Feder, *Leben*, S. 113.
29 Ebd. Rolf Grimminger meint zu solchen Äußerungen: »Das Gegenstück zur versachlichten Öffentlichkeit der aufgeklärten Vernunft bildet ihre empfindsame: die öffentliche Rede von zwischenmenschlichen Gefühlen, die gesellige Mitteilung des ›Herzens‹ und seiner weitgehend moralischen Subjektivität. Auch sie ist allein schon deshalb traditionsstörend und politisch, weil sie mit ihrer Thematik und ihren Sprachformeln der ›Natürlichkeit‹, des ›Mitleidens‹, der ›Sympathie‹, der ›Freundschaft‹ und ›Menschenliebe‹ – die repräsentative Öffentlichkeit der ständisch würdevoll nuancierten Etikette unterläuft und eine naturrechtliche Gleichheit des menschlichen Gefühls behauptet«. Rolf Grimminger, »Aufklärung, Absolutismus und bürgerliche Individuen. Über den notwendigen Zusammenhang von Literatur, Gesellschaft und Staat in der Geschichte des 18. Jahrhunderts«, in: ders. (Hg.), *Deutsche Aufklärung* (Anm. 14), S. 31 f.
30 Feder, *Leben*, S. 207.
31 Ebd., S. 172.   32 Ebd., S. 241.
33 Ebd., S. 79: »Dazu gehören außer anderem, was mir vielleicht auch fehlte, viel versprechende Ankündigungen, paradoxe Behauptungen, polemische Ansicht der älteren Systeme, und besonders eine eigene Kunstsprache.«
34 Ebd.
35 Gerlach Adolph von Münchhausen, der eigentliche Begründer der

Universität und ihr erster Kurator, behauptet: »... sie erzieht dem Staat, tüchtige Diener in allen Fächern – Justizbeamten, Minister, Prediger, Aerzte, Architekten etc. – sie macht, daß das sonst auswärts verschleppte Geld in dem Lande bleibt, u. zu demselben auch noch fremdes in Menge hineingezogen wird«. In Michael Trauth, *Universität und Aufklärung. Die Beispiele Trier, Halle, Göttingen – ein Vergleich* (wissenschaftliche Prüfungsarbeit zum Staatsexamen für das Lehramt an Gymnasien an der Universität Trier. Das Thema wurde gestellt von Prof. Dr. Günter Birtsch.), S. 110, Anm. 1.

36 Ernst Grundlach, *Die Verfassung der Göttinger Universität in drei Jahrhunderten*, Göttingen 1955, S. 2.

37 Ernst Brandes, *Ueber den gegenwärtigen Zustand der Universität Göttingen*, Göttingen 1802, S. 192 ff. Charles E. McLelland, *State, Society, and University in Germany 1700-1814*, Cambridge 1980. S. 7: »In no other country was academic training so important a prerequisite for high office as in the German states by the late eighteenth century«.
Für die anderen Studenten und ihre Vorbereitung auf das praktische Leben meint Ernst Brandes (ebd., S. 362): »Für die grössere Anzahl ist es nach ihrer künftigen Bestimmung und ihren Geisteskräften angemessener, wenn sie ein lebhaftes wissenschaftliches Interesse an den Fächern der Erfahrungswissenschaften nimmt, wenn dieses Interesse auf die verschiedenen Zweige der Brodwissenschaften, auf Naturkunde, Naturgeschichte, Chemie, Botanik, Sprachkunde geleitet wird.«

38 M. Wundt, *Die deutsche Schulphilosophie* (Anm. 16), S. 289.

39 Carl Haase, »Göttingen und Hannover«, in: *Göttinger Jahrbuch 1967*, Göttingen 1967, S. 102. Vgl. auch Bruford, *Die gesellschaftlichen Grundlagen* (Anm. 14), S. 231: »Auf Gesner folgte in Göttingen der große Gelehrte Heyne, der Gründer der klassischen Archäologie. Diese Lehrer gaben dem humanistischen Studium ein ganz neues Ansehen. Mehr und mehr wurde das literarische Studium der Klassiker als für einen gebildeten Menschen unentbehrlich angesehen.«

40 J. G. H. Feder, *Leben*, S. 311. Heyne war es auch, der in einem Brief vom 11. 3. 1811 an Feder schreibt: »Bemerken Sie denn auch, daß wir nun fast die Einzigen von der alten Münchhausenschen Pflanzung noch sind« (ebd., S. 316).

41 Ernst Brandes, *Ueber den gegenwärtigen Zustand* (Anm. 37), S. 122.

42 Ebd., S. 138. Daß sich diese »Freiheit« nur auf die Vorzensur bezieht und daß schließlich jeder Gelehrte dann doch für seine Veröffentlichungen Rechenschaft ablegen muß, wird in der Arbeit von Carl Haase belegt: »Obrigkeit und öffentliche Meinung in Kurhannover 1789-1803«, in: *Niedersächsisches Jahrbuch für Landesgeschichte*, Bd. 39, Hildesheim 1967, S. 192 ff.

43 Ernst Brandes, *Ueber den gegenwärtigen Zustand* (Anm. 37), S. 143.

44 Ebd., S. 190.

45 Carl Haase, »Göttingen und Hannover« (Anm. 39), S. 100 f.

46 Vgl. McLelland, *State, Society, and University* (Anm. 36), S. 40: »In the context of the 18th century, however, it was the only guarantee against the nepotism, favoritism and seniorism prevailing at most universities«.

47 Götz von Selle, *Die Georg-August-Universität* (Anm. 18), S. 50.

48 M. Wundt, *Die deutsche Schulphilosophie* (Anm. 16), S. 289.

49 Götz von Selle, *Die Georg-August-Universität* (Anm. 18), S. 176.

50 Ebd., S. 177. L. W. Beck meint dazu: »Except for them, Göttingen does not appear in the history of philosophy of the eighteenth century.« In Lewis White Beck, *Early German Philosophy. Kant and his Predecessors*, Cambridge, Mass. 1969, S. 307.

51 Moses Mendelssohn, *Morgenstunden oder Vorlesungen über das Dasein Gottes*, hrsg. von Dominique Bourel, Stuttgart 1979, S. 6: »Ich weiß, daß meine Philosophie nicht mehr die Philosophie der Zeiten ist. Die Meinige hat noch allzusehr den Geruch einer Schule, in welche ich mich gebildet habe, und die in der ersten Hälfte des Jahrhunderts vielleicht allzu eigenmächtig herrschen wollte. Despotismus von jeder Art reizt zur Widersetzlichkeit...«

52 J. G. H. Feder, *Leben*, S. 87.

53 Ebd.

54 J. G. H. Feder, *Untersuchungen über den menschlichen Willen. Vierter Theil*, Lemgo 1793, S. 160 (zit. als *Willen* IV).

55 J. G. H. Feder, *Willen* IV, S. 12: »Aber der menschliche Verstand kann auch bey unvollständiger Erkenntniß und nicht gegen allen Irrthum sicher stellen – den Gründen zum Urtheil sich bestimmen; und muß es bey dringenden Bedürfnissen und wichtigen Antrieben zum Handeln. Darauf bezieht sich der Begriff von *subjektiver Wahrheit*, die nicht für alle Menschen und zu allen Zeiten die nemliche, und doch Wahrheit, das heißt, gesetzmäßige, vernünftige Denkart ist.«

56 J. G. H. Feder, *Untersuchungen über den menschlichen Willen. Erster Theil*, Göttingen und Lemgo 1779, S. 182, (zit. als *Willen* I).

57 J. G. H. Feder, *Willen* IV, S. 64.

58 Trotz der Annahme, daß Feders erste Impulse zur Beschäftigung mit der Psychologie auf Leibniz zurückgehen, muß doch davon ausgegangen werden, daß Feder zumindest partiell von Locke angeregt wurde. Zu Leibniz vgl. Robert Sommer, *Grundzüge einer Geschichte der deutschen Psychologie und Aesthetik von Wolff-Baumgarten bis Kant-Schiller*, Würzburg 1892, S. 313, 439. Vgl. auch Gert Ueding, »Popularphilosophie« (Anm. 14), S. 626: »Der philosophische Hintergrund dieser Psychologie blieb zwar bis ins letzte Drittel des Jahr-

hunderts Leibniz Auffassung von der Seele als einer Monade, deren Zustände nach dem Prinzip der Kontinuität zunehmend aus den kleinsten, schwächsten, dunkelsten, unbewußten Vorstellungen sich ...entwickeln«. Zu Locke vgl. Erich Palachy, *J. G. H. Feders Erkenntnistheorie und Methaphysik in ihrer Stellung zum Kritizismus Kants*, Inaugural-Dissertation (Erlangen), Borna-Leipzig 1906, S. 12. Zur »Special-Psychologie« meint Feder in *Willen* II, Vorrede, S. VI: »Bisher hat man kaum den Gedanken einer ausführlichen Bearbeitung der Special-Psychologie gehabt; da es noch nicht lange ist, daß man die Psychologie überhaupt für einen besondern Haupttheil der Philosophie ansieht, nicht mehr für ein Viertel eines nicht sehr hochgeachteten Theiles der Philosophie, der Methaphysik.«

59 Rolf Grimminger, »Aufklärung, Absolutismus und bürgerliche Individuen«, in: ders. (Hg.), *Deutsche Aufklärung* (Anm. 14), S. 51.

60 J. G. H. Feder, *Leben*, S. 247.

61 Ebd., S. 184.

62 J. G. H. Feder, *Grundlehren zur Kenntniß des Menschlichen Willens und der natürlichen Gesetze des Rechtverhaltens*, Göttingen 1782; S. 353: »Obgleich die Philosophie überhaupt auf die Beförderung der Weisheit und Glückseligkeit unter den Menschen, und folglich auch auf die Einrichtung der freyen Handlungen und Billigung der Gemüther abzielet: so hat sie doch nur in einigen ihrer Theile dieses zur nächsten Absicht sich gemacht: Und dann heißt sie *praktische Philosophie*, oder Philosophie der *Handlungen*, des *Lebens*.« (Zit. als: Grundlehre.)

63 J. G. H. Feder, *Leben*, S. 113.

64 J. G. H. Feder, *Untersuchungen über den menschlichen Willen. Dritter Theil*, Lemgo 1786, S. V (zit. als *Willen* III).

65 J. G. H. Feder, *Willen* I, S. 22-26.

66 J. G. H. Feder, *Willen* II, S. IV.

67 Ebd. S. XXIV-XXV.

68 Elmar R. Service, *Ursprünge des Staates und der Zivilisation. Der Prozess der kulturellen Evolution*, Frankfurt 1977, S. 56: »Ferguson verurteilt mit Montesquieu die geläufige Vorstellung, dem ›Menschen im Zustand der Natur‹ habe es freigestanden, sein natürliches Selbst zu entfalten. Der Mensch wird von der Gesellschaft beherrscht und hat sich niemals außerhalb der Gesellschaft befunden«. Dazu auch: J. G. H. Feder, *Willen* IV, S. 192: »Da die Unterschiede der häuslichen Verhältnisse und ganzen Einrichtung, der Staatsverfassung Gesetze und Religion eines Volkes, Stand und Glücksumstände, Klima und Lebensart auf die Bildung der Gemüther vielen Einfluß haben...«

69 Georg G. Iggers, »Die Göttinger Historiker und die Geschichtswissenschaft des 18. Jahrhunderts«, in: *Mentalitäten und Lebensverhält-*

nisse. Beispiele aus der Sozialgeschichte der Neuzeit, Rudolf Vierhaus zum 60. Geburtstag, Göttingen 1982, S. 338.

70 J. Schober, *Die deutsche Spätaufklärung* (Anm. 1), S. 271: »Die Einheit der Generation der Spätaufklärung bestimmte die Hinwendung der Intelligenz zum geschichtsphilosophischen Denken. Der typische Vertreter der Generation der Spätaufklärung wurde etwa um 1730 geboren und starb um 1790. Die markanten Beispiele sind Dohm, Biester, Boie, Gedike, Meiners, Schirach, Spittler und Winkopp.«

71 *Salomon Maimons Lebensgeschichte. Von ihm selbst erzählt und herausgegeben von Karl Philipp Moritz*, neu herausgegeben von Zwi Batscha, Frankfurt 1984, S. 295.

72 Wilhelm Schmidt-Biggemann, »Nicolai oder vom Altern der Wahrheit«, in: *Friedrich Nicolai 1733-1811. Essays zum 250. Geburtstag*, hrsg. von Bernhard Fabian, Berlin 1983, S. 242 f.

73 Klaus P. Fischer, »John Locke in the German Enlightment«, in: *Journal of the History of Ideas*, Volume XXXVI (1975), S. 439. Ich finde diese Arbeit unvollständig. Fischer geht insbesondere dann fehl, wenn er sich dem politischen Aspekt zuwendet: »If any English political theorist commanded much respect in eighteenth century Germany, it was Thomas Hobbes, not John Locke« (S. 441). Diese Behauptung ist nicht bewiesen, und soweit es Feder und ihm nahestehende Denker betrifft, ist das Gegenteil richtig. Sicher findet sich oft Lockesches Gedankengut im Rahmen einer Darstellung der Geschichtsphilosophie Fergusons, doch dies ändert die Grundintentionen Feders diesbezüglich nicht. Das Recht des Stärkeren wird von ihm für abwegig gehalten, und die Hypothese des Krieges aller gegen alle als unbegründet abgewiesen.

74 Nicolai Merker, *Die Aufklärung in Deutschland*, 1982, S. 87.

75 J. G. H. Feder, *Camillus*, S. 172 f.

76 Rainer Specht, *Rationalismus*, Stuttgart 1979, S. 14: »Die praktische Philosophie behandelt außer den bereits erwähnten jurisprudenznahen Themen etwas, was heute Moral, Erziehungswissenschaft, Wirtschaftswissenschaft, Politikwissenschaft, Soziologie, Familienkunde und Hauswirtschaftslehre hieße«.

77 J. G. Sulzer, *Kurzer Begriff aller Wißenschaften und andern Theil der Gelehrsamkeit*, Leipzig 1757, S. 185: »Man könnte die erstere die Philosophie der Schule und die andere die Philosophie der Welt nennen.«

78 Hans Maier, *Die ältere deutsche Staats- und Verwaltungslehre (Polizeiwissenschaft)*, Neuwied und Berlin 1966, S. 217 (Anm.): »Dannach waren vor 1765 drei getrennte Vorlesungen (Moral, Recht der Natur, Politik) üblich; später wurden Kameralistik und Politik vereinigt«.

79 J. G. H. Feder, *Grundriß der Philosophischen Wissenschaften nebst*

der nöthigen Geschichte zum Gebrauch seiner Zuhörer, Coburg
1767, S. 251 (zit. als *Grundriß*).

80 Ebd., S. 253.

81 J. G. H. Feder, *Lehrbuch der Praktischen Philosophie*, Göttingen und
Gotha 1770, S. 142 (zit. als *Lehrbuch*).

82 Ders., *Lehrbuch*, S. 256, S. 272; ders., *Grundlehre*, S. 34; ders. *Willen*
III, S. 73, S. 210.

83 Ders., *Lehrbuch*, S. 49.

84 Ders., *Willen* III, S. 1: »Der Mensch fühlt, wenn nicht eben so stark,
doch eben so gewiß und nothwendig den Trieb, nach anderer Menschen Bedürfnissen sich einzuschränken, und anderer Glück zu befördern«.

85 Ebd., S. 184 ff.

86 Ebd., S. 104. Schon in der *Grundlehre* auf S. 54 heißt es: »Und dieses
sind die allgemeinen Gründe der Menschenliebe; auch Gründe, die
den Menschen zur Geselligkeit bestimmen helfen«.

87 Dazu J. G. Zimmermann, *Über die Einsamkeit*, Hannover 1784.
Chr. Garve, *Über Gesellschaft und Einsamkeit*, 2 Bde., Leipzig 1800.
A. Ferguson, *Grundsätze der Moralphilosophie*, übersetzt von Christian Garve, Leipzig 1772, S. 102: »Der Mensch ist von Natur das
Glied einer Gesellschaft; seyn Wohlseyn und seyn Vergnügen erfordern, daß er das zu seyn fortfahre, was er von Natur ist; seine Vollkommenheit besteht in der Vortrefflichkeit oder dem Grade seiner
natürlichen Fähigkeiten und Anlagen, oder mit andern Worten, sie
besteht darinnen, daß er ein vortrefflicher Theil des Ganzen ist, zu
dem er gehört.«

88 J. G. H. Feder, *Willen* III, S. 223.

89 Ders., *Willen* IV, S. 239.

90 Um nur ein Beispiel für die Beziehung zwischen Regierungssystemen
und den ihnen entsprechenden Tugenden anzugeben vgl. J. G. H. Feder, *Willen* IV, S. 279: »In freyen Bürgerstaaten wird die Tugend nach
den Aeußerungen des *Gemeingeistes*, in *Despotien* nach dem *Gehorsam* gegen die Befehle des Landesherren, unter Priesterherrschaft
nach dem *blinden Glauben* gegen den durch ihre Vertrauten geoffen-
barten Willen der Gottheit geschätzt«.

91 J. G. H. Feder, *Willen* IV, S. 243.

92 Christoph Link, *Herrschaftsordnung und Bürgerliche Freiheit. Grenzen der Staatsgewalt in der älteren deutschen Staatslehre*, Wien-
Köln-Graz 1979, S. 122: »Das honestum umschreibt die Pflicht des
Menschen gegen sich selbst, die eigentliche Ethik, die primär und
wesentlich Gewissensruf ist, freilich eines vom lumen rationis er-
leuchtenden Gewissens«.

93 J. G. H. Feder, *Grundlehre*, S. 4: »Das Recht der Natur lehrt, wozu
ein Mensch durch die Naturgesetze berechtigt wird den andern zu

zwingen; erklärt diejenigen Gesetze, ohne deren Beobachtung keine äußerliche Ruhe Statt finden würde«.

94 J. G. H. Feder, *Willen* III, S. 152.
95 Ebd.
96 Ernst Landsberg, *Geschichte der Deutschen Rechtswissenschaft.* Dritte Abtheilung, München und Leipzig 1898, S. 436 f.
97 J. G. H. Feder, *Lehrbuch*, S. 397.
98 Ders., *Camillus*, S. 114.
99 Diethild Maria Meyering, *Politische Weltweisheit: Studien zur deutschen politischen Philosophie des 18. Jahrhunderts*, Inauguraldissertation, Münster 1965, S. 99 f.
100 J. G. H. Feder, *Willen* III, S. 323.
101 Diethelm Klippel, *Politische Freiheit und Freiheitsrechte im deutschen Naturrecht des 18. Jahrhundert*, Paderborn 1976, S. 203.
102 Ebd., S. 200.
103 Ebd., S. 201.
104 J. G. H. Feder, *Lehrbuch*, S. 306: »Die Haupttheile des Rechts der Natur entstehen durch Unterscheidung durch mancherley Stände, in welchen sich die Menschen befinden können, und deren Unterschiede den wichtigsten Unterschied in Ansehung der Pflichten und Rechte nach sich ziehen.« Kann die individuelle Komponente im Naturzustand auf John Locke zurückgeführt werden, so die Notwendigkeit der politischen Herrschaft durch die ständische Differenzierung der Gesellschaft auf Adam Ferguson.
105 J. G. H. Feder, *Lehrbuch*, S. 350.
106 Ebd., S. 404.
107 J. G. H. Feder, *Willen* III, S. 265.
108 J. G. H. Feder, *Willen* II, S. 589.
109 John Locke, *Zwei Abhandlungen über die Regierung*, hrsg. und eingeleitet von Walter Euchner, Frankfurt 1977, fünftes Kapitel, S. 215 ff.
110 J. G. H. Feder, *Willen* III, S. 321. An dieser Stelle meint Feder unter anderem, daß man sich auch mehr, als zum Lebensunterhalt notwendig ist, aneignen kann, wenn dadurch Dritten kein Schaden zugefügt wird.
111 J. G. H. Feder, *Willen* III, S. 314. Vgl. auch Jutta Brückner, *Staatswissenschaften, Kameralismus*, München 1977, S. 273. »Glückseligkeit ist Thomasius und Wolff identisch mit der Verfügung über die Mittel des physischen, ökonomischen und affektiven Wohlergehens.«
112 J. G. H. Feder, *Willen* IV, S. 402. 1793 setzt sich Feder das letzte Mal theoretisch mit der Klugheitslehre auseinander. 1782 heißt es: »Wie die Klugheit überhaupt in Wissenschaft und Fertigkeit besteht, alle Umstände, in denen man sich befindet, zur rechtmäßigen Beförderung der Glückseligkeit zu benutzen« (*Grundlehre*, S. 119).

113 J. G. H. Feder, *Willen* IV, S. 430.

114 J. G. H. Feder, *Lehrbuch*, S. 493.

115 Rolf Grimminger, »Aufklärung, Absolutismus und bürgerliche Individuen«, in: ders. (Hg.), *Deutsche Aufklärung* (Anm. 14), S. 37.

116 Jutta Brückner, a.a.O., S. 258-263.

117 J. G. H. Feder, *Willen* IV, S. 406.

118 J. G. H. Feder, *Lehrbuch*, S. 452.

119 J. G. H. Feder, *Grundlehre*, Vorrede, S. 3. Vgl. auch D. M. Meyering, *Politische Weltweisheit* (Anm. 99), S. 53. Auf S. 4 der Vorrede der Grundlehre wird die Politik mit der Kunst »bestimmtere Regeln für den äußern Wohlstand« zu benützen, charakterisiert.

120 J. G. H. Feder, *Lehrbuch*, S. 468.

121 Ebd., S. 454 ff.

122 J. G. H. Feder, *Willen* IV, S. 412.

123 Ebd., S. 422.

124 J. G. H. Feder, *Grundlehre*, S. 119. Siehe dazu J. G. Sulzer, *Kurzer Begriff aller Wißenschaften* (Anm. 76), S. 183: »In der That kann ein Weltweiser (184) sich um das menschliche Geschlecht nicht besser verdient machen, als durch Verbesserung des Staatswesens, welches das eigentliche Fundament aller irdischen Glückseligkeit ist.«

125 J. G. H. Feder, *Grundlehre*, S. 134.

126 Ebd., S. 136/37.

127 Ebd., S. 181.

128 In den *Göttingischen Gelehrten Anzeigen*, 30. Stück vom 10. März 1777, S. 234-240, veröffentlicht Feder eine Rezension über Adam Smiths *The Wealth of Nations*, in der es unter anderem heißt: »Es ist ein classisches Buch, sehr schätzbar, sowohl von der Seite der gründlichen, nicht zu eingeschränkt politischen, oft sehr weit blickenden Philosophie, als von der Seite der beständigen, oft ausführlich historischen Erläuterungen« (S. 234).

129 Christian Garve, *Anhang einiger Betrachtung über Johan Macfarlans Untersuchungen der Armuth betreffend, und über den Gegenstand selbst, den sie behandeln; besonders über die Ursachen der Armuth, den Charakter der Armen, und die Anstalten sie zu versorgen*, Leipzig 1785.

130 *Ueber die Preisfrage der Königlichen Societät der Wissenschaften zu Göttingen: von der vorteilhaftesten Einrichtung der Werk- und Zuchthäuser*. Von August Friedrich Rulffs. Mit einer Vorrede von Johann Beckmann. Göttingen 1783.

131 J. G. H. Feder, *Grundlehre*, S. 163.

132 Ebd., S. 159.

133 Grimminger, »Aufklärung, Absolutismus und bürgerliche Individuen«, in: ders. (Hg.), *Deutsche Aufklärung* (Anm. 14), S. 20. Gert Ueding rechtfertigt J. G. H. Feder, wenn er die Klugheit den morali-

schen Postulaten unterstellt und charakteristisch für die Popularphilosophie feststellt: »Politisch klug zu handeln, bedeutete nun nicht mehr, jede sich bietende Gelegenheit zum individuellen Erfolg und zur irdischen Glückseligkeit auch auf skrupellose Weise zu nutzten, sondern mit aller möglichen Menschen- und Sozialkenntnis moralisch richtige Entscheidungen zu treffen« (Ueding, »Popularphilosophie«, in: Rolf Grimminger [Hg.], *Deutsche Aufklärung* [Anm. 14], S. 627).

134 J. G. H. Feder, *Grundlehre*, S. 153.

135 J. G. H. Feder, *Leben*, S. 325. Über die ganze Auseinandersetzung und die Erhebung des positiven Rechts zur letzten vernünftigen Instanz und Sanktion siehe S. 319-325.

136 J. G. H. Feder, *Grundlehre*, 2. Teil, S. 102-106.

137 Christoph Link, *Herrschaftsordnung und Bürgerliche Freiheit* (Anm. 92), S. 153.

138 J. G. H. Feder, *Willen* II, S. 708.

139 J. G. H. Feder, *Willen* III, S. 374. Feder als treuer Anhänger des Hauses Hannover ist sicher an der Erhaltung des *status quo* im Königreich interessiert. Vgl. W. H. Bruford, *Die gesellschaftlichen Grundlagen* (Anm. 14), S. 30: »In Hannover übten in Abwesenheit des Kurfürsten (als König von England) die Adligen durch die Stände eine oligarchische Herrschaft aus; wie in Württemberg waren hier die Stände stark, weil eine einzige starke Partei hier die Führung hatte, aber obwohl sie zu ihrem eigenen Besten regierten, es war wenigstens kein verschwenderischer Hof zu unterhalten, die englischen Verbindungen brachten ein gewisses Maß von Weite, und die Untertanen waren verhältnismäßig zufrieden«.

140 J. G. H. Feder, *Willen* III, S. 553.

141 Chr. Garve, »Über die Veränderungen unserer Zeit in Pädagogik, Theologie und Politik«, in: ders., *Vermischte Aufsätze, welche einzeln oder in Zeitschriften erschienen sind*, 2. Theil, Breslau 1800, S. 258 ff.

142 J. G. H. Feder, *Willen* III, S. 366.

143 Ders., *Willen* II, S. 715.

144 Ders., *Willen* IV, S. 123-136.

145 Ders., *Camillus*, S. 173.

146 Ders., *Willen* IV, S. 240.

147 Ebd., S. 332 f.

148 Zur chronologischen Darstellung siehe Otto Mejer, »Professoren und Studenten gegenüber einer Censurmaßregel 1792«, in: ders., *Kulturgeschichtliche Bilder aus Göttingen*, Linden-Hannover 1889; und Carl Haase, »Obrigkeit und öffentliche Meinung in Kurhannover 1789-1803«, in: *Niedersächsisches Jahrbuch für Landesgeschichte*, Bd. 39, Hildesheim 1967.

Für Originaldrucke oder photomechanische Abzüge der Materialien aus dieser Zeit bin ich besonders Herrn Dr. Ulrich Jost von der Edition Lichtenberg in der niedersächsischen Staats- und Univ.-Bibliothek, Göttingen, dankbar.

149 Götz von Selle, *Die Georg-August-Universität* (Anm. 18), S. 200.
150 Carl Haase, »Obrigkeit und öffentliche Meinung« (Anm. 148), S. 223.
151 *Johan Stephan Pütters Selbstbiographie. Zur dankbaren Jubelfeier seiner 50jährigen Professorstelle zu Göttingen. Zweyter Band*, Göttingen 1798, S. 838.
152 O. Meyer, »Professoren und Studenten« (Anm. 148), S. 116.
153 Noch am 31. Oktober 1792, also zwischen dem Ereignis mit den Kokarden und der durch Böhmer veranlaßten Stafette, schreibt Heyne an seinen Schwiegersohn Forster: »Die Aristokraten werden hier so gut verabscheut als anderwärts: dem Volk der Franken wird seine Freiheit gegönnt und ihm Glück gewünscht, aber deswegen verblendet man sich nicht über alles Übrige«. Vgl. Gerhard Steiner, »Jacobiner und Societät der Wissenschaften«, in: *Filológiai Köpzphöng*, Budapest 1858, S. 687.
154 O. Meyer, »Professoren und Studenten« (Anm. 148), S. 131.
155 Ebd., S. 132.   156 Ebd., S. 134.
157 Vgl. Gerhard Steiner, »Jakobiner« (Anm. 153), S. 684-693.
158 Richard Nürnberger, *Die Lehre von der Politik an der Universität Göttingen während der Französischen Revolution*, Göttingen, o. J.
159 *Einladungs-Blätter zu Vorlesung über die Politik während des Sommers 1793 von Georg Sartorius*, Göttingen 1793. *Grundriß der Politik zum Gebrauch bey seinen Vorlesungen*, herausgegeben von Georg Sartorius, Göttingen 1794.
160 Sartorius, *Einladungs-Blätter* (Anm. 159), S. 7.
161 R. Nürnberger, *Die Lehre von der Politik* (Anm. 158), S. 28. Unter Herbsterfahrung 1789 ist natürlich der Marsch von Versailles von 5.-6. Oktober 1789 gemeint. Peter Hanns Reill schreibt hingegen in seiner Arbeit »Ludwig Timotheus Spittler«, in: *Deutsche Historiker*, Band IX, Göttingen 1982, auf Seite 57: »Auch Spittlers Reaktion auf die Französische Revolution war anfangs negativ. Anders als die meisten deutschen Intellektuellen begrüßte er den revolutionären Aufstand nicht mit Jubel. Zunächst hüllte er sich in Schweigen, und als er sich 1790 zu Wort meldete, war sein Urteil mit Schimpfwörtern durchsetzt. Es handelte sich um einen von ›gedungenen Banditen‹ ausgefüllten Pöbelaufruhr, der vom verräterischen Fürsten von Orleans finanziert worden sei. Spittlers Ansichten änderten sich allerdings sehr rasch, als die deutsche Opposition gegen die Revolution wuchs«. Götz von Selle, Die Georg-August-Universität (Anm. 18), S. 200, meint dazu, daß Spittler von Anfang an über die Rezeption in

Deutschland empört war, hauptsächlich über die Jubelnachrichten aus Paris in der Art Campes. Aber auch er hegte später die Hoffnungen auf Befreiung.

162 J. Schober, *Die deutsche Spätaufklärung* (Anm. 1), S. 269.

163 G. Steiner, »Jakobiner« (Anm. 153), S. 687.

164 J. G. H. Feder, *Leben*, Zehntes Kapitel, S. 129-141. Der Titel des Kapitels: »Anstellung als Director am Georgianum. Von der Französischen Revolution in Beziehung auf mich und meine Schicksale.«

165 J. G. H. Feder, *Leben*, S. 158: »So konnte ich mich also leicht zu dem Unterrichte in der Naturhistorie, den ich zu ertheilen hier anfing, geschickt machen; und aus dem Meere der literarisch-politischen Stürme zurückgezogen im Schooße der stillen Natur ausruhen.«

166 J. G. H. Feder, *Leben*, S. 130.

167 J. G. H. Feder, »Von der Neigung zum Uebertriebenen«, in: *Neues Hannoverisches Magazin*, 37-tes Stück, Montag, den 7-ten Mai 1792, S. 581.

168 J. G. H. Feder, *Leben*, S. 239 f.

169 Ebd., S. 75.

170 Ebd., S. 140.

171 Ebd., S. 141.

172 Brief Feders an Reinhold am 23. Juli 1794, in: *Karl Leonhard Reinhold's Leben und litterarisches Wirken nebst einer Auswahl von Briefen...*, herausgegeben von Ernst Reinhold, Jena 1825, S. 381.

173 J. G. H. Feder, *Leben*, S. 134.

174 J. J. Mounier schreibt in seinem 1801 in Tübingen herausgegebenen Buche *Ueber den vorgeblichen Einfluß der Philosophen, Freimaurer und Illuminaten auf die französische Revolution*, auf S. 152: »H. Weishaupt beklagt sich in einem seiner Briefe, dass er von einem gewissen Massenhausen hintergangen worden sei. Er wollte einen gewissen Merz aus dem Orden stossen lassen, der ein Frauenzimmer hätte schänden wollen. Was würde unser Marc Aurel dazu sagen, fügte er hinzu (so hiess in dem Orden ein durch seine Rechtschaffenheit und seine Kenntnisse ehrwürdiger Mann, H. Feder, zu Hannover) wenn er wüßte, mit welchem Gesindel von liderlichen Menschen und Lügnern er sich verbunden hat? Würde er sich nicht schämen, zu einer Gesellschaft zu gehören, deren Obern so grosse Dinge versprochen haben, und ihren schönen Plan so schlecht ausführen?«

175 D. M. Meyering, *Politische Weltweisheit* (Anm. 99), S. 115 f.

176 J. G. H. Feder, *Leben*, S. 150: »... so ist es auch gewiß, die anscheinende, oft wahre Herzlichkeit für Menschen das Anziehendste war. Für manchen Großem vielleicht auch das noch nicht erstickte Verlangen nach Stunden eines zwanglosen natürlichen Zusammenseyns mit guten, liebenswürdigen, für das gewöhnliche Leben nur durch ihren bürgerlichen Rang entfernt gehaltenen Menschen.«

177 J. G. H. Feder, *Leben*, S. 145.
178 Rudolf Vierhaus, »Aufklärung und Freimaurerei in Deutschland«, in: *Freimaurerei und Geheimbünde im 18. Jahrhundert in Mitteleuropa*, hrsg. von Helmut Reinalter, Frankfurt 1983, S. 119.
179 Ebd., S. 129.
180 J. G. H. Feder, *Leben*, S. 131.
181 Ebd.
182 Ebd., S. 133.
183 Ebd., S. 186.
184 Vgl. Eberhard Weissel, *Von wem die Gewalt in den Staaten herrührt. Beiträge zu den Auswirkungen der Staats- und Gesellschaftsauffassungen Rousseaus auf Deutschland im letzten Viertel des 18. Jahrhunderts*, Berlin 1963. Rousseaus Beitrag zur Radikalisierung des politischen Bewußtseins unterliegt kontroversen Interpretationen. Über den moralischen Wert der Arbeiten Rousseaus, wie sie hauptsächlich durch I. Kant und den deutschen Idealismus rezipiert wurden, berichtet Ernst Cassirer. Hinzuzufügen wären auch die skeptisch-konservativen Züge in der Interpretation Rousseaus. Vgl. Iring Fetscher, *Rousseaus politische Philosophie*, Frankfurt 1975.
185 J. G. H. Feder, *Leben*, S. 287.
186 I. Kant, »Beantwortung der Frage: Was ist Aufklärung?« Zitiert nach I. Kant, *Ausgewählte kleine Schriften*, Hamburg 1965, S. 9.
187 J. G. H. Feder, *Willen* IV, Vorrede, S. VII.
188 Ebd., S. XVII.
189 *J. G. H. Feders Erkenntnistheorie und Methaphysik in ihrer Stellung zum Kritizismus Kants*. Inaugural-Dissertation (Erlangen) von Erich Pachaly, Borna-Leipzig 1906, S. 18.
190 J. G. H. Feder, *Willen* IV, S. 149.

Thomas Abbts politische Philosophie

I

Als G. E. Lessing, M. Mendelssohn und F. Nicolai nach zweijähriger Tätigkeit die Bibliothek der schönen Wissenschaften und der freien Künste im Jahre 1759 an C. F. Weiße in Leipzig übergaben und mit der Edition der *Briefe, die neueste Literatur* betreffend begannen, konnten sie noch nicht wissen, daß sie diese Aktivität 1765 nicht gemeinsam beenden würden. Im Jahre 1761 verließ G. E. Lessing Berlin, und seine Stelle als Mitarbeiter wurde nach dem Vorschlag M. Mendelssohns von Thomas Abbt, dem damals 23jährigen außerordentlichen Professor aus Frankfurt/Oder, ausgefüllt.[1] Abbt verließ diese Stadt im Mai 1761, hatte seine Tätigkeit für die »Briefe« aber schon vorher begonnen und intensivierte sie während eines halbjährigen Aufenthaltes in Berlin – jener glücklichen Epoche seines Lebens –, um sie dann von Rinteln aus, wo er vom November 1761 an als ordentlicher Professor der Philosophie und Mathematik lebte, bis zu ihrem Abschluß 1765 fortzusetzen.

Seine sachliche und scharfe Kritik zeitgenössischer Studien führte ihn dazu, die in den besprochenen Arbeiten berührten Themen durch eigene Reflexionen weiterzuführen, und deshalb bilden seine Beiträge zu dieser kritischen Edition, neben seinen Schriften und Briefen, einen wichtigen Beitrag beim Versuch der Rekonstruktion seiner Ansichten. Im XV. Band der *Briefe* meint Abbt, »daß nichts destoweniger die politische Philosophie so grossen Fortgang unter uns zu gewinnen scheint, als sie nicht leicht vorher gehabt hat«.[2] Was dieser damals nicht besonders geläufige Begriff in der zeitgenössischen Philosophie für eine Bedeutung haben konnte, soll hier untersucht werden. In der Wolffschen Schule ausgebildet beginnt Abbt mit der Zergliederung der Begriffe, um sie mit anderen Stellen aus seinen Schriften zu vergleichen oder aber in seinem Sinne weiterzuentwickeln.

Den in dieser Tradition stehenden Philosophiebegriff definiert er als »eine Kenntnis, oder Wissenschaft oder Kunst ..., die Verhältnisse des Menschen gegen alles, was er ausser sich denket, anzugeben«.[3] Wenn die Philosophie als theoretische Fähigkeit eine

Ganzheit von Verhältnissen zu erfassen hat – hier besonders in ihren äußeren Bezügen –, so wird die Kenntnis der äußeren Handlungen von Abbt als Geschichte bezeichnet.[4] So entsteht zwischen den äußeren Handlungen und dem Wissen um sie ein Konnex, der noch zu untersuchen sein wird. Was aber den Begriff des Politischen angeht, will der Mitherausgeber der *Briefe* – und dies gerade in einem Zeitalter der Kabinettspolitik und kurz nach dem Ende des Siebenjährigen Krieges – die außenpolitischen Themen aus diesem ausgeklammert wissen. Gerade diese dürften es sein, die zwei Jahre später bei der Auseinandersetzung mit »politischen Betrachtungen« als ebenso »lächerlich oder verhaßt« angesehen werden[5], wie es Abbt »ekelhaft« erscheint, sich über das Problem der Regierungsformen den Kopf zu zerbrechen. So werden neben der angedeuteten innenpolitischen historischen Entwicklung soziologische Fragen des Gemeinwesens zum zentralen Thema der politischen Philosophie werden: »Versteht man aber unter der Politik die Kenntnis von der Natur der bürgerlichen Gesellschaften, ihrer Gesetze und wahren Vorteile, angemessen nach den Bedürfnissen, Kräften und Neigungen der würklich lebenden Menschen: so begreife ich nicht wie der Philosoph von dieser Kenntnis soll ausgeschlossen seyn, ja wie ein anderer, als er, sie haben soll; woferne man nur nicht darunter blos den Professor auf der Universität sich denket.«[6] Der Philosoph in seiner Funktion als authentischer Kenner der Politik muß unter den Aufgeklärten und Gebildeten seiner Zeit gesucht werden, denn diese verfügen über eine viel größere Sensibilität für die historischen und sozialen Prozesse als pedantische, nur auf ihre Fächer beschränkte Hochschullehrer, die nicht imstande sind, die gesellschaftliche Entwicklung zu analysieren und in ihr Wissen zu integrieren. Abbt zufolge scheint die demographische Entwicklung der Bevölkerung ein viel gewichtigerer Faktor zu sein als der durch außenpolitische Aktivitäten verursachte Flächenzuwachs des Staates. Mit dieser Feststellung sind viele ökonomische Fragen verbunden, wobei Abbt zu ihrer Lösung die physiokratischen Theorien Mirabeaus bevorzugt. Vor einer näheren Untersuchung von Abbts politischer Philosophie kann zunächst allgemein festgestellt werden: »Mit jedem Jahr trat in Abbt mehr die Vorliebe für die Staatswissenschaften, welche er als politische Philosophie zu bezeichnen pflegte, und mit dieser zugleich die Vorliebe für geschichtliche Studien und Betrachtungen hervor.«[7]

II

Im folgenden soll der Begriff der politischen Philosophie sowohl in seinen formalen als auch in seinen materialen Gehalten untersucht werden. Abbts philosophischer Ausgangspunkt bildet die Wolffsche Philosophie, die zu seiner Zeit die meisten Universitäten – Halle sicherlich nicht ausgenommen – beherrschte. Diesem philosophischen System zufolge sollte die Wissenschaft als jene Fertigkeit verstanden werden, die durch eine deduktive Methode ihre Wahrheiten aus gewissen Prinzipien gewinnt. »Philosophie soll entsprechend der neuzeitlichen Auffassung von (mathematisch) exakter Wissenschaft, aber mit dem alten metaphysischen Anspruch auf Letztbegründung durch Prinzipienerkenntnis, allgemeingültige Wissenschaft vom Ganzen und dessen Grund werden. Dazu bedarf es der Klärung und Verknüpfung aller Begriffe in einem methodisch gewissem System.«[8] Sicher liegt die Intention der Wolffschen Philosophie und einiger ihrer Nachfolger in dem Versuch, eine Fundamentalphilosophie zu etablieren, in der durch eine demonstrative Methode absolutes Wissen mit der Philosophie gleichzusetzen ist. In diesem Sinn akzeptiert auch Abbt die Tendenz zur Vollkommenheit und Vollständigkeit aller Erkenntnis, verbunden mit der Notwendigkeit, die richtigen Proportionen aller Teilgebiete des Ganzen zu ermitteln und sie in diesem Sinn auch zu verstehen. Die Philosophie erscheint ihm als reizend, »wenn nichts getrennt in ihr ist, alles in gehöriger Ordnung in rechtem Lichte und genauem Verhältnis zum Ganzen sich befindet«.[9] Das Wissen um das Ganze erfordert eine richtige Gliederung, Verbindung und systematische Unterordnung der verschiedenen Teilgebiete des Wissens, der bei Abbt auch die Ontologie und Metaphysik angehören, eine Auffassung, die nicht bei allen Popularphilosophen anzutreffen ist. Ganz schematisch kann Abbt dann die Kenntnis der Dinge außer uns in unendliche und endliche einteilen, wobei zur ersteren Kategorie die Theologie gehört, und die zweite durch eine Dichotomie gekennzeichnet ist und sich einerseits aus Physik und Mathematik zusammensetzt und andererseits »die ganze Gesellschaftslehre« enthält. Dieser Ausdruck scheint mir auf jene soziologische Mentalität hinzudeuten, die der deutschen postwolffischen Philosophie durch die schottische Moralphilosophie auf verschiedenen Wegen zugewachsen ist. Auf jeden Fall stellen die Gesetze und Verhältnisse zwischen den Menschen in ihren verschiedenen Einheiten das Fundament dieser Gesellschaftslehre dar. So, wie Philosophie im allgemeinen mit dem ganzen menschlichen Wissen zu tun hat, kann auch angenommen werden, daß es sich bei der »ganzen Gesellschaftslehre« um die Totalität der menschlichen Verhältnisse und Beziehungen handelt, zu denen sicher auch das Wissen aus der Ökonomie, Soziologie, Anthropologie, Ethnologie und Psychologie gehört.

Die Philosophie Wollfs erlebte im Prozeß ihres Verfalls kein anderes Schicksal als andere Schulen vor und nach ihr. Es blieben die dogmatischen Anhänger; in Opposition zu ihnen standen jene früheren Epigonen, die sich im Laufe der Zeit zu Gegnern des Systems entwickelten; und es gab eine dritte Gruppe – in der groben Klassifizierung des Postwolffianismus –, die verschiedene Züge aus dem Denken des Meisters beibehielt, sich aber von anderen Teilbereichen distanzierte. Die Popularphilosophen, die diesem Teil zuzurechnen sind, bilden selbst keine einheitliche Gruppe. So blieb zum Beispiel Eberhard der Wolffischen Philosophie stärker verpflichtet als Mendelssohn und Thomas Abbt sogar noch weniger als sein Berliner Freund. Einige Auszüge aus Abbts Ansichten zur Philosophie können uns einen Hinweis in die Richtung seiner Reflexionen geben: »Das Geschäft der Philosophie ist: unser Leben einzurichten, zu ordnen, zu verschönern... Jede Kenntnis, die beiträgt, Glückseligkeit durch Vernunft zu erlangen, ist folglich ein Teil der Weltweisheit...«[10] »Der letzte, größte Endzweck aber ist: daß die Philosophie uns zeigen muß, wie wir durch diese Vernunft aus der Kenntnis unserer selbst und anderer Dinge außer uns, unser Leben bestimmen und unsere Glückseligkeit erlangen sollten.«[11] In diesen Formulierungen greift Abbt auf die teleologische und finalistische Position von Christian Thomasius aus der Frühaufklärung zurück, in der es um die Klärung menschlichen Glücks und menschlicher Selbstbestimmung geht, die durch menschliches Handeln bewirkt werden sollen. Ferner handelt es sich auch um die ersten Schritte auf dem langen Weg der Emanzipation des neuen bürgerlichen Bewußtseins, das sich von den Strukturen einer feudalen Wirtschaftshierarchie und absolutistischen Herrschaft befreien will und immer neue Motive in die von der völligen Erstarrung bedrohte Wolffsche Weltweisheit einführt, um einen neuen Philosophiebegriff zu gewinnen. Der Ausbruch aus dem demonstrativen Schematismus setzte Kräfte frei, die in ihren Ansätzen zur Reflexion schon die Idee des Fortschritts und der historischen Entwicklung beinhalten.

Abbts Entfremdung von dem Wolffschen Philosophiebegriff verlief weder eindimensional noch linear. Charakteristisch sind vielmehr gegenläufige Tendenzen, bei denen einmal der Wolffsche Dogmatismus, ein andermal eine irdisch hedonistische Tendenz vom Begriff der Weltweisheit dominiert. Man muß nur sein letztes Werk aus dem Jahre 1765 untersuchen, und kann schon auf der ersten Seite des Vorberichts das Desiderat einer begrifflichen Gliederung – ganz im Sinne Christian Wolffs – und einige Seiten später die Forderung nach deduktiver Bestimmung antreffen: »Die Natur der Dinge muß also auch hier im Sprechen und Denken unsere Lehrerin sein.«[12] Diese Bewegung von Wolffs Philosophiebegriff weg und wieder zu ihm zurück ist nach einhelligem Urteil[13] durchgängiges Merkmal von Abbts Denken.

III

Kontrovers hingegen wird in der Sekundärliteratur die Frage nach Abbts Abhängigkeit vom Wolffschen System überhaupt behandelt. Während Becker meinte, daß der fleißige Mitarbeiter der Literaturbriefe »die Fesseln des Wolffischen Formalismus nicht gesprengt hat«[14], sondern den Gelehrtenstil nur wegen seiner Langatmigkeit und Trockenheit verwirft, stellt Pentzhorn fest, daß Abbt sich von »den Schranken der Schulphilosophie« erst in einem späten Stadium seiner geistigen Entwicklung »losmachen konnte«.[15] Abbt – so Pentzhorn – stimmt mit jenem Teil der Wolffschen Philosophie überein, der in deutscher Sprache verfaßt, einem größeren Teil des Publikums zugänglich wird und als Vorläufer der Popularphilosophie angesehen werden kann, die ihre Schwerpunkte im praktischen Handeln hat. Prutz hingegen meint, daß Abbt sich schon in seinen frühen philosophischen Versuchen, »wenigstens der Form nach von der eigentlichen Scholastik des Systems losgemacht«[16] hat, wobei er die These vertritt, daß der Wolffische Schematismus eine neue Scholastik im Kampf gegen ihre mittelalterliche Vorgängerin errichtete. Diese divergierenden Aussagen versucht Claus zu verbinden, indem er zu belegen versucht, daß Abbt als Schüler Baumgartens – es handelt sich um den Bruder des Frankfurter Ästhetikers, Jakob Sigismund – »sich noch vollkommen in den Bahnen der Wolffschen Philosophie«[17] bewegt, während er aber als Sohn der Aufklärung »einen heftigen Widerwillen gegen vorherrschende Systeme (hegt), er hält es mit Bayle, dem Hasser aller«.[18] Noch radikaler behauptet Gervinus, Abbt sei der Gegner aller abstrakten Philosophie, und meint, daß diese für ihn nur »die Dinge des gemeinen Lebens soll richtig beurteilen helfen«.[19] Ähnlich stellt auch Bender fest, daß in einer gewissen Epoche der junge Gelehrte »die Metaphysik in Bausch und Bogen verdammt«[20], um sich nur noch dem praktischen Interesse zu widmen.

Ersichtlich wird aus all dem, daß Abbt am Anfang seiner Laufbahn starken Wolffschen Einflüssen unterworfen war und daß im Laufe seiner Entwicklung sicher eine Lockerung dieser starken Bindung zu verzeichnen ist, die zu einer gewissen Befreiung aus der dogmatischen Anhänglichkeit führte. Dieser Prozeß vollzieht sich langsam, hat einen kritischen Teil und einen konstruktiven, der das durch die Kritik und eine gewisse Aushöhlung des Systems entstandene Vakuum auszufüllen hat. Die Auseinandersetzung mit jener herrschenden Philosophie belegt eine Stelle aus dem 246. »Brief«: »Es ist ein Fehler unserer Nation, der ihr von der unrecht verstandenen mathematischen Methode noch immer anklebt, daß sie fast keine einzelne Materie abhandelt, ohne das ganze System zugleich mit durchzulaufen.«[21] Daneben lassen sich auch verächtliche Bemerkungen über die Wolffsche Methode vernehmen, die als »Spitzfindigkeiten der Schule« bezeichnet wird; erwähnt wird auch die mathematische Deduktion, die ihr Glück in Deutschland vor 10 Jahren begann, und daß »diese politische Demonstriersucht ... bald vollends so lächerlich (wird), als es die metaphysische gewesen ist«.[22] Weiter behauptet Abbt, daß die Wolffsche Philosophie nur aufgrund ihrer deutschen Werke Zustimmung fand, denn neben ihrer Weitläufigkeit sei in den auf lateinisch verfaßten Schriften auch das Erlernen von Kunstwörtern notwendig, ein Umstand, der diejenigen hat Distanz nehmen lassen, »die die Wissenschaft lieben, ohne sich davon zu nähren«.[23] Abgeschreckt würden die jungen Leute auch »von der genauen Zergliederung und richtigen Bestimmung der Begriffe«[24], die nur im Rahmen eines abgeschlossenen und in sich begrenzten Systems Geltung beanspruchen können.

Ausgefüllt werden konnte dieses Vakuum, das durch eine Distanzierung von gewissen Aspekten des Wolffschen Systems entstand, nur durch solche Elemente, die der Wirklichkeit des konkreten Lebens näher waren, denn das frühbürgerliche Subjekt, das sich von den Fesseln hierarchischer Strukturen in Politik und Ökonomie zu befreien suchte, erblickte sein Betätigungsfeld ja gerade in den realen Verhältnissen dieser Welt, wo es sich durch seine eigene Aktivität beweisen konnte. In diesem Sinne kann für das Denken festgestellt werden: »Diese auffallende Bewegung erklärt sich durch das immer weitere Vordringen der englischen Philosophie, namentlich der Schulen Lockes und Newtons.«[25] Abbt wurde bereits als Student in Halle durch den Ästhetiker Meyer mit der Philosophie John Lockes bekannt, und dessen sensualistische Erkenntnistheorie hat ihre Wirkung auf den jungen Wissenschaftler nicht verfehlt. In einem seiner frühen Werke, das erst nach seinem Tode publiziert wurde, meint er, nachdem er die Lektüre zur Seelenlehre mit Wolff beginnend empfiehlt: »Locke über den menschlichen Verstand gehöret mehr hierher, als in das Fach der Logik.«[26] Dieser Studie liegt John Lockes Abhandlung über die Erziehung zugrunde, und mit dessen Hilfe gelangt er von metaphysischen Spekulationen zur Möglichkeit der Erkenntnis durch Erfahrung, der individuellen Erscheinung und der Beziehung zum konkreten Leben. Der Einfluß Lockes, später auch Humes und Shaftesburys, beginnt das festgefügte Fundament teilweise zu erschüttern und zu verdrängen und bildet zunehmend ein Gleichgewicht zur Wolffschen Philosophie. Altmann untersucht eine Diskussion zwischen Abbt und Mendelssohn über Spaldings »Bestimmung des Menschen« und kommt, nachdem er die Ausführungen Abbts gegenüber Spaldings idealistischer Position dargestellt hat, zu dem Schluß: »Ihr setzt er einen an Locke orientierten Sensualismus entgegen.«[27] Durchdrungen von Lockes Empirismus kann sich Abbt nun neuen Positionen nähern, die in enger Beziehung zur konkreten Wirklichkeit stehen. Zum einen möchte er für die Gebildeten seiner Zeit die Philosophie verständlich formulieren und auf diesem Wege zur Verbreitung der Aufklärung beitragen; und zum anderen hält er eine wirklichkeitsgestaltende und praxisnahe Verankerung der Philosophie für wünschenswert.

IV

Die epistemologische Verknüpfung von Wolff und Locke, ohne Hume und Voltaire für die Geschichte, Shaftesbury für die Gesellschaftslehre und Montesquieu für die Politik auch nur zu erwähnen, deutet auf jenen besonderen Eklektizismus hin, der sich aus der Wolffschen Schule herausgeschält und entwickelt hat und dessen Hauptmerkmal der Widerstand gegen jede Systematik ist. Es wird also kein geordnetes, rationales und methodisch verpflichtendes Gebäude mehr verlangt, das nur für Schulphilosophen brauchbar sei, sondern eine allgemeinverständliche Philosophie, um sie nach Abbt »zur Berichtigung der Urtheile im täglichen Leben anzuwenden, und ihr dadurch das Ansehen des natürlichen Menschenverstandes zu geben«, nicht mehr der Systemgedanke, »sondern dieser schlichte, aber gute Verstand (plain good sense)«[28] soll das wissenschaftliche Denken des Menschen beherrschen. Der antielitäre und antiautoritäre Charakter dieser Forderung, die sich demokratisierenden Tendenzen gegenüber aufgeschlossen zeigt, drückt einen Funktionswandel der Philosophie aus. Diese Wende zur *Popularphilosophie* bedient sich eines natürlichen Ausdrucks und einer populären Darstellungsweise als Philosophie des Lebens, dem im Gegensatz zur Schulphilosophie eine tiefere, breitere und existentiellere Qualität zugeschrieben wird, möchte sie auch das Einmalige und Besondere erfassen und steht so insbesondere in Opposition zum Systemgedanken. Neben Abbt ist sicher auch Garve hier einzuordnen, während ein Feder, Meiners oder Eberhard zwar Hochschullehrer sind, aber ihrer Ansichten wegen doch als Popularphilosophen gelten.

Weder Abbt noch Mendelssohn noch Nicolai gehören einer besonderen philosophischen Schule an; gemeinsam ist ihnen der Rekurs auf Cicero, mehr noch auf Socrates als prototypische Vertreter der Popularphilosophie.[29] Ferner sind auch Elemente aus der schottischen Moralphilosophie in diese Weltweisheit eingegangen, die Elemente des neuen bürgerlichen Denkens enthalten. Die Betonung des »gemeinen Verstandes« soll diesen als Bindeglied von Philosophie und Aufklärung ausweisen, wobei jene, die sich des *common sense* bedienen, als Adressaten der neuen Philosophie anzusehen sind, also die bürgerlichen Schichten, Träger der Gedanken der Aufklärung, Mitglieder der Clubs, der Vereinigungen der Freimaurer, der freundschaftlichen Verbindungen und der literarischen Gesellschaften. In diesem Sinne sind die Themen der Popularphilosophie aus dem Leben genommen und sollen seiner praktischen Bewältigung durch moralische Ertüchtigung und Anleitung zur Glückseligkeit dienlich sein. Nicht der durch ein exklusives Leben am Hof von den realen Problemen der bürgerlichen Welt entfernte Mensch soll in den Mittelpunkt dieses geläuterten wissenschaftlichen Denkens gestellt werden, sondern der konkrete Mensch »in seinen Verhältnissen und nach seinen Kräften«.[30] Damit die meisten wissenschaftlichen Inhalte in einer verständlichen Weise präsentiert werden können, muß auch für die abstraktesten Gegenstände die Form einer einfachen Darstellung gefunden werden, ein Desiderat, das 30 Jahre nach Thomas Abbt auch Christian Garve vertritt.[31] Alle diese Postulate und praktischen Ansprüche sollen über eines nicht hinwegtäuschen: »daß die Philosophie in ihm den Begriff von sich verliert. Indem sie sich in alle Angelegenheiten des bürgerlichen Lebens mischt, überall da zu sein und überall wirksam zu sein für ihre Pflicht hält, verzettelt sie ihre Kraft, büßt an Selbstbewußtsein und Einsicht in ihr Wesen ein, was sie an Nützlichkeit gewinnt.«[32]

Im Medium dieser aufklärerisch gesonnenen Mittelschichten bildet sich das neue Publikum, jene Öffentlichkeit der Gebildeten, die nach praktischem Wissen strebt, in deren Zentrum die Probleme der praktischen Philosophie dominieren, und wo das neue Wissen in seiner vollen Lebendigkeit zum beherrschenden Inhalt wird.[33] Abbt, der sich diesen Schichten verpflichtet fühlt, verurteilt scharf jenen traditionellen Gelehrtentypus, der entfremdet vom konkreten Leben seinen abstrakten Studien nachgeht, denn die Kluft zwischen den beiden Welten verursacht die Verkümmerung des Geistes, die Vereinsamung des Gelehrten und sie »führte drittens zur Verfälschung des Wissens selbst, weil es nicht mit der Lebenswelt vermitteltes Wissen sey«.[34] Vertreter dieses pedantischen, trockenen, verknöcherten Wissens, gepaart mit Dummheit, Provinzialismus und Neid, fand Abbt dann unter seinen Kollegen in Rinteln. Abbt urteilt allerdings stark verallgemeinernd und bezieht alle deutschen Universitäten mit ein. Sicher ist H. Bödeker zuzustimmen, der meint, daß Abbts Urteil schon vor seiner Ankunft an der westfälischen Universität feststand: »Hier stießen idealtypisch verschiedene soziale Leitbilder aufeinander: der traditionelle Gelehrte und der bürgerliche Gebildete.«[35]

Gerade die Gesellschaft und die Zusammenarbeit mit diesem Typus des aufgeklärten Gebildeten war es, die Abbt während der glücklichen Sommermonate 1761 in Berlin genoß. Nicolai und Mendelssohn, beide berufstätig, aber von intellektueller Neugierde besessen und im Kampf gegen Vorurteile verbunden, strebten danach, ihr Wissen praktischen Problemen zu widmen und zu deren Lösung beizutragen. In dem von ihnen 1748/49 gegründeten Montagsclub – mit weiteren Mitgliedern wie Lessing, Ramler, Sulzer und Engel – wurde ein freier Diskurs geführt, der sich mit den Fragen aus den meisten Lebensbereichen beschäftigte.[36] Eine ähnliche Einheit von Theorie und Praxis versprach sich Abbt in seiner Anstellung beim Fürsten von Schaumburg-Lippe in Bückeburg, wohin er im Dezember 1765 kam und dem er wegen seines frühen Todes nur weniger als ein Jahr dienen konnte. Diese Tendenz, vom Theoretischen zum Praktischen überzugehen, bezeichnet I. Iselin als symptomatisch für die ganze Epoche: »Es ist die Zeit, da das philosophische Jahrhundert zum politischen und ökonomischen Jahrhundert wird: man kehrt sich von den puren Gelehrtenwissenschaften ab und wendet sich den praktischen Kenntnissen zu: der Politik, der Landwirtschaft...«[37]

Die Biographie Thomas Abbts belegt diese enge Verbindung von Theorie und Praxis. Sein Buch vom *Tode fürs Vaterland,* aus praktischen Nöten und Bedürfnissen entstanden und für das konkrete Leben während des Siebenjährigen Krieges geschrieben, regte Mendelssohn und Nicolai an, ihm die Mitarbeit an den *Briefen* vorzuschlagen. Er verließ Frankfurt und ließ sich in der für ihn verlockenden Atmosphäre Berlins nieder, die ihm eine größere Nähe zur Praxis verhieß. Sein zweites größeres Werk, die »Abhandlung vom Verdienst«, in dem er seine psychologischen Beobachtungen in den verschiedenen politischen und sozialen Lebenssphären theoretisch aufarbeitet, veranlaßte jenen vornehmen westfälischen Fürsten, den Gelehrten in seine Dienste zu nehmen. Gerade Abbts literarisches Werk zu praktischen Themen begeisterte den Fürsten, von dem Abbt behauptet: »Seine ganze Zeit ist außer dem thätigen Leben dem Studium gewidmet.«[38] Wieder kommt es zu einer Zusammenarbeit von Menschen, die ihre Ziele in der Übereinstimmung von Theorie und Praxis sehen; Abbt verläßt Rinteln und verzichtet auf Rufe nach Marburg und Halle, alles, um die Fortsetzung seiner theoreti-

schen Anstrengungen in einer praxisnahen Atmosphäre zu ermöglichen und seine Inspiration in dieser produktiven Gegensei-
tigkeit zu suchen.

v

Jene erstrebenswerte Synthese von Denken und Handeln wurde
dem gebürtigen Ulmer auch durch Shaftesbury vermittelt, dessen
Schriften er schon mit seinem Jugendfreund, dem späteren
Kriegsrat Segner, als Student in Halle las. Von ihm erfuhr er den
Anstoß zu »jene(r) Vereinigung und Aussöhnung des Gelehrten
und Weltmannes, der wissenschaftlichen und der belletristischen
Bildung«[39], und zum Streben nach der Einheit des Ganzen. Er
war sein Lieblingsschriftsteller und nach seinem eigenen Zeugnis
die Quelle seines affektierten Schreibens und unharmonischen
Stils; sein Ausdruck war dem Shaftesburys am nächsten, ihn
ahmte er unbewußt nach, ihn wollte er gemeinsam mit Mendelssohn übersetzen.[40] Für Abbts Begriff der politischen Philosophie
ist Shaftesburys Einstellung zum Gemeinwohl, das soziale Gefühl, jene Präferenz des Ganzen vor den Teilen konstitutiv. Im
252. Brief im xv. Band der *Briefe* heißt es: »Wenn nur erst der
gesunde Verstand des Bürgers Nahrung hat, – wenn nur erst der
sensus communis, wie ihn Shaftesbury nennt, das ist, die Empfindung dessen was zu der Ordnung und zum Wohl des Ganzen
etwas beytragen kann, recht bekannt ist: so wird die Empfindung
des Schönen wohl entstehen, die nichts anderes ist, als das Gefühl
einer solchen Ordnung nach Absonderung des Nützlichen.«[41]
Der Stellenwert der Ästhetik für die Einheit des Ganzen kann
zwar schon von Leibniz hergeleitet werden[42], doch Shaftesburys
Überlegung, die Herstellung der Ordnung des Ganzen durch das
Schöne auf den *sensus communis* zu beziehen, verdient besondere
Aufmerksamkeit. Soweit sie Abbts Denken betreffen, sollen
Shaftesburys politische und soziale Überlegungen hier thesenhaft
skizziert werden.

   1. Seine Betonung des primären und unableitbaren Charakters
     der Sozialität des Menschen bedeutet eine Absage an den
     präsozialen Naturstand.[43]

   2. Die Verbindung der Sozialität des Menschen mit dem mora-
     lischen Gefühl impliziert, daß diese sogar im niedrigsten Sta-

dium der Entwicklung ihre Aktivitäten durch Bejahung des moralischen Gefühls zum Wohle der Gesellschaft durchführt.

3. Das moralische Gefühl wurzelt in den physischen Bedürfnissen, den Leidenschaften sowie im Verstand und in der Reflexion.[44]

4. Es besteht eine gegenseitige Abhängigkeit und vollkommene Korrelation aller Teile, die die Totalität des Ganzen umfassen. Was diese unterstützt und zu ihrer Harmonie beiträgt, ist moralisch gut.

5. Die Gesellschaft ebenso wie die Moral werden als autonom und natürlich verstanden.

6. Die Freiheit und das moralische Gefühl sind zwei Aspekte des Menschen und als solche auch natürliche Elemente seines sozialen Lebens.

7. Der wahre Naturstand des Menschen ist die Gesellschaft, und die Soziabilität ist der von der Natur in den Menschen eingepflanzte Instinkt.

8. Die Gesellschaft ist das natürliche System des menschlichen Lebens.

9. Das Postulat der Vergesellschaftung schränkt die höchsten menschlichen Werte der Individualität und der Freiheit nicht ein.

10. Für ein vernunftbegabtes Wesen bilden das Allgemeinwohl und die Bewahrung des Einzelnen eine unteilbare Einheit.

11. Ein stetiges Gleichgewicht und eine Harmonie fungieren in der Art geheimer Naturkräfte bei der Selbstbestimmung des Menschen ebenso wie bei seiner Einstellung zur Gemeinschaft.

12. Soziale und ichbezogene Triebe sind *per se* neutral; ihr moralischer Wert kann nur gemäß ihrer Intention auf ein System menschlicher Beziehungen bestimmt werden.

13. »Basing morality on the innate sociability of man, and society on the natural wants and affections of men, he opened the way for the psychological approach toward morality and for sociological approach toward history and society.«[45]

Diese Grundsätze, oder wenigstens ein Großteil von ihnen, sind für Abbts Denken konstitutiv. Schon in seiner ersten größeren Arbeit *Vom Tode fürs Vaterland* führt Abbt aus, daß er den Gesetzen der Vollkommenheit folgt, die das Ganze erhalten, wenn nötig auch durch den Verlust einzelner Teile.[46] Er versichert uns ferner, daß er dieses Ganze als Vaterland liebt, und dies nicht nur, weil ihm durch seine Heimat Schutz und Freiheit zugesichert wird, sondern auch wegen seiner Mitmenschen. Nur durch die Garantie für diese kann der Begriff des Vaterlandes seine Legitimation erhalten. In diesem Sinn kann auch der Tod, wenn ihn »auch nur wenige Bürger des Staates erlitten haben«[47], den am Leben Verbliebenen eine neue und große Denkungsart vermitteln. Auch in der »Abhandlung vom Verdienste« verdichten sich die sozialen Motive im Interesse des Gemeinwohls, die ihren Ursprung in der schottischen Moralphilosophie haben. Die Entscheidung über die Stärke einer bestimmten Seele erfolgt nach zwei Kriterien: »Die eine ist, daß diese Wichtigkeit über die ganze Gesellschaft sich ausbreite, die andre, daß die Entschließung sich in Thaten äußere.«[48] Diesen Überlegungen folgt auch die Bestimmung der Differenz zwischen einem großen und einem starken Geist. Ersterer kann sich durch Entwürfe profilieren, letzterer muß seine Fähigkeit durch die Tat in der sozialen Sphäre beweisen.

In der Hierarchie des Verdienstes wird die intellektuelle Anstrengung zum Nutzen der Gesellschaft der abstrakten Spekulation vorgezogen und damit die Gesetzgebung der Philosophie zugeführt. Die »starken Seelen« wiederum nehmen einen höheren Stellenwert ein als die Gesetzgeber, weil sie entweder andere zu Taten inspirieren oder selbst handeln. Die sozial relevante Handlung selbst wird am höchsten eingestuft, denn das Wohlwollen geht von der ganzen Menschheit aus[49], um dann in niedrigere gesellschaftliche Sphären hinabzusteigen; so wird die größte Quantität zur höchsten Qualität, und diese Überlegung zielt implizit auf »das größte Glück für die größte Zahl«. Dieses Streben vom Allgemeinen zum Besonderen rückt auch das über den Akt des Wohlwollens erleuchtete Publikum ins rechte Licht, das mit »allen Menschen«, »aber mit der zwoten Reihe ihrer Gedanken« gleichgesetzt wird, also mit der ganzen Sozietät, soweit sie Reflexionsvermögen besitzt.[50] Das Verhältnis des Einzelnen zum gesellschaftlichen Ganzen besteht also aus einer gegenseitigen Abhängigkeit, eine Überlegung, die Abbt bei Shaftesbury vorfand und sich zu eigen machte. »Freylich richtet jeder mehrenteils sein Augenmerk auf sich; aber die gesammte Ordnung der Menschen und das allgemeine Beste haben doch auch ihre Rechte.«[51] Diese Verflechtung – sicher des öfteren auch mehrdeutig formuliert – von Einzelinteresse und Gemeinwohl verlangt vom Individuum eine gewisse Verantwortung für die Gesellschaft, sie verlangt das Engagement, die Sorge um das öffentliche Wohl, und sie zielt auf jenen *public spirit*, durch den die patriotische Tat zur allgemeinen Norm wird. Privates Glück harmoniert dann mit der Sorge um den Wohlstand aller andern Mitglieder des Gemeinwesens, und gemeinnütziges Handeln findet seine Begründung in der Hingabe an das Gemeinwesen. Allerdings stellt sich die Frage, ob ein dauerhaftes öffentliches Engagement des Bürgers in den modernen Gesellschaften überhaupt möglich ist. Hirschman nimmt eine Pendelbewegung zwischen den beiden Polen menschlicher Aktivität, dem Streben nach Befriedigung von Privatinteressen und dem Engagement für die Gemeinschaft, an. Das Schwanken des Bürgers zwischen dem Streben nach der Anhäufung privaten Reichtums und öffentlichem Einfluß wäre allerdings geeignet, das von Shaftesbury und Abbt angestrebte Ziel einer Hingabe an das Gemeinwesen zu vereiteln. Der Verfasser der Studie meint dazu: »Nun bin ich schon seit langer Zeit der Auffassung, daß eine gewisse Dynamik des Wechsels zwischen Lebensformen nicht nur unvermeidlich, sondern geradezu nützlich und wünschenswert ist und daß es einen einzig richtigen Weg nicht gibt.«[52] So gesehen kommt der Dynamik und dem sozialen Wandel selbst ein größerer Stellenwert für die gesellschaftliche Entwicklung zu als der Hingabe an das Gemeinwohl.

Neben den Einflüssen Humes, Popes, Spaldings und Mendelssohns auf Abbt ist es wiederum auf Shaftesbury zurückzuführen, »daß der Herzpunkt des Abbtschen Schaffens in der Psychologie ruht«[53], in jenem »Innern« des Menschen. Diese Schlußfolgerung scheint gerechtfertigt, wenn man anhand von Abbts Schriften nachvollzieht, wie sich dieser neben dem »Außen«, also der politischen Philosophie und Soziologie, auch mit dem »Innern«, den seelischen Vorgängen des Menschen beschäftigt. Da ihn diese als lebendige Wesen viel mehr interessieren als die »tote Natur«, strebt er nicht nur die Erkenntnis der äußeren Verhältnisse des Menschen an, sondern möchte mit dem Wissen um die seelischen Vorgänge ebenso zur Verbesserung der Individuen wie zur Verbesserung der Gesellschaft beitragen, denn die Psychologie ist es, die Aussagen über die Bedürfnisse, Fähigkeiten und Neigungen des konkreten Menschen, der Objekt der politischen Philosophie ist, machen kann.

VI

Um aber die »Kenntnisse von der Natur der bürgerlichen Gesellschaft, ihrer Gesetze und wahren Vortheile« zu erlangen, bedarf
es der soziologischen, der ökonomischen und der historischen
Betrachtung, aus der dann politische Konsequenzen abzuleiten
sind. Thomas Abbt betrachtet die bestehende ständische Gesellschaft als statisch; jeder Mensch wird dazu erzogen, sich eine
bestimmte Tätigkeit zwischen den »verschiedenen Ständen des
Lebens« zu suchen. Existenz und Funktion der ökonomischen
Verhältnisse dieser Gesellschaft als solcher werden in der zweiten
Hälfte des 18. Jahrhunderts überhaupt nicht in Frage gestellt; im
Gegenteil, ganz im Sinne einer materialistischen Explikation
macht die »Beschäftigung … den Standort eines Menschen aus,
von welchem her die Gegenstände und folglich auch die Ideen
derselben um ihn herumliegen«.[54] Der frühbürgerliche Standort
Abbts drückt sich besonders darin aus, daß er in diese ständische
Gesellschaft das bürgerliche Eigentum als konstante Größe einführen und auch der Fürsorgepflicht der Regierung unterstellen
will. In diesem Typus des Allgemeinwohls gehört zu den gemeinschaftlichen Zwecken die Sorge des Bürgers um sein Eigentum,
dessen Erhaltung und Vermehrung, sowie sein Beitrag zu diesem
Eigentum in Form von Steuern und sein Urteil über deren beste
Verwendung. Die stetige, oft drückende und manchmal auch er-
folglose Arbeit betrachtet Abbt als Basis des Privateigentums; die
am Leistungsprinzip orientierte Berufsarbeit erlaubt es dem frühbürgerlichen Subjekt, die ersten Schritte von der Armut zum
Wohlstand und später sogar zum Reichtum zu unternehmen. Erst
nachdem durch Arbeit die Möglichkeit der Subsistenzsicherung
gegeben ist, können z. B. durch nachbarliche Beziehungen und
den Handel andere Bedürfnisse des entstandenen Wohlstandes
befriedigt werden, Bedürfnisse, die im Zuge der weiteren Entwicklung auch Künste und Wissenschaften stimulieren und schließlich
den Reichtum bewirken. Diese frühbürgerliche Einstellung motiviert den Menschen, er will materielle Güter erwerben und dadurch seine soziale Stellung in der Gesellschaft erhöhen, durch
Reichtum politische Macht erwerben und sich so auszeichnen; natürlich verurteilt eine solche Mentalität jedes Streben nach materieller Gleichheit, das nur durch ein »nichts haben und nichts
thun«[55] zu verwirklichen sei.

Die Zeit Thomas Abbts kannte noch keine fortgeschrittene soziale Mobilität und keine besondere Eigendynamik der ökonomischen Entwicklung – Statik und Geschlossenheit waren ihre Hauptmerkmale. Abbt betont daher auch besonders die Kontinuität der Arbeitstätigkeit und bewertet die Hingabe an den gesellschaftlichen Stand positiv, darüber hinaus fordert er den Einzelnen auf, sich der ökonomischen und sozialen Hierarchie unterzuordnen, um so seinen Beitrag zum »allgemeinen Besten« zu leisten. Eine Schwäche in Abbts Überlegungen dürfte darin liegen, daß ihm die frühbürgerliche Entwicklung ökonomischer Prozesse nicht hinreichend genau bekannt ist, und er z. B. noch ganz aus feudaler Sicht von der Regierung Hilfe gegen die Landflucht verlangt. Kritisch behandelt er dagegen das Profitstreben, das sich entgegen aller moralischer Appelle durchsetzt: »Der Bauer denkt wenig daran, was für Nutzen das gemeine Wesen von seinem Ackerbaue ziehe: seine Hauptsorge ist sein Korn theuer zu verkaufen. Diß ist die Sorge des Juweliers; diß des Modekünstlers.«[56]

Die hierarchische Struktur der Ständegesellschaft gründet sich Abbt zufolge auf die Notwendigkeit der Bedürfnisbefriedigung als dem Problem, das am dringendsten einer Lösung bedarf. Abbt beginnt seine Betrachtung der ökonomischen Struktur der Ständegesellschaft mit dem Bauernstand, in dessen Beurteilung er den physiokratischen Ansichten nahesteht. Das Gesetz der Befriedigung der nötigen Bedürfnisse gilt als Ausgangspunkt für die meisten Lebensbereiche, denn »wem ein Kleidungsstück fehlt, dem gieb keinen Titel; und wer hungert, den bekleide nicht Purpur«.[57] Bei der Beschreibung des Handwerks weicht Abbt im allgemeinen nicht von den meisten Darstellungen seiner Zeit ab. Interessant, weil seiner Zeit voraus, ist Abbts Untersuchung der Bürokratie, vor der anscheinend keine Gesellschaft fliehen kann.[58] Unter die Kategorie des Notwendigen fallen auch die Probleme des Bevölkerungswachstums, mit denen Deutschland seit Ende des Dreißigjährigen Krieges ringt. In diesem Zusammenhang werden auch die verschiedenen Arten der Ehe geprüft. Eine sehr eindringliche Untersuchung widmet er der Beziehung zwischen den unverheirateten Privilegierten und den sozialen Unterschichten. Die größte Diskrepanz findet er in katholischen Ländern mit einem reichen, ehelosen Priesterstand und »den kleinen oder übel bezahlten Armen, Handel, der durch Monopolien entkräftet ist,

Entfernung der Ausländer, Trägheit des Volkes, Versendung einer Menge desselben nach Colonien«.[59] Obwohl er auch negative Begleiterscheinungen für möglich hält, erhofft sich Abbt für das Problem des Bevölkerungswachstums sehr viel von den »Fabriken«, insbesondere für Länder mit eigener Rohstoffversorgung; Überlegungen, die noch durchaus merkantilistische Züge tragen.

Die Zeit ist noch nicht reif zur späteren gängigen Differenzierung von Gesellschaft und Staat. Die bürgerliche Gesellschaft Abbts ist noch jene *societas civilis sive res publica,* jene Staatsgesellschaft, für die es noch nicht genügt, bloß Mensch mit »ungezwungenen Pflichten« zu sein: »Man sollte denken, wir gehören keinem Staate an, es gebe unter uns keine Bürger.«[60] Doch gerade der Staat ist – und dies wirkt für einen Denker interessant, dessen Theorie im Gegensatz zu den Prämissen von Thomas Hobbes entstand und der sich Shaftesbury verpflichtet fühlt – als Resultat einer historischen Entwicklung zu verstehen, in der die freiwillig begründete und solidarische Gesellschaft in ihrer Entzweiung durch egoistische Interessen nicht mehr bestehen kann, »wenn im Winter hindurch jeder vor seinem eigenen Herde auf seinen eigenen Vortheil hat sinnen können: dann wird der Gesetzgeber nothwendig«.[61] Zur normalen Entwicklung des Gemeinwesens gehören für Abbt denn auch physische und moralische Ursachen: »Den Inbegriff der erstern nennen wir das Clima, der Inbegriff der andern die Staatsverfassung (hierunter begreife ich Sitten und Religion) mit.«[62] Die Sitten können sich erst vorteilhaft für den Staat gestalten, wenn sie als stimulierendes Element in der ideellen Sphäre den Staat bewegen und zur Entwicklung der sozialen Tugenden beitragen. Da die bürgerliche Gesellschaft ideell entwickelt werden soll, fordert Abbt auch die Einführung eines Bürgerkatechismus, um dieses Ziel zu erreichen.

Die sittlichen Ursachen will Abbt als Moden und Sitten verstanden wissen; und sein Hauptinteresse gilt der Verhinderung der negativen Einflüsse des Luxus besonders in kleinen Staaten, die seiner Ansicht nach für entwicklungshemmende Faktoren viel empfänglicher sind. Er bezeichnet in diesem Zusammenhang z. B. Lethargie, Trunkenheit und mangelnde Bildung als Ausdruck von Eigenschaften, die den frühbürgerlichen Menschen in seinem Streben nach privatem Profit nur aufhalten oder stören und auf diese Weise die weitere Entwicklung des Gemeinwesens hemmen. In der »Schlaffheit« der Menschen sieht Abbt überdies die Verteidigungsbereitschaft der bürgerlichen Gesellschaft in Frage gestellt.

Abbts Thematisierung der Frage des sozialen Wandels ist noch allzu deutlich an der Tatkraft der »großen Männer« orientiert, die »den ganzen Staat umwälzen«, seine Verfassung ändern und die soziale Wirklichkeit revolutionieren wollen: »Es kommt auch hier darauf an, ob die Umwälzung von guten Folgen begleitet, und in einer guten Absicht unternommen sey. Hier trifft man große Männer an, die Tyrannen sind, und andre die Befreyer ihres Landes werden.«[63] Diese Personifizierung sozialer Prozesse, von Anlaß und Ausführung gesellschaftlicher Veränderungen und die übertriebene Moralisierung der Betrachtung begreifen das Problem des sozialen Wandels sicher nur unzureichend und lassen es fraglich erscheinen, ob Abbts Ausführungen wirklich zeitgemäß waren. Zum Prozeß der gesellschaftlichen Veränderung gehören politische Kräfte verschiedener Art: Scheitert die Realisierung einer politischen Absicht und hinterläßt ein gesellschaftliches Vakuum, so bedarf es in einem zweiten Schritt der politischen Kräfte, die die Notwendigkeit der Änderung im sozialen Leben als objektives Bedürfnis aufnehmen und verwirklichen.

Die gesellschaftlichen, historischen und temporären Umstände, die zur Möglichkeit der politischen Aktivität des Menschen beitragen, faßt Abbt unter dem Sammelbegriff »Zeit«[64] zusammen und antizipiert gewissermaßen den späteren Begriff des »Zeitgeistes«. Die Umstände der »Zeit« bedeuten nun keineswegs eine vollkommene Determination, denn die verschiedenen Gesetzgebungen z. B. sind nicht weniger wichtig. Besonders ist ihr Wert zum Erreichen der Tugend zu betonen, die wiederum als hierarchische Ordnung gedacht wird. Die Gesetzgebung zur Vollkommenheit des Ganzen nennt Abbt die Welttugend. Daneben steht die moralische Tugend, »die höhere Tugend des Philosophen, die er zur Bestärkung seiner besonderen Sozietätstugend beständig gebrauchen wird«.[65] In einer Welt der politischen und ökonomischen Bevormundung, in der die reale politische Betätigung des im Entstehen begriffenen Bürgertums noch weitaus mehr Postulat als konkrete Praxis ist, bedeuten die verinnerlichten Werte der moralischen Tugend bereits ein Maximum des für die Mitglieder der frühbürgerlichen Gesellschaft Erreichbaren. Aber auch diese bürgerliche Mentalität und Kulturform ist den historischen Veränderungen ausgesetzt, und um sie zu verstehen und ihren Wandel zu begreifen, ist nach Abbt eine besondere Art der Geschichtsschreibung nötig, »welche den Verfall und die Verbesserung einer Gesellschaft durch die Begebenheiten, die in einem großen Zeitraum vorgefallen sind, so vorstellt, daß man die wichtigsten Triebfedern von dem Geschichtsschreiber selbst in der richtigen Verbindung der Begebenheiten dem Leser darlegt: so wäre dies der höchste Grad des Pragmatischen«.[66]

VII

In dieser Aussage fließen verschiedene Entwicklungstendenzen zusammen. Zunächst findet im Geist der neuen Historie seit der Mitte des 18. Jahrhunderts, wie sie hauptsächlich in Göttingen vertreten war, eine dynamische Betrachtung des historischen Geschehens Eingang in die Geschichtsschreibung. Die Dynamik der gesellschaftlichen Möglichkeiten des Fortschritts oder Verfalls fordert nun vom Historiker das Auffangen der »Begebenheiten« in der Zeit; als Nur-Historiker ist er aber nicht in der Lage, alle Triebfedern der gesellschaftlichen Entwicklung in ihrer Zusammensetzung zu erfassen, oder in Abbts Worten: »Der Geschichtsschreiber, der gleichsam nur die Begebenheiten zu seinem Stoff hat woraus er arbeitet: muß als Philosoph ihre natürlichste Verbindung untersuchen.«[67] Für diese neuartige Betrachtung der Beziehung von Geschichte und Philosophie spielt der Begriff der »Begebenheit« in der sich entwickelnden Geschichtswissenschaft eine gewisse Rolle: »Es wurde angenommen, daß ›Begebenheit‹ ein einzigartiges Zusammentreffen sich bedingender Faktoren ist, die zugespitzt als ›Zeitgeist‹, ›Nationalgeist‹ oder ›Geist der Begebenheit‹ beschrieben wurden ... alle sind in einander verschlungen und verbunden.«[68] Zum Verständnis der »Begebenheit« müssen die entsprechenden sozialen und psychologischen Triebfedern namhaft gemacht werden, wozu es z. B. der Kenntnis der Staatsverfassungen und des Charakters der wirklich regierenden Personen im In- und Ausland bedarf. Das Bewußtsein der Wirkung dieser drei Faktoren bildet die Garantie für das Wissen, »was für Hauptveränderungen für den Staat erfolgen müssen, das Zufällige bey Seite gesetzt«.[69] Der Historiker weiß um die zugrundeliegenden Tatsachen, und »als Philosoph hat er sie mit den genannten Stücken verglichen«. Die Fakten werden in dieser für ihre Zeit modernen Geschichtsforschung durch die »Statistik« eruiert, die die gegenwärtige Struktur von Staat und Gemeinwesen erfassen soll, und nicht zuletzt wird der Begründer dieser Wissenschaft, Achenwall, des öftern von Abbt lobend erwähnt.

Geschichtsschreibung erlangt so den Status einer Hilfswissenschaft der Philosophie, der sie das Material zur theoretischen Bearbeitung bereitstellt: »Wenn die Geschichte den Zustand, wie er gegenwärtig ist, festgesetzt hat; so erforscht die Philosophie nicht nur überhaupt die Ursachen, sondern auch wo möglich, ihren bestimmten Grund zur Würkung.«[70] Diese Annäherung von Geschichte und Philosophie ist keineswegs selbstverständlich, sondern ein historisches Novum, denn die »Geschichte rückt in den Blickkreis der Philosophie, zu der sie nie gehört hatte, solange sie unter der klassischen Obhut des Literaturkanons und der Rethorik stand«.[71] Darin ist ein Vorzeichen dessen zu sehen, was später im Deutschen Idealismus und der Marxschen Geschichtsphilosophie zur Reife gelangen sollte.

Zum Verständnis dieser Überlegungen Abbts ist noch der Begriff der pragmatischen Geschichtsschreibung nachzutragen. Wenn es nämlich zutreffend ist, daß der »bestimmte Grund der Würkung« zur historischen Reflexion unabdingbar ist, dann erhält das Wissen um die Vergangenheit eine exemplarische Bedeutung für die Gegenwart, vielleicht auch für die nahe Zukunft. Es geht nun darum, sämtliche Faktoren zu untersuchen, wie Boden und Klima, Ökonomie und Gesellschaft, Gebräuche und Verhaltensweisen, Sitten und Religion, Verfassung und Regierung, rationale Denkweisen und leidenschaftliche Motive, um sie in ihrer gegenseitigen Bedingung und in ihrem möglichen Einfluß auf das politische Leben zu verstehen. Abbt will deshalb die Weltgeschichte nur »in Rücksicht auf die Verbesserung des ganzen menschlichen Geschlechts«[72] verstanden wissen. Auch wenn diese Forderung zu weit gesteckt sein mag, so soll doch die neue pragmatische Geschichtsschreibung analog zur Popularphilosophie die Reflexion von Höfen auf den bürgerlichen Alltag übertragen und sie den Händen der Theologen und Juristen entreißen, um die Wechselwirkung realer menschlicher Verhältnisse zu erforschen. Damit konstituierte sich Geschichte als Disziplin, »die unmittelbar mit den Problemen der Gegenwart in Verbindung stand, die enge

Beziehung zwischen Vergangenheit und Gegenwart aufdeckte, und die vielschichtigen Zusammenhänge menschlicher Aktivitäten im historischen Prozeß interpretierte«.[73] Vor dem Hintergrund der Geistesgeschichte Europas wird diese neue Methode historischer Forschung noch besser verständlich: »Die Behauptung vom Einfluß der Naturbedingungen auf die Verfassung der Staaten war leer und blieb ohnne sonderliche Wirkung, als Bodin sie im 16. Jahrhundert aufstellte; aber sie wurde bedeutungsvoll und wirkte mächtig auf das historische und politische Denken, als Montesquieu sie von neuem aufstellte, und die folgenden Historiker vielfältige Relationen zwischen Naturumgebung und Kulturformen fanden. Denn jetzt stand eine leistungsfähige Naturwissenschaft bereit, die die Erde begrifflich umspannte.«[74]

Ob Abbt die von ihm selbst gestellten Anforderungen in seinen historischen Schriften einzulösen vermochte, bleibt mehr als fraglich. Obwohl sich seine beiden Dissertationen (1751/1758) mit historisch-theologischen Themen beschäftigen, widmete er sich selbst erst in einer späteren Epoche den historischen Studien. Bei Abbt ist wie bei vielen seiner Zeitgenossen eine Gleichzeitigkeit von emanzipatorischen und konservativen Elementen festzustellen. Einerseits äußert er die Absicht, in einer Studie »alle Begebenheiten (zu) betrachten in so fern Europa dadurch aus der Barbarey gezogen worden«[75], andererseits ist Kosellek darin zuzustimmen, daß »es für Thomas Abbt akzeptabel (sei), daß von den gleichen Ereignissen verschiedene Darstellungen gleich wahr sein konnten«.[76] Dieser Relativismus sollte dann zu dem Versuch führen, verschiedene historische Lesarten zu einem Ganzen zu vereinen, ein Versuch, der oft Fragment blieb. Abbts Lieblingsschriftsteller bei den Alten waren Tacitus und Sallust; die Lucian zugeschriebenen Eigenschaften (Lit. B.X.S. 207-244) schätzte der besonders hoch ein: eine gründliche Sachkenntnis, Wahrhaftigkeit, ein originelles und eigenständiges Urteil, und schließlich die Bedeutung des geographischen Faktors als ordnendes Element einer richtigen und wahren historischen Betrachtung. Weiter wären Hume und Robertson, aber insbesondere Voltaire zu nennen: »Ich betrachte ihn immer mit Ehrfurcht als meinen Lehrer nicht in der Geschichte, sondern in der Kunst dabei zu denken. Er hat mir die Logik zur Geschichte beygebracht.«[77] Die Kunst zu denken, frei und autonom sich seines Verstandes zu bedienen, gehört zu den wichtigsten Charakterzügen der europäischen Aufklärung.

VIII

Eine politische Philosophie, die sich als neue Wissenschaft etablieren will, muß sich an die allgemeinen geistigen Errungenschaften der Epoche halten, von ihnen lernen und zu ihrer weiteren Entwicklung beitragen. In diesem Sinn sind einige geschichtsphilosophische Anmerkungen Abbts zu erwähnen, die zwar von denen der anderen Popularphilosophen nicht grundsätzlich abweichen, aber doch nicht übergangen werden sollen. Abbt äußert sich formell nicht zu der Frage, ob sein Jahrhundert als philosophisches bezeichnet werden kann, doch verschiedene Hinweise deuten auf eine positive Antwort. In seinen geschichtsphilosophischen Überlegungen zeichnet er eine Entwicklung nach, in deren Verlauf sich seit der Herrschaft des Mythos in der antiken Welt zum ersten Mal wieder die Möglichkeit der Orientierung an der Vernunft eröffnet, ein Prozeß, der aber durch die Praktiken der mittelalterlichen Kirche wieder vereitelt wird. Wie bei Meiners, Feder und Garve bedeutet die Reformation des 15. Jahrhunderts eine historische Zäsur, vorurteilsfreies Denken wird zu einer dauerhaften Errungenschaft; »mit diesem neuen Jahrhundert fängt Europa an zu der Größe und zu dem Glanze zu gelangen... Es bekam aber sein Licht, wie ein altes dunkles Gebäude, dadurch, daß es die Wände durchbrach«[78] und sich neue Wege bahnte. Daraus folgt nun keineswegs der Glaube an einen allgemeinen linearen Fortschritt, sondern eher vermeint man, eine Antizipation der großen Systementwürfe des deutschen Idealismus vor sich zu haben, wenn Abbt »das Licht der Erkenntnis« von einem Volk zum andern wandern läßt, um »nur immer die Hälfte des Erdbodens zu erleuchten«[79] und die anderen noch in der Finsternis zu belassen. Aufklärung kann dieser Betrachtung zufolge nicht eindimensional universalisiert werden, es bedarf vielmehr einer dialektischen Entwicklung, bis es einem Volk nach langem Ringen gelingt, »den milden Zepter der Vernunft allein anzuerkennen«.[80]

Bis dahin sollte es aber noch sehr weit sein. Der Kampf um mehr Vernunft in den meisten Lebensbereichen ist oft rücksichtslos und grausam, und manchmal erlaubt der Glaube an die absolute Wahrheit nur überzeugte Bekenner oder Ketzer. Die Auseinandersetzung Lessings mit dem Hamburger Pastor Goetze ist in diesem Zusammenhang ein gutes Beispiel, auch wenn sie einer etwas späteren Zeit angehört. Dieser Pastor wird aber bereits zu Abbts Zeiten zu einer Hauptfigur der Hamburger orthodoxen Clique, die alle Andersdenkenden verurteilt. In seinem letzten Jahr – 1766 – verfertigt Abbt ein satirisches Inquisitionsgericht, ein evangelisch-lutherisches *Autodafé*, an dessen Spitze »dieser wegen seines Eifers gegen Vernunft hochberühmte Hr. Kanonikus Ziegra, Direktor der Hamburgischen Nachrichten aus dem Reiche der Gelehrsamkeit«[81] steht, und dem der schon damals berüchtigte Pastor Goetze assistiert. Diesem phantastischen Gericht werden vorgeführt D. Teller, Damm, Basedow, Michaelis, Ernesti, Semler, Spalding und ... Mendelssohn als Atheist, da ihm keine »Abweichung« im Rahmen der evangelisch-lutherischen Kirche und Orthodoxie vorgeworfen werden kann. Die ersten drei aus der Liste der Angeklagten sind es, »welche an unserer unverbesserlichen Dogmatik einige Änderungen vorzunehmen sich erfrechen«; die andern werden vor Gericht gebracht, weil sie ihre Einwände »mit arabischer Gelehrsamkeit, philologischer Kritik, philosophischen Kenntnissen und gesunder Vernunft«[82] vorbringen und der im Lichte des Dogmatismus erleuchteten Kirche Dummheit vorwerfen wollen. Und bevor der Philosophie Leibniz' alle Schuld an diesem kläglichen Zustand zugeschrieben wird – in welcher Inquisitionszeit wurde der unabhängigen Vernunft nicht die Schuld an den verschiedenen inneren Verfallsprozessen der dogmatischen Lehre angekreidet –, sollen die vor Gericht gebracht werden, denen vorgeschrieben werden muß, »wie sie künftig denken, reden und schreiben sollen«[83], wenn sie nicht in dieser und der kommenden Welt von der Gemeinde ausgeschlossen werden wollen. Abbt erkannte sehr wohl die totalitären Züge des orthodoxen Teils seiner Kirche und antizipierte in seinen Ausführungen auch schon die Erkenntnis, daß das Aussondern und Eliminieren von »Abweichlern« und Andersdenkenden nicht nur das Ende der Freiheit bedeutet, sondern das Ende der Kultur und damit auch der politischen Philosophie, die den Menschen mit seinen Kräften und Bedürfnissen ins Zentrum ihrer Reflexion stellt. Dabei gehörte Abbt noch nicht einmal den Freidenkern an, sondern »er war ein wahrer eifriger Verehrer der Religion, ohne Aberglauben, ohne Verfolgungssucht«[84], der sich mit seinen Gesinnungsgenossen gegen jeden Extremismus wandte, zwischen Glauben und Vernunft ebenso vermitteln wollte wie zwischen Theologie und Moral. Abbt wandte sich gegen die »Freygeister« und stellte mit Bedauern fest, daß diese sich nach jeder religiösen Reformation der Kirche eingestellt haben; er möchte sie nicht verurteilt sehen, sondern in ihren wahren Absichten begrenzt wissen.

Die Bedeutung intellektueller Elemente für den menschlichen und gesellschaftlichen Fortschritt darf Abbt zufolge nicht unterschätzt werden; seine Bemühungen um die Emanzipation des Menschen sind allerdings mit einer Wirklichkeit konfrontiert, die sich durch einen wechselhaften Prozeß von Fortschritten der Vernunft und Rückfällen in bereits überwunden geglaubte Abhängigkeiten auszeichnet, in der Menschen, die sich schon einmal aus ihren Fesseln befreit haben, wieder »bußfertig und demütig« in ihre alten Gewohnheiten zurückfallen. Aber der Kampf für ein vorurteilfreies Denken wird nicht nur gegen die Kräfte von gestern geführt, auch »neue Modemeynungen setzen sich unsern selbsterfundenen Urtheilen oft eben so heftig entgegen, als veraltete Vorurtheile«.[85] Von diesem durchaus auch aktuellen Bezug kann man sich auch in den *Briefen* überzeugen, wenn Abbt bei einem Autor Vorurteile kritisiert: »Sein Vorurtheil für sie macht ihn partheyisch in seinen Urtheilen, und manchmal verfällt er darüber in das abgeschmackteste Geschwätze.«[86] Ein weiteres Problem, das nicht nur Thomas Abbt beschäftigte, besteht zu der Überlegung, daß, solange die Menschen nicht reif und vorurteilsfrei denken, dem Staat nützliche Vorurteile »von oben« in das Gemeinwesen zum Nutzen des Ganzen eingeschleust werden sollen, z. B. solche, die »den Bürger mit dem Geiste seiner Regierung ausfüllen«. Man muß sich natürlich fragen, ob es in dieser historischen Epoche, zur Zeit des sich entwickelnden aufgeklärten Absolutismus überhaupt möglich war, moralische und emanzipatorische Postulate in politische Kategorien umzusetzen; auf jeden Fall wirkt heute der Gedanke befremdlich, daß zur Konstitution eines Volkes ein besonderer Geist notwendig sein soll: »und dieser Geist wird nicht anders, gleich einem lebenden Athem in dasselbe geblasen...«[87], um die Vorzüge des Volkes hervorzuheben und »eine Ueberzeugung, die bei den meisten auf Vorurtheilen beruhen muß«, zu schaffen. Bleibt also Bevormundung das beste Mittel zur Aufklärung des Volkes?

IX

In jener eingangs erwähnten Stelle über die politische Philosophie verzeichnet Abbt mit Stolz, daß sie »so großen Fortgang unter uns zu gewinnen scheint, als sie nicht leicht vorher gehabt hat«.[88] Die neue Disziplin befindet sich in einem Prozeß der Verselbständigung, des Herausschälens aus anderen fachlichen bzw. verschulten Zusammenhängen und in einem Akt der Anerkennung in ihrer Besonderheit durch das gebildete Publikum. Die politische Philosophie in ihrer aristotelischen Überlieferung konnte den Erfordernissen der neuen Zeit nicht mehr genügen. Ethik, Politik und Ökonomie, wie sie durch Jahrhunderte hindurch gelehrt wurden, mußten neuen Disziplinen weichen, die sich unter den Sammelbegriff der praktischen Philosophie etablierten. »Die allgemeine praktische Philosophie (Hume, Smith, Moses, Mendelssohn) ist in neuern Zeiten, aber sehr glücklich behandelt worden.«[89] Sie enthält neben der Moral viele Fächer, die heute zu den Sozialwissenschaften gehören; aus der praktischen Philosophie entwickelte sich zu Abbts Zeit die Staatswissenschaft. In seinem pädagogischen Programm räumt Abbt dem Wissen der Geographie, mehr noch dem der Statistik nach Tozens und Achenwall einen besonderen Stellenwert ein. Die Verbindung der verschiedenen empirischen Fächer untereinander ist es, die die politische Philosophie zu ihrer Vollendung führt, die von Achenwall als »Politik« bezeichnet wird. Der Göttinger Gelehrte vereinigt in der neuen Wissenschaft Jurisprudenz und Geschichte, »er verstand unter Staatswissenschaften gleichermaßen die Politik als philosophische Staatslehre, also die Kenntnis der Errichtung einer bürgerlichen Gesellschaft, wie die Staatenkunde, die deskriptive Beschreibung der gesamten öffentlich-rechtlichen, ökonomischen, finanziellen, militärischen und kulturellen Zustände einzelner Staaten«.[90] Abbt war in seinen Schriften von diesem Verständnis der »Staatswissenschaft« als politische Philosophie nicht weit entfernt. Die »philosophische Staatslehre« betont trotz ihrer Neigung und wissenschaftlichen Beschäftigung mit den empirischen Inhalten auch die naturrechtlichen oder normativen Elemente, und versucht im Akt ihrer Emanzipation aus der praktischen Philosophie an diesen Ansätzen festzuhalten; bei Abbt heißt es dann: »So erhebt man sich von den besonderen Staatsverfassungen zu dem Räsonment über die bestmögliche Einrichtung der Staaten im ganzen und stückweise, oder zur Politik.«[91] Fügt man hinzu, daß zur Erkenntnis der besondern Staatsverfassung eine empirische Grundlage gehört, zur Erforschung der Ursachen eines historischen Zustandes aber die philosophische Reflexion und daß auch das »Räsonment über die bestmögliche Einrichtung« nicht frei von spekulativen Elementen ist, so ergibt sich eine interessante Kombination von abstrakten und konkret-historischen Elementen, die auf die Stellung Abbts im Prozeß zwischen dem Verlassen der Positionen der klassischen politischen Theorie und der Aneignung von modernen wissenschaftlich-empirischen Inhalten, wie sie in der modernen Ökonomie, Soziologie, Statistik und Geographie sich langsam verselbständigen, hinweisen.

Aus den traditionellen Theorien übernimmt Abbt auch die Zwecklehre und meint, daß die Erfüllung des *telos* der Staatskunst im guten Bürger liege.[92] Ob eine solche Zwecksetzung modernen Anforderungen genügt, ist fraglich, auf jeden Fall ist die daraus folgende Hierarchie der Zwecke nicht besonders stringent. Einen anderen hierarchischen Aufbau der Zwecke – orientiert an der Leistung – nimmt Abbt in seinem Werk vom Verdienst vor, natürlich unter der Prämisse des Dienstes am Ganzen. Ferner zählt der junge Gelehrte die konkreten Mittel zum Erreichen gewisser Zwecke auf, die insbesondere zur Entwicklung des Staates beitragen sollen: »Zu den wahren Mitteln gehört die Agronomie, Sorgfalt für Fabriken und Handlung, Aufsicht über die Sitten, Bestimmung des Aufwandes, Vertheilung der meisten Einwohner auf das kleine Land und in kleinere Städte, und vornehmlich Anmaßung vieler Kinder für den Staat. Es ist unbegreiflich, wie dieses letztere Stück von allen Regierungen bisher so nachlässig hat können behandelt werden.«[93]

Die alte, von Aristoteles ausgehende politische Theorie war auch der Rhetorik verpflichtet. Aber diese wird von Abbt völlig aus der modernen Reflexion verbannt, und dies aus einem historisch-empirischen Grund: »weil unsere Staatsverfassungen gar nicht dazu eingerichtet sind«.[94] Die politische Beredsamkeit konnte sich nur in öffentlichen Bürgerversammlungen entwickeln, einem Forum, das über die gemeinsamen politischen Belange demokratisch entschied. Die nach demokratischen Spielregeln handelnden Bürger fehlen im Zeitalter des Absolutismus; mit ihnen fehlt die *conditio sine qua non* zur Rhetorik. Das Volk in den deutschen

Staaten – und nicht nur in diesen – hat keinerlei Mitspracherecht bei der Verwendung seiner Abgaben, die Vornehmen werden nicht angeklagt, sondern fallen in Ungnade, und über Krieg und Frieden wird um 1760 nicht in einer Volksversammlung entschieden. Thomas Abbt selbst stellt keine besonderen Forderungen zur Verwirklichung der politischen Freiheit, jener Freiheit, die die Teilnahme des *citoyen* am Prozeß der politischen Willensbildung voraussetzt. Sicher erkennt er die bürgerliche Freiheit als notwendig an, denn ohne die Möglichkeit ihrer Verwirklichung kann sich auch der Mensch nicht als frei denken. Abbt stellt fest, daß sich die meisten Menschen ihrer bürgerlichen Freiheit erst bewußt werden, wenn ihre menschliche Freiheit bedroht ist, aber allein die bürgerliche Freiheit vermag diesem Zustand abzuhelfen: »Daher sieht der Mensch dahin, daß seine Freyheit durch die Freyheit des Bürgers geschützt werde, und er hält beyde immer für unzertrennlich verbunden. Ein Land, wo nicht *jeder Mensch* in seiner Menschenfreyheit durch die Bürgerfreyheit gesichert ist, kann nicht frey heißen.«[95] In Abbts Theorie bilden nicht die Bürger als politisch freie Subjekte das Substrat des Gemeinwesens, sondern die Untertanen, denen als Maximum der menschlichen Autonomie die bürgerliche Freiheit zukommt. Das Paradox der Abbtschen Auffassung liegt darin, daß gerade dieser Untertanenstaat als Symbol eines neues Patriotismus beschworen wird.

X

Als Zwischenglied zwischen einer kosmopolitischen Einstellung einerseits und dem privaten Glücksstreben andererseits kommt dem Patriotismus zu dieser Zeit sicher eine neue Funktion zu. Es ist in diesem Zusammenhang auch verständlich, daß in einem Staat, in dem das natürliche Recht der Freiheit aller Gleichen, also die politische Freiheit als konstitutives Element dieser Gesellschaft anerkannt wird, eine allgemeine Identifizierung mit dem Gemeinwesen, wenigstens der waffentragenden Männer, sich praktisch leichter durchführen und theoretisch stringenter begründen läßt. Thomas Abbt will aber gerade diese Hypothese, besonders stark von den Schweizer Schriftstellern vertreten, nicht akzeptieren und im Gegenteil nachweisen, daß der Ständestaat der Untertanen sich nicht weniger für die Anwendung des Patriotismus eignet als die helvetischen Scheinrepubliken, die doch auch in Patrizier und Volk geteilt sind. An der Legitimation des monarchistischen Ständestaats, die die willkürliche Trennung der verschiedenen Arbeits- und Lebensbereiche im Namen der Nützlichkeit aufrechterhalten will, setzt auch Abbt Idealisierung an; sie entspringt mehr seiner Lebenspraxis als theoretischen Ansätzen: »Ein besonderer Fall ereignet sich. Sie zieht die Bande stärker an, und alsdann verschwindet aller Unterschied. Man erblickt nicht mehr den Bürger, den Edelmann, den Soldaten besonders. Alles ist Bürger. So stelle ich mir die Monarchie vor, und habe ich nicht das Recht zu schließen, daß darin jeder Unterthan Bürger sey, so wie in der freyesten Republik der Bürger Unterthan ist.«[96] Der Krieg wird so zum »besondern Fall«, der die ständische Partikularität der Untertanen durch eine »einzige politische Tugend« in der Allgemeinheit der preußischen Monarchie verschmilzt.[97] Die Standesstrukturen werden dem einheitlichen Begriff der Nation untergeordnet, »die Sinnorientierung des Daseins tritt auch hier aus dem privaten Innenraum und den ihm entsprechenden Standesformen heraus«[98], die ständische Orientierung des Untertanen weicht durch den Krieg einer einheitlich nationalen Einstellung – und später auch Begeisterung – zu dem sich bildenden nationalen Interesse. So wird der Krieg zum Schmelztiegel der Nation; die besondere historische Situation Preußens 1761 und Abbts persönliche Reaktion darauf wirkten im Sinne der totalen, unkritischen Parteinahme für die preußischen Interessen, die damals den *Tod für das Vaterland* verlangten und mit dieser Forderung auch auf eine begeisterte Reaktion stießen. Dies wirkt besonders interessant und sicher auch paradox, wenn man Abbts Frühwerk mit einer späteren Aussage über die Kriege seines Jahrhunderts vergleicht: »Man hat es längstens angemerkt, daß die meisten Kriege, wenigstens unseres Jahrhunderts, nicht zur unmittelbaren Vertheidigung eines Staates unternommen werden. Entfernte Besitzungen, veraltete Ansprüche, versagte Handelsvortheile, gefürchtete Bündnisse und wie die gesuchten Ursachen schrecklicher Wirkungen alle heißen mögen, diese fachen einen Krieg an, und dafür müssen die Soldaten fechten.«[99] Die »gesuchten Ursachen« sind nur Ausdrücke verschiedener Partikularinteressen, welche die Soldaten in den – vom Standpunkte Abbts negativ begründeten – Krieg hineinziehen, ohne sich mit seinem Ausbruch oder Zielen bewußt identifizieren zu können, wodurch das Besondere und Positive des preußischen Standpunkts im Siebenjährigen Krieg hervorgehoben werden soll.

Obwohl Brockdorf in diesem Sinn die »Motive der Aufklärung oft im Zusammenhang mit den vaterländischen Bestrebungen«[100] erwähnt, ist es doch auch möglich, neben dem emotionalen Begriff des Vaterlandes, der durch den Geburtsort und seine Landschaft, durch Sitten und Gebräuche, durch persönliche Erinnerungen und durch Erlebnisse aus der Kindheit geprägt ist[101], rationale Begründungen für die Bindung an das Vaterland vorzuweisen: »Was ist wohl das Vaterland. Man kann nicht immer den Geburtsort allein darunter verstehen. Aber wenn mich die Geburt oder meine freie Entschließung mit einem Staate vereinigen, dessen heilsamen Gesetzen ich mich unterwerfe; Gesetzen, die mir nicht mehr von meiner Freiheit entziehen als zum Besten des ganzen Staates nöthig ist: alsdann nenne ich diesen Staat mein Vaterland.«[102] Wenn Abbt dann wieder zur Entschärfung dieser These meint, daß die Anhänglichkeit wächst, je sinnlicher man das Vaterland »machen kann«, ändert dies nichts daran, daß der neue preußische Untertan, ganz durch seine biographische Entwicklung bestimmt, einem durch freie Wahl entstandenen Vaterlandsbegriff denselben Wert beimißt wie dem herkömmlichen, der sich durch den Geburtsort bestimmt. Die freie Entscheidung führt auch dazu, daß Abbt sich berechtigt fühlt, dem frei gewählten Vaterlandsbegriff idealisierte Vorstellungen zu unterlegen und damit Gefahr läuft, diese Ideale mit der Realität zu verwechseln.

Zum Vergleich möchte ich zwei Begriffe von ›Heimat‹ bzw. ›Vaterland‹ anführen; einer ca. 40-50 Jahre nach Abbts Definition, der andere 200 Jahre später. Henriette Herz entgegnet ihren Bekannten, die an ihre Rückkehr nach Berlin zweifeln: »Deutschland nicht nur, sondern Berlin bleibt meine Heimat – nicht etwa, weil ich dort geboren bin, sondern weil mein besseres Leben mir darin aufgegangen ist, weil mein innerer Sinn darin geweckt worden ist, durch Dinge, Menschen, Sinne.«[103] Sollte man dieser berühmten Frau der Aufklärung unterstellen, daß sie ihren Entwicklungsprozeß zum Menschsein mit all seinen Aspekten an Berlin knüpft? Th. W. Adorno gibt für seine Rückkehr in die Bundesrepublik zwei Gründe an. Zuerst meint er, daß er durch seine Rückkehr der Wiederholung des Übels entgegenarbeiten könne, ein Gedanke, bei dem Vergangenheit und Zukunft die gegenwärtige Aktivität bestimmen sollen; noch stärker aber betont er die Bindung an die Kindheit: er möchte das durch sie und in ihr auf verschiedenen Ebenen potentiell Gegebene und dadurch auch als Möglichkeit Versprochene entfalten und für sich von neuem in Anspruch nehmen. Die Beschädigung des Lebens, durch Nationalsozialismus und Emigration verursacht, soll überwunden werden und die in der Kindheit enthaltene Möglichkeit zur Wirklichkeit und Vollkommenheit gebracht werden: Frankfurt wird so zur – vielleicht idealisierten – Vergangenheit und zum Versprechen einer – noch unbekannten – aber angestrebten Zukunft.[104]

Da Abbts Arbeit vom Tode fürs Vaterland zu Mobilisierungszwecken in den Jahren des Krieges verfaßt wurde, war eine Stellungnahme zum Phänomen der Todesfurcht, insbesondere zu ihrer Bagatellisierung, unumgänglich. Ganz im Sinn der stoischen Philosophie meint der frischgebackene preußische Staatsbürger: »Die Liebe fürs Vaterland bezwingt am besten die Furcht vor dem Tode.«[105] Neben der patriotischen Pflicht, nötigenfalls das Leben für die preußische Monarchie zu opfern, gibt es noch eine ganze Reihe weniger dramatische Pflichten für den preußischen Bürger jener Tage; ihnen allen ist gemeinsam, daß sie dem Untertanen durch Prediger, Schriftsteller und Erzieher oktroyiert werden müssen. Rechte werden – ob bewußt oder unbewußt – in diesen Ausführungen ausgelassen. Um die erzieherische Weitergabe dieses Kanons von Pflichten zu erleichtern, schlägt Thomas Abbt eine besondere Schrift vor: den Bürgerkatechismus.

Das persönliche Beispiel spielt in den Erziehungstheorien des 18. Jahrhunderts eine große Rolle. Friedrich der Zweite, der König von Preußen, verkörperte für Thomas Abbt alles Gute und Edle. Er stellt für ihn nur das erste Glied in der Kette aufopferungsbereiter Bürger dar, er symbolisiert das Engagement an das *bonum commune,* er kennt keine Ruhe, arbeitet zielbewußt für den Sieg; durch ihn findet das Gemeinwesen einen personifizierten Ausdruck, der zur vollkommenen Hingabe aufruft und diese durch die Identifikation mit der Person des Staatsoberhauptes erleichtern kann und deshalb von besonderem Nutzen ist. Der Verfasser des *Todes fürs Vaterland* hat sich mit Ausdrücken seiner Verehrung für den Monarchen öffentlich nicht zurückgehalten und ihn als »König, Philosophen, Held und Menschen« bezeichnet und seine Taten in den grellsten Farben beschrieben. Zweihundert Jahre später müßte diese undifferenzierte Glorifizierung wohl als »Personenkult« bezeichnet werden. Abbts übertriebene Begeisterung zeigte sich schon zu Beginn seiner wissenschaftlichen Karriere in Frankfurt an der Oder in seiner ersten Vorlesung; »diese Antrittrede beweist, daß die Weltweisheit einen Fürsten zum Kriegswesen und zur Landesverwaltung nützt, und macht hernach die Anwendung auf Fr. II«.[106]

Mit der Behauptung, daß die Liebe für den Monarchen die Liebe für das Vaterland steigert, setzt sich Abbt Kritiken aus zwei entgegengesetzten Lagern aus. Erstens aus den Kreisen der Republikaner, hauptsächlich der Schweizer, die nur an eine Vaterlandsliebe freier Bürger glaubten und in mehreren Fortsetzungen in Wegelins *Freymüthigen Nachrichten* in Zürich[107] eine Kritik an Abbts Äußerungen veröffentlichten. Sie hielten seinen Patriotismus für künstlich und den Verfasser selbst für einen gediegenen Propagandaschriftsteller, dem sie ideologische Verschleierung vorwarfen, weil er seinen subjektiven Standpunkt unter objektiven Voraussetzungen darzustellen versucht. Die zweite Stoßrichtung der Kritik – eher pietistisch gefärbt – kam aus den Kreisen um F. C. Moser und wollte nur das Kaiserreich als wahre Heimat aller Deutschen gelten lassen, das von keinem partikularen Vaterland ersetzt werden könne.

Obwohl Abbt die republikanische Version des neuen Patriotismus in Form von Zimmermanns Buch: *Über den Nationalstolz* bereits vor der Abfassung seines politischen Pamphlets bekannt war, muß doch historischen Fakten ein viel größerer Anteil für den Anstoß zu dieser Arbeit zugeschrieben werden. Claus meint dazu: »Die äußere Veranlassung dieser war die Mutlosigkeit, die alle Preußen nach der Niederlage von Kunnersdorf ergriffen hatte.«[108] Kunnersdorf war von Abbts damaligem Wirkungsort Frankfurt/Oder nicht weit entfernt, das Grab des gefallenen Dichters E. Kleist konnte er täglich bei seinen Spaziergängen besuchen. Abbt hatte dort seine schönsten Jugendjahre verbracht und hegte Dankesgefühle gegenüber Preußen; so geriet auch er in den Sog des neuen Fanatismus und sah sich zu einer politischen Tat verpflichtet, als deren Ausdruck seine Arbeit angesehen werden sollte. Die praktischen Folgen dieser Schrift blieben auch nicht aus, sie trug zur neu entfachten politischen und patriotischen Begeisterung bei. Kein anderer bezeugt uns dies besser als der Königsberger Kriegsrat Scheffner, der mit Abbts Frühwerk im Tornister in den Siebenjährigen Krieg zog.[109]

XI

Im Gegensatz zum Kriegszustand, der selbst in der absoluten Monarchie die formelle Gleichheit der in der Armee dienenden Bürger erfordert, ist die Situation »in den ruhigen Zeiten« eine andere. Das moderne Leistungsprinzip, festgemacht am Begriff des Verdienstes, kann sich in der Monarchie nicht vollständig entfalten, denn die Verdienste sind »nur dem Monarchen und seinem ersten Adel vorbehalten«.[110] Besonders für die modernen Dienstleistungen im finanziellen Bereich werden zwar Bürgerliche hinzugezogen, die aber früher oder später geadelt werden, um das Schema im großen und ganzen beizubehalten. Nur in der Republik, im Freistaat, wo die Ämter noch nach dem Wahlergebnis besetzt werden, sind »die hohen und großen Verdienste allen möglich«.[111] Für Abbts politische Philosophie sind einige Differenzierungen aus der genannten Arbeit von Bedeutung: die erste betrifft die Unterscheidung von Monarchie und Despotie und ist hier weniger relevant, da sie sich nicht von den Konzeptionen der klassischen politischen Theorie löst; wichtiger ist die zwischen Republik und Demokratie, wobei die Gesetzesherrschaft für die erste konstitutiv ist, in der zweiten aber die »Beredsamkeit« vorherrschend ist, und diese dem zeitgenössischen Urteil zufolge die Möglichkeit einer Demagogenherrschaft nicht ausschließt. Christian Garve wird 30 Jahre später diese Differenz zwischen Republik und Demokratie auf den Unterschied zwischen der amerikanischen und der französischen Revolution anwenden.

Abbt zieht die gemäßigten und Gesetzen unterworfenen Regierungsformen den radikalen und willkürlichen vor und steht mit dieser Ansicht in der Tradition der frühneuzeitlichen, westlichen politischen Philosophie. Englische und schottische, französische und deutsche Schriftsteller sahen darin die ersten Schritte zum modernen Konstitutionalismus, dem es vorbehalten blieb, die Willkürherrschaft zu ersetzen. In bezug auf die Hierarchie der Staatszwecke finden sich bei Abbt verschiedene Varianten, zum einen steht der »Genuß von Schutz und Freyheit« an oberster Stelle, zum andern hat der Staatszweck die vorrangige Aufgabe

der Erhaltung des Lebens und der Gesundheit und Freiheitsrechte sind nachgeordnet.[112] Für Abbt gibt es keine unveräußerlichen Rechte in einem vorstaatlichen Zustand, die der Staat nur zu
verteidigen hat; in seiner Konzeption können der Schutz und die
Freiheit nur durch den Staat gewährt werden, er trägt die volle
Verantwortung für sie. In dem wohlfahrtstaatlichen Modell
Abbts, das sich auf historisch-empirischem Wege entwickelte, ist
die bürgerliche Freiheit sogar Voraussetzung der menschlichen
Freiheit überhaupt. Nur das politische Gemeinwesen kann dem
Menschen Rechte zuerkennen und diese auch wieder zurückneh-
men. Dies steht im Gegensatz zu den modernen Naturrechtslehren, die das Recht auf Eigentum mit dem Recht auf Leben, insbesondere aber mit dem Recht auf Freiheit verbinden, um dem
neuen Dritten Stand die Akkumulation des auf Arbeit gegründeten Privateigentums zu ermöglichen. Für Abbt hingegen besteht
eine völlige Entzweiung zwischen dem Recht auf Freiheit und
dem Recht auf Eigentum, was zwar einerseits dazu führt, daß er
sich vom Sklaventum distanziert, aber nicht von anderen Formen
eines durch die historisch-soziale Entwicklungen bedingten Ei-
gentumsbegriffs. Die naturrechtliche Waffe gegenüber Leibeigenschaft und anderen sozialen Mißständen muß in diesen von oben
gelenkten und zum »gemeinsamen Besten« geförderten Aktivitäten stumpf bleiben, denn der Monarch ist es, der zur Initiative in
Landwirtschaft, Manufaktur und Handel aufgefordert ist, und die
privatwirtschaftlichen Aspekte müssen den das »allgemeine Beste« vertretenden Interessen weichen. Der Eindruck drängt sich
auf, daß es sich dabei um den Versuch handelt, eine moralisch
legitimierte politische Pflichtenlehre zu entwickeln, die im Namen einer Bevormundung von oben, einer auf das Staatsbeste
gerichteten Aufklärung dem Gemeinwesen nur ein Minimum an
Eigeninitiative überlassen will. Sicher fehlen in Abbts politischer
Philosophie auch nicht progressive Züge, etwa das Postulat, die
absolute Monarchie zu konstitutionalisieren. Auch dabei ergeben
sich Schwierigkeiten. »Unsere konstitutionelle Staatsform beruht
auf einer bestimmten moralischen Theorie, der Theorie nämlich,
daß Menschen moralische Rechte gegen den Staat haben.«[113]
Abbt würde dieser Äußerung Ronald Dworkins sicher nicht zustimmen, denn er kennt weder moralische noch politisch er-
zwingbare Rechte gegen die Staatsgewalt. Das positive Recht erhält bei Abbt einen normativen Charakter, wodurch jede Wider-

standsmöglichkeit im Keim erstickt wird, obwohl er die politischen und sozialen Mißstände durch Reformen verbessern will. Mit vielen andern Schriftstellern und Philosophen glaubt er an den »guten Willen« der deutschen Fürsten und würde ihnen keine unlauteren Absichten unterstellen. Seine weitreichendste Vorstellung lautet daher auch: »Und warum sollte es allein in Deutschland verboten sein die wechselseitigen Pflichten des Oberherrn und des Unterthanen näher zu beleuchten, jenem zu sagen, daß er nicht ohne diesen und diesen zu erinnern, daß der Regent, als ein Mensch, auf Verzeyhung mancher Fehler Anspruch habe.«[114] Im Prinzip soll es ausgeschlossen sein, daß der »gute Herrscher« willentlich Freiheit und Eigentum des Bürgers verletzt. Die historische und soziologische Begründung der Legitimation des Staates scheint also für eine befriedigende Lösung dieser Problematik weniger Möglichkeiten zu bieten als die naturrechtliche; sie hat eher restriktive Folgen, soweit es die Rechte der Untertanen betrifft.

Die Abbtsche Monarchie soll durch rational vertretbare Argumente die Intentionen des »guten Fürsten« durchsetzen; dies ist aber gleichbedeutend damit, daß jeder bürgerlichen Initiative und Spontanität eine Grenze gezogen wird. In dieser Spielart der vollkommenen Staatsbejahung und unkritischen Identifikation von Herrschaft und Staatsinteresse befindet sich die politische Theorie der deutschen Aufklärung nicht auf der Höhe der Zeit mit anderen fortschrittlichen Theorien des Westens. »Unstreitig muntern gute Gesetze auf, in einem Lande nicht nur sich niederzulassen, sondern auch in demselben eine Nachkommenschaft festzusetzen. Allein, wenn die Frage ist, ob der Unterschied, daß bey der einen Verfassung das Volk seine Stimme zur Regierung mitgeltend macht, bey der andern aber ganz davon ausgeschlossen ist, ohne jedoch gedrückt zu werden; ob die Unterschiede, sage ich, einen Unterschied in der Bevölkerung verursachen, so, wollte ich es wohl fast durchgängig verneinen.«[115] Wenn die Differenz zwischen politischer und bürgerlicher Freiheit für die Gesetzgebung so unwichtig ist, so zeugt dies vom mangelnden Bewußtsein einer noch zu wenig entwickelten bürgerlichen Schicht, die selbst zum Träger der Forderung nach mehr Beteiligung in Staat und Gesellschaft werden müßte. Der vom Monarchen und dem privilegierten Adel regierte Staat wird schon im Interesse der ihn tragenden Schichten alles unterlassen, was einer Entwicklung der neuen bürgerlichen Schichten »von oben« behilflich sein, ihre Integration in den Staat beschleunigen und ihre ökonomischen und politischen Interessen fördern könnte.

Schließlich sind es in Abbts Augen ja auch jene Mächtigen und Reichen, welche die Politik bestimmen: »Ein Friedensschluß giebt drey Welttheilen heil, ein Handlungsbündniß an Millionen Brodt; eine widerrufene Auflage hunderttausend Familien Wonne; eine Gesetzordnung ganzen Provinzen Ruhe; eine Liebesanstalt einer ganzen Schaar Gebrechlicher und Armen ihre Pflege! Allein, wer macht Frieden, wer schließt Bündnisse, widerruft Auflagen, schreibt Gesetze, stiftet Anstalten. Mächtige und Reiche, diß ist euer Vorzug! der einzige, um den man euch beneiden kann.«[116] Diese Verquickung von Macht und Reichtum in Abbts Ausführungen läßt offen, ob die oberen Schichten des Bürgertums in gewissen Territorien schon Eingang in die Regierungseliten gefunden haben. In den großen Staaten – so Abbt – übt der Adel noch weitgehend ungebrochen seine Vorherrschaft aus, die er hauptsächlich seinem Beitrag zum Schutz der äußeren Sicherheit des Staates, dem »heiligsten Gut«, verdankt.[117] Abbts Bemerkung, daß bürgerliche Kinder besser erzogen seien als adelige, mag man schon als Hinweis auf die sich verändernden Strukturen von Macht und Reichtum sehen. Wie vielfältig die verschiedenen Beziehungen zwischen Adel und Bürgertum in den deutschen Territorien auch sein mögen, das Gefälle zwischen Arm und Reich ist allgemeiner Natur und als solches auch Thomas Abbt nicht verborgen geblieben: »Werden die Großen der Erde noch nicht bald alle anfangen zu bedenken, daß Leute verhungern können, während, daß die Fürstlichen Tafeln besetzt sind.«[118] Vielleicht könnte aus dem »Bedenken« bei den »Großen der Erde« ein erster Anstoß zur Änderung der sozialen Struktur der deutschen Territorialstaaten hervorgehen. Dies aber intendiert Thomas Abbt nicht; für den gemeinen Mann schließt er jenes »Bedenken« durch Metaphysik und Philosophie aus: »Er braucht beydes nicht. Treu und fleißig in seinem Berufe wandeln; seinen Obern gehorchen; seinen Lüsten und Begierden nicht fröhnen; auf Gott vertrauen; ... Keine Sänger an statt der Arbeiter! ... keine eingebildete Anfechtungen an statt des Schweißes im Angesichte; keine Selbsterfahrene an statt der Bürger, die der Obrigkeit ihre Angaben richtig geben; kurz, kein seufzendes Gesindel an statt rechtschaffener Unterthanen, die sich und andern zu gut leben.«[119] Die Frage allerdings, was geschehen soll, wenn soziale Schichten einer solchen Unterdrückung ausgesetzt sind, daß ihnen das Minimum für ihre Existenz fehlt, läßt Abbt unbeantwortet. Hier zeigt sich die Grenze einer Sozialphilosophie, die zwar das Gemeinwohl zum Zentrum ihrer Reflexionen macht, aber als politischer Philosophie sowohl theoretisch wie praktisch den Strukturen der Ständegesellschaft letztlich nicht entrinnen kann. So bleibt der frühbürgerliche Popularphilosoph Thomas Abbt bei seinem Versuch, den unterdrückten Schichten gerecht werden zu wollen, völlig in der traditionellen und für seine Zeit leider noch gängigen Antwort befangen: »Der gedrückte Bürger und der geplagte Bauer werden nur durch die Gottesfurcht erhalten.«[120]

Anmerkungen

1 »Abbt wurde auf Mendelssohns Rat zur Mitarbeit für die Literaturbriefe gewonnen.« »Durch die Literaturbriefe kam Mendelssohn mit dem jungen Gelehrten Thomas Abbt, der damals Prof. in Frankfurt an der Oder war, in Verbindung.« Beate Berwin, »Moses Mendelssohn im Urteil seiner Zeitgenossen«, in: *Kant Studien*, Ergänzungsheft 49, Berlin 1919, S. 21.
2 *Briefe, die neueste Literatur betreffend*, xvter Theil, Berlin 1763, bey Friedrich Nicolai, 244. Brief, S. 67 (zit. als *Briefe*).
3 Ebd., S. 68.
4 *Thomas Abbts vermischte Werke. Dritter Theil, welcher einen Theil seiner freundschaftlichen Correspondenz enthält*, Frankfurt und Leipzig 1783, S. 321: »Die Geschichte belustigt mich, und ich würde noch Fleiss daran wenden, die Rechte der Völker zu lernen. Wenn es mir nicht gegeben ist, den Menschen von innen zu kennen; so will ich sehen, was diese seltsame Dinge von außen gethan, und wie sie sich durch die Welt fortgeholfen haben.«
5 *Thomas Abbts vermischte Werke. Erster Theil, welcher die Abhandlung vom Verdienste enthält*, Frankfurt und Leipzig, 1783, S. 304 f. (zit. als »Verdienst«).
6 *Briefe*, Bd. xv, S. 70.
7 *Aufklärung: Erläuterungen zur deutschen Literatur*, hrsg. vom Kollektiv für Literaturgeschichte, Berlin 1971, S. 677.
8 Werner Schneiders, »Der Philosophiebegriff des philosophischen Zeitalters. Wandlungen im Selbstverständnis der Philosophie von Leibniz bis Kant«, in: *Wissenschaften im Zeitalter der Aufklärung*.

Aus Anlaß des 250jährigen Bestehens des Verlages Vandenhoeck und Ruprecht, hrsg. von Rudolf Vierhaus, Göttingen 1985, S. 69.

9 Thomas Abbt, »Einrichten der ersten Studien eines jungen Herrn vom Stande«, in: *Vermischte Werke.* Fünfter Theil, Frankfurt und Leipzig 1783, S. 119 (zit. als *Vermischte Werke*). Vgl. auch S. 100: »Die Meisten verlieren diese Verknüpfung und Beziehung der verschiedenen Theile auf das Ganze aus den Augen ...« (zit. als »Studien«).

10 Ebd., S. 119.

11 Ebd., S. 99.

12 »Verdienst«, S. 17. Zu diesem Werk bemerkt R. E. Prutz (Hg.), »Thomas Abbt«, in: *Literarhistorisches Taschenbuch,* Hannover 1846, S. 441: »Aber das Ganze ist zu sehr in die Breite gegangen; jener philosophische Schematismus, jenes Allesergründen-, Allesbeweisen-, alles Hereinziehenwollen, daß wir schon im ›Tode fürs Vaterland‹ bemerkten, ist hier noch sichtbarer und macht sich mit noch größerer Behaglichkeit noch breiter.«

13 Vgl. Prutz, »Thomas Abbt«, (Anm. 12), S. 331; Edmund Pentzhorn, *Thomas Abbt, Ein Beitrag zu seiner Biographie,* Inaugural-Dissertation zur Erlangung der philosophischen Doktorwürde an der Universität Gießen, Berlin 1884, S. 22; Anni Bender, *Thomas Abbt: Ein Beitrag zur Darstellung des erwachenden Lebensgefühls im 18. Jahrhundert,* Bonn 1922, S. 24, 29, 84, 95, 171.

14 Erich Becker, *Der Stil Thomas Abbts in seiner Abhandlung »Vom Verdienste«,* Inaugural-Dissertation zur Erlangung der Doktorwürde der philosophischen Fakultät der Königlichen Universität zu Greifswald, Greifswald 1914, S. 14 f.

15 Pentzhorn, *Thomas Abbt* (Anm. 13), S. 16.

16 Prutz, »Thomas Abbt« (Anm. 12), S. 384.

17 Oskar Claus, *Die historisch-politischen Anschauungen Thomas Abbts,* Inaugural-Dissertation zur Erlangung der Doktorwürde der hohen philosophischen Fakultät der Universität Leipzig, Gotha 1905, S. 32.

18 Ebd.

19 Gervinus, *Geschichte der deutschen Dichtung,* Bd. IV, S. 265.

20 Annie Bender, *Thomas Abbt* (Anm. 13), S. 102.

21 *Briefe,* Bd. XV, 246. Brief, S. 74.

22 *Briefe,* Bd. XXII, 320. Brief, S. 109.

23 Thomas Abbt, »Leben und Charakter Gottlieb Alexander Baumgartens«, in: *Vermischte Werke,* Bd. IV, S. 219.

24 Ebd., S. 241.

25 Baron Cay von Brockdorff, *Die Deutsche Aufklärungsphilosophie,* München 1926, S. 99.

26 Thomas Abbt, »Studien« (Anm. 9), S. 100.

27 Alexander Altmann, *Die Trostvolle Aufklärung. Studie zur Meta-physik und politischen Theorie Moses Mendelssohns*, Stuttgart-Bad Cannstatt 1982, S. 100.

28 »Verdienst«, Vorbericht, S. 6.

29 Thomas Abbt, »Ueber die Vorurtheile: Beantwortung einer Baseler Preisaufgabe«, in: Vermischte Werke, Bd. IV, S. 139: »Sokrates hatte eine Kette, womit er die Weltweisheit vom Himmel zu den Men-schen herabzog. Sollte sie wohl ganz für uns verlohren seyn, diese Kette; oder steht es in jedes forschenden Gewalt, eine eigene für sich zu flechten, und die Klammer aufzusuchen an denen er sie befestigen muß« (zit. als »Vorurteile«).

30 Geisler, *Über die schriftstellerische Tätigkeit Thomas Abbts,* Breslau 1852, S. 5.

31 Christian Garve, »Von der Popularität des Vortrages«, in: *Ver-mischte Aufsätze, welche einzeln oder in Zeitschriften erschienen sind,* Bd. V, Theil 1, Breslau 1801, S. 289-312. Vgl. Zwi Batscha, Christian Garves politische Philosophie, in diesem Band.

32 Johannes Freyer, »Geschichte der Geschichte der Philosophie«, in: *Beiträge zur Kultur- und Universalgeschichte,* hrsg. von Karl Lamp-recht, Leipzig 1912, S. 67.

33 Thomas Abbt, *Briefe,* Bd. XVI, S. 148: »Ich bin kein Methaphysiker, ich suche in der Schule meine Vortheile aus den Wissenschaften; und täglich stößt es mir auf, daß ich einzelne Stücke zu wissen nöthig finde, deren ich die Sammlung erst gering gefunden.«

34 Hans Erich Bödeker, »Thomas Abbt: Patriot, Bürger und bürgerli-ches Bewußtsein«, in: *Bürger und Bürgerlichkeit im Zeitalter der Aufklärung,* hrsg. von Rudolf Vierhaus, Heidelberg 1981, S. 225. Hinzuzufügen zu dieser Abhandlung wäre Abbts Diktum aus »Ver-dienst«, S. 5 f.: »Die Stimme des Volkes ist die Leitstimme für den Forscher ... Die Urtheile, welche in Hütten gefällt werden ... führen oft sehr viel Wahrheit mit sich ... Die meisten Gelehrten verlieren über ihrem Stande die Nutzbarkeit niedriger Stände so sehr aus den Augen, daß ihnen nur die Erhöhung und Verbesserung des ihren, ein Verdienst zu seyn scheint.«

35 Hans Erich Bödeker, »Thomas Abbt« (Anm. 34), S. 246.

36 Prutz, »Thomas Abbt« (Anm. 12), S. 434 f., meint dazu: »Durch die ganze Periode von der Mitte des Jahrhunderts an, geht durch alle vorzüglichen Köpfe, ein dunkler Drang, ein sehnsuchtsvolles Verlan-gen, aus der Theorie in die Praxis, aus der Literatur ins Leben zu übertreten.«

37 Isak Iselin, »Zehn Briefe an Thomas Abbt. Erstausgabe und Einfüh-rung von Louis Frison«, in: *Recherchez Germaniquez,* Bd. VI, 1976, S. 251.

38 Thomas Abbts *Vermischte Werke. Dritter Theil, welcher einen Theil*

seiner freundschaftlichen Correspondenz enthält, Frankfurt, Leipzig 1783, S. 362.

39 Prutz (Anm. 12), S. 386. In einer Abhandlung zur schottischen Moralphilosophie meint W. H. Schrader: »Die Existenz des Gentleman, der auf Grund von ›use, practice, and culture‹ über ›true judgement‹ verfügt und dessen Verhalten durch ›harmony and honesty‹ gekennzeichnet ist, erscheint daher als Ausdruck eines vollendeten Einklangs von Einsicht und Lebenspraxis« (Wolfgang H. Schrader, *Ethik und Anthropologie in der Englischen Aufklärung*, Hamburg 1984, S. 33).

40 *Ehrengedächtnis Herrn Thomas Abbt. An Herrn D. Johann Georg Zimmermann von Friedrich Nicolai*, Berlin und Stettin 1767, S. 16. In einem Brief Abbts an Nicolai (*Vermischte Werke*, Bd. III, S. 131) heißt es: »Wie steht es mit unserm Shaftesbury? daß Herr Moses nur nicht glaube, ich werde diese Idee fahren lassen.« Und auf S. 51: »Wie ihm die Gesellschaft eines Professors und eines Juden anstehen wird, weiß ich nicht.«

41 *Briefe*, XV. Bd., 252. Brief, S. 143 f.

42 Baron Cay von Brockdorff, *Die Deutsche Aufklärungsphilosophie* (Anm. 25), S. 14.

43 Dazu W. H. Schrader (Anm. 39), S. 9: »An die Stelle des methodologischen Individualismus der Affektenlehre des 17. Jahrhunderts tritt daher bei Shaftesbury eine Betrachtungsweise, für die Individuum und Gattung komplementäre Begriffe sind.«

44 Zum moralischen Gefühl vgl. Jürgen Sprute, »Der Begriff des *moral sense* bei Shaftesbury und Hutcheson«, in: *Kant-Studien* 71 (1980), S. 221-232.

45 Y. Arieli, *Individualism and Nationalism in American Ideology*, Cambridge, Mass. 1964, S. 199-203.

46 Thomas Abbts *Vermischte Werke. Zweyter Teil: Vom Tode fürs Vaterland*, Frankfurt und Leipzig 1783, S. 127 (zit. als »Vaterland«).

47 Ebd., S. 42.

48 »Verdienst«, S. 106.

49 »Verdienst«, S. 167: »Daher steigt auch das Wohlwollen, im Gegensatz mit dem guten Herzen vom Allgemeinen zum Besondern herunter. Es fängt mit der allgemeinen Menschenliebe an..., fällt darauf auf die Liebe der Nation, der Mitbürger, der Miteinwohner, der Bekannten, Freunde und Verwandten.«

50 »Verdienst«, S. 179.

51 Thomas Abbt, »Vom rechten Studium der Philosophie«, in: *Vermischte Werke*, Bd. VI, S. 121.

52 Albert O. Hirschman, *Engagement und Enttäuschung. Über das Schwanken der Bürger zwischen Privatwohl und Gemeinwohl*, Frankfurt 1984, S. 145.

53 *Geschichte der Neuen Deutschen Psychologie von Max Dessoir*, 1. Band von Leibniz bis Kant, Berlin 1894, S. 102.

54 »Vorurteile«, S. 151.

55 *Briefe*, XXII. Brief, S. 133.

56 »Verdienst«, S. 311.

57 Ebd., S. 193.

58 Ebd., S. 268: »Ich will allemal wetten, daß kein Abschreiber auf einer Kanzelley, kein Ratsherr oder Sachwalter in dem kleinsten Landstädtchen angetroffen werde, der sich nicht bey sich selbst für ein nützlicheres Glied der menschlichen Gesellschaft ansähe als *Newtonen* und *Leibnizen*; und der es nicht, wenn man ihn nur erst in Eifer zu setzen weiß, auch sagte.«

59 *Briefe*, Bd. XV, 248. Brief, S. 194.

60 *Briefe*, Bd. XV, 252. Brief, S. 140.

61 »Verdienst«, S. 30.

62 *Briefe*, Bd. XIV, 222. Brief, S. 218.

63 Claus, *Die historisch-politischen Anschauungen Thomas Abbts* (Anm. 17), S. 62: Nur in Rücksicht auf die Verbesserung des ganzen menschlichen Geschlechts (*Vermischte Werke*, Bd. VI, S. 12) will er die Weltgeschichte verbessert wissen.

64 Zu diesem Begriff der Zeit heißt es: »Sie ist deucht mir, nicht anders als der Innbegriff aller der Gelegenheiten, aller derer Kenntnisse, aller der Freyheiten zum Denken, zum Reden und Handeln, die durch die Ruhe, die Ausbreitung der Wissenschaften, die Regierungsformen und Religionen und die daraus zum Theil mit entspringenden Sitten bestimmet werden.« (*Briefe*, Bd. XVIII, 279. Brief, S. 63)

65 *Briefe*, Bd. XI, 179. Brief. S. 20.

66 *Briefe*, Bd. IX, 151. Brief. S. 118.

67 Ebd., S. 119.

68 Peter Hanns Reill, »Die Geschichtswissenschaft um die Mitte des 18. Jahrhunderts«, in: *Wissenschaften im Zeitalter der Aufklärung* (Anm. 8), S. 173.

69 *Briefe*, Bd. IX, 179. Brief, S. 20.

70 *Briefe*, Bd. XIV, 228. Brief, S. 223 f.

71 Rüdiger Bubner, *Geschichtsprozesse und Handlungsnormen*, Frankfurt 1984. S. 93.

72 Abbt, »Vom Vortrag der Geschichte«, in: *Vermischte Werke*, Bd. VI, S. 127.

73 P. H. Reill (Anm. 67), S. 265. Ernst Troeltsch meint dazu: »In etwas anderer, mehr eigentlich historischer Richtung, wirkte der Anstoß Bolingbrokes bey Montesquieu (Esprit de lois 1748), der die verschiedenen Kultur- Staats- und Religionsgebilde aus lokalen und psychologischen Einflüssen zu erklären suchte und eine mehr politisch liberale Absicht verfolgte. Bald mehr dem einen, bald mehr dem

andern folgte, dann auch die Geschichtsschreibung, wo neben Abbt vor allem die Göttinger Schule der Gatterer (†1799), Schlözer (†1809), Heeren (†1842), Meiners, J. D. Michaelis, Spittler (†1810) die neuen Ideen auf den historischen Stoff anwandten, nachdem bereits Pufendorf die Historie von der Theologie befreit und für das Staatsrecht in Beschlag genommen hatte.« Ernst Troeltsch, »Aufklärung«, in: Franklin Kopitzsch, *Aufklärung, Absolutismus und Bürgertum in Deutschland*, München 1976, S. 256.

74 J. Freyer, »Geschichte der Geschichte der Philosophie« (Anm. 32), S. 55 f.

75 F. Nicolai, *Ehrengedächtnis Herrn Thomas Abbt* (Anm. 40), S. 27.

76 Reinhart Kosellek, *Vergangene Zukunft*, Frankfurt 1984, S. 326, vgl. auch S. 189. Kosellek bezieht sich bei dieser Interpretation auf Th. Abbt, *Geschichte des menschlichen Geschlechts*, Halle 1766, S. 219.

77 *Briefe*, Bd. xx, 296. Brief, S. 14 f.

78 Thomas Abbt, »Fragment der Portugiesischen Geschichte«, in: *Vermischte Werke*, Bd. 1, S. 114.

79 »Vorurteile«, S. 182.

80 Ebd., S. 188.

81 Thomas Abbt, »Erfreuliche Nachricht von einem evangelisch-lutherischen auto da Fé«, in: *Vermischte Werke*, Bd. v, S. 6.

82 Ebd., S. 10.

83 Ebd., S. 16.

84 Fr. Nicolai, Ehrengedächtnis Herrn Thomas Abbt (Anm. 40), S. 33.

85 »Verdienst«, S. 84.

86 *Briefe*, Bd. xxii, 320. Brief, S. 107.

87 »Vorurteile«, S. 186.

88 *Briefe*, Bd. xv, 244. Brief, S. 67.

89 »Studien«, S. 103.

90 Hans Erich Bödeker, »Das staatswissenschaftliche Fächersystem im 18. Jahrhundert«, in: *Wissenschaften im Zeitalter der Aufklärung* (Anm. 8), S. 153.

91 »Studien«, S. 80.

92 »Vaterland«, S. 88: »Die Staatskunst sucht blos dasjenige zu bestelligen, was ihre Zwecke befördert. Ihr Zweck ist gute Bürger zu haben, Bürger die sich nicht scheuen, zur Vertheidigung des Staats ihr Leben hinzugeben.«

93 *Briefe*, Bd. xv, 246. Brief, S. 78.

94 *Briefe*, Bd. xiii, 215. Brief, S. 78.

95 »Verdienst«, S. 330 f.

96 »Vaterland«, S. 21.

97 Claus, *Die historisch-politischen Anschauungen Thomas Abbts* (Anm. 17), S. 45: »Alle Staatsbürger sind gleich, wenn es gilt, das

Leben für das Vaterland zu opfern... Denn Wohlfahrt des Einzelnen und Wohlfahrt des Ganzen sind identisch.«

98 Horst Möller, *Aufklärung in Preußen. Der Verleger, Publizist und Geschichtsschreiber Friedrich Nicolai*, Berlin 1974, S. 574.

99 »Verdienst«, S. 244.

100 Baron Cay von Brockdorff, *Die Deutsche Aufklärungsphilosophie* (Anm. 25), S. 51.

101 Zum Patriotismusbegriff Christian Garves vgl. Zwi Batscha, *Christian Garves politische Philosophie*, in diesem Band, S. 35 ff.

102 »Vaterland«, S. 21 f.

103 *Henriette Herz in Erinnerungen, Briefen und Zeugnissen*, Frankfurt 1984, S. 392. Brief von H. Herz an F. C. Sibbern, geschrieben am 6. Juli 1817.

104 Theodor W. Adorno, »Auf die Frage: Was ist deutsch«, in: ders., *Stichworte. Kritische Modelle 2*, Frankfurt 1969, S. 107: »Ich wollte einfach dorthin zurück, wo ich meine Kindheit verbracht hatte, wodurch mein Spezifisches bis ins Innerste vermittelt war. Spüren mochte ich, daß, was man im Leben realisiert, wenig anders ist als der Versuch, die Kindheit einzuholen. Darum fühle ich mich berechtigt, von der Stärke der Motive zu sprechen, die mich heimzogen, ohne in den Verdacht von Schwäche oder Sentimentalität zu geraten...«

105 »Vaterland«, S. 78.

106 Claus, *Die historisch-politischen Anschauungen Thomas Abbts* (Anm. 17), S. 7.

107 *Freymüthige Nachrichten von Neuen Büchern und andern zur Gelehrtheit gehörigen Sachen*, XLIII. Stück, Mittwochs, am 28. Weinmonath, Zürich 1761.

108 Claus, *Die historisch-politischen Anschauungen Thomas Abbts* (Anm. 17), S. 7. Fr. Nicolai (*Ehrengedächtnis* [Anm. 40], S. 10) meint zu dieser Zeit: »Die Wuth des Krieges war dazumal aufs höchste gestiegen, die Brandenburgischen Lande waren äußerst beängstigt, die Macht der Feinde drang von allen Seiten auf uns zu, aber der Muth getreuer Unterthanen sammelte die letzten Kräfte, um den großen König zu unterstützen.«

109 Bei Pentzhorn, *Thomas Abbt* (Anm. 13), S. 21, findet sich die Aussage von Scheffner: »Und wie dem Tanzlustigen die kleinste Pfeife genügt, so gingen auch wir mit nicht sonderlich gefüllter Börse, aber jeder mit einem Exemplar von Abbt's Schrift ›Über den Tod Fürs Vaterland‹ in der Tasche unter vielen Wagnissen zur preussischen Armee.«

110 »Verdienst«, S. 323.

111 »Verdienst«, S. 325.   112 »Verdienst«, S. 185.

113 Ronald Dworkin, *Bürgerrechte ernstgenommen*, Frankfurt 1984, S. 248.

114 *Briefe*, Bd. XVI, 261. Brief, S. 118.
115 *Briefe*, Bd. XV, 248. Brief, S. 92 f.
116 »Verdienst«, S. 175.
117 »Verdienst«, S. 247.
118 *Briefe*, Bd. XV, 248. Brief, S. 90.
119 »Verdienst«, S. 277.
120 »Verdienst«, S. 271.

J. A. Eberhards naturrechtliche
und absolute Monarchie
in konservativer Absicht

I

In seiner Studie *The Kant-Eberhard-Controversy*[1] meint Henry E. Allison, nachdem er Reinholds und Fichtes Standpunkte mit dem Kantischen Kritizismus verglichen hat, daß es sich dabei um eine Kritik von links handelt, und er fügt hinzu: »that is, from points of view which themselves involve a radical break with the values and doctrines of the *Aufklärung* and of its more or less official philosophy, the Leibniz-Wolffian. By far the most extensive and vigorous criticism of the Kantian philosophy however, came from the right, i. e. from the defenders of the official philosophy. Unlike the idealists, these men saw no virtue in Kant's break with dogmatism and in his turn to the subject of Copernican revolution, which allegedly was the only possible way to overcome the Humean scepticism ... The leader of this group of long forgotten professors was Johann August Eberhard.«[2]

Johann August Eberhard (1739-1809) kam 1763 von Halberstadt nach Berlin, wo er als Prediger tätig war und Lessings Platz in dem aufklärerischen Freundeskreis um Friedrich Nicolai und Moses Mendelssohn einnahm.[3] 1776 wurde er nach dem Tode G. F. Meiers als Professor der Philosophie nach Halle berufen und übte dieses Amt bis zu seinem Tode mit Erfolg aus. Seiner Auseinandersetzung mit I. Kant wurde in der Literatur weitaus weniger Aufmerksamkeit gewidmet als Kants Diskussionen mit anderen Kritikern von links und rechts. Das erwähnte Buch Allisons ist die dritte Arbeit zu dieser Kontroverse. Die erste stammt von W. L. G. von Eberstein und trägt den Titel *Versuch einer Geschichte der Logik und Metaphysik bey den Deutschen von Leibniz bis auf gegenwärtige Zeit* (Halle 1799, Bd. II, besonders S. 165-291). Obwohl der Verfasser selbst ein Freund von Eberhard und ein Anhänger von Leibniz war, versucht er, ein ausgewogenes Bild der philosophischen Differenzen zwischen den beiden Denkern wiederzugeben. Weniger substantiell dagegen ist die

Dissertation von Ferber Eduard vom Ende des vorigen Jahrhunderts.[4] Historisch gesehen drückt sich in dieser Kontroverse der Versuch aus, den Vormarsch der kritischen Philosophie an den deutschen Universitäten, in den Kreisen der Gebildeten und in den bedeutenden zeitgenössischen Zeitschriften (wie z. B. die *Allgemeine Literaturzeitung* in Jena) aufzuhalten.

Zu diesem Zweck gründete J. A. Eberhard zusammen mit seinen Kollegen J. G. Maaß und J. E. Schwab zwei aufeinander folgende Zeitschriften; zuerst im Jahre 1788 das *Philosophische Magazin*, das in vier Folgen während der Jahre 1788-1789 erschien. In den Jahren 1793/1794 folgten zwei Bände des *Philosophischen Archivs*. Der Frontalangriff gegen Kant befand sich im ersten Journal, in dem der Hallenser Philosoph die Priorität der Leibniz-Wolffschen Schule gegenüber derjenigen Kants betonte, oder mit Allisons Worten: »that whatever is true in Kant is already found in Leibniz, and that wherever Kant differs from Leibniz, he is wrong«.[5] Kants Reaktion erfolgte prompt. Im Jahre 1790 veröffentlichte er eine scharfe, auch persönliche Polemik in einem Ton, wie man ihn von Kant, auch in allen andern Auseinandersetzungen, in dieser Schärfe nicht gewohnt war.[6]

Zu Allisons Einteilung der Kritik an Kant in »linke« und »rechte« Positionen muß hinzugefügt werden, daß in dieser Darstellung Kants Lehre den Knotenpunkt bildet und die Auseinandersetzung mit ihr, ebenso wie die Charakterisierung der Positionen der Gegner, vom Standpunkt der kritischen Lehre aus betrachtet wird. Ihre Weiterentwicklung und partielle Überwindung durch neue idealistische Theorien wird als links bezeichnet, während die Kritik vom Standpunkt der Wolffschen Philosophie aus als rechts charakterisiert wird. Die Einteilung Allisons bezieht sich nur auf erkenntnistheoretische und metaphysische Fragen. So hat z. B. Eberhard in seiner Religionsphilosophie die Verdammung der Heiden in die Hölle verurteilt und sich dadurch Angriffe von seiten Ernestis und der orthodoxen Theologen zugezogen. Er war sicher nicht der radikalste Deist der damaligen Zeit, aber sein theologischer Standpunkt war nicht einer, der im Spektrum der damaligen Auseinandersetzungen als rechts bezeichnet werden kann.

Allerdings stellt sich die Frage nach der Angemessenheit spezifisch politischer Kategorien wie links und rechts zur Beurteilung von J. A. Eberhards politischer Philosophie, denn die Tatsache, daß beispielsweise Eberhards politische und erkenntnistheoretische Positionen keineswegs identisch sind, verlangt zumindest in diesem Punkt eine Revision des Links-Rechts-Schemas. Andererseits steht z. B. der junge Fichte sicher links von Kant, während dies für den Verfasser der *Reden an die deutsche Nation* bereits fraglich ist[7], und Reinholds Positionen zur Zeit der Französischen Revolution können wiederum als konservativer als diejenigen Kants bezeichnet werden.[8] Wenn Kant für die politische Theorie seiner Zeit das Zentrum des Deutschen Liberalismus verkörpert[9], muß sich J. A. Eberhard rechts von ihm befinden, da seine politische Theorie eindeutig konservativere Züge trägt als die des Königsbergers. Im folgenden soll der Versuch unternommen werden, maßgebliche Elemente dieser Theorie darzustellen.

II

Obwohl J. A. Eberhard Kants Kritik mit den Mitteln der Leibnizschen Philosophie bekämpfte, gehörte er doch selber zu jener diffusen und heterogenen Gruppe von Popularphilosophen, die die Vollkommenheit des Wolffschen Systems teils erschüttert, teils hinter sich gelassen und das entstehende Vakuum mit empirischem Material ausgefüllt haben. Daraus ging schließlich jene Dichotomie von Leben und Schule oder Welt und Schule hervor, die sich in verschiedenen Spielarten bis ins 20. Jahrhundert erstrecken sollte. Zwischen »Leben« und »Welt« als Gegensätze zur »Schule« besteht keine Identität. »Leben« bedeutet für die Kritiker der reinen Rationalität die tiefere Dimension gegenüber einer gewissen Abstraktion, Flachheit und Einseitigkeit des bloßen Verstandesgebrauchs. »Welt« dürfte gegenüber der »Schule« eine Erweiterung des Horizonts in bezug auf die Erkenntnisobjekte bezeichnen. Es handelt sich um eine Wende vom spekulativen und abstrakten Denken mit logischen und metaphysischen Inhalten hin zu einem Denken, das der Gesellschaft und der konkreten Welt nützen sollte. In dieser Einstellung manifestiert sich das Bedürfnis nach einer Neubegründung der praktischen Philosophie, ein Bedürfnis, das sich bis zur Philosophie Kants bereits sehr deutlich artikuliert hatte. »Kant hatte einst vom ›Schulbegriff‹ der Philosophie als dem System der Vernunfterkenntnisse einen ›Weltbegriff‹ der Philosophie abgehoben; den Weltbegriff hatte er auf das, was jedermann ›notwendig interessiert‹, bezogen. Erst Hegel hat einen zeitdiagnostisch aufgeladenen Weltbegriff der Philosophie mit dem Schulbegriff verschmolzen.«[10] Diese auf den Begriff gebrachte Einheit war aber nur eine Übergangsphase, denn schon bald nach dem Tod Hegels vollzog sich eine Spaltung unter seinen Schülern in eine der Theorie zugewandten Gruppe und eine, für die die Bewältigung der gesellschaftlich-praktischen Probleme zur Hauptaufgabe wurde. Diese Differenz zwischen Schule und Welt scheint sich bereits in der frühbürgerlichen deutschen Gesellschaft entwickelt zu haben, in der die hierarchische Struktur des Ständestaats dominierte. Analog zu ihr entwickelte sich in der Philosophie die von Axiomen ausgehende deduktive Demonstrationsmethode, die aber zur Erklärung der sich verändernden Bedingungen der realen Welt nicht mehr genügte. Das durch ökonomische Entwicklungen, durch die Aufklärung und durch den Vergleich der politischen Verhältnisse mit anderen Ländern angeregte Bürgertum begann erste Zeichen seines sich entwickelnden Selbstbewußtseins zu setzen und strebte eine Beteiligung an bestimmten geistigen, politischen und wirtschaftlichen Prozessen an, die anfangs von den Regierungen der Territorialstaaten auch akzeptiert wurde. Die Vorherrschaft des Adels sollte in ihrer Exklusivität anderen Formen der ständischen Gesellschaft und der Zusammenarbeit weichen, und in der Philosophie sollte die Vorherrschaft der theoretischen Vernunft gebrochen werden, weil nur die Priorität der praktischen Vernunft die Möglichkeit zur Bewältigung der Probleme von Leben und Welt in Aussicht stellte.

Eberhard – darin den anderen Popularphilosophen vergleichbar – greift die »scholastische Metaphysik« an, in der die »Speculation zu einer Feinheit und Spitzfindigkeit« gelangt, »die Ideen für den praktischen Verstand ihre Sichtbarkeit verlieren«[11] und daher zu praktischer Unbrauchbarkeit verurteilt sind. Im Gegensatz dazu lobt er »die geistreiche gesellschaftliche Beredsamkeit«, weil in ihr »die Leichtigkeit und der verbindliche Wechsel des Gesprächs alle Speculationen, die durch ihre Schwerfälligkeit die Grazien verscheuchen, durch ihren Tiefsinn und durch ihre Unverständlichkeit unnütz werden«.[12] Die Nützlichkeit oder die Mittel zur Befriedigung der geistigen und sozialen Bedürfnisse werden zum Primat der Philosophie erhoben, die auf der einen Seite Aufklärung und Bildung in weitere Kreise tragen soll, auf der andern

Seite auf ein streng methodisches und rein spekulatives Denken verzichtet und sich vom Begriff des Systems entfernt; eine heute sicher akzeptablere Position[13] als gegen Ende des 18. Jahrhunderts. Das durch den allmählichen Zerfall des Wolffschen Systems entstandene erkenntnistheoretische Vakuum versuchen die Popularphilosophen mit einer Spielart des Lockeschen Empirismus zu füllen, eine Lösung, die Eberhard jedoch auch nicht befriedigt. Er wendet sich schließlich dem vom schottischen Philosophen Thomas Reid geprägten Begriff des Gemeinsinns zu. Dieser fühlt sich dem Satz »Alles hat seine Ursache« verpflichtet, und zwar deshalb, weil er von *allen* Menschen akzeptiert und befolgt wird. Auf Reid gestützt versucht Eberhard die Unzulänglichkeiten des Lockeschen Empirismus zu überwinden und findet bei ihm einen Übergang – um nicht zu sagen eine Identität – zum Rationalismus.[14] Und dies, obwohl Eberhard sich noch elf Jahre zuvor gerühmt hatte, daß er den gesunden vom gemeinen Verstand »als einen Theil vom Ganzen unterscheidet«[15], und damit glaubte, den angeblichen Schaden überwunden zu haben, den die Schotten Beattie, Reid und Oswald dadurch bewirkten, daß sie diese Differenzierung ignorierten.[16]

Diese Position des *common sense*, die auf die Reflexion und die Bestimmung ihrer eigenen Position verzichtet, kann folgendermaßen charakterisiert werden: »Common sense heißt sich in Unbestimmtheiten zurechtzufinden, mit Unsicherheiten leben können. Die Umgangssprache ermöglicht Verständigung, gerade weil ihre Termini nicht fest definiert sind, sondern indexical von Situation zu Situation Bedeutungsverschiebungen erleiden.«[17] Die Philosophie – so heißt es dann weiter – beginnt an der Stelle, wo man Unbestimmtheiten vermeiden und ihnen ein Ende bereiten will, indem man sie nicht mehr akzeptiert, wo man nach Beweisen forscht, Gedanken zu Ende zu führen versucht und die Reflexion an ihre richtige Stelle setzt. Im historischen Kontext der damaligen Zeit fiel die Aufgabe der Überwindung der Unzulänglichkeiten der Popularphilosophie durch die Neubestimmung einer kritischen Philosophie Immanuel Kant zu. Karl Mannheim sieht den gemeinsamen Nenner aller Varianten der Lebensphilosophie in »ihre(r) gemeinsame(n) Opposition sowohl gegen den Kantianismus sowie auch gegen den Positivismus, gegen die beiden Spielarten des bürgerlich-rationalisierenden Denkens, die den Allgemeinbegriff und naturwissenschaftliche generalisierende

Denkweise«[18] vertreten. Diese neuen Denkweisen sind auch die Wurzeln des modernen Liberalismus, so wie er sich aus der Aufklärung mit Hilfe der Naturrechtslehre in der politischen Theorie entwickelte. Gegen diesen »liberal-rationalistischen Systembegriff«[19] wenden sich – so Mannheim – die Konservativen verschiedener Provenienz, indem sie die Verschiedenheit der historischen Traditionen hervorheben, eine Tendenz, die auch der deutschen Popularphilosophie nicht fremd ist und sich in der Betonung des Einzelnen und Besonderen in popularphilosophischen anthropologischen Überlegungen und psychologischen Untersuchungen ausdrückt. Eberhard selbst steht dieser Denktradition nahe; seine Präferenz der Erfahrung ist mit der Theoriefeindlichkeit der Popularphilosophie verwandt und gibt den konservativen Tendenzen in seinen Anschauungen Auftrieb; »der Konservatismus fußt seinem eigenen Selbstverständnis zufolge im Unterschied zum Rationalismus auf Anschauung und Erfahrung, nicht auf Spekulation und Theorie«.[20] Menschen, die über die Veränderung der politischen Verhältnisse nachdenken und die soziale und staatliche Wirklichkeit reformieren wollen, kanzelt Eberhard denn auch als »Enthusiasten« und »Metaphysiker« ab: »Aber es giebt eine ehrwürdige Klasse von Enthusiasten, welche den Zustand der Gesellschaft nach methaphysischen Begriffen messen, die außer der Wirklichkeit liegen, und erhabene Ideale anbeten, denen keine menschliche Macht Realität geben kann.«[21] Kritische Vernunft gilt ihm als realitätsfern, und Denkmodelle sind nur dann anerkennenswert, wenn sie sich mit Machtmitteln realisieren lassen können. Ein Verständnis von Theorie als Kritik politischer Macht liegt außerhalb von Eberhards Denkhorizont; er schreibt ihr im Vorfeld der realen politischen Macht lediglich konservative Funktionen zu.

III

Der Einfluß der englisch-schottischen Philosophie manifestiert sich Gustav Zart zufolge sowohl in Eberhards ästhetischen Erörterungen als auch in seiner Religionskritik, die »die Gedanken der englischen Aufklärung wiedergibt«.[22] Andere Deutungen von Eberhards Werk meinen einen doppelten – deutschen und englischen – Einfluß festzustellen, hauptsächlich in bezug auf die

Empfindungslehre des Hallenser Denkers, »welche die merkwürdige Verbindung von Lockeschen und Leibnizschen Gedanken ... zeigt«.[23] Von Locke übernimmt Eberhard die Ableitung der Begriffe aus Sensationen und die Verknüpfung der Begriffe zu Urteilen durch Ideenassoziationen, wobei er sich der Grenzen der empirischen Epistemologie bewußt ist und diese auch kritisch behandelt. Er stimmt mit Locke ferner in der Negation der Existenz von angeborenen Vorstellungen überein und darin, daß der Mensch keine natürliche Erkenntnis von sittlichen Wahrheiten mit auf die Welt bringt.[24] In seinem *Amyntor*, jener sehr plastischen und detaillierten Darstellung des Lebens der höheren Gesellschaftskreise, erwähnt Eberhard zwar in Anlehnung an Shaftesbury[25] einen moralischen Sinn; da er diesen aber nur als abgeleitet und nicht als ursprüngliches Vermögen betrachtet, gerät er so letztlich in Gegensatz sowohl zu Shaftesbury als auch zu Hutcheson. Die Differenzierung von geselligen und egoistischen Neigungen im Sinne Shaftesburys verbindet ihn aber andererseits auch mit der Theorie der Selbstliebe bei Wolff, und das Streben nach Vervollkommnung bildet wiederum ein Bindeglied zwischen ihm und Hutcheson.

Der Einfluß der englisch-schottischen Philosophie auf Eberhard besteht insbesondere auf dem Gebiet der politischen Theorie und in Fragen des Regierungssystems aus mehreren Komponenten. Ein konservatives Element in Eberhards Denken drückt sich zweifellos darin aus, daß er die Einschränkung des monarchistischen Absolutismus und die Formel des »king in parliament«, mit der Edmund Burke den Kompromiß zwischen der englischen Krone, der Aristokratie und dem aufsteigenden Bürgertum von 1688 legitimierte, zurückweist, da für ihn die uneingeschränkte Monarchie die beste Regierungsform darstellt. Andererseits – und dies stellt eine aufklärerisch-liberale Komponente dar – rechtfertigt er jenen englischen Konstitutionalismus, der schon bei Locke eine wichtige Rolle spielt und der sich weit bis ins 19. Jahrhundert erstreckt. Die revolutionäre Entwicklung in Frankreich stellt für ihn, wie für die anderen Gebildeten in Deutschland, eine große Herausforderung dar, allerdings dachte Eberhard – wie eine Studie von 1784 belegt – bereits vor dem Ausbruch der Revolution über verschiedene Probleme des Nachbarlandes nach.

In seinem Beitrag »Ueber die Allgemeinheit der französischen Sprache«[26] gibt Eberhard drei Gründe dafür an, eine fremde Sprache anzunehmen: »1. Ihre Vortrefflichkeit. 2. Die größere Kultur derselben, und die grössere Kultur des Volkes, dessen Muttersprache sie ist, und 3. der politische Einfluß dieses Volkes auf diejenigen, die seine Sprache annehmen.«[27] Um die Vortrefflichkeit der französischen Sprache zu rühmen, bezieht sich Eberhard auf ihre Ruhe, ihre Ausgewogenheit und auf ihren Reichtum an Ausdrucksmöglichkeiten, als Zeugen beruft er die klassischen französischen Schriftsteller. Zur Förderung der Geselligkeit bedarf es einer größeren Entwicklung von Begriffen sowie einer Verfeinerung des Witzes, beides wiederum bewirkt eine erweiterte soziale Basis für die weitere Entwicklung der Sprache selbst. Den Überlegungen des schottischen Moralphilosophen A. Ferguson nicht so weit entfernt ist folgende Äußerung Eberhards: »Die mannigfaltigen Situationen, worin wir den Menschen in der Gesellschaft sehen, die Anstrengung, wozu ihn die häufigen Gelegenheiten der Thätigkeit nöthigen, bringen Ideen und Empfindungen hervor, die in der Einsamkeit und Abgeschiedenheit schlafend bleiben, die Bekanntschaft mit den Menschen mit seinen besondern Neigungen, mit den verborgensten Falten und Winkeln des Herzens, welche uns der Umgang mit ihnen verschafft, erweitert nothwendig den moralischen Gesichtskreis, vermehrt die Schattierungen der Charaktere und giebt Gelegenheit sie kennen zu lernen.«[28]

Das zweite Argument greift die Verbreitung der französischen Sprache auf. Frankreich sei wegen seiner hervorragenden Leistungen auf dem Gebiet der Aufklärung, der Gesetzgebung und den Künsten nachahmungswürdig, was viele Menschen dazu führt, anstatt einer antiken Sprache die französische zu lernen. »Die Verfeinerung der höchsten Stände einer großen Monarchie«[29] brachte es mit sich, daß mit der Vormachtstellung des französischen Hofes nicht nur der König, sondern auch die Umgangsformen des Adels als Verhaltensmuster vorbildhaft wurden und der feinere Geschmack »mit brauchbaren und angenehmen Kenntnissen« sich zu einem Standesmerkmal entwickelte. In diesem Zusammenhang konstatiert Eberhard schon eine erste Differenz zwischen Frankreich und Deutschland, die darin besteht, daß die »Werke des Geschmacks« östlich des Rheins nicht das Interesse des Großteils der Nation erweckten: »Der ganze Geist in den höheren Ständen war so unpoetisch, ihre Sitten und Sprache boten so wenig Muster dar, und ihr Geschmack und Urtheil konnten den Dichter so wenig leiten, daß in seinen Werken die größten Schönheiten unter der Menge der Fehler und Unvollkommenheiten mußten begraben bleiben.«³⁰ Die Überlegenheit der französischen Schriftsteller drückt sich darin aus, daß die französische Sprache in der geistigen Kultur eine Vormachtstellung einnimmt. Eberhard betrachtet diese Dominanz geradezu als Ansporn zur Entwicklung der deutschen Sprache und Kultur, die er sich so vorstellt, daß die Differenz von Geschmack, Sitten und Umgangsformen zunächst ein Nachahmen motiviert, das dann in einem zweiten Schritt zu den notwendigen Verbesserungen führt, die schließlich die Eigenständigkeit begründen.

Eberhards Intention, das Deutsche in den Rang einer Staatssprache zu erheben, steht die Tatsache entgegen, daß sich das Französische zu seiner Zeit zum vorrangigen Kommunikationsmittel zwischen den europäischen Völkern entwickelte und in dieser Funktion das Erbe des Lateinischen angetreten hatte. Anlaß dazu war das politische Übergewicht der Macht Ludwigs XIV., der »mit den Künsten seiner Politik«, die von den anderen Nationen weitgehend akzeptiert wurde, ein Gefühl der Abhängigkeit von der französischen Herrschaft und ihrer Sprache erzeugte. Eberhard kommt nicht umhin festzustellen: »Der Einfluß des französischen Hofes auf die übrigen Höfe und die Staatsangelegenheiten, vereinigt mit den beyden ersten Ursachen haben sie endlich zu der Staatssprache von Europa gemacht.«³¹ Angesichts des Einflusses und der allgemeinen Anerkennung der französischen Sprache fordert Eberhard allerdings mehr als bloße Nachahmung, nämlich die Anspannung der eigenen Geisteskräfte, um wenigstens als erstes Volk zur Allgemeinheit der einen Sprache im eigenen Land zu gelangen. »Dieser Schritt ist, der deutschen Sprache die Vorzüge zu geben, die sie zu der allgemeinen Gesellschaftssprache von Deutschland empfehlen kann«; die Überwindung der derzeitigen Schwächen soll dazu führen, »die Sprache der aufgeklärtesten Gesellschaft zu werden«.³²

Mit dem Ausbruch der Revolution ändert sich die Einstellung Eberhards zum Verhältnis von Deutschland und Frankreich auch in kulturellen Fragen. Frankreich mochte zwar mit seiner Sprache, den Künsten des Luxus und des Geschmacks, der Rhetorik und der Dichtkunst Deutschland voraus sein; die eigentlichen Früchte der Aufklärung zeigten sich jedoch in Deutschland in einer gründlicheren Philosophie, in einer aufgeklärten Rechtswissenschaft sowie in der reformierten Theologie, die sich im Erziehungswesen im Sinne einer modernen Pädagogik entfaltete. Klaus Eppstein meint dazu: »Eberhard expanded this theme by eulogizing Protestant Germany with its religious toleration, absence of conflict between church and state, enlighted and married clergy ... a situation conductive to the kind religion and *Aufklärung* which inevitably promoted good government and human progress.«[33] 1794 empört sich Eberhard dann darüber, daß der Ruhm des französischen Verstandes, von ihm selbst vor der Revolution bewundert und seinen Landsleuten zur Nachahmung empfohlen, selbst noch zur Zeit der Herrschaft Robespierres den Deutschen als Vorbild gilt. Zwar schreibt der deutsche Philosoph auch zu diesem Zeitpunkt dem »französischen Verstand« noch positive Eigenschaften zu, etwa, daß er »rasch, thätig und unermüdet in der Ausführung des einmal Aufgefaßten« sei[34], doch vor dem Hintergrund des Verlaufs der Revolution stehen nun dessen negative Aspekte im Vordergrund. Die Franzosen seien wegen ihrer Ungeduld zu keiner gründlichen Untersuchung fähig und deshalb den »schwerfälligen aber tiefsinnigen Erörterungen unseres Grotius, Pufendorfs, Wolffs, Vattels u. a.« abgeneigt. Dies dient Eberhard als Anlaß, die politischen Gegensätze beider Länder aufzuführen: dort Volkssouveränität, »Anarchie«, »vielfältiger Despotismus«, ein falscher Freiheits- und Gleichheitsbegriff; auf der andern Rheinseite: erbliche Monarchie, durch den Unterwerfungsvertrag begründeter Absolutismus, bürgerliche – nicht politische – Freiheit und politische wie persönliche Ungleichheit aufgrund der Verschiedenheit der menschlichen Natur. Aber vor allem: dort Revolution – hier Reform.

IV

Eberhard bedient sich in seiner Polemik gegen die Französische Revolution vorwiegend politisch-rechtlicher Argumentationsfiguren. Er sieht in ihr eine Dysfunktionalität der bürgerlichen Gesellschaft, eine Negation der uneingeschränkten Monarchie, die durch die Aufhebung der legitimen Konstitution den Zerfall des Staates vorantreibt. Edmund Burke vergleichbar blendet er den sozialen Kontext der Umwälzung in Frankreich weitgehend aus.[35] In seiner stark vereinfachenden Betrachtung stellt Eberhard

dem Unterwerfungsvertrag, der die absolute Monarchie konstituiert, die Kritik des modernen Begriffs der Volkssouveränität
gegenüber; er kontrastiert die unerschütterliche Stabilität einer
vollkommenen Königsherrschaft mit einer einseitigen und unkritischen Beschreibung des Zerfalls des französischen Staates, in
dem er den Revolutionsprozeß selbst psychologisiert und dessen
Radikalisierung geringschätzig als »Anarchie« und seinen Träger
als »Volksdespot« bezeichnet. Eberhards Auseinandersetzung
mit der Französischen Revolution weist gewisse Parallelen zu
Christian Garves Deutung auf[36], dessen Grundtenor allerdings
kritischer und zweifellos weniger konservativ ist.

Eberhard hält eine Reform der Unzulänglichkeiten und Fehlent-
wicklungen in den modernen Staaten nur in einem Zustand von
»Ruhe und Ordnung« für denkbar, denn nur unter dieser Voraussetzung sei es möglich, in einen speziellen Bereich der politischen Ereignisse mit einer besondern Zielsetzung einzugreifen.
Insgesamt ist ihm die Beschäftigung mit den empirischen Gegebenheiten – zu deren Erklärung er oft unzulässige Verallgemeinerungen heranzieht – weitaus näher als die großen Entwürfe einer
neuen Gesellschaftsordnung, die vom Besonderen meist abstra-
hieren und dann beim Versuch ihrer Verwirklichung mit großen
Schwierigkeiten zu kämpfen haben.

Die Größe eines Staates hat einen erheblichen Einfluß auf die
Bildung seiner Konstitution, seiner Regierungsform und seiner
politischen Kultur. Deshalb kann sich auch die revolutionäre Aktivität – in Eberhards Verständnis der Ausdruck der negativen
politischen Kultur – dem Staatsumfang entsprechend ganz verschieden auswirken, und zusammen mit weiteren Faktoren läßt
sich dann für Frankreich folgende Entwicklung konstatieren:
»Die Auflösung der Verfassung muß nothwendig in einem altgewordenen Staate, von einem großen Umfange einer ansehnlichen
Bevölkerung, einer großen Ungleichheit der Stände, nach ihrer
Bildung, Erziehung und Vermögensumständen, einem sehr verfeinerten und vielleicht verderbten Staate, eine lange, greuelvolle
Anarchie nach sich ziehen.«[37] In seinem Bemühen, den Ausbruch
der Französischen Revolution und ihre Radikalisierung nicht mo-
nokausal erklären zu wollen, trägt Eberhard eine Reihe von seiner
Meinung nach bestimmenden Faktoren zusammen. So meint er,
schon von Beginn des Umbruchs an zwei verschiedene soziale
Gruppierungen als Träger bzw. Subjekte der politischen Verän-

derung ausmachen zu können. Als erste sind jene berühmten Rechtsgelehrten zu erwähnen, Vertreter des Dritten Standes, die 1789 die Mehrheit der Abgeordneten stellen und als wahre Reform die konstitutionelle Monarchie durchsetzen wollen; in »deren Papiere (sind) bereits alle Pläne enthalten, worin das künftige System vollständig verzeichnet ist! Allein vergebens sehen sie an dem andern Ufer den Leuchtturm brennen ...«[38], die Möglichkeit einer legalen Veränderung wurde von den Ereignissen überholt. Für diese Entwicklung macht Eberhard eine zweite Gruppierung verantwortlich, die er als »falsche Patrioten« bezeichnet und der er die Absicht unterstellt, »die Verwirrung zu verewigen«, um jede legale Lösung unmöglich zu machen. Die usurpatorische Beendigung des Bürgerkriegs scheint ihm daher geradezu zwangsläufig, und vor dem Hintergrund dieser Entwicklung muß die Radikalisierung der Revolution Eberhard zufolge von jedem »unparteiischen Zuschauer« moralisch verurteilt werden, da sich in ihr das Gegenteil legitimer Herrschaft manifestiert.

Jene »falschen Patrioten«, »Bösewichter« und »Demagogen« haben das französische Volk verführt, indem sie es durch unrealisierbare Parolen aufgehetzt, zum Umsturz der alten Regierungsform veranlaßt und immer weiter von einer legalen Herrschaft entfernt haben. Dazu benutzten sie eine Verblendungstaktik, die sich völlig abstrakter Prinzipien bediente, zu denen neben der vollkommenen Gleichheit die »zügellose Freiheit« und der nebulöse Begriff der Volkssouveränität gehörten. Zu Recht schreibt Eberhard diesen letzten Begriff in seiner modernen Bedeutung dem Gedankengut von J. J. Rousseau zu: »Der Zweck der bürgerlichen Gesellschaft ist also, nach Rousseaus Sprache, der Gegenstand ihres allgemeinen Willens. Dieser allgemeine Wille ist unabhängig; und in der Unabhängigkeit dieses allgemeinen Willens besteht die Souverainität ... die Souverainität des Volkes ist unveräußerlich, unantastbar, das Volk ist und bleibt der wahre Souverain.«[39] Als solche vereinigen sich die Untertanen als Bürger und werden zum Urheber allgemeiner Gesetzgebung und zu Trägern einer unveräußerlichen Macht. Nicht zu vergessen ist, daß Rousseau im 18. Jahrhundert als Bürger eines agrarisch strukturierten Schweizer Kantons schrieb, in dem die industrielle Entwicklung und die soziale Mobilität sehr begrenzt waren und die politische Stabilität auf einer oligarchisch organisierten Bürgerschaft beruhte. Eberhards Verständnis der Anwendung des Souveränitätsbegriffs im praktischen Leben in Frankreich führt ihn – der für den radikalen Abbau politischer, sozialer und religiöser Vorrechte und Mißbräuche kein besonderes Interesse zeigt – zu einseitigen und auch unsachlichen Konsequenzen. Er meint, im Radikalisierungsprozeß der Revolution die Manifestation der Volkssouveränität als den einzig möglichen Ausdruck dieses Begriffs in der politischen Welt zu erblicken, und er sieht im Mißbrauch des französischen Volkes durch »politische Charlatane und Sykophanten«, die dem »Pariser Pöbel« schmeicheln, die reale Verwirklichung dessen, was die Interpretation der Volkssouveränität für ein großes Volk in einem weiten Raum ausdrückt. Der Inhalt des Begriffs Volkssouveränität deutet bei Rousseau auf eine größere Affinität zur Republik als zur Demokratie hin, und insofern kann folgender Äußerung zugestimmt werden: »Unter republikanischer Denkweise wird im folgenden ein politisches Ideensystem verstanden, das sich jedem Kompromiß mit monarchischen Strukturen widersetzt, das Volkssouveränität absolut setzt und organisatorisch eine weitergehende Bindung der Regierung an das Volk vorsieht.«[40] Sicher muß in den modernen Staaten mit ihren großen Bürokratien und Apparaten ein Teil der Machtbefugnisse an die Exekutive delegiert werden, dies bedeutet aber keineswegs, auf jene Form demokratischer Kontrolle zu verzichten, die die Freiräume für die politische Willensbildung und den Prozeß ihrer Eigenständigkeit bewahrt und dadurch der Verselbständigungstendenz bürokratischer Apparate und ihrer Herrschaft Grenzen setzt. Eberhards Standpunkt bleibt in dieser Hinsicht ganz dem geistigen Elitarismus konservativer Provenienz verpflichtet, denn er stellt fest, daß »dem Landmanne und dem Handwerker seine Lage so wenig Zeit und Gelegenheit (gibt), seine Verstandeskräfte zu üben«[41], und möchte daher diese und ähnliche Berufe sowohl vom Prozeß der politischen Willensbildung als auch von der Staatsbürokratie ausgeschlossen wissen. Die demokratische Modernisierung der Gesellschaft zeichnet sich nicht nur durch den Abbau oligarchischer Strukturen und ständischer Vorrechte aus, sondern auch durch die Bildung neuer Formen der politischen Partizipation; von einer Verwirklichung des Ideals der direkten Demokratie kann allerdings solange nicht gesprochen werden, als die Bürger der modernen Welt mit den Schwierigkeiten und vielfältigen Widersprüchen der repräsentativen Demokratie zu ringen haben.

Zum historischen Kontext der für den Ausbruch der Revolution mitverantwortlichen ideologischen Faktoren bemerkt Eberhard: »In dem langen Laufe der Jahrhunderte haben sich so viele Quellen der Erbitterung, so viele verwickelte Rechte, so viele durch Verjährung gewordenen Mißbräuche, so viele Saamen der Zwietracht gesammelt, so viele zu rächende Bedrückungen gehäuft«[42], daß sich zwangsläufig Gefühle der Enttäuschung angestaut hatten, deren Leidenschaft während der Revolution noch einmal zusätzlich dadurch an Heftigkeit gewann, daß sich die Anspannung des ganzen seelischen Potentials der Beteiligten im Verlauf der Revolution ungestüm entfaltete. Auch hier besteht wiederum eine Verbindung von realen und ideellen Gründen. Nach dem ersten Schlag gegen die realen und konkreten Übel der Monarchie konnte der Begriff der Volkssouveränität die Massen begeistern und die Revolution vorantreiben, indem in jedem Bürger die Hoffnung zur Mitgestaltung des Gemeinwesens erweckt wurde. Dieser Aussicht auf eine vertikale Beteiligung an der Herrschaft nach dem Verfall der Monarchie folgte bald auch ein Versuch der horizontalen Beteiligung, und zwar im Sinne eines von den Provinzen ausgehenden Bemühens um ein föderatives System: »Mit dem unglücklichen Tage, woran die Monarchie unter ihren Trümmern begraben wurde, erhob sich die Trennung zwischen der Hauptstadt und den Departements; man sah einen Kampf zwischen der Hauptstadt und den Departements; man sah einen Kampf zwischen den Vertheidigern der Einheit und Unzertrennlichkeit der Republik.«[43] Um die oft konträr zueinander stehenden Interessen der Zentralregierung und der Provinzen eines großen Staates wie Frankreich auszugleichen, und das heißt provinziale Selbständigkeit zu beschränken, sieht Eberhard nur ein Mittel: »Nur die Einheit der Regierung, von der alle Bande der Vereinigung ausgehen, verhindert den Ausbruch der Trennung, und nöthigt die Theile, in ihrer bürgerlichen Verbindung zum Ganzen zusammenbleiben.«[44]

In der Theorie Eberhards wird die Revolution selbst als eine Verfallserscheinung dargestellt – vom Zeitpunkt ihres Ausbruchs an manifestiert sich ihre Entwicklung notwendig als negative Erscheinung –, die zum völligen Zusammenbruch führen muß. Vermochten die Freunde der radikalen Demokratie die Kulmination der fortschrittlichen Entwicklung in dem Jahr vom Sommer 1793 bis Juli 1794, die Befürworter einer bürgerlichen Republik in der

Konstitution von 1795 den Höhepunkt des historischen Prozesses erblicken, so bewertet der naturrechtliche Konservative die Tendenz vom Frühling und Sommer 1789 an als das Zerschlagen einer legalen Ordnung und als Übergang von einer staatlichen Ordnung zu einer nichtstaatlichen Unordnung: »Eine Staatsverfassung die verbessert werden soll, muß nicht umgestoßen werden. Ihre Vernichtung führt die Nation, die sich dieser strafbaren Unbesonnenheit schuldig macht, in die Anarchie des Naturzustandes zurück, dessen Greuel desto verderblicher sind und aus dessen Abgrund sie sich desto schwerer zu einem Zustande der Ordnung wieder emporarbeiten kann, je zahlreicher und gebildeter sie ist.«[45]

Der Pessimismus Eberhards bezüglich des Rückfalls einer Kulturnation in die vorpolitische »Anarchie des Naturzustandes« und der »zügellosen Freiheit« wird also durch zwei weitere Faktoren – den Bildungsgrad einer Nation und ihre zahlenmäßige Größe – verstärkt, die die Tendenz des Verfalls nur noch potenzieren: Die Resignation wird so zum Kern der politischen Theorie; Hoffnungslosigkeit und moralische Verurteilung zur Basis dieser Variante des Konservatismus. »Darum sieht jetzt in Frankreich im Zustande der völligen Ungebundenheit die Freyheit der willkührlichen Tyranney so ähnlich, und alles, was jemals gegen den willkührlichen Gebrauch der Gewalt ist gesagt und geschrieben worden, kann und muß auf diese Freyheit durchgängig angewendet werden.«[46]

In Eberhards Idealisierung der Monarchie erscheint diese als Zentrum und Vorbild rationalen Handelns und vernünftiger politischer Entscheidungen. Sie wird zum abstrakten Gegenpol einer Entwicklung, deren bewegende Kraft unkalkulierbar und scheinbar jeder menschlichen Kontrolle entzogen ist: »Die Leidenschaften, womit das ganze Werk begonnen ist, fahren fort ihre Heftigkeit allen Berathschlagungen und Handlungen der Nation mitzutheilen; diesen Leidenschaften entflammen alle Partheyen ... und suchen sich mit eben den blutgierigen Mittel zu vertilgen. ... Die Werkzeuge des ersten Umsturzes fahren fort, mit gleicher blinden Wuth zu wirken, womit sie angefangen haben; und ehrsüchtige Anführer stellen sich an ihre Spitze, um die Unordnung zu verewigen ...«[47] Diese unkritische und einseitige Bewertung ist in einem konservativen Konzept verankert, das für seine Weiterentwicklung den Verlauf der Revolution geradezu als willkommenen Anlaß aufgreift. Eberhards Versuch, Phänomene aus den Revolutionsjahren 1793/1794 aufzugreifen, um schon den ersten beiden Nationalversammlungen jeden rationalen Kern abzusprechen, bedient sich diffamierender und psychologisierender Mittel. Mit willkürlich der revolutionären Bewegung und ihren Führern zugeschriebenen Eigenschaften wie »Heftigkeit, Wut, Unordnung« unterläuft Eberhard gezielt die Komplexität der Entwicklung. Seine Vereinfachung dient lediglich der Diskriminierung und moralischen Verurteilung mit dem Ziel, die positive, scheinbar rationale Struktur der Monarchie um so mehr hervorzuheben. Ferner stellt Eberhard der Rationalität des Individuums die Irrationalität der revolutionären Massen gegenüber – die als politisches Subjekt erstmals die historische Bühne betreten haben –, so daß Quantität und Irrationalität künstlich miteinander verknüpft werden. »Man hat überall das Volk in großen Haufen sich zu den größten Freveltaten entflammen, man hat es überall ein leichtes Spiel in den Händen verschlagener Bösewichter, man hat es tausendmahl gegen seinen eigenen wahren Vorteil handeln und bloß den Antrieben seiner wilden Leidenschaften folgen gesehen.«[48]

J. A. Eberhard schildert ausführlich das Verhalten des »wilden Haufens«, der durch »Bösewichter angeführt und aufgestachelt zu allen Freveltaten ermuntert ist«, und dieser »Pöbel«, der das soziologische Substrat der politischen Ausbrüche zu bilden scheint, schreckt in seinen Ausführungen vor keiner Abscheulichkeit zurück; Plünderungen, Raub, Unterdrückung aller, die nicht der gleichen Meinung sind, kurz: »Die allgemeine Unordnung ist ein erwünschter Schauplatz für alle, die nichts zu verlieren haben und in den Trümmern der öffentlichen Wohlfahrt viel zu gewinnen hoffen.«[49] Diese »Trümmer der öffentlichen Wohlfahrt« und »die allgemeine Unordnung« werden als Anarchie bezeichnet. Der Begriff der Anarchie wird zwar durch den mehrfachen Wechsel der von den Nationalversammlungen beschlossenen Verfassungen legalistisch zu erklären versucht, dennoch gerät er Eberhard zur bloßen Parole. Seine unkritische Verwendung des Begriffs der Anarchie für die historische Entwicklung von 1789 an läßt keine Differenzierung der verschiedenen Stufen der Radikalisierung des revolutionären Prozesses mehr zu; mit dieser Verallgemeinerung verliert der Begriff weitgehend seinen explikativen Charakter und verschleiert letztlich mehr als er erklärt:

»Die alte Verfassung ist abgeschafft, aber eine neue ist nicht sogleich an ihre Stelle gesetzt. Dieser Zustand ist die Anarchie, und er ist ein fürchterlicher Zustand. Er ist zuförderst ein Zustand der Gesetzlosigkeit ...«[50] Diese Definition der Anarchie als »Zustand der Gesetzlosigkeit« trägt den realen Ereignissen keineswegs Rechnung, sie dient vielmehr als Symbol der Negativität, und nur in dieser Vereinfachung fällt es leicht, die Anarchie als Gesetz der Revolution zu bezeichnen und moralisch zu verurteilen: »Alle politischen Schriftsteller und unter ihnen die überspanntesten Lobredner der Staatsrevolution erkennen es, daß jede gewaltsame Veränderung einer Staatsverfassung durch die Anarchie gehen müsse – und die Natur der Sache, wie wir eben gesehen haben, lehrt es eben so wohl als Erfahrung; – sie erkennen, daß die Anarchie ein großes Uebel sey, ein größeres vielleicht, als alle die Uebel von denen die Nation sich hat zu befreyen gesucht; allein sie halten dieses Uebel für nothwendig, um durch dasselbe zu der glücklichen Verfassung zu gelangen, wovon sie das Ideal zu realisieren hoffen.«[51]

Im Vergleich zu Christian Garve, der in seinen Schriften zur Französischen Revolution auch deren positive Seiten hervorzuheben versuchte, konzentriert sich Eberhards Untersuchung faktisch ausschließlich auf die nach dem Niedergange der absoluten Monarchie zunehmend ausbrechenden Machtkämpfe und Gewalttätigkeiten, wie z. B. die Hinrichtungen von 1793/94, für die er – ohne die verschiedenen sozialen Interessen, politischen Programme und Fraktionen auch nur zu erwähnen – retrospektiv schon die erste Nationalversammlung verantwortlich macht. Das nach dem Fall der Monarchie von »Demagogen« verführte »losgelassene Ungeheuer« steuert seiner Meinung nach zwangsläufig – da von allen legalen konstitutionellen Fesseln befreit – auf den Volksdespotismus zu. »Diese Regierung des Volkes kann nie etwas anderes, als der unumschränkteste und wildeste Despotismus seyn ... Der Despotismus ist, wie wir gesehen haben nichts anderes, als die Ausübung der Herrschaft nach vernunftloser Willkür. Alle Herrschaft muß daher nothwendig despotisch seyn, die nicht nach vorhergehender vernünftiger Überlegung und Berathschlagung ausgeübt wird.«[52] Rationale Beratschlagungen zur »Beförderung des gemeinen Wohls« sind Eberhard zufolge aber nur in der absoluten Monarchie möglich – dem Gegenpol des Volksdespotismus. Nur macht es sich Eberhard sehr einfach, wenn er die im *ancient regime* entstandenen Übel nicht der absoluten Monarchie, sondern naturwüchsigen Entwicklungen der Vergangenheit zuschreibt.

V

Das Modell einer naturrechtlich begründeten, uneingeschränkten und erblichen Monarchie ist der Ausdruck eines Kompromisses eines preußischen Philosophen zwischen der Welt seiner Verstandesbegriffe und der empirischen Wirklichkeit. Letztere soll durch die ersteren legitimiert und die Monarchie als die authentische Konklusion vernünftiger Deduktionen dargestellt werden. Die konkrete Wirklichkeit der Monarchie soll zuerst in ihrer realen historischen Entwicklung erfaßt werden, um nachweisen zu können, »daß für die gegenwärtigen großen Staaten von Europa die Monarchie die einzig anwendbare und also die beste Regierungsform ist«.[53] Eberhard rechtfertigt diese absolute Regierungsform anhand einiger Faktoren, die zu ihrer historischen Begründung beigetragen haben. Die Monarchie erhält im Lauf der Zeit Unterstützung durch »Instinkt, Gewohnheit und Reflexion«; angemessen ist sie nur für große Staaten – darin ist sich Eberhard mit Montesquieu einig –, denn die kleinen Gemeinwesen können einen zentralen Mittelpunkt entbehren, in dem sich »Stämme und Sprache« durch Zufall oder planmäßige Verordnungen vereinigen. Die vielfältigen äußeren Bedingungen, wie klimatische, geographische, ökonomische, politische und militärische Aspekte, bilden das Zusammenspiel, das Eberhard als »Gewalt der Umstände« bezeichnet: »Die Gewalt der Umstände mußten anfänglich einem zahlreichen Volke die monarchische Verfassung aufdringen, die es erst, durch einen glücklichen Instinkt geleitet wählte, und in der Folge bey wachsenden Kenntnissen und vermehrter Mannichfaltigkeit der Geschäfte vervollkommnete. Der erste König war ein Feldherr, denn das erste Regierungsgeschäft war der Landesschutz.«[54] Zu den sozialen Voraussetzungen dieser ersten politisch-militärischen Herrschaft zählen eine noch wenig entfaltete Ökonomie und beschränkte Möglichkeiten des Handels, während die moralische Absicherung ihrer Existenz auf Genügsamkeit, einfache Sitten und die Religion zurückzuführen ist. In dieser Phase wird eine erste, sehr einfache Verwaltung vom

König ausgeübt und Herrschaft den Bürgern »instinktmäßig« vermittelt. Der Monarchismus kann sich im Laufe der Zeit auf die Gewohnheit als Basis seiner Legitimation stützen und sich in dieser Form durchsetzen. Eroberungen, Erhaltung der Eroberungen, Rechtsprechung bei Streitigkeiten und der Beginn einer primitiven Administration stellen in den Ausführungen Eberhards den Beginn der europäischen Königreiche dar. Deren Entwicklung und Entfaltung soll dieser spekulativen Geschichtsschreibung zufolge die Keime zur künftigen Vervollkommnung ihrer Verfassung schon enthalten haben. Diese Konstruktion der historischen Entwicklung der Monarchie steht im Kontext zeitgenössischer Geschichtsphilosophien und ist einem linearen Fortschrittsdenken verpflichtet, das allerdings gerade zum Zeitpunkt ihrer Niederschrift durch die Niederlage der Monarchie in Frankreich Schiffbruch erleidet. In Eberhards historischer Skizze konsolidiert sich die feudale Struktur der Gesellschaft im Zuge der Expansion des Christentums, und der hauptsächlich in den Städten entstehende dritte Stand entwickelt sich zu einer weiteren Stütze der Monarchie. Die revolutionäre Entwicklung der absoluten Monarchie wird von der Erfindung der Buchdruckerkunst eingeleitet, durch die »Schulen, Kenntnisse, Aufklärung und Mittheilung der Gedanken und Publicität befördert wurden«[55] und die Monarchie eine quasi reflexive Stufe erlangt. In Eberhards idealisierter Darstellung ist nun der ganze Staatsapparat von aufgeklärten und gebildeten Männern besetzt, und auf diese Weise durch die Bildung »der Grund aller gesetzmäßigen Regierungen gelegt«, in der bei den Beratschlagungen nur nach Gesetzen verfahren wird und die Geschäfte an eine »vorgeschriebene Ordnung und einen regelmäßigen Gang« gebunden sind. »Das ist die weise Organisation der Regierungen der gegenwärtigen uneingeschränkten Monarchien von Europa; und wer wird leugnen, daß eine solche gesetzmäßige Einrichtung für die Sicherheit und Glückseligkeit der Bürger wohlthätig sey?«[56]

Im Gegensatz zu Eberhards Stilisierung, die in konservativer Absicht eine künstliche Identität von Idealem und Realem herbeizuführen versucht, faßt die moderne Forschung dieses historische Stadium der uneingeschränkten Monarchie folgendermaßen zusammen: »Das System absolutistischer Herrschaft ist die der Idee nach konsequenteste Überleitungsformel von einem System moderner politischer Herrschaft ... Die politische Entscheidungsgewalt wird im absoluten Fürsten als dem Repräsentanten aller Untertanen konzentriert.«[57] Vom Gottesgnadentum zur konstitutionellen Monarchie verläuft die Entwicklung über die absolute bzw. aufgeklärte Monarchie – ein Prozeß, den Eberhard vom Naturzustand ausgehend mit dem vernunftgeleiteten Akt des Gesellschaftsvertrages begründet. Da die legalistisch verankerte erbliche Monarchie durch einen Vertrag der rational entscheidenden Bürger ihre Funktionsmöglichkeit erhält, kann diese konservative Richtung als frühbürgerliche oder naturrechtliche bezeichnet werden. Sie sucht ihre Legitimation nicht in überlieferten ständischen Gewohnheitsrechten, sondern möchte sie von den Vertragspartnern rechtlich abgesichert wissen. Im Gegensatz zu Rousseau, der legitime Herrschaft nur in der vollen Verwirklichung der Volkssouveränität begründet sieht, findet sich in den Schriften Eberhards eine vertragstheoretisch begründete Verteidigung der uneingeschränkten, erblichen Monarchie.[58]

Der Hallenser Gelehrte geht dabei von der Annahme aus, daß das vereinte Volk sich eigentlich im Naturzustand, also in einer Situation von Streitigkeiten, Unruhen und gegenseitigem Mißtrauen befindet, dessen Überwindung die Übertragung der Souveränität an eine von allen anerkannte Macht fordert, übrigens ein Akt, der in allen französischen Konstitutionen der Revolutionszeit seinen Ausdruck findet. Eine tatkräftige und effektiv handelnde Regierung kann nur durch die Übertragung der Souveränitätsrechte auf eben diese zu errichtende Exekutive durch alle Vertragspartner ermöglicht werden: »Es ist bewiesen, daß das Recht der Regierung auf dem Unterwerfungsvertrage beruhe, und von einem Vertrag kann kein Theil ohne die Einwilligung des andern abgehen. ... daß das Recht der Regierung zu gebieten und die Verbindlichkeit des Volkes zu gehorchen, darauf beruhe.«[59] Die Rechtskräftigkeit des Unterwerfungsvertrages erfordert die Zustimmung des Herrschers zur Ausübung der monarchischen Gewalt, wie Eberhard an den Beispielen Wilhelm III. und Georg I. zu beweisen versucht, indem er sämtliche Huldigungsakte als symbolische Formen dieser Annahme bezeichnet. Die alle Seiten gleichermaßen verpflichtende Begründung der absoluten Monarchie durch den Unterwerfungsvertrag dient Eberhard ferner dazu, mit der von ihm als Verleumdung bezeichneten Überlieferung abzurechnen, daß die Monarchie ihren Ursprung in der gewaltsamen Unterjochung der Völker durch die Könige hat. Der

Preis allerdings, den die absolute Monarchie fordert, ist hoch, denn »ohne die Souveränitätsrechte, ohne Bedingung der Unabhängigkeit und Unverletzlichkeit«[60] würde der Monarch nicht über die zur Durchführung seiner Aufgabe notwendigen Kompetenzen verfügen. In dem exklusiven Besitze dieser Rechte ist er niemandem verantwortlich, er darf vor kein Gericht gestellt werden und auch nicht mit der Absetzung aus seinem Amt bedroht werden. Zu allen Rechten der Souveränität will Eberhard noch das Vorrecht der Erblichkeit hinzufügen, um die Unruhen, die bei der Elektion in der Wahlmonarchie entstehen könnten – sei es seitens des Volkes, sei es seitens der Elektoren –, zu vermeiden. »Es war ohne Zweifel ein richtiger Instinkt, der die Nationen auf die Erblichkeit ... leitete. Sie fühlten, was wir jetzt durch die Belehrungen der Geschichte wissen, daß ihnen nicht allein eine Monarchie unentbehrlich sey, sondern, daß auch eine gesetzmäßige Abstammung von einem gewissen regierendem Hause das Beste sey.«[61] Auf diese Weise wird die Wirklichkeit der preußischen Monarchie zur rationalen Norm erhoben und ihre Effektivität gegenüber dem Pariser »Pöbel« und seinen Leidenschaften betont. Eberhards Vorstellung einer naturrechtlich begründeten, uneingeschränkten, mit allen Souveränitätsrechten versehenen erblichen Monarchie ist teilweise auch auf Pufendorf zurückzuführen: »Pufendorf zieht die Monarchie allen andern Regierungsformen vor, und zwar weil die Schnelligkeit, mit der in ihr Entscheidungen gefällt und vom König als einzelnem Machtträger ausgeführt werden können, Vorteile gegenüber Aristokratie und Demokratie hat, wo erst Versammlungen zusammentreten müssen.«[62] Hinzuzufügen ist, daß Eberhard – als Kompromiß zwischen Absolutismus und rationaler Norm – für eine Verrechtlichung dieser uneingeschränkten Herrschaft plädiert, allerdings ohne die Übertragung der Souveränitätsrechte in Frage zu stellen.[63] Eine Infragestellung der Souveränitätsrechte würde tendenziell in eine gemischte Regierungsform münden oder eine Volksherrschaft nach sich ziehen, eine Schreckensvorstellung für Eberhard, der die Regierung in einer Demokratie von finsteren Instinkten geleitet unmenschliche Taten vollbringen sieht.

In einer Welt voller Despotismus, Unverantwortlichkeit, Irrationalität und Demokratie kann so der Monarchie die ideale Stabilisierungsfunktion zugeschrieben werden. Die Eindeutigkeit, mit der dies geschieht, ist darauf zurückzuführen, daß sich Eberhard eines abstrakten Schemas eines durch Aufklärungsprinzipien durchdrungenen Absolutismus bedient, ohne die realen militärischen, ökonomischen, ständischen, rechtlichen und theologischen Faktoren in ihrer Konkretheit in seine Argumentation einzubeziehen. So verstanden vermittelt die Monarchie als Ausdruck der Rationalität und vernünftigen Zustimmung beider Vertragspartner die naturrechtlichen Normen, um mit ihrer Hilfe die reale Welt zu gestalten. Möglich wird dies, weil der so oft zu Legitimationszwecken herangezogene Souveränitätsbegriff auf eine besondere Variante des Naturrechts zurückzuführen ist.[64] Anonymität und Unverantwortlichkeit der Herrschaftsausübung sind Eberhard zufolge bereits mit der Verteilung der Macht auf verschiedene Personen gegeben; daher sei der Garant echter und wahrer Regierungsverantwortung der Monarch, »da er weder dem öffentlichen Urtheile noch dem Urtheile seines Gewissens entgehen kann«[65] und sich durch diese Faktoren im Bewußtsein seiner Verantwortung gebunden fühlt, die aber beide nicht im positiven, sondern nur im natürlichen Recht verankert sind: »Diese Auffassung von der Bindung des Monarchen an das göttliche und das natürliche ... Recht – eine Auffassung, die auch von den Monarchen selbst vertreten wurde – hat ihren theoretischen Ausdruck in der Souveränitätslehre Bodins gefunden, wonach der Fürst, der die alleinige Gewalt besitzt Gesetze zu geben und zu brechen, selber über den Gesetzen steht (*legibus solutus*), aber den göttlichen und natürlichen Gesetzen unterworfen ist, ohne freilich eine Kontrollinstanz über oder neben sich oder das Recht des Widerstandes der Untertanen gegen sich zu haben.«[66]

Den aufklärerischen Gedanken, die Nützlichkeit zum Kriterium menschlicher Institutionen zu machen, bezieht Eberhard nun auf die Monarchie, indem er davon ausgeht, daß nur in ihrem Rahmen eine sorgfältige und dem Gemeinwesen am besten dienende Ämterverteilung stattfindet, die eine Auswahl der Staatsdiener nach qualitativen Gesichtspunkten einschließt. Weil der Herrscher die Verantwortung für die ganze Exekutive hat, »so ist das Vertrauen größer und die Aufsicht leichter«; ein Mittelpunkt ist gefunden, der Eberhard zufolge das allgemeine Beste personifiziert. Ein weiterer Vorteil der Monarchie besteht darin, daß schon ihre bloße Existenz die Unumstößlichkeit der Macht garantiert und so »Ruhe und Ordnung« im Staat sichert. Die unumschränkte Dauer monarchischer Herrschaft kann auch mit dem

Argument einer natürlichen Notwendigkeit begründet werden, die als solche die Positivität mit der Norm verkoppelt, die Überwindung gegebener Verhältnisse mittels naturrechtlicher Motive negiert und jene als Auflehnung gegen die Naturnotwendigkeit bezeichnet. Auch im Fall einer durch die Entwicklung der gesellschaftlichen Verhältnisse erforderlich gewordenen Reform soll ausschließlich die Zentralgewalt handeln: Kraft seines Amtes steht es nur dem Monarchen zu, Reformen zu beschließen und durchzuführen, die unter Ausschluß der politischen Artikulation gesellschaftlicher Gruppierungen die monarchistische Regierungsform selbst prinzipiell unangetastet lassen.

Die Quintessenz von Eberhards Darstellung der Monarchie – und darüber vermag auch der von ihm zu Rechtfertigungszwecken herangezogene naturrechtliche Begründungsversuch nicht hinwegzutäuschen – ist die strukturell statische Gesellschaft von Befehlenden und Gehorchenden. Diese Dichotomie steht in direktem Gegensatz zu der in gewissen Naturrechtslehren begründeten Theorie von der natürlichen Gleichheit aller Freien; und die Konstruktion anderer Prämissen führte bei Eberhard schließlich zur konservativen Wende einer im Grunde fortschrittlichen Lehre.

VI

In seiner Vorlesung *Ueber die Zeichen der Aufklärung einer Nation* aus dem Jahre 1783 erwähnt Eberhard als drittes Zeichen der Aufklärung einer politischen Gesellschaft die Annäherung der Stände, die vor dem Hintergrund der abnehmenden Bedeutung des Lateinischen als Verkehrssprache durch den allgemeinen Gebrauch der Volkssprache zusätzlich gefördert wird. Eberhard kommentiert diese Entwicklung, die von Italien über Frankreich und England nach Deutschland verläuft, mit den Worten: »Dieser Unterschied ihres Anfangs wirkt vielleicht noch jetzt in der Verachtung fort, womit die früher aufgeklärten Völker die später aufgeklärten anzusehen pflegten.«[67] 1783 ging vielleicht noch die herablassende Haltung von französischer Seite aus, der revolutionäre Prozeß hingegen führte bei Deutschen wie Eberhard zur umgekehrten »Verachtung«. In seinen Angriffen gegen die Möglichkeit der Existenz der bürgerlichen Gleichheit meint er, da man nicht alle Menschen erheben kann, so mögen die Dinge herabgesetzt werden, denn: »Gänzliche Gleichheit würde Herabsetzung des Höheren zum Niederen sein.«[68] Mit dieser These antizipiert der durch die französischen Ereignisse verschreckte deutsche Professor eine Nivellierungstheorie, wie sie unter veränderten Vorzeichen ein halbes Jahrhundert später der französische Gelehrte Alexis de Tocqueville aus seinen Betrachtungen *Über die Demokratie in Amerika* ableitete. Eberhard zufolge haben sich in Frankreich in den radikalen Revolutionsjahren die »Großen« den »Kleinsten« anzupassen versucht, indem sie deren Kleidung adaptierten, sich die Haare abschneiden ließen, Schnurrbärte anbanden und dadurch den Ausdruck der allgemeinen Gleichheit in der allgemeinen Verwilderung fanden. Historisch gesehen seien sogar in den heroischen Zeitaltern der Völker ständische Differenzen und allgemein ein hoher Grad von Ungleichheit anzutreffen. »Wir müssen zu den Wilden hinaufsteigen, wenn wir eine völlige Gleichheit finden wollen.«[69] In diesem Zustand der Wildheit ist alles »an Armuth, Rohigkeit und Stupidität« gleich, und Eberhard sieht die französische Gesellschaft auf genau diesem Weg, falls sie die »völlige Gleichheit« anstrebt, denn seiner Meinung nach sind schon die ersten Schritte zur Kultur dadurch gekennzeichnet, daß sich einige »durch Weisheit, Künste und gebildete Sitten hervorheben«.

Natürlich ist zu dieser Zeit und bei einem Schüler Christian Wolffs die Auseinandersetzung mit dem Gleichheitsproblem hauptsächlich in die Behandlung der Naturrechtslehre eingebettet, und nachdem Eberhard die Hobbessche Vorstellung des Naturzustandes ebenso wie die Rousseausche Idylle des zweiten *Discours* als Modelle verworfen hat, stellt er die gesellschaftlichen Bedürfnisse in den Vordergrund – wie dies bereits von Grotius und Pufendorf in Anlehnung an Aristoteles vorgeschlagen wurde –, um auf diese Weise die Befriedigung der menschlichen Vermögen, Bedürfnisse und Vergnügen der Gesellschaft zu übertragen.[70] Diese konstituiert und legitimiert sich durch den freiwillig geschlossenen Gesellschaftsvertrag, der Basis aller anderen Verträge ist. Der Vertrag wird von Subjekten geschlossen, die die Fähigkeit besitzen, ihre Situation richtig einzuschätzen und vernünftige Konsequenzen daraus zu ziehen. Obwohl Eberhard die rechtliche Gleichheit aller Vertragspartner als Bedingung ihrer Vereinigung betrachtet, schließt er die Möglichkeit nicht aus, daß durch ökonomische Faktoren bedingt schon im Naturzustand eine rechtliche Ungleichheit eintreten kann. »Sobald es nämlich Eigenthümer von Vieh oder von Grundstücken giebt, so werden einige, die dergleichen Eigenthum nicht haben, den Eigenthümern ihre Dienste gegen ihren Unterhalt versprechen; es wird also Herren und Dienende geben. Die rechtliche Gleichheit, die auch hier zurückbleiben wird, erstreckt sich alsdann auf diejenigen angeborenen Rechte, denen niemand entsagen kann.«[71] Diese angeborenen Rechte führt Eberhard in einem Artikel über die Menschenrechte, wie sie auch im Dekret der französischen Nationalversammlung angegeben sind, im einzelnen auf:

1. das Lebensrecht, das die Erhaltung der Kräfte des Körpers und der Seele umfaßt;
2. das Recht auf Sicherheit, das in Ansehung des Lebens und Vermögens seine Anwendung findet;
3. »das angeborene Recht auf Freyheit;
4. das Recht der Freyheit zu denken;
5. das angeborene Recht auf seinen ehrlichen Namen;
6. das Recht auf die Befriedigung seiner Naturtriebe;
7. das Recht auf die Erwerbung seines Unterhalts durch Arbeit«.[72]

Zu diesen unter dem besonderen Schutz des Staates stehenden Rechten zählt allerdings nicht das Recht auf Gleichheit, im Gegenteil, die Existenz des Staates basiert auf der Ungleichheit der menschlichen Natur. Da das Bemühen des Staates um innere und äußere Sicherheit als Staatszweck nicht ausreichend ist, fordert Eberhard – als Schüler Wolffs – staatliche Vorsorge für die »Wohlfahrt« der Bürger, die neben medizinischen und materiellen Aspekten auch die Bildung und das Erziehungswesen einbezieht. Die organisierte bürgerliche Gesellschaft garantiert also die Vollkommenheit der angeborenen Rechte und bietet so den Menschen die Vorteile des bürgerlichen Zustandes gegenüber dem natürlichen, denn »zu ihrem Schutze wurde die bürgerliche Gesellschaft und mit ihr die bürgerliche Ungleichheit eingeführt«.[73] Die historische Entwicklung der menschlichen Gesellschaften führt schließlich zu einer erweiterten Komplexität, in der die Besonderheiten und Verschiedenheiten der Menschen zunehmend krasser zum Vorschein kommen. »Je mehr sich eine Nation vervollkommet, tut sich Ungleichheit in derselben hervor; Ungleichheit der Verstandeskräfte, Ungleichheit der Glücksgüter, Ungleichheit der Stände. Diesen vielen Ungleichheiten muß nothwendig die politische Ungleichheit angemessen werden, wenn die Regierung die Geschäfte, ja selbst die Ordnung und Ruhe im Staate nicht leiden soll.«[74] Daraus erhellt, daß Eberhard anstatt der alten Hierarchie im Absolutismus des Gottesgnadentums eine neue hierarchische Struktur der Gesellschaft befürwortet, deren Charakter als funktionalistisch im Sinne einer normativen und optimalen Absicherung der Staatsgeschäfte bezeichnet werden kann. Das konservative naturrechtliche Argument der Ungleichheit der menschlichen Natur läßt nicht nur das Theorem der Gleichheit aller Freien vor dem Gesetze Makulatur werden, sondern es beraubt darüber hinaus den dritten Stand seiner schärfsten theoretischen Waffe zur Veränderung der gesellschaftlichen und politischen Verhältnisse: des Anspruchs auf Universalität.

Die Verschiedenheit der menschlichen Natur wird zum metaphysischen Prinzip erhoben[75] und korrespondiert mit der Einteilung der Funktionen, die ein authentisches Gemeinwesen im Sinne Eberhards seiner Regierung abverlangt. In diesem Sinn wird die Mannigfaltigkeit zum staatstragenden Prinzip erhoben und unkritisch eine Einheit hergestellt, in der Veränderungen, die der Einführung gleicher Rechte dienen, unerwünscht sind: »So hat sie (die Natur, Z. B.) auch gewollt, daß die Bürger eines Staates ungleiche Kräfte haben und durch diese auf eine ungleiche Art zu dem Besten desselben mitwirken.«[76] Die von der Natur auf die Gesellschaft übertragene Hierarchie bestimmt deren *telos* und verurteilt einen Teil der Menschen zu gewollter und dauerhafter Unmündigkeit. Zu Kants Rede vom »Ausgang aus selbstverschuldeter Unmündigkeit« kann es daher bei Eberhard keine Entsprechung geben: Unmündigkeit ist Schicksal. Wer von der Natur zur Unmündigkeit bestimmt ist, dient der Obrigkeit und bleibt von gesellschaftlichen Partizipationsmöglichkeiten ausgeschlossen, denn diese sind nur einer Elite vorbehalten: »Die Natur beruft den durch Kenntnisse, Verstand und Tugend ausgezeichneten zum Befehlen; sie bestimmt den Unmündigen zum Gehorchen.«[77] Auf diese Weise wird das Naturrecht in seiner ursprünglichen Form, die eine vernünftige Norm für die rechtliche Gleichheit postuliert, für eine technokratische Hierarchie mit moralischem Schein instrumentalisiert und, indem das Recht auf formelle Gleichheit von dem Begriff der rational wirkenden Natur getrennt wird, in konservativer Absicht umfunktioniert.

Eberhard entwickelt in seinen Ausführungen eigentlich die Maßstäbe einer bürokratisch-technokratischen Meritokratie, die den Staat funktionsfähig machen soll. Vielleicht ist er gerade mit dieser Forderung der modernen Gesellschaftsstruktur näher, als er selbst annehmen konnte und wollte. Dieser konservativen Ausrichtung auf Eliten und eine statische Gesellschaft müßte mit weitgehenden partizipatorischen Modellen der politischen Willensbildung, d. h. mit universeller Beteiligung an gesellschaftlichen Entscheidungsprozessen begegnet werden. Eberhard vermeidet aber alles, was die Spaltung zwischen Regierenden und gehorchenden Untertanen in Frage stellen könnte; auch jede Möglichkeit der Mobilität soll *a priori* ausgeschaltet sein. Weitere konservative Elemente in Eberhards Denken sollen nun anhand seines Freiheitsbegriffs diskutiert werden.

VII

»Das moderne Zeitalter steht vor allem im Zeichen subjektiver Freiheit. Diese verwirklicht sich in der Gesellschaft als privatrechtlich gesicherter Spielraum für die rationale Verfolgung eigener Interessen, im Staat als prinzipiell gleichberechtigte Teilnahme an der politischen Willensbildung, im Privaten als sittliche Autonomie und Selbstverwirklichung, in der auf diese Privatsphäre bezogenen Öffentlichkeit schließlich als Bildungsprozeß, der sich über die Aneignung der reflexiv gewordenen Kultur vollzieht.«[78] Unter diesen Voraussetzungen müßte Eberhard, zumindest soweit es die Anwendung dieses Freiheitsbegriffes auf die staatliche Sphäre betrifft, als vormoderner Denker bezeichnet werden, der »die prinzipiell gleichberechtigte Teilnahme an der politischen Willensbildung« nicht für wünschenswert hält und sich mit der politischen Praxis des absolutistischen Staates identifiziert. Aber auch er erkennt das Freiheitsthema als ein neuzeitliches an, dessen Problematik sich durch die historische Entwicklung und die Naturrechtslehre nur intensiviert hat. Wie andere Denker seiner Zeit glorifiziert er die antike *polis* und deren Mitglieder: »Sie waren gut und mußten also glücklich sein.«[79] Die Idealisierung des Zustands einer vom patriotischen Gefühl veranlaßten völligen Hingabe und Identifizierung mit dem Gemeinwohl erlaubte die Gleichsetzung von moralischen und politischen

Tugenden, deren Verwirklichung als Garant des Glücks galt, eine These, die auch bei dem schottischen Moralphilosophen A. Ferguson anzutreffen ist.[80] Natürlich war diese Einheit von Individuum und Staatsgesellschaft, von Tugend und Glück, auch für Eberhard nur eine zeitbedingte, denn gewisse Formen einer verfeinerten Kultur weckten später »das Laster«, das zur Entfaltung der Individualität beitrug, die ursprüngliche Einheit von Einzelnem und Gemeinwohl zerbrechen ließ und zu der Entzweiung führte, die in der modernen Welt vorherrscht. Auf diesen Bruch folgten verschiedene Gesellschaftsformen, die aber nicht jene subjektive Freiheit zum *telos* hatten, da zu ihrer Entfaltung noch viele Faktoren fehlten.

Eberhards Auseinandersetzung mit dem Freiheitsbegriff wurde nicht erst durch die Französische Revolution ausgelöst. Seine »Freundschaftlichen Streitigkeiten mit einigen jungen Republikanern« brachten ihn schon 1784 dazu, seine Ansichten zu artikulieren, die er im Laufe der Revolutionsjahre durch die intensive Beschäftigung mit dieser politischen Thematik bestätigt fand. Den Ausgangspunkt bildete eine Verteidigung der politischen Praxis der preußischen Monarchie gegenüber einer abstrakten Freiheitstheorie. Eberhard mißt in diesem Zusammenhang dem Freiheitsbegriff verschiedene – zeitgenössische – Bedeutungsebenen zu: »Es giebt eine Freyheit des Naturstandes, es giebt eine bürgerliche, und eine politische. Die erste genießen wir außer der bürgerlichen Gesellschaft ... und also alles thun dürfen, was wir wollen können, ohne durch eine obrigkeitliche Gewalt zurückgehalten zu werden, wo aber auch ein jeder anderer sich alles gegen uns erlauben darf ..., ohne daß wir von einer obrigkeitlichen Gewalt geschützt werden. In diesem Zustande kann also die Freyheit in Zügellosigkeit ausarten.«[81] Um dies zu verhindern, verbinden sich die Menschen, verzichten auf diese Art ungebundener Freiheit des Naturzustands und unterwerfen sich einer souveränen Autorität. Nur diese verspricht dem Menschen die bestmögliche Erhaltung einer durch die politische Gesellschaft begrenzten Freiheit: »Die Unterthanen in einem Staate sind frey, wenn ihre natürliche Freyheit nicht mehr eingeschränkt ist, als es das öffentliche Wohl und die Vorschrift der Gesetze des Staates erfordert.«[82] Menschliches Zusammenleben, auch wenn es nicht so harmonisch verläuft wie es die Aufklärer angenommen haben, verlangt den vernünftigen gesellschaftlichen Zusammenschluß, die Abstimmung der gemeinsamen Ziele dieser bewußten Vereinigung und die Zustimmung zu den Mitteln, mit denen Zwecke erreicht werden sollen. Die maximale Freiheit in einer organisierten Gesellschaft kann nur von Zwecken und Mitteln begrenzt werden und auf diese Weise alle Mitglieder des Gemeinwesens binden, mögen sie an der Regierung partizipieren oder die Souveränität einem Monarchen übertragen haben. Wird in den Naturrechtslehren gewöhnlich der Naturzustand der Freiheit logisch als präpolitischer verstanden, der zeitlich der Vergangenheit angehört, so entwickelt Eberhard eine kreisförmige Theorie, in der der Naturzustand nach einer zukünftigen Auflösung der gesellschaftlichen Bande wieder zum Schicksal der Mitglieder eines die rechtliche Freiheit hinter sich lassenden Staates werden kann. Eine konservative Theorie kann in der Politik den aufklärerischen Glauben an einen gradlinigen Progreß nicht akzeptieren; eine Kreisbewegung scheint ihr – angesichts der Konstante der unveränderlichen menschlichen Natur – daher viel wahrscheinlicher.

Der Ruf nach der abstrakten, vollkommenen Freiheit animiert Eberhard zufolge die Untertanen dazu, die Ordnung des monarchischen Staates, der diese Freiheit verweigert, untergraben und zerstören zu wollen, um auf diese Weise jede gesetzliche Organisation aufzulösen. Die Abstraktion der politischen Parolen, durch die »Demagogen« ins Leben gerufen, stellt politische Ziele über die politische Wirklichkeit und versetzt die Kämpfe zu ihrer Verwirklichung in einen »Taumel«, der realitätsfremd ist und sich kontraproduktiv auswirkt: »Darum sieht jetzt in Frankreich im Zustande der völligen Ungebundenheit, die Freyheit der willkürlichen Tyrannei so ähnlich, und alles, was jemahls gegen den willkürlichen Gebrauch der Gewalt ist gesagt worden, kann und muß auf diese Freyheit durchgängig angewendet werden.«[83] In dieser abstrakten Analogie zwischen einer willkürlichen Despotie, wie sie ein Nero praktiziert hat, und der revolutionären Regierung von 1793/94 wird der konservative Zug Eberhards, der jeden Versuch einer Transzendierung der politischen Realität als gefährlich verurteilt, sichtbar. Angemessener und für ein stringentes Verständnis viel notwendiger wäre es, gerade die Differenzen zwischen einem Caligula und einem Robespierre und ihren historischen, politischen und sozialen Voraussetzungen herauszuarbeiten, ohne anhand fiktiver Vergleiche abstrakte moralische Urteile über die »wilde Freiheit« und die »Tyrannei« zu fällen.

»Die deutschen Intellektuellen wandten sich insgesamt von den Pariser Ereignissen ab, weil dort angeblich der freie Gebrauch der Vernunft den *terreur* heraufbeschworen hatte.«[84] Die vordergründige Identifikation von freiem Vernunftgebrauch und Terror wird der historischen Wahrheit nicht gerecht, und Eberhards Ausführungen können einmal mehr keine Allgemeingültigkeit beanspruchen. Nach dem gleichen Muster verläuft auch die Argumentation vom Abbau der Mißstände einer absoluten Monarchie über die »zügellose Freiheit« zurück zum Naturstand, wo sich dann der Kreis schließt; dies alles ohne auch nur den Versuch zu unternehmen, die politische Emanzipation des Bürgertums im revolutionären Prozeß als Ergebnis widersprüchlicher Kräfte zu analysieren. »Man sagt ihm (dem Volk, Z. B.), daß es durch die Umstoßung seiner gesetzmäßigen Verfassung, seine Freyheit erobere; es glaubt also seine Freyheit am vollständigsten in einem gesetzlosen Zustande zu finden. Dieser Zustand, worin es keine bürgerlichen Gesetze und Einrichtungen giebt, ist der Naturstand, den wir eben verlassen haben.«[85]

Der Weg zur »Anarchie« und »Zügellosigkeit«, zur »natürlichen Freiheit« zurück führt im konservativen Selbstverständnis der damaligen Zeit über die politische Freiheit, die entweder die Partizipation der Bürger am Prozeß der politischen Willensbildung zu ihrem Prinzip hat, oder aber die radikale Demokratie, die Eberhard wenigstens kleinen Gemeinwesen zuzubilligen bereit ist. Eine mögliche Regierung der ganzen Bürgerschaft, oder aber eines großen Teils von ihr, muß geographisch begrenzt sein, da soziale Homogenität, gegenseitige Bekanntschaft (*filia* – schon bei Aristoteles für eine *polis* begrenzt), gemeinsame politische Verantwortung, ein ökonomischer Mittelstand ohne größere Differenzierung – nach Rousseau die soziale Basis einer kleinen demokratischen Gemeinschaft – nur in kleinen Gemeinwesen möglich sind. Diese Art von *libertas* würde sich in einem großen Staat als ungenügend und unvollkommen erweisen: »Denn die politische Freyheit würde für die guten und gemässigten Bürger ein Unding seyn, indem sie ihnen bey jeder Gelegenheit durch die Gewaltthätigkeiten der Rotten und Factionen vereitelt würde.«[86] Insgesamt würde sich also die Situation für die Durchschnittsbürger in einem großen Staat verschlechtern, und dies alles wegen der politischen Freiheit, in deren Namen und um deren Geltung willen sich ein Prozeß der Radikalisierung entwickelt und verselbständigt, der das Gleichgewicht des *status quo* stört. Das Streben nach vollständiger Verwirklichung der politischen Freiheit in einer großen politischen Einheit setzt also eine kreisförmige Rückwärtsbewegung frei, die schließlich in einem dialektischen Umschlag zum Verlust der gesetzmäßigen Freiheit führt und sich zum Ausgangs- und Schlußpunkt der menschlichen Entwicklung in der Gesellschaft überhaupt hinbewegt: dem Naturzustand.

Eberhard meint, die politische Freiheit sei »die Theilnahme an der Souveränität. Je mehr Bürger in einem Staate an dieser Theil nehmen, desto größer ist seine politische Freiheit«.[87] Ihre volle Verwirklichung könne nur in der Demokratie stattfinden, in der es keine nennenswerten Differenzen zwischen den Bürgern gibt und staatsbürgerliche Gleichheit vorherrscht. Da die politische Freiheit konstitutiv für die Demokratie ist, leuchtet es ein, warum der Hallenser Gelehrte in ihr gerade nicht den vornehmsten Ausdruck politischer Weisheit erblicken kann. In seinem konservativ-elitären Denkansatz darf es keine gleichen Bürgerrechte geben. An den Souveränitätsrechten und -pflichten dürfen nicht alle »Familienhäupter« gleichen Anteil haben, denn diese sind den Führungseliten mit dem Monarchen an der Spitze vorbehalten. Das liberal-demokratische *credo* beinhaltet den Abbau von Vorrechten und ist gegenüber neuen, aufsteigenden sozialen Gruppierungen offen, seine Haupttendenz besteht in der Opposition gegen die Exklusivität politischer Herrschaft; im Gegensatz dazu zeichnet sich der Konservatismus zu Eberhards Zeiten durch soziale und politische Prärogative ebenso aus wie durch die Exklusivität und den Elitarismus der höfischen Gesellschaft.

Wenn behauptet wird, »in den Versuchen der Begründung politischer Freiheitsrechte ist der Schlüssel für das moderne politische Denken zu suchen«[88], so kann gerade an diesem Beispiel die Ambivalenz in Eberhards Denken verdeutlicht werden. Die demokratischen Freiheitsrechte, die in den »Freystaaten« praktiziert werden, können seiner Meinung nach nicht als Garanten der nötigen Freiräume fungieren, die allen Untertanen zukommen sollen. So ist Eberhard zufolge in den Schweizer Republiken »die Freyheit zu denken ... und zu schreiben« geringer und in England sind die Steuern und Strafen härter als in den uneingeschränkten Monarchien[89], eine Behauptung, die in dieser Form sicher nicht haltbar ist. Auch glaubt er, zu viele Gesetze, die die Freiheitsrechte einschränken, in den Demokratien vorzufinden, Gesetze, die eine Reglementierung des Lebens bewirken und dadurch keine Freizügigkeit im persönlichen Geschmack und in der Ausübung von »Wohltaten« zulassen. Es drängt sich der Eindruck auf, daß in solchen Reflexionen über die politische Freiheit ein Sparta oder das calvinistische Genf als Kronzeugen dienen; die unbewiesenen Verallgemeinerungen, in denen die Ausübung der politischen Freiheit nur einem wohldisziplinierten und primitiven Gemeinwesen angemessen ist, haben scheinbar nur einen Zweck: den Vorrang der bürgerlichen Freiheit vor der politischen festzuhalten und die Ehrfurcht vor der preußischen Monarchie zu propagieren: »Und können sich nicht die aufgeklärtesten Monarchien einer Gesetzgebung und Staatsverwaltung rühmen, die die Gesetzgebung und Staatsverwaltung mancher Republiken übertrifft? Wer kann der preussischen Monarchie diesen Ruhm absprechen?«[90]

Eberhards Definition der bürgerlichen und politischen Freiheit ändert sich im Zeitraum von 1784 bis 1793 kaum. Im Jahre 1784 konstatiert er »das Recht in Ansehung der Handlungen, die nicht durch die Gesetze bestimmt sind, zu thun und zu lassen, was mir gut dünkt. Je mehr meiner Handlungen durch die bürgerlichen Gesetze bestimmt sind, desto geringer ist meine bürgerliche Freyheit, je weniger, desto größer ist sie«.[91] In dieser Sicht der naturrechtlichen Tradition geht in die bürgerliche Freiheit des Untertanen ein Rest der natürlichen Freiheit ein, die zwar verfassungsrechtlich verankert ist, aber ihre Existenz allein durch eine Ordnung und Gesetze, die die »Wohlfahrt des Ganzen zum Zweck haben«, absichert.[92] Eigentlich nur in dieser Form der bürgerlichen Freiheit akzeptiert Eberhard die »Freiheitsrechte als Garantie für eine staatsunabhängige individuelle Entscheidungssphäre«[93] und hält Freiräume für legitim, in denen sich das Individuum in einer vom absoluten Herrscher bewilligten und domestizierten »Freiheit« bewegen darf. Wie auch immer diese Freiheit beschaffen sein mag, die Individuen können mit diesem vom Herrscher zugelassenen Freiheitsgrad nur als Objekte herrschaftlichen Willens ihr Recht auf Freiheit ausüben, während sie im Hinblick auf die politische Freiheit als autonome Subjekte zu agieren hätten. Es entsteht der Eindruck, daß es sich bei der bürgerlichen Freiheit um eine politisch-obrigkeitsstaatliche Bevormundung handelt, die für den von ihr gewährten Grad der Freiheit im Gegenzug den Bürgern Wohlwollen abverlangt, um sie in dieser passiven Zustimmung von der politischen Betätigung fernzuhalten. Dazu gesellt sich auch die Beschwörung der »innern Freiheit«, ein aus der deutschen Geistesgeschichte der damaligen Zeit nicht unbekannter Topos. Der Ausschluß der bürgerlichen Individuen von der politischen Willensbildung verhindert die Entfaltung eines Wettbewerbs zwischen den in der politischen Sphäre konkurrierenden einzelnen und trägt zur Konservierung von ökonomischer und politischer Herrschaft bei.

VIII

Eberhard ist zwar diesem besondern Typus der älteren Naturrechtslehre verbunden, räumt aber in seinen Darstellungen der Gesellschaft, ihren Aktivitäten, Einstellungen und Untergliederungen keinen geringeren Platz ein als dem Individuum. Schon im Bereich der Empfindungen behandelt er die »geselligen Empfindungen«, die das Subjekt mit der gegenständlichen Welt zu einer neuen Einheit verschmelzen.[94] Eine Gesellschaft wird als Ausdruck eines zweckrationalen Zusammenschlusses bezeichnet, der die Einwilligung der einzelnen voraussetzt und sich den aufklärerischen Gedanken der Nützlichkeit bei der Bildung der sozialen Einheit zu eigen macht. Zweck der Assoziation ist »die Ruhe, Sicherheit und Genügsamkeit«[95], Werte, die dem *telos* der Vereinigung zum Staat zugrunde liegen. Eberhards Ziel ist es, mit seiner Begründung über Locke und Pufendorf hinauszugehen, die den Staatszweck nur mit dem Sicherheitsbedürfnis rechtfertigen. Um sich zu ernähren, beginnt die Gesellschaft mit der Bearbeitung des Bodens, schließt andere von ihrem neuerworbenen Eigentum aus, und auf diese Weise wird »der Ackerbau eine starke Bewegursache zur Gesellschaft überhaupt«.[96] In diesem frühen Zusammenschluß herrschen noch »Aufrichtigkeit, Natürlichkeit, Unschuld«, die durch Bildung und Aufklärung in den vollkommensten geselligen Charakter münden können. Die gesellige Verbindung – wie sie schon Ch. Wolff verstand – bringt es mit sich, »daß in der Gesellschaft der Theil durch das Ganze verbessert werde«[97], und befördert dadurch eine überindividuelle Perspektive, die schließlich zur gesellschaftlichen Verantwortung führt. Ganz im Sinne dieser Wechselbeziehung zwischen Individuum und Gesellschaft vertritt Eberhard die These, daß auch das moralische Gefühl des einzelnen »von jeher von der herrschenden

Religion und den politischen Gesetzen und Verfassungen gebildet worden (ist)«.[98]

Ein Topos des gesellschaftlichen Lebens, der zu dieser Zeit des öfteren in der Literatur behandelt wird, ist die Mode. Diese stützt sich auf die Gewohnheit, das Schöne und Angenehme zu betrachten, und dabei schöpft sie aus den meisten Lebensbereichen, wobei Eberhard betont, daß die uns heute reizende Neuheit morgen schon vergessen sein wird: »Die Mode mag dieselbige bleiben, aber wir bleiben nicht dieselbigen. Sie gefiel uns, so lange ihr Anblick neu war, sie mißfällt uns, seitdem wir uns daran satt gesehen haben.«[99] Der Zustand, daß immer dem Neuen nachgejagt wird, mag sicher für den Produzenten neuer Waren von Vorteil sein, bringt aber für die Gesellschaft auch nachteilige Folgen mit sich. Eberhard führt die Mode auf in der jeweiligen Gesellschaft vorherrschende Sitten zurück, die er zum großen Teil durch Gewohnheit und Gebräuche bestimmt sieht.

Die mit diesen Beispielen angedeutete »sozialwissenschaftliche« Komponente seiner politischen Philosophie soll nun anhand seiner Ausführungen zur ständischen Gliederung der Gesellschaft vertieft werden. Eberhard erweitert die dominante Stellung des preußischen Adels in Zeit und Raum, wobei er räumlich die europäische Einheit des Adels »als eine Nation (mit) einerley Sitten«[100] bezeichnet und zeitlich eine Einheitlichkeit der Entstehung des Adels konstatiert, »der in allen Reichen von Europa aus einer gemeinschaftlichen Quelle entstanden ist«.[101] Das Wort Adel stammt etymologisch von ›edel‹ ab und bezog sich in dieser synonymen Bedeutung ursprünglich auf den inneren Wert des Menschen. Im Zuge der sozialen und ökonomischen Entwicklung wird jedoch deutlich, daß es ständische Vorrechte im Hinblick auf ›innere Werte‹ auf die Dauer nicht geben kann. Der bürgerliche Stand, »der durch seine Menge, seine Kultur, seine Aufklärung, seinen Reichthum, seinen Handel, seinen Kunstfleiß und seine Verdienste sich eine gerechte Ordnung erworben hat«[102], entwickelt sich im Kampf um die gesellschaftliche Vormachtstellung zunehmend zur Konkurrenz des Adels.

Das adelige Eigentum allerdings, dessen Ursprünge im Lehenssystem verankert sind und das im Laufe der Zeit zum Gewohnheitsrecht wurde, darf Eberhard zufolge nicht angetastet werden, und zwar aus Rechtsgründen, die für jedes Eigentum Geltung besitzen: Besitz und Vertrag. Zwar haben verschiedene Herrscher eine

Einengung diverser Vorrechte, wie z. B. des Faustrechts, vorgenommen, damit »sie nicht zum Schaden des Ganzen« werden, aber angesichts der historisch gewachsenen Rechte des Adels kann doch letztlich dem ersten Stand nur vorgeschlagen werden, auf die Anwendung seiner Rechte zu verzichten, wie z. B. bei Steuerbegünstigungen. Eberhard verzeichnet in diesem Zusammenhang mit großer Genugtuung, daß der Adel in Deutschland bei den Kriegsrüstungen freiwillig seinen Anteil übernommen hat, nachdem er dies Jahrhunderte nicht tat. Die Begründung Eberhards ist aber schon mehr der modernen Gesellschaftslehre als der Gewohnheit adeliger Vorrechte entnommen: »Ein System der genauesten Verhältnismäßigkeit in der Vertheilung der öffentlichen Abgaben ist eine Vollkommenheit der Staatsökonomie«[103], der sich ebenso anzunähern angeraten wird wie einer richtigen Proportion bei der Verteilung der Staatsämter. Die Bereitschaft des Adels vorausgesetzt, sich den modernen Maßstäben der Leistung anzupassen, soll dieser keineswegs entmachtet oder auch nur entehrt werden, da sich hinter seinen historisch überlieferten Vorrechten sowohl historisch gewachsene Würde als auch innerer Adel verbergen. Das Resultat dieser Untersuchungen, die Eberhard als treuer Untertan der preußischen Krone unternimmt und in denen er den Interessen der Krone, des Adels und der neuen Rolle des aufsteigenden dritten Standes gerecht werden will, dieses Resultat kann als die Ciceronische *Concordia omnium* zusammengefaßt werden: »Der Regent, der Adel und der dritte Stand haben alle in gleichem Maaße das größte Interesse, keinem von beiden Ständen den andern unterdrücken zu lassen, und alle gerechten Ansprüche beider Theile durch Weisheit und Gerechtigkeit zu vereinigen.«[104] Dies ist im Prinzip auch die Basis des englischen Kompromisses von 1688, der im politischen Leben verwirklicht wurde. Da aber in den deutschen Ländern mangels eines entwickelten Bürgertums die Politik weit mehr durch die Fürsten bestimmt wurde als in England, kann diese ständische Harmonie nicht durch politische und soziale Kräfte vermittelt werden, sondern nur durch die Wissenschaften und Künste, also nur im idealen Bereich: »Es ist eine rühmliche Tendenz der Wissenschaften und Künste, durch die Veredelung des Verstandes und des Herzens die Humanität über alle Stände und Klassen der Menschen zu verbreiten. Das würde ihr größter Triumph seyn.«[105]

Eberhards sozioökonomische Ansichten tragen durchaus schon Züge des neuen bürgerlichen Selbstbewußtseins. So trägt er zum Beispiel zur Aufwertung der menschlichen Arbeit bei und dokumentiert seine Nähe zur bürgerlichen Ideologie, indem er folgenden Satz einem Mann von Adel in den Mund legt: »Ich fange an zu begreifen, daß Arbeit nicht unglücklich macht, und daß, wenn die Bedürfnisse gering sind, auch zu ihrer Befriedigung nicht viel erfordert wird ..., und indem ich diese vermehre, werde ich der Beförderer der Glückseligkeit des Fleißes in den Hütten seyn.«[106] Dennoch bleibt er ganz im Geiste seiner Zeit den traditionellen Formen der Landarbeit verbunden, für die Knechtschaft und Leibeigenschaft als Formen menschlicher Arbeit und als Basis der sozialen Organisation kennzeichnend sind. Eberhard befürwortet einerseits Neuerungen wie z. B. moderne Produktionsmittel, hält aber andererseits auch für das städtische Leben noch an den Innungen und Zünften fest, sofern sie als Organe der Bürgerschaft fungieren: »Denn da wo die Bürger über öffentliche Angelegenheiten beratschlagen und Schlüsse fassen können, ist eine Abtheilung der Bürgerschaft in kleine Korporationen nöthig und da hat man keine bequemere gefunden, als die schon vorhandene der Innungen.«[107] Es geht Eberhard bei der Lösung von politischen und sozialen Problemen nicht um eine freie Assoziation der Bürger, sondern er möchte im Rückgriff auf traditionelle Organisationsformen die neuen Fragen beantworten. Dies bezeugt einmal mehr, daß sich in Eberhards sozialen und ökonomischen Ansichten konservative, aber auch frühliberale Anschauungen mischen, die zwar die Basis der Gesellschaft und ihrer Produktion nicht radikal verändern wollen, aber doch auch gegenüber bestimmten neuen Tendenzen nicht ganz verschlossen sind.

Neben der Anerkennung des Adels und seiner Vorrechte, hauptsächlich Knechtschaft und Leibeigenschaft – also der Herrschaft von Menschen über Menschen –, und der Anerkennung der Zünfte in ihrer Exklusivität als Basisorganisation der städtischen Einwohner, greift Eberhard allerdings auch Grundpfeiler der kapitalistischen Ökonomie selbst an. Die Kritik dieser neuen Wirtschafts- und Lebensform kommt nicht nur von sozialistischer Seite, sondern auch von Konservativen und Romantikern, die in der kapitalistischen Gesellschaft den Verlust der unmittelbaren menschlichen Beziehungen beklagen, und diese durch sachliche und zweckrationale Beziehungen – vermittelt über das Geld –

ausgehöhlt sehen: »Diese Erleichterung des Tausches menschlicher Dienste vermittelst des Geldes mag seinen Nutzen haben, und der Erfindung des Geldes einen Werth geben; aber wir müssen doch anerkennen, daß durch die Zwischenkunft dieses Mittels die Bande der Gesellschaft loser und unmerklicher werden«.[108] Der britische Wissenschaftler Noël O'Sullivan gibt diesem Standpunkt der deutschen Intelligenz um die damalige Jahrhundertwende folgenden Ausdruck: »In the first place, as intellectuals they were deeply hostile to the commercial instinct and capitalist morality of their own class. Contempt for what they considered to be the vulgarity of the commercial spirit underlying liberal and democratic ideology, then, was the first factor, that shapes their thought.«[109] Es ist diese Kritik von rechts, die trotz der formalen Anerkennung des Aufstiegs und der Entfaltung der modernen kapitalistischen Gesellschaft und des in ihr erwünschten ständischen Gleichgewichts gerade ihre innersten Werte wie den Maßstab der Nützlichkeit, die formellen und ohne jede innere Verbindung bestehenden sozialen Beziehungen, die Austauschbarkeit der Menschen und ihrer Arbeit und den aufkommenden Materialismus einer starken und des öftern sogar fundamentalen Kritik unterzieht.

Die konservative Tendenz der idealisierten *concordia omnium*, jenes Gleichgewicht der Stände, findet ihren krassesten Ausdruck darin, wenn Eberhard mit Verachtung »den neuen Adel« bzw. die Neureichen erwähnt, die das ständische Gleichgewicht durch ihr Emporkommen und ihre pure Existenz stören und deshalb von Adel und Bürgertum gleichermaßen angegriffen werden, und zwar im Namen der Gewohnheit, die das Neue verpönt: »Man sieht nicht so gern das Ansehn der neuen Reichen, wenn ihre Reichthümer Herrschaft verschaffen, als das Ansehen von Personen, die von jeher in Ueberfluß gelebt haben. Der neue Adel hat die Eigenliebe des alten Adels sowohl als des Bürgerstandes gegen sich, die sich über die Vorzüge derjenigen, deren Geburt sich in der Dunkelheit der Vergangenheit verbirgt längst beruhigt. So ist es mit allen, die seit einiger Zeit Güter erhalten haben, die sie vorher nicht hatten ... Man glaubt, daß, was nie geändert, und was man immer in dem nämlichen Stande gesehen hat, so ist, wie es seyn muß.«[110] Die Legitimation des Eigentums soll nicht vor dem Gerichtshof der Vernunft entschieden werden, wie dies die Naturrechtslehre fordert, sondern die Zeitdauer des Besitzes soll seine Rechtmäßigkeit begründen. Welcher Wert wird in Eberhards Argumentation der Veräußerung von menschlichen Kräften zugemessen, wenn die Eigentumsverhältnisse nur durch ihren Ursprung in der »Dunkelheit« und ihre Verwurzelung in der Tradition legitimiert sind? Die Dunkelheit ist das Gegenteil des Lichts, und das Licht gilt als Synonym der Aufklärung und der Überwindung aller Vorurteile. Abschließend sollen die Auswirkungen des politischen Konservatismus Eberhards auf sein Verhältnis zur Aufklärung allgemein untersucht werden.

IX

Es besteht kein Zweifel daran, daß Eberhard seiner im Naturrecht verankerten Begründung der Monarchie eine konservative Richtung gab. Wenn nun seine Ausführungen zur Aufklärung dennoch von liberalen Elementen geprägt sind, so ist dieser Gegensatz auf die politische Praxis Preußens zurückzuführen, die eine uneingeschränkte Monarchie ohne politische Freiheit mit einem hohen Grad von Aufklärung in religiösen wie anderen kulturellen Bereichen miteinander zu verbinden wußte. Mit dem Tode Friedrichs II. 1786 und dem Beginn der Regierung Friedrich Wilhelms II. mit dem Minister Wöllner und den andern Rosenkreuzern ging die liberale Aufklärungsära zu Ende. Die Resignation, die sich von 1788 an (dem Jahre des Wöllnerschen Edikts) unter den meisten Aufklärern verbreitete, machte auch vor Eberhard nicht halt. Sein Optimismus von 1783, daß sich »die Aufklärung nun in dem größten Theile von Europa verbreitet hat«[111], ist 1789 der Skepsis gewichen: »Die Erfahrung zeigt uns keinen Zustand allgemeiner Aufklärung.«[112]
Während Eberhard in dem oben zitierten Vortrag von 1783 die historischen Merkmale einer Gesellschaft analysiert, die als aufgeklärte gelten kann, unterscheidet er in einem 1789 veröffentlichten und in defensiver Einstellung geschriebenen Aufsatz zwischen wahrer und falscher Aufklärung. Er wendet sich gegen restriktive Maßnahmen und will die erreichten Freiräume vor den Eingriffen der Kirche und des Staates, d. h. vor den um den preußischen König versammelten Gegnern der Aufklärung schützen. In der Arbeit von 1783 charakterisiert Eberhard die Zeit vor dem 16. Jahrhundert als »die äußerste Barbarey«, die über »die Reli-

gion, die Gesetzgebung, die Länderpolizei, die Sitten«[113] geherrscht hat und deren Stagnation verursachte. Theologie und Philosophie hätten sich mit »Spitzfindigkeiten« der aristotelischen Logik beschäftigt, und durch die scholastische Methode seien wichtige Teile der Wissenschaften vernachlässigt worden: »zum Unglück gerade die Theile, welche auf das menschliche Leben, auf die Beurtheilung der Naturerscheinungen, die Ausbreitung des bürgerlichen Wohlstandes, und der Vermehrung unschuldiger Vergnügen den nächsten Einfluß haben«.[114] Auf diese Weise vertiefte sich die Kluft zwischen dem spekulativen Denken auf der einen und der Erfahrung auf der anderen Seite. Anhand der Überwindung der Kluft von Wissenschaft und gesundem Menschenverstand läßt sich Eberhard zufolge der Grad der Aufklärung eines Volkes kennzeichnen. Deshalb »können wir der Nation und dem Jahrhundert einen höhern Grad der Aufklärung nicht absprechen, worin kein Theil der Wissenschaften unbearbeitet bleibt«.[115] Eberhard rühmt die neuen empirischen Wissenschaften, die sich der menschlichen Erfahrung bedienen und so die Aufklärung zu einem nützlichen, den Wohlstand der Gesellschaft befördernden Mittel werden lassen. Der materielle wie ideelle Fortschritt der Gesellschaft wird von dieser aufgeklärten wissenschaftlichen Evolution maßgeblich initiiert und getragen.

»Das andere Kennzeichen der Aufklärung ist ohne Zweifel die Verbindung eines feinen und richtigen Geschmacks mit den strengen Wissenschaften.«[116] Die Verbindung der Ästhetik mit der praktischen Philosophie ist ein Merkmal der Popularphilosophie und richtet sich gegen die aristokratische Exklusivität in Geschmacksfragen. Der »feine und richtige Geschmack« soll – so Eberhard – in die verschiedenen Gesellschaftsschichten eindringen und »in dem Umgange mit Personen von verschiedenem Stande und Geschlecht gebildet seyn«. Die Verbreitung des Geschmacks in den bürgerlichen Schichten soll gewissermaßen der Wegbereiter des entscheidenden Schrittes in der Aufklärung eines Volkes sein, und Eberhard glaubt daher, seine Hoffnung »in die Ausbreitung derselben unter alle Stände setzen zu dürfen«.[117] Die damit der Aufklärung und den Wissenschaften zugeschriebene Vermittlungsfunktion ist ein gängiger Topos zu Eberhards Zeiten. Er glaubt zum Beispiel, daß mit der Ablösung des Lateinischen durch die Volkssprachen eine weitgehende Aufhebung von ständischen Differenzierungen einhergeht, da unter solchen Vorzeichen der Sprache eine neue Funktion zuwächst. Mit der Überwindung der ständischen Kluft und der Vereinheitlichung der wissenschaftlichen Kultur, die von ihrer höfischen Exklusivität befreit wird, kann sich dann »die Aufklärung über das Ganze der Nation ausbreiten«[118], mit der Einschränkung allerdings, daß dieses »Ganze« nach unten gegen die »Rohen« verschlossen bleibt. Diese Feststellung muß vor dem Hintergrund gesehen werden, daß Eberhard Aufklärung mit der Entwicklung des Erkenntnisvermögens identifiziert, mit der Anwendung von Verstand und Vernunft auf die praktischen Lebenszwecke. Nur diese seien imstande, die Leidenschaften bei den primitiven Menschen zu verdrängen, andere Bedürfnisse und die intellektuelle Neugierde zur Entfaltung der Aufklärung zu erwecken und zu entwickeln. In diesem Sinn wird es Wissenschaftlern und Gebildeten leichter fallen, sich auf den eigenen geschulten Verstand zu verlassen, schwer dagegen »wird es bey denen seyn, die durch mechanische Arbeiten und die Sorge dür die Erwerbung der Nothwendigkeiten des Lebens an ihrer Aufklärung gehindert werden«.[119]

Eberhard zieht daraus die Konsequenz, daß es zwei Arten von Aufklärung gibt; eine für den Gebildeten und eine für den Ungebildeten. Der letztere wird bei seiner Urteilsbildung in den verschiedenen Bereichen vom Fachmann abhängig sein und sich auf dessen Autorität stützen müssen. Dies soll aber nicht bedeuten, daß er Aufklärung mit positiven Wissensgehalten gleichsetzt. In der Frage, ob Aufklärung entweder mit vorurteilsfreien Wissensgehalten oder mit dem emanzipatorischen Denkprozeß als solchem zu identifizieren ist, nimmt Eberhard eine Position der Mitte ein, da er den Weg zur Erkenntnis und zum Abbau von Vorurteilen durch das emanzipatorische Denken *per se* veranlaßt sieht: »Ein wesentliches Stück der Aufklärung ist wohl auch dieses, daß sie den Einfluß des Ansehns auf die Überzeugung vermindert, und den Gebrauch des eigenen Urteils an die Stelle der Unterwerfung unter ein fremdes noch so ehrwürdiges, so wie die Überzeugung aus innern Gründen der Wahrheit an die Stelle des blinden Glaubens setzt.«[120]

Aufgrund der verschiedenen Bildungsgrade muß es Eberhard zufolge auch zwei Arten von Religionen geben: eine für Gebildete und eine für die Ungebildeten, wobei die Religion genauso wie die Wissenschaften von folgender Differenzierung ausgehen muß: »Nur die Aufgeklärten werden ihrer Religionskenntniß durch den Gebrauch ihrer Vernunft den größten Tiefsinn und die größte Gründlichkeit geben können; alle übrigen werden durch Authorität überzeugt.«[121] Dies nützten Priester und Politiker während der Jahrhunderte aus und hielten durch eine »falsche und schädliche Aufklärung« ihre Untertanen in einer »zwiefachen Knechtschaft«, durch die sie ihre eigene Herrschaft verstärkten und die Volksverdummung beförderten. Die Aufklärung zu behindern hat aber weder der Staat noch die Kirche das Recht; im Gegenteil, es ist ihre Pflicht, die »innere Religion« zu befördern und zur Vervollkommnung der Religionskenntnisse beizutragen. Dies ist ganz unverhohlen ein Wink gegen das Wöllnersche Edikt von 1788. Die Kirche »hat also kein vollkommenes Recht, die Gränzen der Aufklärung, selbst nicht in ihrem eigenen Schooße zu bestimmen«.[122] Vom Staat verlangt Eberhard, daß er dem »Ungeheuer« des kirchlichen Verfolgungswahns Grenzen setzt und so die notwendigen Freiräume schafft, in denen sich eine wahre Religion ohne Dogmatismus und autoritären Zwang entwickeln kann und soll. Eberhards Staatsbegriff impliziert, daß der Staat »das Recht haben (muß), auch für die Geistesangelegenheiten der Unterthanen zu sorgen; allein nicht anders, als durch die rechtmäßigen und schicklichen Mittel«[123], d. h. nicht durch vorgeschriebene Glaubensartikel, sondern durch die Freistellung der Mittel zur unorthodoxen und freien Ausübung des inneren Glaubens.

Auch in der politischen Sphäre hat der Staat die Pflicht, die wahre Aufklärung zu fördern und die dafür angemessenen Mittel zur Verfügung zu stellen. Schließlich – so Eberhard – habe die wahre Aufklärung den Despotismus »auf immer aus dem gesitteten Europa verbannt«, eine Feststellung, die von den letzten beiden Jahrhunderten sicher nicht bestätigt wird, bei der ihm aber der Glaube an den »aufgeklärten Despotismus«, der sich in der damaligen Zeit von Skandinavien bis Portugal erstreckte und dessen Einflüsse gerade in Preußen nicht unbeachtet blieben, als Begründung dient. Der Glaube an diese Regierungsform ließ sie als Garanten für den Prozeß der »wahren Aufklärung« erscheinen, mit der sich jeder Bürger identifizieren kann: »Wir haben gesehen, daß alle Uebel der verdorbenen Regierungen aus der rohen Unwissenheit und den blinden Leidenschaften der Regenten, verbunden mit der sinnlosen Knechtschaft der Unterthanen entsprangen. Es ist also der unleugbare Vortheil der Regenten und der Unterthanen, daß sie beyde aufgeklärt werden«.[124] Für die Regenten bedeutet dies die Erkenntnis der Grundsätze der Regierungskunst und das Wissen um die Rechte und Bedürfnisse der Menschen, die ihre eigene Glückseligkeit ohne Bevormundung suchen wollen. Es ist dies die Einsicht in die Hauptmerkmale der politischen Theorie der Aufklärung. Hinzuzufügen wäre, daß Eberhard trotz einer gewissen Abhängigkeit von der Wolffschen Staatslehre, die »die allgemeine Wohlfahrt« durch die Staatsorgane verwirklicht wissen will, auch die liberale Lehre von der sich selbst erzeugenden Harmonie gegen die Bevormundung des Herrschers vertritt: »Wohlgeordneter Eigennutz, Liebe und Vernunft werden durch die von ihnen abhängenden Handlungen von selbst für den Zweck des Staats arbeiten; alle Gesetze, wodurch er diese Principien ersetzen will, werden ihre Federkraft schwächen, ihr Spiel verwirren und die politischen Kräfte in Stockung bringen.«[125]

Eberhard, dessen naturrechtlich begründeter Konservatismus sich in der Revolutionszeit konsolidierte und intensivierte, konnte sich der Frage nicht entziehen, die sich so viele Gelehrte zu seiner Zeit stellten, nämlich der Frage nach dem Verhältnis von Aufklärung und Revolution: »Man glaubt, daß die Französische Revolution ein Werk der Aufklärung gewesen«[126] sei, und vermutet in dieser emanzipatorischen Bewegung die Quelle gewaltsamer Ausbrüche. Eberhard verneint die kausale Verbindung von Aufklärung und Revolution, da er für beide keinen gemeinsamen Nenner finden kann: »Gewaltsame Revolutionen sind das Werk der finstersten Zeiten, worin die blinden, thierischen Kräfte des Menschen wirken; die Zeiten der Aufklärung und der Philosophie sind die Zeiten der Ruhe.«[127] Er negiert die deterministische Konfundierung von Aufklärung und Revolution und meint, daß der Ausbruch einer Revolution nie von einem »friedfertigen Freund der wahren Aufklärung« verursacht wurde und verursacht werden kann. Den Ausbruch der Unruhe schreibt er vielmehr den »heimlichen Machinationen des unruhigen Ehrgeizes, oder der öffentlichen Wuth eines stupiden, abergläubigen, fanatischen und verführten Pöbels«[128] zu, also auf keinen Fall dem Streben nach Vervollkommnung in der Moral, der Religion und in der politischen und sozialen Organisation. Dieses Streben in den diversen Bereichen kann nur durch richtige Kenntnisse und den selbständigen Gebrauch des Verstandes vermittelt werden. Vor diesem Hintergrund ist es sicher verständlich, daß sich Eberhard von all jenen distanziert, die an der Verbreitung der Aufklärung in Deutschland und an ihrem weiteren Fortschritt zweifeln. Weder die Revolution in Frankreich noch die Einschränkungen der Religionsfreiheit in Preußen könnten ihm den Glauben an den Fortschritt der Aufklärung nehmen. Er bleibt insofern dem liberalen Fortschrittsgedanken verpflichtet und wird zu einem wahren Verfechter der Emanzipationsbewegung: »Der menschliche Geist kann nicht mehr von seinem Fluge zurückgehalten werden, wenn er einmal so weit gestiegen ist; man muß seine Schwingen in seiner Kindheit binden, jetzt ist er seit der Reformation von seinen Fesseln entflogen.«[129]

Eberhard erhielt seine philosophische Ausbildung in geistigen Zentren wie Berlin und Halle, die gleichermaßen Zentren der Aufklärung waren. Den konservativen Strukturen, die das Preußen der Spätaufklärung kennzeichnen, kam in Eberhards Theorie während der Zeit der Französischen Revolution erhöhte Bedeutung zu. Demgegenüber erhielt sich ein liberales Element in seinem Denken, Erbe der Hauptströmung der deutschen Aufklärung. Daß er dieses fortschrittsgläubige Element akzeptierte, deutet darauf hin, daß sein Denken auch die Überwindung historisch obsolet gewordener Vorurteile beinhaltet, ein Denken, das ohne offene Horizonte in Richtung Zukunft nicht bestehen könnte. Diese Synthese konservativer Elemente mit der Öffnung und Entwicklung nach vorn kann als Reformkonservatismus bezeichnet werden. »Das konservative Denken entwickelt sich aus den konkurrierenden Ansätzen des späten 18. Jahrhunderts heraus in zwei Richtungen weiter: in einen rationalen Reformkonservatismus einerseits, in einen metaphysisch begründeten Konservatismus andererseits. ... Der rationale Konservatismus sucht das Neue mit dem historisch Gewordenen (das als das Gegebene bezeichnet wird) zu versöhnen«.[130] In diesem Sinn lassen sich die liberalen Gedanken der Aufklärung mit der konservativen Praxis Preußens und ihrer immanenten Rechtfertigungsideologie verknüpfen, wie dies auch in Eberhards politischer Philosophie zum Ausdruck kommt.

Anmerkungen

1 Allison, Henry E., *The Kant-Eberhard-Controversy. An English translation together with supplementary materials and a historical analytic introduction of Immanuel Kant's: On a discovery according to which Any New Critique of Pure Reason Has Been Made Superfluous by an Earlier One*, Baltimore 1973.

2 Ebd., S. 6.

3 Friedrich Nicolai würdigte Eberhard in der *Gedächtnisschrift auf Johann August Eberhard*, von Fr. Nicolai, Berlin und Stettin 1810. Auf S. 10 heißt es: »... gewöhnlich der dritte Mann bey unsern Zusammenkünften ...«

4 Ferber Eduard, *Der philosophische Streit zwischen I. Kant und Johann August Eberhard*, Inaugural-Dissertation zur Erlangung der Doctorwürde der Hohen Philosophischen Facultät der Grossherzogl. Landes-Universität zu Giessen, Berlin 1894.

5 Allison, *The Kant-Eberhard-Controversy* (Anm. 1), S. 9.

6 I. Kant, *Ueber eine Entdeckung nach der alle neue Critik der reinen Vernunft durch eine ältere entbehrlich gemacht werden soll*, Königsberg 1790 (erste Auflage), Königsberg 1791 (zweite Auflage). Zitiert nach Immanuel Kant, *Schriften zur Metaphysik und Logik* 1, Werkausgabe Bd. V, hrsg. von Wilhelm Weischedel, Frankfurt 1977. Um nur ein Beispiel für Kants Ton zu erwähnen: Auf S. 329 stellt er die Frage: »Was soll man hier an Herrn Eberhard bezweifeln: die Einsicht, oder die Aufrichtigkeit?«

7 Zur politischen Philosophie Fichtes vgl. Zwi Batscha, *Gesellschaft und Staat in der politischen Philosophie Fichtes*, Frankfurt 1970.

8 Zur politischen Theorie Reinholds vgl. Zwi Batscha, *Studien zur politischen Theorie des deutschen Frühliberalismus*, Frankfurt 1981, S. 91 ff.

9 Zwi Batscha, *Materialien zu Kants Rechtsphilosophie*, Frankfurt 1976. Ders., »Bürgerliche Republik und Bürgerliche Revolution bei I. Kant«, in: ders., Studien zur politischen Theorie (Anm. 8), S. 43 ff.

10 Jürgen Habermas, *Der philosophische Diskurs der Moderne*, Frankfurt 1985, S. 66. Zur Beziehung Kants zu den beiden Begriffen vgl. *K. d. r. V.* A 840; B 868 Anm.

11 J. A. Eberhard, *Allgemeine Theorie des Denkens und Empfindens. Eine Abhandlung, welche von der Königl. Akademie der Wissenschaften in Berlin den auf das Jahr 1776 ausgesetzten Preis erhalten hat*, Berlin 1776, S. 7.

12 *Handbuch der Aesthetik für gebildete Leser aus allen Ständen. In Briefen herausgegeben von J. August Eberhard. Erster Theil. Zweite verbesserte Auflage*, Halle 1807, S. 12.

13 Vgl. J. Habermas, *Die neue Unübersichtlichkeit*, Frankfurt 1985,

S. 224: »Aufs Systemdenken tut jede philosophische Arbeit still-schweigend Verzicht, die sich ohne fundamentalistische Ansprüche und in fallibilistischem Bewußtsein in das verzweigte Netz der Human- und Gesellschaftswissenschaften einfädelt, um Nützliches überall dort beizusteuern, wo es um präsumptiv allgemeine Grundlagen des Erkennens, Sprechens und Handelns geht«.

14 J. A. Eberhard, »Clairsens und Tiefheim, Zweytes Gespräch«, in: *Philosophisches Archiv*, hrsg. von J. A. Eberhard, 2. Bd., 4. Stück, Berlin 1795, S. 55 ff.

15 J. A. Eberhard, *Vermischte Schriften*, 1. Theil, Halle 1784, Vorbericht, S. III. Vgl. auch »Clairsens und Tiefheim oder von dem gemeinen Menschenverstande«, ebd., S. 145 ff.

16 Über den Einfluß der drei schottischen Philosophen in Deutschland: Manfred Kuehn, »The Early Reception of Reid, Oswald and Beattie in Germany: 1760-1800«, in: *Journal of the History of Philosophy* (1983), S. 479 ff.

17 Hartmut Böhme/Gernot Böhme, *Das Andere der Vernunft. Zur Entwicklung von Rationalitätsstrukturen am Beispiel Kants*, Frankfurt 1985, S. 310.

18 Karl Mannheim, *Konservatismus. Ein Beitrag zur Soziologie des Wissens*, hrsg. von David Kettler, Volker Meja und Nico Stehr, Frankfurt/Main 1984, S. 182.

19 Ebd., S. 238/239.

20 Martin Greiffenhagen, »Das Dilemma des Konservatismus in Deutschland«, in: Grebing/Greiffenhagen/v. Krockow/Müller (Hg.), *Konservatismus – Eine deutsche Bilanz*, München 1971, S. 8 f. Zum Begriff der Aufklärung für das Denken Eberhards vgl. *Ueber die Zeichen der Aufklärung einer Nation*, Halle 1783, S. 15: »Die Spekulation der damaligen Theologie und Weltweisheit fehlte ganz das Licht der Erfahrung, wodurch sie allein berichtigt und nutzbar gemacht werden. Indem sie aber in die Tiefen verstiegen, die dem gesunden Menschenverstand unzugänglich sind, so konnten sie weder diesen erleuchten, noch auch wiederum von ihm erleuchtet und bereichert werden.«

21 J. A. Eberhard, *Ueber Staatsverfassungen und ihre Verbesserung. Ein Handbuch für Deutsche Bürger und Bürgerinnen aus den gebildeten Ständen. In kurzen und faßlichen Vorlesungen über bürgerliche Gesellschaft, Staat, Monarchie, Freyheit, Gleichheit, Adel und Geistlichkeit*, Zweites Heft, Berlin 1794, Vorrede, S. II (zit. als *Staatsverfassungen* II). Der erste Band erschien in Berlin im Jahre 1793 und wird als *Staatsverfassungen* I zitiert.

22 Gustav Zart, *Einfluß der englischen Philosophen seit Bacon auf die deutsche Philosophie des 18. Jahrhunderts*, Berlin 1881, S. 126.

23 *Grundzüge einer Geschichte der Deutschen Psychologie und Aesthe-*

tik von Wolf-Baumgarten bis Kant-Schiller. Dargestellt von Dr. Med. Et. Phil. Robert Sommer, Würzburg 1892, S. 232.

24 J. A. Eberhard, *Neue vermischte Schriften*, Halle 1798, S. 260.

25 *Amyntor. Eine Geschichte in Briefen*, hrsg. von J. A. Eberhard, Berlin und Stettin 1782, S. 37: »Der Graf (Shaftesbury) empfahl mit einer einnehmenden Wärme des Herzens das Bestreben für das gesellschaftliche Wohl als die eigentliche Tugend.«

26 »Ueber die Allgemeinheit der französischen Sprache«, in: *Vermischte Schriften von J. A. Eberhard*, Erster Theil, Halle 1784, S. 29 ff. (zit. als *Sprache*).

27 Ebd., S. 35.

28 Ebd., S. 44. Bei Adam Ferguson, *Abhandlung über die Geschichte der bürgerlichen Gesellschaft*, Jena 1923, S. 248, heißt es: »Die Gesellschaft selbst ist ihre Schule und ihre Lehren werden in der Praxis des wirklichen Lebens erteilt. ... Wenn also die Gesellschaft als eine Schule der Wissenschaft betrachtet werden kann, so ist es wahrscheinlich, daß ihre Lehren in jedem besondern Staate und in jedem Zeitalter verschieden sind.«

29 *Sprache*, S. 55.

30 Ebd., S. 69.

31 Ebd., S. 83.

32 Ebd., S. 86.

33 Klaus Eppstein, *The Genesis of German Conservatism*, Princeton 1966, S. 492 f.

34 *Staatsverfassungen* II, S. 13 f.

35 Ernst Barker, »Burke on the French Revolution«, in: ders., *Essays on Government*, Oxford 1945, S. 207 ff.

36 Siehe dazu auch die Aufsätze Garves in diesem Band.

37 *Staatsverfassungen* I, S. 89.

38 Ebd., S. 92.   39 Ebd., S. 43.

40 Klaus Eder, *Geschichte als Lernprozeß? Zur Pathogenese politischer Modernität in Deutschland*, Frankfurt 1985, S. 243.

41 *Staatsverfassungen* I, S. 50.

42 Ebd., S. 89 f.

43 *Staatsverfassungen* II, S. 32.

44 Ebd., S. 36.

45 Ebd., S. 2 f.

46 Ebd., S. 4/5.

47 *Staatsverfassungen* I, S. 91/92.

48 Ebd., S. 38 f.

49 Ebd., S. 94.

50 Ebd., S. 87.

51 Ebd., S. 89.

52 *Staatsverfassungen* II, S. 84.

53 *Staatsverfassungen* I, S. 72. Vgl. auch S. 111 f.: »Sie fühlten, was wir jetzt durch die Belehrungen der Geschichte wissen, daß ihnen nicht allein eine Monarchie unentbehrlich sey, sondern daß auch eine gesetzmäßige Abstammung von einem gewissen regierenden Hause das letzte sey, was anfangs ihre Wahl bestimmte, und in der Folge unnöthig machte.«

54 *Staatsverfassungen* II, S. 74.

55 *Staatsverfassungen* I, S. 82.

56 Ebd., S. 84.

57 Klaus Eder, *Geschichte als Lernprozeß?* (Anm. 40), S. 367.

58 Vgl. Klaus Eppstein, *The Genesis of German Conservatism* (Anm. 33), S. 274: »Eberhard ..., who used the social contract theory to provide an intellectual foundation for monarchial rule rather than direct democracy. ... but argued that the people must for convincing utilitarian reasons, delegate their power to an absolute and hereditary monarch.«

59 *Staatsverfassungen* II, S. 7.

60 Ebd., S. 17.

61 *Staatsverfassungen* I, S. 111.

62 Franz L. Neumann, *Die Herrschaft des Gesetzes*, Frankfurt/Main 1980, S. 124. In der *Sittenlehre der Vernunft* von J. A. Eberhard (Berlin 1786) wird vom Verfasser ein Beispiel seiner Kenntnis von Pufendorf und dessen Wichtigkeit vorgebracht. Auf S. 121 heißt es: »Diese doppelte Bedeutung der Benennung: Stand der Natur hat bereits Pufendorf unterschieden.«

63 Vgl. Klaus Eder, *Geschichte als Lernprozeß?* (Anm. 40), S. 359: »Verrechtlichung ist ein Versuch, die Durchsetzbarkeit bestimmter (nicht aller!) normativen Erwartungen sicherzustellen. Verrechtlichung ist der Versuch, aus dem moralischen Diskurs der Gesellschaft normative Erwartungen auszuselegieren, deren Anerkennung durch Verfahren gesichert werden kann.«

64 *Staatsverfassungen* I, S. 52: »Die nämlichen Rechte, Unwissenhait, Rohigkeit, Leidenschaften, die die Menschen genöthigt haben, die Unabhängigkeit des Naturstandes aufzuheben, und sich der Herrschaft der bürgerlichen Gesellschaft zu unterwerfen, – diese nämlichen Gründe machen es auch nothwendig, der Ausübung der Souveränität zu entsagen, und sich einen Regenten zu geben.« Ebd., S. 67 heißt es: »Der überlegende Verstand kann lange zwischen mehreren Meinungen getheilt seyn, der ausführende Wille darf nur einer seyn, und diese Einheit des Willens, diese Schnelligkeit der Ausführung kann nur in der monarchischen Verfassung erhalten werden.«

65 *Staatsverfassungen* II, S. 94.

66 Rudolf Vierhaus, »Absolutismus«, in: Ernst Hinrichs (Hg.), *Absolutismus*, Frankfurt/Main 1986, S. 57.

67 J. A. Eberhard, *Ueber die Zeichen der Aufklärung einer Nation*, Halle 1786, S. 36 (zit. als *Zeichen*).

68 *Staatsverfassungen* I, S. 61.

69 Ebd., S. 64.

70 J. A. Eberhard, *Sittenlehre der Vernunft*, S. 119.

71 *Staatsverfassungen* I, S. 49 f.

72 J. A. Eberhard, »Ueber die Rechte der Menschheit in der bürgerlichen Gesellschaft. In Beziehung auf das bekannte Dekret der französischen Nationalversammlung«; in: *Philosophisches Magazin*, herausgegeben von J. A. Eberhard, Dritten Bandes viertes Stück, Halle 1791, S. 381.

73 *Staatsverfassungen* I, S. 50.

74 Ebd., S. 62.

75 Noël O'Sullivan, *Conservatism*, London 1976, S. 71: »This was the general metaphysical principle, already touched upon, which stresses the intrinsic value of diversity. It is this idea more than any other, which accounts for the rejection by the German romantic conservatives of the natural-law tradition, to which the French revolutionaries had appealed. In that tradition uniformity, rather than diversity was the object of attention.«

76 *Staatsverfassungen* I, S. 57.

77 Ebd., S. 48.

78 Jürgen Habermas, *Der philosophische Diskurs der Moderne*, Frankfurt 1985, S. 104.

79 J. A. Eberhard, *Neue Apologie des Sokrates oder Untersuchung der Lehre von der Seligkeit der Heiden*, Berlin und Stettin 1772, Bd. 1, S. 262.

80 Adam Ferguson, *Abhandlung über die Geschichte der bürgerlichen Gesellschaft* (Anm. 28), S. 76.: »Anscheinend sollte also das Glück der Menschen darin bestehen, seine gesellschaftlichen Anlagen zur Triebfeder seiner Handlungen zu machen, sich selbst als Glied einer Gemeinde zu betrachten, für deren allgemeines Wohl sein Herz in brennendem Eifer erglühen mag, um jene persönlichen Sorgen zu unterdrücken, die die Grundlage peinlicher Unruhe, Furcht, Eifersucht und des Neides sind.«

81 *Staatsverfassungen* I, S. 117.

82 *Staatsverfassungen* II, A. 42.

83 Ebd., S. 45.

84 Sven Papcke, »Diesseits oder jenseits der Freiheit? Die Deutschen suchen ihren Standort zwischen Ost und West«, in: *Nachdenken über Deutschland. Materialien zur politischen Kultur der Deutschen Frage*, hrsg. von Werner Weidenfeld, Köln 1985, S. 109.

85 *Staatsverfassungen* I, S. 115.

86 Ebd., S. 120.

87 J. A. Eberhard, »Ueber die Freyheit des Bürgers und die Principien der Regierungsformen«, in: *Vermischte Schriften*, Halle 1784, S. 9.

88 Klaus Eder, *Geschichte als Lernprozeß?* (Anm. 40), S. 231.

89 J. A. Eberhard, »Ueber die Freyheit des Bürgers« (Anm. 87), S. 7. In *Staatsverfassungen* I, S. 119, heißt es dazu: »Die Erfahrung lehrt, daß die bürgerliche Freiheit in den uneingeschränkten, aber gesetzmäßig regierten Monarchien weit größer ist, als in den sogenannten Freystaaten. Die Erziehung, die Freyheit zu denken, zu reden und zu schreiben, die Pracht der Kleidung, der Wohnung und der Bedienung ist in Freystaaten oft sehr eingeschränkt, indeß in den Monarchien darüber dem Bürger weit weniger die Hände gebunden sind.«

90 J. A. Eberhard, »Ueber die Freyheit des Bürgers« (Anm. 87), S. 11.

91 Ebd., S. 8. Vgl. die äquivalente Stelle in *Staatsverfassungen* I, S. 118.

92 Diethelm Klippel, *Politische Freiheit und Freiheitsrechte im deutschen Naturrecht des 18. Jahrhunderts*, Paderborn 1976, S. 171.

93 Jörn Garber, »Drei Theoriemodelle frühkonservativer Revolutionsabwehr. Altständischer Funktionalismus, spätabsolutistisches Vernunftrecht, evolutionärer Historismus«, in: *Jahrbuch für deutsche Geschichte*, hrsg. von Walter Grab, Bd. VIII, Tel-Aviv 1979, S. 86.

94 Robert Sommer, *Grundzüge* (Anm. 23), S. 239.

95 J. A. Eberhard, *Sittenlehre der Vernunft*, S. 113.

96 Ebd., S. 134.

97 Ebd., S. 43.

98 *Amyntor* (Anm. 25), S. 54.

99 Ebd., S. 149 f. Vgl. auch das *Synonymische Handwörterbuch*, Halle 1806, »Der Wert: Sitte«.

100 *Amyntor* (Anm. 25), S. 249.

101 *Staatsverfassungen* I, S. 123.

102 Ebd.

103 Ebd., S. 126.

104 Ebd., S. 129 f.

106 *Amyntor* (Anm. 25), S. 7.

107 Vgl. *Synonymisches Handwörterbuch*, »Der Wert: Innung«.

108 *Amyntor* (Anm. 25), S. 122. Auf S. 123 steht: »... weil man die Hülfe mit Gelde erkaufen zu können glaubt, und also Geld für so gut als Freunde hält«. Den Gegensatz zur bürgerlichen Ökonomie hebt auch Karl Mannheim, *Konservatismus* (Anm. 18), S. 83, hervor: »Was geschah mit allen jenen Beziehungen und denen ihnen entsprechenden Denkformen, die durch diese konsequent werdende Abstraktion verdrängt worden sind?«

109 Noël O'Sullivan, *Conservatism* (Anm. 75), S. 59.

110 *Staatsverfassungen* II, S. 115/116.

111 *Zeichen*, S. 37.

112 J. A. Eberhard, »Ueber die wahre und falsche Aufklärung, wie auch

über die Rechte der Kirche und des Staates in Ansehung derselben«, in: *Philosophisches Magazin*, hrsg. von J. A. Eberhard, Bd. 1, Halle 1789, S. 43 (zit. als »Aufklärung«).

113 *Zeichen*, S. 7 f.
114 Ebd., S. 13.
115 Ebd., S. 11.
116 Ebd., S. 19.
117 Ebd., S. 21.
118 Ebd., S. 35.
119 »Aufklärung«, S. 46.
120 Ebd., S. 38.
121 Ebd., S. 48.
122 Ebd., S. 66.
123 Ebd., S. 69.
124 J. A. Eberhard, »Ueber die Freyheit des Bürgers und die Principien der Regierungsformen«, in: *Vermischte Schriften* 1, Halle 1784, S. 25.
125 *Staatsverfassungen* II, S. 74.
126 Ebd., S. 123.
127 »Aufklärung«, S. 68.
128 Ebd., S. 75.
129 *Staatsverfassungen* II, S. 129.
130 Klaus Eder, *Geschichte als Lernprozeß?* (Anm. 40), S. 256.

Bemerkungen
zu J. J. Engels politischer Theorie

I

Die folgenden Ausführungen behandeln weniger die zentralen Gegenstände von Johann Jakob Engels Philosophie, sondern eher einen am Rande liegenden Aspekt seines Gesamtwerks. Dem Schweizer Popularphilosophen Johann Georg Sulzer vergleichbar widmete auch Engel sich der ästhetischen Komponente[1] der Popularphilosophie und versuchte in seinen Betrachtungen sogar, zu systematischen Verallgemeinerungen vorzudringen. Die gesamte praktische Philosophie – inklusive ihres politischen Teils – erlebte im letzten Drittel des 18. Jahrhunderts eine intensive Renaissance, in der sich das neue bürgerliche Bewußtsein manifestierte, das die Philosophie zum Nutzen der Gesellschaft und der Menschen durch praktische Reformen von ihren abstrakten und häufig auch zur Sterilität verurteilten Systemen befreien wollte. J. J. Engel nahm in Berlin zwischen den Jahren 1783-1798 an einer Gesellschaft von »praxisbezogener aufgeklärter Reflexion«[2] teil. Es handelte sich um die »Gesellschaft von Freunden der Aufklärung«, bekannt unter dem Namen »Mittwochgesellschaft«, die G. Birtsch zutreffend als »Clearingstelle der preußischen Spätaufklärung«[3] bezeichnet, denn unter ihren Mitgliedern befanden sich zahlreiche Staatsbeamte und aus ihren kollektiven Anstrengungen gingen viele Impulse zu Publikationen zu politischen Themen hervor. G. Birtsch, von dem wir auch das Verzeichnis ihrer Mitglieder haben, erwähnt ferner die Diskussionsthemen der Gesellschaft, es handelt sich dabei hauptsächlich um aktuelle und politische Probleme. Unter den Namen der Mitglieder befindet sich der Name Engels allerdings nicht. Dies kann nur bedeuten, daß ihn Fragen einer »politischen Theorie« oder Fragen der »Staatswissenschaften« zu dieser Zeit nicht besonders interessierten; obwohl doch die Förderung von Staat und Gesellschaft im Sinne aufgeklärter Maximen ihn in seinen Publikationen so stark beschäftigte, daß es gerechtfertigt ist, sich im folgenden mit ihnen auseinanderzusetzen.

Das Leben von Johann Jakob Engel (1741-1802) begann und endete in der mecklenburgischen Kleinstadt Parchim; er ist Zeitgenosse Christian Garves, mit dem er auch befreundet war und zeitweise in Leipzig zusammenarbeitete. Über die Universitäten Rostock und Bützow, wo er nach der Theologie Philosophie und Naturwissenschaften studierte, gelangte er 1765 nach Leipzig, »das damals nicht nur der Mittelpunkt der weltmännischen Bildung und die vornehmste Universität in Deutschland war, sondern auch der Tummelplatz aller freien Literaten und Schriftsteller«.[4] Dort setzte Engel seine Studien fort, er konzentrierte sich auf Plato und Cicero, wurde 1769 Magister und entfaltete – angeregt durch die Leipziger Atmosphäre – eine produktive Tätigkeit. Die Feststellung Friedrich Nicolais trifft sicher zu, daß sich durch den geselligen Umgang »sein Gesichtskreis bis zur Kenntniß und Betrachtung der wirklichen Welt«[5] erweiterte, und dies ohne Schaden für seine literarische Tätigkeit. Vielleicht bestand sogar zwischen beiden eine Wechselwirkung. Zu dieser Zeit verfaßte er seine beiden ersten Einakter: »Der dankbare Sohn« und »Der Edelknabe«, beide der moralisierenden und patriotischen Pädagogik der Aufklärung verpflichtet; etwas später folgten auch die ersten Übersetzungen: 1771 von Betteux, und 1772 zusammen mit Christian Garve die *Elements of Criticism* von Home.

Christian Garve war der intimste Freund Engels während der Leipziger Zeit[6], in der er auch freundschaftliche Beziehungen zu Weiße, Zollikofer, Plattner, Ernesti und anderen unterhielt. Das geistige Klima, der beständige Gedankenaustausch und die kulturelle Atmosphäre dieses Freundeskreises, in dem sich viele literarische und wissenschaftliche Anregungen entfalteten, war ihm ein beständiger Anreiz zur Reflexion und zur literarischen Tätigkeit. Als Engel 11 Jahre später nach Berlin ging, fand er auch dort viele Freunde, mit denen er in ähnlicher Weise verkehrte.[7] Nach Berlin wurde er 1776 wegen seiner pädagogischen Fähigkeiten als Professor an das Joachimstaler Gymnasium berufen, wo er Vorlesungen über Moralphilosophie, Logik, Geschichte der Philosophie und deutsche Grammatik hielt. In Berlin unterrichtete er 1787 auch den damaligen Kronprinzen, den späteren König Friedrich Wilhelm III. Aus diesen Vorlesungen ging dann später in Schwerin der *Fürstenspiegel* hervor, der als Engels politisches Hauptwerk gelten kann. In den Jahren 1785/86 war er der Erzieher der Brüder von Humboldt. 1786 wurde er in die Akademie der Künste und ein Jahr später in die Akademie der Wissenschaften aufgenommen. Von 1787 an war er als Oberdirektor des Königlichen Nationaltheaters tätig, bis er 1794 nicht besonders ehrenvoll von diesem zwar nicht politischen, aber administrativen Posten entlassen wurde. Es folgte das Exil in Schwerin, verbunden mit materieller Not, aus dem ihn dann Friedrich Wilhelm III. erlöste. Freundschaftskreise, literarische Tätigkeit, Pädagogik, Mitgliedschaft in Akademien – alles Kennzeichen der intensiven geistigen Beschäftigung der Exponenten der deutschen Aufklärung. Ergänzend kam noch die Edition von Zeitschriften hinzu, wie sie von vielen ihrer Mitglieder praktiziert wurde. Johann Jakob Engels herausragende Leistung war der in der damaligen Zeit in drei Bänden gesammelte und nach dem Vorbild der englischen moralischen Wochenschriften edierte »Philosoph für die Welt«. Es war Engels »Lebenswerk, welches sich über 25 Jahre hinzog. Hier zog Engel gewissermaßen die Summe all seiner wissenschaftlichen Erkenntnisse, um sie für die breite Öffentlichkeit nutzbar zu machen.«[8] In dieser Zeitschrift sollten sich philosophische Erkenntnisse populär artikulieren, und den Freunden des Herausgebers, der die meisten Abhandlungen und Essays lieferte, kam in dieser Sammlung ein ehrenwerter Platz zu: In ihr schrieben Gelehrte wie Garve, Mendelssohn und Eberhard, alles Popularphilosophen, die die literarisch-philosophische Bühne in den letzten Jahrzehnten des 18. Jahrhunderts bevölkerten und deren gemeinsame Intention darin bestand, auf das praktische Leben einwirken zu wollen, indem sie Staat und Gesellschaft zu reformieren versuchten.

II

Die Welt der Erfahrung wird zunehmend zum neuen Objekt philosophischer Fragestellungen, nachdem sich die philosophische Vernunft durch die neuen Wissenschaften gefördert aus dem Umfeld der Theologie löst und einen eigenen empirischen Gegenstandsbereich konstituiert. Die der empirischen Welt zugewandte Philosophie distanziert sich von der Schulphilosophie und entwickelt sich zu ihrem Gegenteil. Sie setzt schließlich den wissenschaftlichen Erfahrungsbegriff als Gegensatz zum dogmatischen Begriff der Scholastik als einer Schule, die »nicht nur Lehranstalten, sondern auch Lehrrichtungen, ja Forschungsrichtungen«[9]

enthält, und sich durch Spitzfindigkeiten und Richtungskämpfe zwischen abstrakten Lehrmeinungen auszeichnet. Die Negation einer auf Empirie gegründeten Erkenntnis, die den Tatsachen der realen Welt Rechnung trägt, behinderte die Entwicklung der Wissenschaft, und erst durch eine einmalige Verbindung verschiedener Faktoren konnte sie sich in der italienischen Renaissance in ihrer modernen Form zu entwickeln beginnen: »Die gegenseitige Durchdringung der im hellenistischen Denken geschaffenen rationalen Begriffskonstruktion und Beweislogik einerseits und der Empirie sowie Technologie andererseits ist erst durch eine Erfindung der italienischen Renaissance gelungen, durch das rationale Experiment, und hier liegt der Ursprung aller modernen Wissenschaft.«[10]

Die englische Philosophie, besonders die sensualistische Erkenntnistheorie John Lockes war es, die der deutschen Popularphilosophie in dem Bedürfnis entgegenkam, sich den praktischen Anforderungen der konkreten Welt zuwenden zu wollen. Viel mehr noch als J. G. H. Feder und J. A. Eberhard verarbeitet Engel die Philosophie Lockes, die von der Beobachtung durch sinnliche Erfahrung ausgehend verallgemeinert, vollständig, und kann daher zu Recht als dessen Schüler bezeichnet werden: »Der Philosoph, wenn er in der Gegend abstracter Begriffe glücklich fortkommen will, muß allemal vom Individuum ausgehen, und sich nie tiefer ins Labyrinth begeben, als der Faden der Erfahrung reicht, den er am Eingange befestigt hatte.«[11] Seine feste Überzeugung, daß nur die aus der Erfahrung gewonnene Erkenntnis die einzige und wahre ist, brachte ihn sogar in die Situation, die zwei großen englischen Wissenschaftler I. Newton und Fr. Bacon zu kritisieren, weil sie seiner Meinung nach Hypothesen anstatt Erfahrungsdaten als Bausteine der Erkenntnis benutzten.[12] Dem Hinweis auf diese beiden Denker kommt eine besondere Bedeutung zu, weil Engel sich von allen theoretischen Hypothesen und Abstraktionen distanziert, denn er ist der Ansicht, wo die innere oder äußere Erfahrung des Forschers aufhört, »da ist seine Erkenntnißgränze, innerhalb welcher er allein mit seinem Verstande wirken kann«.[13]

Es ist daher auch nicht verwunderlich, wenn man die von Aristoteles stammende und von Locke aufgenommene Aussage in den Schriften Engels findet: »Nihil est in intellectu, quod non prius fuerit in sensu.«[14]

Das große Beispiel für den Übergang des Denkens von abstrakten Kategorien zu Kategorien der Beobachtung und Erfahrung ist im 18. Jahrhundert Sokrates. Schon Cicero urteilte über ihn »de caeleo vocavit philosophiam«, und als solches wurde sein Bild und die damit verbundene Tradition auch in der frühen Neuzeit fortgeführt. Die Beziehung zu seiner Person und Lehre scheidete die Geister zu dieser Zeit, aber gerade die Popularphilosophen fanden in der Tradition, die sich auf ihn beruft, eine ihrer stärksten Stützen, und in diesem Sinne lobt ihn auch Engel »wegen seines großen Zwecks, den Blick der Denker der zu sehr auf den Himmel gerichtet war, auf die Erde herabzuziehen und sie von unnützen Grübelein auf wahrhaft nützliche Nachforschungen zu lenken«.[15] Mit der Konzentration des Denkens auf den praktischen Nutzen für Staat und Gesellschaft war die Brücke zu Sokrates geschlagen, er selbst zum Symbol erhoben, und alle Denkansätze des Mittelalters wurden pauschal der Verachtung preisgegeben, da »die einmal aufgeregte Denkkraft die Gränzen des Nützlichen verschmäht, und hinaus strebt ins Unendliche«.[16] Diese Art von Philosophie distanziert sich von den praktischen Lebensbedürfnissen, verwickelt sich in unnütze und verwirrende Abstraktionen und fördert praxisfremde Denkmodelle. Um diese Tendenzen einzudämmen, besann man sich auf Sokrates, mit dessen Hilfe man der praktischen Weltweisheit zum Durchbruch verhelfen wollte, denn »man fand in Sokrates und seiner philosophischen Methode die erkenntnistheoretische Parallele für die erfahrungsmäßige Untersuchung der neuen Wissenschaft und zugleich ihre psychologische Begründung«.[17] Von Sokrates konnte der Sinn für die Gemeinschaft ebenso, wie die Kritik an ihr die Hinwendung zur Öffentlichkeit, der Geist zur Untersuchung praktischer Fragen und die Liebe zur Wahrheit gelernt werden, alles Elemente, die dazu beitragen, »die popularphilosophischen Versuche auf den *bon sens* Philosophie, Theologie und Lebensreligion aufzubauen«.[18]

Während zwischen Engel und den anderen Popularphilosophen keine prinzipielle Differenz in der Einschätzung der noetischen und moralischen Züge des Sokrates bestand und sie sich auch in der Distanzierung von der dogmatischen scholastischen Philosophie des Mittelalters einig wußten, zeigten sich schwerwiegende und starke Differenzen in der Beurteilung der Kantschen Lehre. Garve, Feder und Eberhard nahmen – wenn auch weitgehend aus

Unkenntnis – eine eindeutig negative Haltung zur aufsteigenden kritischen Philosophie ein, und teilweise sahen sie in ihr sogar eine neue Dogmatik. Anders Engel: Er, der Wissen nur in der Erfahrung begründet sehen wollte, hielt Kants Begrenzung der Vernunft auf die Gegenstände der Erfahrung zur Konstitution der wissenschaftlichen Erkenntnis für richtig und akzeptabel: »Er zeigte, daß da wo die Erfahrung aufhört, nicht bloß die Gränze des Nützlichen, sondern auch die des Möglichen sei; und glaubte er, sollte die Begierde des Wissens, wie jede andre Begierde, von der erkannten Unmöglichkeit abstehn, sollte sich gegen das Gebiet des Möglichen umwenden, und sich innerhalb dieses Gebiets zu hoffnungsvollern Arbeiten entschließen.«[19] Die Frage, die sich Engel und den späteren Historikern der Philosophie aufdrängte, war natürlich, warum die Schüler Kants die Grenzen der Vernunft für die wahre Erkenntnis überschritten und dadurch Bausteine für eine neue Metaphysik lieferten, bzw. warum die Anhänger der kritischen Philosophie »selbst das überhörten, was in der dunklen Rede das Vernehmbarste war, und die eben da Wissenschaft bauen wollten, wo der Weise alle Hoffnung zur Wissenschaft abschnitt«.[20] Engel ist sich über die Gründe für diese Entwicklung in der postkantischen Philosophie nicht im klaren; war es die schwere Sprache Kants oder war es die Dunkelheit des Organons, die dazu verleitete, die Grenzen der Vernunft bei Kant zu mißachten?

Aber nicht nur der deutsche Idealismus entfernt sich von der Welt der Erfahrung; Engel zufolge verhält es sich mit dem reinen Skeptizismus ebenso, der sich in seinen Fragen vom wirklichen Leben distanziert und in den Höhen der skeptischen Abstraktion zu keinen praktischen Konsequenzen mehr fähig ist. Ohne Fundierung in der praktischen Erfahrung können sowohl Idealismus als auch Skeptizismus nicht zur wahren Aufklärung beitragen, die sich – so Engel – nicht über die reale Welt erheben darf.[21] Engel propagiert letztlich einen Mittelweg zwischen beiden, der sich wissenschaftlich in dem Versuch ausdrückt, zwischen dem Mannigfaltigen und dem Allgemeinen das Individuelle zu bestimmen, und politisch in einem Vermittlungsversuch zwischen Adel und Bürgertum. Für den Adel edierte Engel den *Fürstenspiegel* und für das Bürgertum den »Philosophen für die Welt«, in dem die neue bürgerliche Welt eine philosophische Begründung fand, an der sich der Bürger im konkreten Leben orientieren konnte.

Die sich von der Schulphilosophie emanzipierende Popularphilosophie soll den sich in der modernen arbeitsteiligen Gesellschaft entfaltenden praktischen Bedürfnissen gerecht werden. Neben der sensualistischen Epistemologie gehört auch die schottische Moralphilosophie zur Grundlage der neuen philosophischen Überlegungen in einem neuen sozialen Bezugsrahmen, der sich durch den Übergang von der ständischen zur bürgerlichen Gesellschaft auszeichnet. Im Zeichen des neuen, praktisch nutzbaren Wissens will Engel die Aufklärung immer weiter und tiefer führen »bis in die entferntesten Länder hinein, und in die untersten Stände hinab«.[22] Es handelt sich dabei um den Versuch, die aufgeklärte, weltliche Philosophie so weit wie möglich voranzutreiben und zu einem Bestandteil der sich konstituierenden bürgerlichen Öffentlichkeit werden zu lassen. Mit dieser Öffnung verkrusteter Strukturen, die sicher erst durch eine Demokratisierung des Bildungswesens und ein vertieftes Interesse an philosophischen Fragen erreichbar ist, sollen die ersten Schritte eines möglichen Übergangs von der »Schule« zur »Welt« vorbereitet werden, wobei Engel »unter der *Welt*, das ganze gemengte Publicum (versteht), wo der eine mehr für diese, der andere mehr für jene Gegenstände ist«.[23] Damit ist natürlich eine Vielzahl neuer Themen und eine Pluralität von Interessen im Prozeß der Aufklärung für das neue bürgerliche Bewußtsein angesprochen. Engel selbst ist sich der Verschiebung der Akzente bewußt, wenn er eine Demokratisierung zugunsten der interessierten Schichten und ihrer Bildungsansprüche fordert: »Kant habe bis jetzo nur für Grundgelehrte geschrieben, nun müßte er für's Volk schreiben und endlich la Kantienne pour les Dames.«[24] Soweit es um die Literatur für Frauen ging, wurde sicher zuerst nur an die Damen der höfischen Gesellschaft gedacht und später erst an bürgerliche, aber die prinzipielle Frage, ob das »Volk« in den Rahmen des lesenden Publikums einzuschließen sei, beschäftigte die Popularphilosophen besonders intensiv, mußte doch der Adressat der Erweiterung der Bildung und der bewußten Anstrengungen für die Reformen der ständischen Gesellschaft gefunden werden.

Schließlich sollte auch der Inhalt popularphilosophischer Reflexionen ein anderer sein als der der Schulphilosophie. »Welt« bedeutete in diesem Sinn die Welt der Erfahrung, der individuellen wie der kollektiven, der irdischen und konkreten, mit offenen Horizonten und durch eine vorurteilsfreie Vernunft faßbar. Die Popularphilosophie bildet somit die Spitze einer vordringenden Richtung »gegen eine Schulphilosophie, die keinen Bezug mehr zum außerschulischen Leben zu haben scheint«[25], oder anders ausgedrückt: »Popularphilosophen sind solche, die eine eigenständige, sich aus der eigentlichen wissenschaftlichen Schulphilosophie ausgliedernde populäre Philosophie vertreten ... über jene ständig wachsenden Restbestände an konkreten Problemen, zu deren Lösung die Fachphilosophie keinen Beitrag zu leisten vermag.«[26] Die Schulphilosophie, die mit ihrem deduktiven Aufbau eher der Struktur des hierarchischen Absolutismus verwandt ist, kann die Probleme in der Entwicklung des gesellschaftlichen bürgerlichen Lebens nicht mehr bewältigen bzw. grenzt sie aus, und daher nimmt sich die Popularphilosophie dieser Themen an. »Wolff überträgt die geometrische Methode und die mechanische Kausalität auf die menschliche Welt, und daraus entsteht ein neuer, ein aufgeklärter Mythos: die Maschine. Die Welt und die Menschen sollen funktionieren wie eine Uhr.«[27] Die Popularphilosophie begibt sich in Gegensatz zu dieser Auffassung und versucht, die neuen Lebensinhalte in ihrer Pluralität, Eigenständigkeit, verschiedenartiger historischer Entwicklung, psychologischer Begründung und Diversität zu erfassen. Mag sein, daß all dies sich dem Vorwurf der Seichtigkeit aussetzt, andererseits ermöglicht es aber, eine Vielfalt moderner Disziplinen *in nuce* zu erfassen, die sich parallel zur Entwicklung der bürgerlichen Gesellschaft als eigenständig konstituieren und den Kern der späteren Sozialwissenschaften bilden. Ökonomische, soziologische und psychologische Phänomene werden mit den methodischen Imperativen der modernen empirischen Wissenschaft bearbeitet, und mit ihrer Hilfe soll der Gesellschaft der größtmögliche Nutzen zuteil werden.

Auch J. J. Engel kämpft gegen die Starrheit der neueren Philosophen, »weil die Herren fast immer Dogmatiker sind, die ein festgesetztes System haben«[28], eine Eigenschaft, die sich auf Inhalt und Darstellungsweise nachteilig auswirkt bzw. Starrheit des Denkens im Gegensatz zu Beweglichkeit und Offenheit dokumentiert.

Schon in seiner Erzählung über Elisabeth Hill zeigt Engel, daß die Veränderungen seiner Heldin drei Meinungen in der Stadt, in der diese Figur lebt, hervorriefen: »Die Herren, wie man sieht, hatten sämtlich zu einem System geschworen; das will sagen: sie hatten jeder eine gefärbte Brille auf, durch die sie alles auf einerlei Art und nichts recht klar sahen.«[29] Die Bürger teilten sich in drei Gruppen, die alle autoritätsgläubig eine der drei verschiedenen Meinungen vertraten. Es ist jedoch das Gegenteil des Glaubens an eine dogmatische Lehre, an ein festes und geschlossenes und nach allen Seiten hin versperrtes System und an eine heteronome Autorität, das die Eklektik bildet, jene Denkart, die schon in der Frühaufklärung in Christian Thomasius ihren Protagonisten fand. »Der Eklektiker trifft eine Auswahl unter den überlieferten Lehren; es ist Auswahl des Wahren und Guten, argumentativ begründbare, nicht autoritätsgläubige Auswahl.«[30] Die Meinungsbildung des Einzelnen sowie verschiedener freier Gruppen kann nur durch selbständiges und ungezwungenes Suchen, nur durch eine selbsterzeugte Synthese des Gefundenen befördert werden. Die Möglichkeit der eigenen geistigen Selbsttätigkeit – im Rahmen allgemeiner formaler und notwendiger Gesetze des Denkens – gehört zu ihren Grundbedingungen. »Notwendigkeit, Nützlichkeit und Unparteilichkeit«[31] sind die Grundlagen der eklektischen Weltweisheit, die mit solchen Qualitäten viel besser den Geist des aufgeklärten Teils der frühneuzeitlichen Gesellschaft erfassen und ausdrücken kann; die Erziehung des kritischen Individuums wird als Grundpfeiler der modernen Pädagogik betrachtet und soll die praktische Betätigung der Mitglieder der Gesellschaft nach sich ziehen.

Die Popularphilosophen bemühten sich darum, in klarer und unmißverständlicher Form – in Heines Worten mit »bürgerlicher Deutlichkeit«[32] – alle, sogar die kompliziertesten Probleme auszudrücken, um auf diese Weise die Kluft zwischen der Sprache der Gelehrten und der Sprache des Volkes zu überwinden. Christian Garve, der sich diesem Problem besonders widmete, war der Auffassung, daß selbst die schwierigsten philosophischen Theoreme einfach ausgedrückt werden könnten[33] und daß die Schwierigkeit und Komplexität eines Problems nicht noch zusätzlich durch eine Fachsprache bis zur Unverständlichkeit überhöht werden sollte. Konkret bedeutete dies, daß die Popularphilosophen ihre Angriffe zuerst gegen die Philosophie Christian Wolffs richteten, um zu einem späteren Zeitpunkt von demselben Standpunkt aus die Lehren Kants, Fichtes und Schellings anzugreifen.

Doch nicht nur die verständliche Sprache und die klare Ausdrucksweise allein sind Kriterien der Zugehörigkeit zur Popularphilosophie. Die Frage der Zugehörigkeit stellt W. Zimmerli unter anderen Vorzeichen an die Göttinger Gruppe um Hißmann, Feder und Meiners und kommt zu dem Schluß, daß deren Überlegungen der »akademischen Schulphilosophie«[34] und das heißt, dem Wolffianismus verpflichtet sind, und durch die Einbeziehung einiger Elemente des englischen Empirismus lediglich einen praxisnahen Eindruck erwecken. Ihre Philosophie sei eine »Schulphilosophie für die Welt« bzw. eine »Popularphilosophie vom Katheder«[35], die sich anderer Elemente bedient, um ihre Dogmatik für die »Welt« abzufedern. Auch Sulzer und Eberhard schrieben in Paragraphen, und der letztere war auch nicht ganz frei von Deduktionen in seinen Publikationen, doch niemand zweifelt daran, daß sie typische Vertreter der popularisierenden Philosophie sind, da bei ihnen wie im übrigen auch bei den Göttingern andere wichtige Merkmale der Popularphilosophie zutreffen: das Primat der praktischen Philosophie, die Hervorhebung neuer Disziplinen wie der Ethnologie, der Psychologie, der moralisierenden Sozialphilosophie und Geschichte und nicht zuletzt der Versuch, das praktische politische Leben durch die theoretisch-literarische Tätigkeit beeinflussen zu wollen, sowie das wirkliche Eingreifen in ihre konkreten und realen Ereignisse.[36]

IV

Aus den bisherigen Ausführungen ist deutlich geworden, daß die Popularphilosophie einen besonderen Stellenwert unter den geistigen Strömungen der Spätaufklärung hatte. Das gilt natürlich auch für die Anhänger der Lehre Wolffs und die späteren Schüler von Thomasius, aber diese Lehren hatten ihre Blütezeit bereits hinter sich und verdanken sie anderen Entstehungsbedingungen. Auch die kritische Philosophie der achtziger und darauffolgenden Jahre soll nicht vergessen werden. Doch auch dann behält die Popularphilosophie ihre Bedeutung für die Aufklärungsbewegung, denn bestimmte Wesensmerkmale sind bei beiden vertreten. Einige dieser Gemeinsamkeiten bestehen im Glauben an die Bedeutung des gesunden Menschenverstandes[37] für das Verständnis der Welt, der realen Erfahrungen und konkreten Erscheinungen; daraus folgt, daß ein vernünftiger Konsensus durch rationale Argumente hergestellt werden kann. Gemeinsam ist ihnen ferner die Abneigung gegen Vorurteile aller Art, gegen jede Form eines erstarrten Dogmatismus und verkrustete Traditionen der Schulphilosophie und eine Offenheit gegenüber den Veränderungen in der Welt. Beide wollen der Menschheit Nutzen bringen, wollen die sozialen und politischen Bedürfnisse ihrer Zeit erfassen und zu ihrer Befriedigung beitragen, sie streben durch Gemeinnützigkeit Reformen in Politik und Ökonomie, in der Gesetzgebung und im Erziehungswesen an. Da das Programm der Popularphilosophen hauptsächlich auf die neuen Schichten des Bürgertums und den ihm nahestehenden Teil des Adels und der Geistlichkeit ausgerichtet ist und weniger auf die untern traditionsgebundenen Schichten, distanzieren sie sich von der Exklusivität einer streng wissenschaftlichen Sprache, um auf diese Weise eine neue Öffentlichkeit für ihre Absichten zu gewinnen und zu konsolidieren. Zu diesem Zweck treten sie auch häufig als Gründer und Beiträger vieler literarischer Zeitschriften hervor. Die literarische Verbindung, Kritik und Auseinandersetzung ist daher auch als eine erweiterte Form jener Kommunikationsfreudigkeit der Popularphilosophen und Aufklärer anzusehen, die sich schon in ihren intensiven persönlichen Freundschaften ausdrückt.

Wie W. Schneiders eindeutig zeigt[38], zeichnet sich in der Spätaufklärung auch ein Reflexivwerden der Aufklärung selbst ab, das sich in Fragen nach dem Wert der Aufklärung, ihrem Nutzen und Schaden, ihrer Authentizität und Wahrhaftigkeit und ihrer zeitlichen und historischen Dimension manifestiert. In diese Diskussion schaltet sich auch Johann Jakob Engel mit einer Arbeit »Ueber den Werth der Aufklärung« ein, in der er zahlreichen aktuellen Problemen eine scharfe und abschließende Form gibt. Auch bei ihm handelt es sich um jene Eule der Minerva, die ihren Flug erst mit der Dämmerung beginnt. Daß er im Sinne einer abschließenden Reflexion eine Zusammenfassung der zentralen Bewegung des Jahrhunderts geben will, darf unter anderem auch daraus geschlossen werden, daß diese Studie erst 1801 in die Sammlung seiner Arbeiten aufgenommen wurde. Schon seine Einsicht, daß der Wert der Aufklärung erst gegen Ende dieser Epoche nur durch die Aufklärung selbst ermittelt werden kann, deutet darauf hin, daß erst das Ende des Prozesses Aufschluß über diesen selbst geben kann, daß die Entwicklung der Aufklärung in der Zeit erst von ihrer letzten Stufe aus beurteilt werden kann. Die volle Dimension des geschichtlichen Ablaufs deutet sich in seiner Antwort auf die Frage nach dem absoluten und relativen Wert der Aufklärung an. Da, wo Aufklärung nach Wahrheit strebt, ist sie absolut und hat ihren eigenen in sich selbst liegenden unbestreitbaren Wert, denn »Wahrheit, und also auch Aufklärung, die immer Wahrheit sucht, sind durch sich selbst begehrungswürdig: denn ein eigner unabhängiger Grundtrieb der Seele ist auf Wahrheit gerichtet, und so kann von dem Werthe der Aufklärung keine Frage mehr seyn«.[39] Besteht der absolute Wert in der Wahrheitssuche, in der theoretischen Vernunft als ihrem vergangenen und noch gegenwärtigen Primat, so liegt der relative Wert im Praktischen, in der Frage »nach dem Verhältnis, mit den gesamten Kräften und Trieben unserer Natur und durch diese mit unserer Glückseligkeit«.[40] Engel zufolge besteht die Möglichkeit der Koexistenz von wahr und nützlich, wenn es praktische Fragen zu lösen gilt, bei der Beschäftigung mit theoretischen Fragen der Aufklärung aber muß eine notwendige Trennung vom absoluten und relativen Wert vollzogen werden.

Das Verhältnis von Wahrheit und Glückseligkeit sieht Engel dadurch bestimmt, daß die Aufklärung nur durch Vernunftgründe befördert werden kann; sollte der Versuch dazu aber mit Gewalt unternommen werden, würden sich alle Kräfte dagegen auflehnen, die Klugheit, der Wahrheitstrieb, »selbst der Glückseligkeitstrieb, dem nichts so sehr entgegen ist als Beschränkung der Freiheit, und der... sich enge an den Wahrheitstrieb anschließt, um durch ihn zu dem Puncte hinzuzukommen, wo beide zugleich ihr Ziel und ihre Zufriedenheit finden«.[41] Die Konvergenz von absolutem und relativem Wert – als Problem von der Aufklärung selbst hervorgebracht – liegt also in einer möglichen Zukunft, und auf diese Weise wird der historische Prozeß zum Katalysator einer möglichen, künftigen Harmonie. Diese Harmonie kann aktiv durch die Auseinandersetzung mit den verschiedenen menschlichen Kräften und ihren gegenläufigen Tendenzen hergestellt werden. So heißt es dann in »Von dem moralischen Nutzen der Dichtkunst«, daß die Moral ihren Blick auf alle unsere Kräfte und deren Verhältnis zur Vollkommenheit richtet und sie sucht »sie alle in diejenige Harmonie zu stimmen, von der unsere Glückseligkeit abhängt«.[42] Das sittliche Streben nach einer Harmonie von Pflicht und Neigung erinnert an Shaftesbury und der

Kampf der natürlichen und gegensätzlichen Kräfte gegeneinander an Adam Ferguson.[43] Ganz in diesem Sinne spricht man von einer Harmonie »durch eben das, was die ganze Natur erhält; durch Kräfte, die einander entgegenkämpfen, einander das Gleichgewicht halten...«[44] Wird in der Natur das Gleichgewicht immer von neuem durch den ewigen Kampf aller Kräfte hergestellt, so ist vom moralischen Standpunkt aus der Fortschritt von jener Harmonie der Kräfte abhängig, durch die allein Wahrheit und Glückseligkeit garantiert werden kann. Der für die Aufklärung symptomatische Fortschrittsgedanke ist es, der zwischen Sein und Sollen, zwischen Gegenwart und Zukunft vermittelt. Engels Gedanken bewegen sich dabei im Rahmen eines Prozesses, des moralischen Aufstiegs von der Barbarei zur Vollkommenheit. Hinsichtlich des Erkenntniszuwachses kann er also klar konstatieren: »Wir sind unläugbar seit der Zeit der Griechen und Römer weitergekommen.«[45]

Eine metaphorische Darstellung des Fortschritts findet sich in Engels glänzendem Essay über den Ätna. Erstens, schreibt Engel, sollten beim Aufstieg auf eine Höhe immer auch Rastplätze vorhanden sein, damit »der Trieb zum Vorwärtsdringen immer lebhafter, das Herz zum Ertragen der Mühseligkeiten immer freudiger werde«.[46] Und »die zweite nicht minder wichtige Wahrheit ist: daß man sich eine Höhe zum Ziel setzen muß, auf welche sich ein gangbarer Weg hinanwende, der, wenn auch steil und mühsam, doch nirgend durch unübersteigende Hindernisse versperrt«[47] sein darf. Indem Engel letztlich die Tugend als Ziel begreift und den Willen, »was von allem Äußern ewig unabhängig bleibt«,[48] als zentrale Kraft zum Erreichen dieses Ziels ansieht, drückt er nur die typische Verinnerlichungstendenz des deutschen Bürgertums aus, das ohne nennenswerten politischen Einfluß den Beweis seiner Stärke oft in einer außerpolitischen Sphäre suchte. Die im engeren Sinne politischen Ausführungen Engels sind daher eher deskriptiv und wenig kritisch, er bleibt ohne eine klare Vorstellung einer politischen Reform weitgehend der Obrigkeit verpflichtet, und wo er von dieser Linie abweicht, sind seine Überlegungen von einem moralisierenden Ton durchdrungen und voller Nachsicht der staatlichen Institution gegenüber.

V

»Nicht erst in den ›Systemen‹ des 20. Jahrhunderts ist das Subjekt ›dezentriert‹, nämlich an den Rand der Welt gerückt, in deren Mitte sich institutionalisierte Regeln wie ein perpetuum mobile im Automatismus ihrer Selbsterzeugung bewegen, schon in den Ordnungssystemen des 18. Jahrhunderts ist das mindestens angestrebt.«[49] Die Ordnung in diesem Jahrhundert der Aufklärung und der Revolutionen besteht darin, daß die »Einheit« des Gesetzes über eine Mannigfalt von Menschen oder Dingen herrscht und daß eine Differenziertheit von beiden sich wie ein Mittel einem gemeinsamen Endzweck unterordnet. Diese Art der Einfügung einer Vielheit unter eine diese Ordnung begründende »Regel« wird als System bezeichnet. Erstaunen muß, daß ein in epistemologischen und metaphysischen Fragen antisystematisch denkender Philosoph wie Engel gerade seine Theorie des Staates vom Systemgedanken ableitet. Die in beiden Bereichen unterschiedliche Einstellung zur Welt der Erfahrung mag hier als Beleg dienen. Das »System« in der ersten Bedeutung verwirft Engel, weil es sich um ein abstraktes System handelt, das zu seinen Wahrheiten auf rein begrifflich-deduktivem Weg kommt. Die damit einhergehende Subsumtion des Realen unter den deduktiven Zwang führt dazu, daß die konkrete Wirklichkeit nicht in ihrer Komplexität Eingang in das System finden kann. Anders im politischen »System«. Dieses beschwört die Realität der preußischen Monarchie; die Welt der Erfahrung wird zum Ausgangspunkt und dient der Apologie und der Glorifizierung der Berliner Könige. Gemeinsam ist beiden »Systemen« die Deduktion; dort aus abstrakten Begriffen, hier vom idealisierten Willen des preußischen Königs ausgehend, der Zentrum dieser politischen Realität ist, weil »so ein System nur Werk eines einziges Geistes seyn konnte«[50], der als absoluter Herrscher alles nach einer bestimmten Logik und Ordnung regelt. Einen weiteren Beweis für seine These entnimmt Engel der vergleichenden Regierungslehre, indem er behauptet, daß kein Reich als »System« mit der preußischen Monarchie verglichen werden könne. Das »System« in seiner Vollkommenheit, Einheit und Regelmäßigkeit ist also Preußen! Engels Systembegriff impliziert ferner, daß »die Theile durch das Ganze gerechtfertigt«[51] sind. Bei diesem Ganzen handelt es sich um die vollkommenste architektonische Einheit, deren Quintessenz darin besteht, daß sie sich durch eine »richtige Ordnung oder feste Verbindung der Theile«[52] auszeichnet. Als weiteres mechanistisches Beispiel führt Engel an, daß zur Vollkommenheit der Funktionsfähigkeit des ganzen Apparates das Ineinandergreifen der »zahllosen Räder der großen Maschine«[53] notwendig sei, die schließlich von der »Gesetzgebung« zur höchsten Vollkommenheit hin gesteuert wird. Der Vorrang des Ganzen vor seinen Teilen im Sinne eines Steuerungssystems zur Erhaltung der moralischen und ökonomischen Legitimation des Status quo dient dazu, den Endzweck dieses Systems mit dem *telos* Gottes und des Monarchen zu identifizieren: die höchst mögliche Wohlfahrt; ein überindividueller Zweck, der durch seine doppelte Sanktion das Partikulare und Einzelne verdrängt und es in seiner Konzeption nur duldet, wenn es selbst zum Mittel dieses »großen Endzwecks« wird. Konkret bedeutet allgemeine Wohlfahrt die »Verstärkung der Macht, Verbesserung der Gesetze, Beförderung der Industrie, Sicherung der Bündnisse«[54], die Künste haben in diesem von oben verordneten Wohlfahrtsideal eine untergeordnete Funktion. Engels Vorstellung von der Rationalisierung der bestehenden Verhältnisse scheint die passive Zustimmung der Untertanen und die Anerkennung durch die höhere Beamtenschaft zur Voraussetzung zu haben. Aber nicht nur die politische und institutionelle Struktur der absoluten Monarchie versucht Engel seinem Publikum zu vermitteln, er rechtfertigt auch deren soziales Gefüge in seiner altständischen Form. Obwohl er den Staat mit dem Monarchen identifiziert, versucht er doch zwischen Staat und Individuum, zwischen Allgemeinem und Besonderem zu vermitteln: »Der Staat aber ist der Inbegriff aller Stände, so wie jeder Stand der Inbegriff aller ihm zugehörigen Individuen ist.«[55] Der Stand als kollektiver Zusammenschluß der beruflichen Zweige dient den einzelnen Wirtschaftssubjekten als Sammelbecken; als universelle Struktur in bezug auf den Einzelnen muß er jedoch gegenüber dem Staat als übergeordneter Einheit die Partikularität dieses kollektiven Zusammenschlusses vertreten. Das Wohlfahrtsideal kann nur als Fortschritt im Zusammenschluß der beruflichen Bestrebungen aller kollektiven Schichtungen erreicht werden, ein Prozeß, der alles Besondere ausschließt und einer spätabsolutistischen Pflichtethik unterworfen ist: »Die Pflichten des Berufs überlagern alle andern Verbindlichkeiten, selbst die Pietätspflichten.«[56] So bleibt auch die Anwendung der universellen Moral durch die Standeszugehörigkeit bestimmt und daher letztlich partikular. In Engels Auffassung von der ständischen Gliederung definiert sich die soziale Zugehörigkeit des Einzelnen nur über sein Eingebundensein in ständische Berufsgruppen. Fortgeschrittenere rechtstheoretische Überlegungen, die auf eine Trennung von Staat, Gesellschaft und den privaten Rechtsverkehr abzielen und zu Engels Zeit bereits diskutiert wurden, haben in seinen Ausführungen keinen Raum.

Engel hat zahlreiche in der zeitgenössischen moralisierenden, aufgeklärten Literatur behandelte Themen aufgenommen und in seinen Essays verarbeitet. So verurteilt er z. B. die Höfe wegen ihrer parasitären sozialen Zusammensetzung und ihrer politischen Destruktivität: »Höfe sind der Lieblingssitz der Schmeichler: denn hier tragen die Bienen des Landes ihren Honig zusammen und locken natürlich auch die Raubtiere herbei.«[57] Dieser Personenkreis darf seiner Meinung nach keinesfalls in der höfischen Hierarchie aufsteigen und etwa zum Ratgeber der Fürsten werden; die moralische Zerrüttung des Gemeinwesens wäre die natürliche Folge davon. Eine weitere Frage, die des öfteren in der aufklärerischen Literatur gestellt wird, lautet: Ist es ratsam, die Anzahl des Adels zu vergrößern oder zu verringern? Engels Antwort ist eindeutig: Was ausgezeichnet, nachahmungswürdig und den Stolz motivierend sein soll, kann nur wenigen zukommen. Jede Erweiterung der Möglichkeiten des Zugangs zum Adelstitel nimmt diesem das Spezifische, schränkt seine Bedeutung ein und hält die wirklich Ausgezeichneten und Verdienstvollen davon ab, diesen Titel anzustreben. Allein wenn der Dienst für das Gemeinwohl zur höchsten Pflicht geworden ist, eignet er sich für das Leben am Hof und wird den Fürsten ein integrer Ratgeber sein.

Engel warnt die Fürsten mit moralisierenden Ratschlägen, die Forderungen von Abgaben und Steuern nicht zu übertreiben; auch wenn das an Druck und Gehorsam gewöhnte Volk sich zunächst fügen sollte, werden später »die schrecklichen Folgen der Überspannung sichtbar. Während einige Wenige sich bereichern, wird die Dürftigkeit, die vorher schon in der Hütte wohnte, sich in tiefes Elend, der Unmuth in volle düstere Verzweiflung, der Fleiß, der sich nicht mehr vergebens abmatten will, in Lust und Missethaten verwandeln«.[58] Die weitere Entwicklung liefe dann mit Sicherheit auf eine verminderte Produktivität hinaus, während in krassem Widerspruch dazu ein beträchtlicher Teil der Abgaben am Hof verschwendet wird. Engel verlangt daher »für das Vermögen der Unterthanen Achtung und Schonung«.[59] Der von ihm postulierte »gute Fürst« soll seinen Untertanen gegenüber mildtätig sein und die Grenzen der Mäßigung nicht überschreiten. Engel prangert ganz im Sinne der Zeit viele Mißbräuche des Herrschers gegenüber den unteren Ständen an, und rät dem Fürsten, sich ihrer zu enthalten. Die Macht des absolutistischen Staates zieht der aufklärerischen Vernunft natürlich enge Grenzen, und als »Gerüchte über den Rhein« kamen, daß man den Bauern helfen wolle, schreibt Engel: »Das war gut an sich selbst! Aber mußte denn nun durch schändliche Furcht bewirkt werden, was so ehrenvoll durch Menschlichkeit und Gerechtigkeit hätte bewirkt werden können.«[60] Wann haben schon die Privilegierten nur aus »Menschlichkeit und Gerechtigkeit« auf ihre Vorteile verzichtet, und dies noch dazu in einer ständischen Gesellschaft, in der die berufliche Organisation die einzig mögliche Vermittlung zwischen dem Einzelnen und dem Staat bildet. In dieser Situation können moralische Ratschläge eben nur Ratschläge bleiben. Es fehlt ihnen die legale Sanktion, und diese liegt völlig in den Händen des Fürsten.

Trotzdem befürwortet Engel die absolute, erbliche und uneingeschränkte Monarchie als die einzig gute Regierungsform. Schon in einem seiner ersten Schauspiele aus dem Jahre 1772 mit dem Titel »Der Edelknabe« kommt seine paternalistische Ansicht eindeutig zum Ausdruck. Der Fürst als absoluter Herrscher verfügt über das Volk als Objekt seines Willens. 1779 veröffentlicht Engel zum Geburtstag Friedrich Wilhelm II. sein Schauspiel »Titus«, das symbolisiert in den Figuren des Titus und des Vespasian eine Verherrlichung des Prinzen und dessen Onkels Friedrich II. ist. Die »Lobrede auf Friedrich den Zweiten (1781) gehört zu dem Besten, was Engel geschaffen hat«[51], meint Hanns Daffies, der diese Lobrede, die Rede Engels zum Geburtstag von Friedrich Wilhelm II. (1786), den *Fürstenspiegel* und die Vorträge für den damaligen Kronprinzen (1787) und späteren König Friedrich Wilhelm III. (erschienen 1802) als Quellen für Engels Begeisterung für die absolute Monarchie zitiert.

Der König ist die sichtbare Verkörperung des Staates als eines Ganzen, ohne ihn als Zentrum wäre die ständisch gegliederte Hierarchie konturlos. Er hat die unveräußerliche Souveränität inne, seine Herrschaft ist uneingeschränkt und nur an die Tugend gebunden, deren Maßstäbe natürlich nur er selbst interpretiert. In der Funktion seiner Herrschaft vereinigen sich die Interessen aller, und er bestimmt seinerseits ihre Legitimität, »mag sie Aufklärung und Sittenbeßrung des Volks, oder Dienst im Tempel der Gerechtigkeit, oder Sorge für das Leben der Bürger seyn«.[62] Er personifiziert den Staat, dessen Existenz für Engel ohne Monarch an der Spitze überhaupt nicht denkbar ist. In seiner Huldigung des Neffen Friedrichs II. beschreibt Engel, wie dieser »die Angelegenheiten seines Staats, seines Heeres, seiner Kammern, seiner Gerichtshöfe besorgt«[63] – die in dieser Darstellung alle als persönliches Eigentum des Herrschers vorgestellt werden, der für sie qualitative und quantitative Maßstäbe festsetzt – und wie sich in ihm auch Geist und Einsichten »des Feldherrn, des Staatsmanns, des Gesetzgebers«[64] talentiert vereinigen. Engel betreibt – aus heutiger Sicht – einen Personenkult, obwohl auch schon zu seiner Zeit Modelle der Gewaltenteilung vorlagen, und Versuche, die Monarchie in konstitutionelle Wege zu lenken, Denkern der Spätaufklärung keineswegs fremd waren. Er bewertet sämtliche Merkmale der absoluten Monarchie positiv; daß der König der Gesetzgeber ist, der keinem Gesetz unterworfen ist, der Richter aller, ohne selbst von jemandem gerichtet werden zu dürfen, der Fürst mit der größten Menschenkenntnis und Vorsehungsgabe, der an der Spitze einer hierarchisch gegliederten und nach Effizienzmaßstäben von ihm ernannten Bürokratie und Verwaltung steht, findet ebenso Engels Zustimmung wie er ihn letztlich auch als Garant der Verwirklichung des eudämonistischen Wohlfahrtsideals betrachtet. Da alle Lebensbereiche in diesem Ideal zusammenfließen, erhebt er den König zum Vater der Nation und spricht in Anlehnung an Christian Wolff von »Vatersorge« und »hausväterlicher Kunst«, damit ist eine Analogie zwischen Familie und Staat hergestellt, in der dem Fürsten als Vater die Daseinsfürsorge für seine Untertanen als Kinder zukommt. So ist in dieser Lehre »die Vorstellung vom unmündigen Untertanen ebenso präsent, wie das Prinzip umfassender Daseinsfürsorge, Arbeitsamkeit, Opferbereitschaft und Gehorsam fordernde Pflichtenlehre«.[65] Das Verhältnis der gegenseitigen Pflicht von Vater und Kindern impliziert in dieser Analogie dann die Fürstenpflicht zu regieren und die »Unterthanenpflicht zu schweigen«. Es deklassiert die Untertanen zu einem Aggregat unmündiger Objekte, die sich durch Passivität, blinden Gehorsam, Disziplin und eine absolute Loyalität der etatistischen Herrschaft gegenüber auszeichnen und ihr Dasein nur in völliger Entfremdung durchstehen können. »Aufklärung« bedeutet in den Grenzen dieses »Systems« nur eine Steigerung des rationalen Funktionierens der Staatsmaschine, ohne daß von individuellen Freiheitsrechten als Gegenpol zu den Pflichten auch nur die Rede sein könnte. Das Recht auf moralischen oder gar politischen Widerstand ist in Engels Konstruktion nicht vorzufinden und aus seiner Perspektive auch gar nicht denkbar.

Jörn Garber sieht im »Konflikt von Menschenrechtspostulat und positivem Recht ... eines der zentralen Themen der spätaufklärerischen Naturrechtslehre«.[66] Kants eindeutige Präferenz des Naturrechts und seine Kritik des positiven Rechts ohne jede politisch-moralische Legitimation mag hier als Beispiel für Garbers Ausführungen genügen. Da dieser angeführte Konflikt für J. J. Engel nicht besteht, kann festgestellt werden, daß seine politische Theorie nicht der Naturrechtslehre verpflichtet ist, sondern den positivistischen Ansätzen und der historischen Wirklichkeit. Die Monarchie legitimiert sich durch ihre Existenz und den Gehorsam ihrer Untertanen. Zwar erwähnt der Lobredner der preußischen Könige in der zweiten Hälfte des 18. Jahrhunderts hier und da auch Rechte, doch sind sie nicht in der Subjektivität des Individuums, in der objektiv-vernünftigen Natur des Menschen und im präpolitischen Zustand verankert. Ihnen kommt im Staat weder eine systematische noch eine normative Funktion zu. Engels Erwähnung der Rechte ist sporadisch, denn sie bilden keinen integralen Bestandteil seiner Theorie. Er verlangt z. B., daß der Prinz im vollen Bewußtsein seiner Rechte nicht die Rechte der andern Menschen vergißt, »daß kein feiner, geschweige denn ein edler Mann diese Rechte muß verkennen«.[67] Die Begründung dieser Rechte, ihre Herkunft und Legitimität, ihre Gültigkeit und Rechtmäßigkeit bleiben im dunkeln. Sie sind vom Regenten gewährte, positive und minimal ermessene Freiheitsräume, die dem Untertanen quasi als Gnade zukommen. Dieser hat keine Möglichkeit, ihre Erweiterung bzw. moralische Legitimation zu fordern. Im *Fürstenspiegel* werden sogar einmal die »allgemeinen Menschenrechte« erwähnt sowie das »Gefühl von dem Werthe der Menschheit und Schätzung der Rechte derselben«[68]; doch scheint dies einer andern Tradition zu entstammen als dem Willen, durch naturrechtliche Normen eine neue soziale Wirklichkeit gestalten zu wollen.

Als Aufklärer exponiert sich Engel für »das Recht zu denken« und meint, daß geistliche und politische Behörden irren, wenn sie die »Denkfreiheit« nicht dulden wollen und annehmen, daß das freie Forschen die Grundlagen von Staat und Kirche untergräbt. Ein Staat sollte sich durch denkende Männer entwickeln, Mängel vermindern und Vorzüge vermehren, um sich vom »blinden Glauben« in der Religion und vom »blinden Gehorsam« in der Politik zu befreien. Dies alles wird nicht durch die vernünftige Natur des Menschen, sondern in der realen Natur der preußischen Monarchie begründet. Engel, der die konkrete Existenz der preußischen Könige und ihrer Herrschaft apologetisch zum Vernünftigen erklären will, preist Friedrich Wilhelm II. zwei Jahre vor dem Wöllnerschen Edikt als Herold der Denkfreiheit: »Wer erräth hier nicht schon, daß ich vor allem von dem Grundsatze der Duldung, von der Schonung des ersten und heiligsten aller Rechte der Menschheit rede: des Rechts zu denken, zu forschen, ewige Wahrheiten mit bescheidenem Ernste, aber laut und ohne Rücksicht zu prüfen.«[69] Dieser universalistischen Einstellung wurde zwei Jahre später von Wöllners Edikt ein schnelles Ende bereitet.

So wird die Geschichte zum konstitutiven Element bei der Entstehung und Entwicklung von politischen Kulturen. Nachdem gezeigt wurde, daß sich Engels politische Gedanken nicht auf eine rationale Naturrechtslehre beziehen, soll nun eine andere Möglichkeit in Betracht gezogen werden, um ihren konzeptuellen Bezug zu verdeutlichen. Es wäre jene Theorie zu erwähnen, die ihre Wurzeln in der physischen, in der geographischen Natur und der Historie hat und die von Montesquieu weiter ausgearbeitet und begründet wurde, um dann auch die schottischen Moralphilosophie und einige deutsche Popularphilosophen zu beeinflussen. Mit der Entdeckung physikalischer und moralischer Gesetzmäßigkeiten eines geschlossenen sozialen Zusammenhangs geht die Betrachtung von Zeiten und geographischen Räumen in ihrer spezifischen Eigenart einher, und das objektiv Gegebene stellt die Rahmenbedingungen für die individuellen Ansprüche dar. In diesen Zusammenhang ist folgende Äußerung Engels aus dem *Fürstenspiegel* einzuordnen: »Könige! ruft so laut die Geschichte, wagt es nicht gegen den herrschenden Geist eurer Zeit anzukämpfen; er ist durch eine Folge von Jahrhunderten eben so unwiderstehlich herbeigeführt, als es durch die periodischen Umwälzungen des Himmels die Jahreszeiten sind.«[70] Geschichte wird in Analogie zur Natur gerechtfertigt und beide werden in ihrer objektiven Gültigkeit zu Mitbegründern der besonderen Gestalt in der historischen Entwicklung in den jeweiligen Ländern und Erdteilen. Die historisch gegebene, besondere Situation muß in dieser Betrachtungsweise von den Herrschenden als Faktum akzeptiert werden, dessen Bestandteil sie selbst sind, und es liegt nicht in ihrer Macht, »den Zeitpunkt des Geisteblühens« bei einem Volke durch einen bloßen Willensakt herbeizuführen, »denn dieser Zeitpunkt hängt an einer Unendlichkeit zusammentreffender Ursachen, die der Herrscher so wenig in's Dasein rufen kann, daß er vielmehr selbst unter ihrem Einfluß steht«.[71] Diese objektive Bedingtheit gilt es als Grundlage des Handelns anzuerkennen, um Fehlentscheidungen zu vermeiden und angemessene staatliche Maßnahmen durchzuführen, in der Gewißheit, »das besondere dieses wirklichen Staats, von dieser eigentlichen Lage, diesem Maaß innerer Kräfte, dieser Verwirklichung äußerer Verhältnisse, diesem Charakter des Volks, diesen Rechten, Gewohnheiten, Sitten«[72] in Rechnung zu stellen und sich nicht durch abstrakte Formeln von den realen Gegebenheiten zu entfernen. Nur auf die positiven Gegebenheiten der realen Kräfte in ihrer partikularen Eigenständigkeit und ihre sozialen und kulturellen Bestimmungen kann der Fürst Einfluß nehmen und entweder ihre Entwicklung fördern oder hemmen. Entwicklung und Degeneration lebendiger Faktoren verweist auf das biologisch-organische Netz der Engelschen Staatslehre und damit gleichzeitig auf ein bedeutendes Element des modernen Konservatismus. Vor diesem Hintergrund stellt Engel Hellas und Rom zur Zeit des Augustus einander gegenüber und stellt fest, daß Hellas »fast bis zur Unkenntlichkeit gealtert (ist, Z. B.); daß der ehemals so rege, kraftvolle zum höchsten Schwung geeignete Fittig... schon seit lange gelähmt ist«, während Rom zur selben Zeit »eins der schönsten Jahrhunderte, wenn nicht alle Anzeichen trügen in vollem Werden, in vollem Aufblühen«[73] erlebt. Mit diesem biologistisch aufgeladenem Geschichts- und Politikbegriff findet ein neues Element, das die Abkehr vom cartesianischen Rationalismus signalisiert, Eingang in die moderne Philosophie und politische Theorie.[74] Die Konzentration auf die »natürliche Geschichte« als ein sich entwickelndes Kräfteparallelogramm hat für die Gedanken der deutschen Popularphilosophen eine besondere Bedeutung; sie entspricht ihrer Neigung, der empirischen Welt Rechnung zu tragen und diese durch die sensualistische Philosophie verstehen zu wollen. Diese Neigung läßt sich nicht nur bei J. J. Engel nachvollziehen, sondern auch bei Christian Garve, Christoph Meiners und J. G. H. Feder, der zwar dem Naturrecht verpflichtet war, andererseits aber als wahrer Eklektiker sich der »natürlichen Geschichte« bediente, ihre Elemente verarbeitete und in ihr die Vermittlung zwischen dem Individuum, der Gesellschaft und der Natur sah.

VI

Der Ausbruch und der weitere Verlauf der Revolution in Frankreich gab der Entwicklung der deutschen Popularphilosophie entscheidende Anstöße. An drei Beispielen soll dies kurz verdeutlicht werden. Christian Garve, der als Übersetzer vieler Werke der schottischen Moralphilosophen deren soziologische Denkweise übernahm, ging von der Beobachtung des einzelnen Phänomens über Analogien zu dem Versuch über, eine Gesetzmäßigkeit für den Ausbruch der Revolution und ihre Radikalisierung festzustellen.[75] J. G. H. Feder war bis 1793 ein konsequenter Naturrechtler, der in seiner Lehre sogar ein moralisches Widerstandsrecht begründete, dann aber aufgrund der »literarisch-politischen Stürme«, die zu schweren Auseinandersetzungen mit seinen Kollegen und der Regierung in Hannover führten, resignierte. Politisch belastet zog er es vor, den Status quo zu befürworten, jede Auseinandersetzung zu vermeiden und seiner naturrechtlichen Lehre zu entsagen.[76] J. A. Eberhards Verständnis des Naturrechts war schon vor der Revolution konservativ geprägt, da er das Gleichheitspostulat für freie Bürger verwarf, die absolute, erbliche Monarchie befürwortete und die bürgerliche Gesellschaft hierarchisch strukturiert sehen wollte. Revolution ist ihm gleichbedeutend mit Anarchie, sie wird von »Bösewichtern« begonnen, die den Pariser »Pöbel« durch Leidenschaften zu Gewalttaten veranlassen und dadurch die Rückkehr zum Naturzustand verursachen.

J. J. Engel beschäftigt sich mit diesem Thema weniger intensiv als seine Kollegen. Nur in einem kleinen Beitrag im *Fürstenspiegel* mit dem Titel »Sicherheit« widmet er sich – vom Ausbruch der Revolution veranlaßt – der Frage, wie Revolutionen zu vermeiden sind. Seine Antwort fällt nicht anders aus als die der meisten deutschen Literaten: durch Reformen. Bei näherer Betrachtung dessen, was er unter vorbeugenden, reformerischen Maßnahmen konkret versteht, wird deutlich, daß es sich dabei nicht um ein alternatives politisches und ökonomisches Modell handelt, sondern um Korrekturen innerhalb der Grenzen des Systems. Die Revolution bezeichnet er als ein »fürchterliches Phänomen«[77], das Schrecken erregt, vor dem die deutschen Fürsten zittern und dem es entgegenzuwirken gilt. Die Eigenschaften der Deutschen, oder in der Formulierung Engels »die Sinnesart des Volkes«, betrachtet er als Gegengewicht zu den französischen Ereignissen und ihrem Einfluß, der hie und da auch auf fruchtbaren Boden östlich des Rheins fällt: »Ruhig, standhaft, bieder, treu muß es guten, und wenn auch nur erträglichen Fürsten weit weniger Sorge, als die meisten übrigen Völker, machen.«[78] Nicht auszuschließen sei jedoch, daß auch ein an absoluten Gehorsam gewöhntes Volk, wenn es überreizt und zu stark ausgebeutet wird, »instinctmäßig« zu Mitteln greift, »um sich der Angst und der Qual zu entladen«.[79] Der Bedeutung von Engels Reformvorschlägen zur Vermeidung einer revolutionären Entwicklung soll nun abschließend in den Bereichen der Aufklärung, der Ökonomie und der Politik nachgegangen werden.

Den »Sklavensinn« der vollkommenen Unterdrückung läßt sich seiner Meinung nach nur ein Volk aufzwingen, das noch nicht »zum Nachdenken erwacht« ist, das den Prozeß der Aufklärung noch nicht verspürt hat. Dort aber, wo die Freiheit zu denken schon Fuß gefaßt und »Dummheit und Aberglauben« verdrängt hat, könnte der Versuch, den Status quo ante wiederherzustellen, zu einer Verbitterung und Verschlechterung der Lage führen: »Herrscher, die in unsren Zeiten sich für höhere, von Gott geheiligte Wesen gäben, und in dieser Eigenschaft blinde Verehrung, blinden Gehorsam verlangten, würden ihren Zweck so ganz verfehlen, daß sie nur verhaßter und verächtlicher würden.«[80] Die gewaltsame, von Staat und Kirche herbeigeführte Unterbrechung des Aufklärungsprozesses konterkariert Engel zufolge geradezu die gefestigten Funktionen des staatlichen Gemeinwesens. Nicht die Entfaltung der Aufklärung, sondern der Versuch, sie und ihre

Folgen zu annullieren, kann zu einer revolutionären Situation führen. In diesem Sinne bedeutet Reform hier die Fortführung des aufklärerischen Prozesses, damit die politische Herrschaft nicht durch »Furcht und Elend« legitimiert werde, sondern durch »Dankbarkeit und Wohlfahrt«, eines aufklärerischen Prozesses freilich, der nicht zu den Wurzeln des absolutistischen Staates vordringt.

Engels Empfehlungen für den sozialen und ökonomischen Bereich bleiben weitgehend unspezifisch und allgemein. Der Fürst, so rät er, möge zwischen seinem persönlichen Vorteil und dem des Volkes keinen Unterschied machen, jeden gerechten Wunsch der Untertanen befriedigen und jeder begründeten Klage stattgeben. Ferner »erleichtere er durch Beschränkung der eigenen Ausgaben, durch besser berechnete Staatswirtschaft, durch sorgfältige Aufmerksamkeit auf jede Nahrungs- und Reichtumsquelle den Unterthanen die Last«.[81] Es geht Engel also keineswegs darum, die Leibeigenschaft abzuschaffen, der Willkür des Adels Grenzen zu ziehen, Freizügigkeit in Handel und Gewerbe zu ermöglichen, kurz, die ständische für die bürgerliche Gesellschaft zu öffnen. In Engels Vorschlägen wird die Struktur von Hof und Adel beibehalten und allenfalls für eine gewisse Mäßigung des Drucks auf die unteren Schichten plädiert, um die krassesten Mißstände der absolutistischen Herrschaft zu mildern. An den Stein-Hardenbergschen Reformen läßt sich ablesen, daß Engels Vorschläge unzeitgemäß waren und auch nicht zu einer Veränderung der sozialen Strukturen beizutragen vermochten.

Engels Paternalismus in der Ökonomie gewinnt im Bereich des Politischen keine wesentlich neue Dimension. Zwar führt er in die politische Sphäre zunächst ein liberales Moment ein, indem er insinuiert, der König »gönne allen die volle Freiheit, welche Freiheit der Übrigen zuläßt«[82], doch handelt es sich bei den Untertanen schließlich nicht um Bürger, denen als politische Subjekte unveräußerliche, universalistische Freiheitsrechte zukommen, sondern um Objekte der fürstlichen Gunst; die Handlungen des Königs sind mithin »freie, edle, großmüthige Wirkungen seines Geistes«. »Und um alles zusammenzufassen, zeige er in jeder seiner Handlungen Gemeinsinn, Bürgersinn, Vatersinn.«[83] In Engels Verständnis sind dies Eigenschaften bzw. Fähigkeiten, die ausschließlich dem Souverän zukommen, als solche ihm aber auch abverlangt werden dürfen. Allen anderen Mitgliedern der

Gesellschaft, die nur die vom Fürsten gewährte Freiheit besitzen, fehlen dazu die Voraussetzungen.

Engels Reformvorstellungen laufen darauf hinaus, den Status quo zu erhalten und etwas erträglicher zu gestalten. In diesem Sinn steht J. J. Engel in der gleichen Tradition wie J. A. Eberhard, mit diesem stimmt er auch in seinem Urteil über die Französische Revolution überein. Sie ist für ihn ein Schritt auf dem Weg zur Anarchie, die jenen herrschaftslosen Zustand bezeichnet, in dem die alte Verfassung eines Staates ihre bindende Kraft verloren hat, ohne daß bereits eine neue an ihre Stelle getreten wäre; mit ihr haben alle ordnungsstiftenden Funktionen der bürgerlichen Vereinigung aufgehört zu existieren, und darin gleicht sie dem gesetzlosen Naturzustand. In diesem Sinn kann Engels rhetorische Frage verstanden werden: »Wollen sie in die Wälder zurück, in denen ihre Urväter, als einzelne nackt, bei aller Freiheit wie elende Wilde herumschweiften?«[84] Auf diese abschreckende Alternative weiß Engel nur eine Antwort: die gemäßigte Form der absoluten Monarchie.

Anmerkungen

1 *Johann Jakob Engel als Ästhetiker und Kritiker,* Inaugural-Dissertation zur Erlangung der Doktorwürde bei der Hohen Philosophischen Fakultät der Schlesischen Friedrich-Wilhelm-Universität zu Breslau. Vorgelegt von Fritz Hofmann, 1922. Der Verfasser kritisiert, daß Engel »als Ästhetiker und Kritiker bis auf den heutigen Tag noch keine eingehende Würdigung gefunden hat, obwohl er im literarischen, wie im künstlerischen Leben seiner Zeit eine hervorragende Rolle spielte« (S. 4).

2 Günter Birtsch, »Die Berliner Mittwochgesellschaft«, in: H. Bödeker, U. Hermann (Hg.), *Über den Prozeß der Aufklärung,* Göttingen 1987, S. 67.

3 Ebd., S. 76.

4 F. Hofmann, *Engel als Ästhetiker und Kritiker* (Anm. 1), S. 5.

5 Friedrich Nicolai, *Ehrengedächtnis des Herrn Professors Engel,* Berlin 1803, S. 3.

6 Ebd., S. 15 f.

7 Nicolai, Ehrengedächtnis (Anm. 5), S. 16, nennt folgende Namen: Moses Mendelssohn, Teller, Merian, Eberhard, Wlömer, Ferber, Klein, Menken, Zöllner, Meierotto, David Friedländer, Herz und Fi-

scher. Engel muß natürlich noch hinzugefügt werden. Nicolai engagierte ihn noch in seiner Leipziger Zeit als Rezensenten für die ADB.

8 F. Hofmann, *Engel als Ästhetiker und Kritiker* (Anm. 1), S. 95 f. Die drei Bände des »Philosophen für die Welt« waren folgendermaßen gegliedert:
1775 Leipzig mit 13 Stücken.
1777 Leipzig mit 12 Stücken.
1800 Berlin mit 12 Stücken.

9 Werner Schneiders, »Zwischen Welt und Weisheit. Zur Verweltlichung der Philosophie in der frühen Moderne«, in: *Studia leibnitiana*. Wiesbaden 1983, S. 7.

10 Richard Münch, *Die Struktur der Moderne. Grundmuster und differentielle Gestaltung des institutionellen Aufbaus der modernen Gesellschaften*, Frankfurt 1984, S. 224.

11 J. J. Engel, »Fragmente über Handlung, Gespräch und Erzählung. Geschrieben im Jahr 1774«, in: J. J. Engels *Schriften*, 4. Band: *Reden. Ästhetische Schriften*, Berlin 1802, S. 205. Fritz Hofmann, *Engel als Ästhetiker und Kritiker* (Anm. 1), S. 88 f., meint dazu: »Als Anhänger Lockes beschäftigte sich Engel in seinen philosophischen Studien vor allem mit der Lehre von den Sinneswahrnehmungen und den Empfindungen. ... Engel war der Erste, der zu den feineren Sinnen außer Gesicht und Gehör auch noch den Tastsinn rechnete.«

12 J. J. Engel, »Über eine Regel Newtons«, in: J. J. Engels *Schriften*, 10. Band: *Philosophische Schriften*, S. 85 f. In bezug auf Bacon heißt es auf S. 110 des 10. Bandes: »Das Ansehen dieses großen Mannes darf uns indessen nicht irren; denn er stützt sich hier, gegen seine eigene Regel, nicht auf Erfahrung, sondern auf eine gewagte, willkürlich angenommene Hypothese.«

13 J. J. Engel, »Die Vernunftlehre aus Platonischen Dialogen zu entwikkeln«, in: J. J. Engels *Schriften*, 9. Band, Berlin 1802, S. 167.

14 Ebd., S. 180.

15 J. J. Engel, »Eine Standrede. Der Philosoph für die Welt«, in: ders., *Schriften*, Band 2, Berlin 1801, S. 307.

16 Ebd., S. 309.

17 Benno Böhm, *Sokrates im achtzehnten Jahrhundert. Studien zum Werdegange des modernen Persönlichkeitsbewußtseins*, Neumünster 1966, S. 42.

18 Ebd., S. 119.

19 Engel, »Eine Standrede« (Anm. 15), S. 309.

20 Ebd., S. 312/313.

21 Zum möglichen Rückfall des Skeptikers in den Aberglauben siehe das 38. Stück des »Philosophen für die Welt« im 2. Band der *Schriften*, S. 337 ff.: »An Herrn G. Z. Über die Furcht vor der Rückkehr des Aberglaubens.« »Mein einziger Wunsch bei diesen Umständen ist, daß

nur nicht wieder ein so ungeheuerer Giftbaum, wie jener hervorwachse, der einst von Rom aus, wo er seine Wurzel schlug und sie bis zur Hölle hinabtrieb, die Zweige über ganz Europa verbreitete, und jedes nützliche Pflänzchen der Erkenntniß in seinem verderblichen Schatten erstickte« (ebd., S. 348).

22 Ebd., S. 373.

23 Zusatz des Herausgebers des ersten Bandes des »Philosophen für die Welt«, in: J. J. Engels *Schriften*, 1. Band, Berlin 1801, S. 365.

24 Johann Friedrich Abegg. Reisetagebuch 1798. Hrsg. von Walter und Jolanda Abegg in Zusammenarbeit mit Zwi Batscha. Frankfurt, 1976. S. 239.

25 Werner Schneider, »Zwischen Welt und Weisheit« (Anm. 9), S. 6.

26 Walter Ch. Zimmerli, »Arbeitsteilige Philosophie? Gedanken zur Teilrehabilitierung der Popularphilosophie«, in: *Wozu Philosophie? Stellungnahme eines Arbeitskreises,* hrsg. von Hermann Lübbe, Berlin, New York 1978, S. 200.

27 Rolf Grimminger, *Die Ordnung, das Chaos und die Kunst,* Frankfurt 1986, S. 63.

28 J. J. Engel, »Gespräch und Erzählung«, in: ders., *Schriften,* 4. Band, Berlin 1802, S. 164.

29 J. J. Engel, »Elisabeth Hill«, 25. Stück im 2. Band des »Philosophen für die Welt«, S. 70.

30 Helmut Holzhey, »Philosophie als Eklektik«, in: *Studia leibnitiana,* Wiesbaden 1983, S. 26.

31 Ebd., S. 27.

32 Heinrich Heine, *Zur Geschichte der Religion und Philosophie in Deutschland,* Leipzig o. J., S. 140. Heine differenziert an dieser Stelle die Ausdrucksweise Kants von derjenigen der Popularphilosophen: »Er wollte sich von den damaligen Popularphilosophen, die nach bürgerlicher Deutlichkeit strebten, vornehm absondern, und er kleidete seine Gedanken in eine hofmännisch abgeklärte Kanzleisprache.«

33 »Das Wort Popularität soll nicht sowohl die Gegenstände bezeichnen, welche man behandelt, als die Art und Weise wie man sie behandelt.« Christian Garve, »Von der Popularität des Vortrags«, in: *Vermischte Aufsätze, welche einzeln oder in Zeitschriften erschienen sind.* Neu hrsg. und verbessert von Christian Garve, Bd. v, 1. Teil, Breslau 1796, S. 353. Zu Garve vgl. auch Zwi Batscha, *Christian Garves politische Philosophie,* in diesem Band.

34 Zimmerli, »Arbeitsteilige Philosophie?« (Anm. 26), S. 205.

35 Ders., »›Schwere Rüstung‹ des Dogmatismus und ›anwendbare Eklektik‹. J. G. H. Feder und die Göttinger Philosophie im ausgehenden 18. Jahrhundert«, in: *Studia leibnitiana,* Wiesbaden 1983, S. 67.

36 Vgl. Zwi Batscha, »Die Politischen Theorien des Göttinger Philoso-

phen J. G. H. Feder im Revolutionszeitalter«, in: *Jahrbuch des Instituts für deutsche Geschichte,* Band xv, Tel-Aviv 1986, S. 139 ff.

37 Brigitte Nehren, »Selbstdenken und gesunde Vernunft. Über eine wiedergefundene Quelle zur Berliner Mittwochgesellschaft«, in: *Eklektik, Selbstdenken, Mündigkeit. Aufklärung. Interdisziplinäre Halbjahresschrift zur Erforschung des 18. Jahrhunderts und seiner Wirkungsgeschichte,* Hamburg 1986, S. 99.: »Es versteht sich, daß ein solches Vertrauen in den gesunden Menschenverstand nur unter der Voraussetzung gerechtfertigt ist, daß alle Menschen an dieser Vernunft teilhaben und zu vernunftmäßigem Handeln fähig sind.«

38 Werner Schneiders, *Die wahre Aufklärung. Zum Selbstverständnis der deutschen Aufklärung,* Freiburg 1974.

39 J. J. Engel, »Ueber den Werth der Aufklärung«, in: ders., *Schriften,* Band 2 des »Philosophen für die Welt«, Berlin 1801, S. 318.

40 Ebd., S. 319.

41 Ebd., S. 332.

42 J. J. Engel, »Von dem moralischen Nutzen der Dichtkunst«, in: Band 2 des »Philosophen für die Welt«, Berlin 1801, S. 58.

43 Adam Ferguson, *Versuch über die Geschichte der bürgerlichen Gesellschaft,* hrsg. und eingeleitet von Zwi Batscha und Hans Medick, Frankfurt 1986, S. 287 Anm.

44 J. J. Engel, »Der Habicht«, in: ders., »Der Philosoph für die Welt«, Band 1, Berlin 1801, S. 287.

45 J. J. Engel, »Zweiter Brief an Herrn Dutens«, in: ders., *Schriften,* Band 2 des »Philosophen für die Welt«, Berlin 1801, S. 130.

46 J. J. Engel, »Ätna. Der Philosoph für die Welt«, in: ders., *Schriften,* Berlin 1801, Band 2, S. 41.

47 Ebd., S. 42 f.

48 Ebd., S. 44.

49 Rolf Grimminger, *Die Ordnung, das Chaos und die Kunst* (Anm. 27), S. 59.

50 J. J. Engel, »Lobrede auf den König (Friedrich den Großen) 1781. Gehalten den 24. Jänner 1781«, in: ders., *Schriften,* Band 4, Berlin 1802, S. 26.

51 Ebd., S. 25.

52 Ebd., S. 23.

53 Ebd., S. 12.

54 J. J. Engel, »Rede bei der Annahme in die Königliche Akademie der Künste. Gehalten 1786«, in: ders., *Schriften,* Band 4, Berlin 1802, S. 53.

55 J. J. Engel, *Der Fürstenspiegel,* in: ders., *Schriften,* Band 3, Berlin 1802, S. 124.

56 Eckhart Hellmuth, *Naturrechtsphilosophie und bürokratischer Welthorizont. Studien zur preußischen Geistes- und Sozialgeschichte des 18. Jahrhunderts,* Göttingen 1985, S. 199.

57 Engel, *Fürstenspiegel* (Anm. 55), S. 251.
58 Ebd., S. 92.   59 Ebd., S. 9.   60 Ebd., S. 114.
61 *Johann Jakob Engel als Dramatiker.* Inaugural-Dissertation zur Erlangung der Doktorwürde einer hohen Philosophischen Facultät Sektion 1. der K.B.Ludwig-Maximilian Universität zu München. Vorgelegt von Hanns Daffies am 19. Dezember 1898, S. 48.
62 J.J. Engel, »Lobrede auf den König« (Anm. 50), S. 42.
63 J.J. Engel, »Lobrede am Geburtstage des Königs (Friedrich Wilhelms II). Gehalten am 25. September 1786«, in: ders., *Schriften*, Band 4, Berlin 1802, S. 74.
64 J.J. Engel, »Lobrede auf den König« (Anm. 50), S. 29.
65 Eckhart Hellmuth, *Naturrechtsphilosophie* (Anm. 56), S. 168.
66 Jörn Garber, »Vom ›ius connatum‹ zum ›Menschenrecht‹. Deutsche Menschenrechtstheorien der Spätaufklärung«, in: *Rechtsphilosophie der Aufklärung,* hrsg. von Reinhard Brandt, Berlin–New York 1982, S. 123.
67 J.J. Engel, *Der Fürstenspiegel* (Anm. 55), S. 303.
68 Ebd., S. 209.
69 J.J. Engel, »Lobrede am Geburtstage des Königs« (Anm. 63), S. 80.
70 J.J. Engel, *Der Fürstenspiegel* (Anm. 55), S. 172.
71 J.J. Engel, »Mäcen an Augustus«, in: ders., *Schriften*, Band 2 des »Philosophen für die Welt«, Berlin 1801, S. 231.
72 J.J. Engel, »Lobrede auf den König« (Anm. 50), S. 12.
73 J.J. Engel, »Mäcen an Augustus« (Anm. 72), S. 235-238.
74 Vgl. zu diesem Thema die ausgezeichnete Darstellung von Panjatos Kondyllis, *Die Aufklärung im Rahmen des neuzeitlichen Rationalismus,* München 1986.
75 Zwi Batscha, »Christian Garves politische Philosophie«, in diesem Band, S. 13 ff. Vgl. dazu auch die Aufsätze Garves in diesem Band, besonders den Essay »Ein ernsthafter Kommentar über einen Scherz«.
76 Zwi Batscha, »Die politischen Theorien des Göttinger Philosophen J. G. H. Feder im Revolutionszeitalter«, in: *Jahrbuch des Instituts für Deutsche Geschichte,* Band XV, Tel-Aviv 1986, S. 139 ff. Vgl. auch den Beitrag über Feder in diesem Band.
77 J.J. Engel, »Sicherheit«, in: *Der Fürstenspiegel* (Anm. 55), S. 323, und in diesem Band, S. 360 ff.
78 Ebd.
79 Ebd., S. 324.
80 Ebd., S. 325.
81 Ebd., S. 331.
82 Ebd.
83 Ebd., S. 332.
84 Ebd., S. 327.

Texte zur Rezeption
der Französischen Revolution

Christian Garve
Über die Veränderungen unserer Zeit in Pädagogik, Theologie und Politik*

Endlich ist die bloße Auflösung der bisherigen Bande der Gesetze, das verminderte Ansehn der bisherigen Magistratspersonen, die geschwächte Unterordnung der Stände, welche von Staatsrevolutionen unzertrennlich ist, in der oft langen Zwischenzeit, ehe die neuen Gesetze Ansehn erhalten, und die neu errichteten Obrigkeiten sich Gewalt zu verschaffen wissen, eine Ursache schrecklicher Verbrechen und schrecklicher Unglücksfälle, giebt den Bösen, welche zugleich Geistes- oder Körper-Kraft in sich fühlen, eine Gewalt, welche sie sonst nie hatten, und raubt den Guten, welche zugleich schwach sind, ihre vornehmste Stütze in dem Beystande der Richter und der Obrigkeit.

Ohne also auf die eigentliche Beschaffenheit irgend einer großen Staatsreform zu sehen, oder ehe wir von derselben unterrichtet sind, haben wir Ursache, auf die Seite derjenigen zu treten, welche sich derselben widersetzen. Bey der alten Verfassung war wenigstens für die Einwohner der jetzigen europäischen Staaten, Leben und Eigenthum, wenige außerordentliche Fälle ausgenommen, sicher. Ihr Wohlstand wurde vielleicht durch unweise Gesetze geschmälert, aber ihr Unglück wurde durch keines geradezu befördert. Die Regierungen und Obrigkeiten konnten vielleicht habsüchtig, gegen das Wohl der Bürger gleichgültig, und ihre Macht über ihre Rechte auszudehnen bemüht seyn. Aber sie hatten keine Ursache, die Unterthanen – ihnen unbekannte Menschen – unmittelbar zu hassen und zu verfolgen. Während der Zeit bürgerlicher Unruhen hingegen, – und solche lassen sich bey dem Anfange großer Staatsreformen immer erwarten, – wird Leben und Eigenthum eines jeden Bürgers, der nicht ganz vor der Welt verborgen, und ganz um sie unbekümmert lebt, in Gefahr gesetzt. Die sogleich sich erhebenden und sich bekämpfenden Parteyen hassen und verfolgen einander, nicht bloß aus Ehrgeitz und Eigennutz, sondern aus Rachsucht und mit Wuth.

* *Vermischte Aufsätze, welche einzeln oder in Zeitschriften erschienen sind. Zweiter Teil*, Breslau 1800, S. 249-265.

Die Vertheidiger der alten Einrichtungen im Staate vertheidigen vielleicht, ihrer Absicht nach, nur ihre Privilegien, von welchen einige vielleicht ungerecht, und für die übrigen Stände drückend seyn können; aber sie vertheidigen doch zugleich, der Wirkung nach, die Ordnung, die Ruhe und den Grad von Sittlichkeit und Glückseligkeit, welchen die Menschen bisher im Staate erreicht haben.

Auch das kann für diese Partey ein günstiges Vorurtheil werden, daß sie größtentheils aus dem älteren und erfahreneren Theile unsrer Mitbürger, aus denen, welche Ansehn und Eigenthum haben, besteht, und daß die Revolutionsfreunde sich vorzüglich unter der Jugend, unter den Hitzköpfen, und unter denen, welche nichts zu verlieren haben, finden.

Die Neuerer, wenn man von ihnen das günstigste Urtheil fällt, durch welche Charakterzüge findet man sie ausgezeichnet?

Entweder sind es Leute von Genie, lebhafte und erfinderische Köpfe, die ihre Speculation auf die Politik, das Staatsrecht, und besonders auf die Geschichte und den gegenwärtigen Zustand ihres Vaterlandes und dessen Regierung gewandt haben, und nun durch ihr bloßes Nachdenken und durch Vernunftschlüsse eine bessere Ordnung der Dinge aussuchen und gefunden zu haben glauben. Zu dieser Classe gehören die Mablys, die Rousseaus, die Lockes: und ich wäre geneigt, auch den Sieyes dazu zu rechnen, wenn nicht bey ihm ein feuriges, obgleich in stiller Tiefe brennendes Temperament mit einem sehr metaphysischen Kopfe sich vereinigte. Oder es sind feurige, empfindungsvolle Leute, die das ihnen, oder andern von Höhern widerfahrne Unrecht auf die Ursachen desselben in der alten Verfassung aufmerksam, und nach Veränderungen, wodurch es verhütet werden kann, begierig macht; es sind Leute von lebhafter Einbildungskraft, und zum Enthusiasmus geneigt, die jedes ihnen vorschwebende Ideal einer höhern Vollkommenheit und Glückseligkeit, als die gegenwärtige des Menschengeschlechts, in Wirklichkeit setzen wollen.

Aber jene speculativen Köpfe sind gemeiniglich nie in öffentlichen Geschäften gebraucht worden, und ermangeln des Beystandes der Erfahrung gänzlich. Besonders fehlt es ihnen an Voraussicht der Hindernisse, welche die Reformen vom einleuchtendsten Nutzen in einem alten und in einem volkreichen Staate finden.

Diese enthusiastischen Menschenfreunde, außerdem daß sie nicht von persönlichen Rücksichten frey sind, übertreiben oft, wie Rousseau wirklich gethan hat, ihre Gemählde von den Ungerechtigkeiten und dem Drucke, welchen die Geringen leiden. Der Feuereifer, in welchen sie dadurch sich und andere versetzen, schadet ihrer guten Sache, verfälschet ihre richtigen Einsichten, und verunreiniget ihre wohlwollenden Absichten.

Ich also, alt und krank wie ich bin, Freund der Ruhe vor allen andern Gütern der Erde, Feind des Streits und selbst jedes großes Geräusches, und vielleicht doch nicht ganz unerfahren in den Wegen der Welt, und von der Unrichtigkeit vieler Meinungen überzeugt, welche der Regierung die Unterthanen verdächtig, und diese gegen die Regierung unwillig machen, den Adel vom Bürgerstande entfremden, und die Begierde nach Neuerungen erwecken; ich bekenne mich, in Absicht der Staatskunst und der Verfassung, zu der Partey der Altgläubigen. Ich finde die Einwohner der Europäischen Reiche so glücklich, und so sittlich, als die Menschen zu irgend einer Zeit und in irgend einem Lande gewesen sind. Was sollte mich also bewegen, große und totale Aenderungen zu wünschen? Die so sehr gerühmten Griechen und Römer blenden mich nicht mehr. Von allen übrigen Nationen wissen wir wenig, oder wir wissen das Schlimmste. – Auch ich habe das Drückende von vielen Einrichtungen der jetzigen Staatsregierung und Ständeverfassung erfahren, und eine mir günstigere Ordnung der Dinge gewünscht. Aber von meinem ersten Unwillen abgekühlt, bin ich immer geneigter geblieben, ein altes Uebel, das ich kenne, zu ertragen, als im Bestreben nach einer unsichern und entfernten Glückseligkeit, mich neuen und unbekannten Gefahren auszusetzen.

Die Französische Revolution, weit entfernt, die Neuerungssucht bey mir anzufachen, hat vielmehr auch die Begierde nach nützlichen Reformen bey mir gemäßiget. Ich war anfangs, ich gestehe es, leidenschaftlich für den Erfolg jener Revolution eingenommen, so lange nur noch die ihr von ihren Stiftern zum Grunde gelegten Principien und Meinungen bekannt waren, und ich in denselben das Werk der Philosophie und des Patriotismus zu erkennen glaubte. Aber sie selbst hat in ihrem Fortgange mich über ihre wesentliche Beschaffenheit und ihren Werth belehrt. Ich sehe jetzt deutlich ein, daß da, wo eine große Menge von Menschen mitwirken muß, nie auf die Wirkung sicher gerechnet werden kann, und diese immer unvollkommener und schlechter ausfällt, als man sich vorgestellt hatte. Ich sehe ein, daß, wenn die Unterthanen gegen die Regierung Gewalt brauchen, zu allen Gewaltthätigkeiten der Bürger gegen einander das Thor geöffnet ist.

Ich habe aus der Geschichte der Französischen Revolution gelernt, daß, sobald die Reformatoren das Volk und die Waffen zu Hülfe nehmen müssen, um sich selbst zu schützen, und ihre Entwürfe durchzusetzen, sie, bey den größten Talenten und selbst dem glücklichsten Erfolge ihrer Unternehmung, doch eines fortdauernden Einflusses auf ihre Partey nicht sicher sind, vielmehr höchst wahrscheinlich von weit schlechtern und weit unfähigern Menschen, die aber die Sprache des Volks besser verstehn, und seine Vorurtheile und Leidenschaften besser zu handhaben wissen, zuerst überwältiget und verdrängt, zuletzt verfolgt und vernichtet werden. Wenn auch nicht bey allen Nationen unter ähnlichen Umständen die Succession der sich vertreibenden Parteyhäupter, so schnell, als in Frankreich, ist; wenn auch nicht bey allen Revolutionen sich, am Ende dieser Reihe, aus den Hesen der Nation, ein Tyrann wie Robertspierre erhebt, welcher mit einer, in den Annalen der Welt unerhörten, Grausamkeit beschließt, was mit den Grundsätzen der erhabensten Menschenliebe angefangen hatte: so ist doch bey jeder Staatsumwälzung das Glück der Nation ein Spiel des Zufalls und der Leidenschaften; bey jeder sind die mit einem offenbaren oder geheimen Bürgerkriege verbundenen Greuel und Unglücksfälle gewiß und nahe, und die von der neuen Verfassung zu erwartende Glückseligkeit ist ungewiß und entfernt. Wer mit so eingeschränkten Einsichten, als die menschlichen sind, Unternehmungen dieser Art anfängt, scheint mir ein Verbrecher, und wer sie nach den Belehrungen, die wir darüber in unsern Tagen erhalten haben, noch mit eben der billigenden Theilnehmung ansieht, welche der Anfang der Französischen Revolution bey ihm erregte, scheint mir ein Thor und des Nachdenkens unfähig zu seyn.

Ob ich aber gleich die Treue und Anhänglichkeit an diejenige Staatsverfassung, in welcher man geboren und erzogen ist, für die Pflicht eines jeden guten Bürgers halte; ob ich gleich jede gewaltsame Störung derselben für ein Verbrechen, und jede schnelle und ins große gehende Verbesserung derselben für einen äußerst gewagten Versuch halte: so müßte ich doch meine Vernunft selbst verläugnen, wenn ich nicht den neuern Politikern zugestehen wollte, daß es Mißbräuche in der Verwaltung der Staaten geben könne, welche unerträglich sind, und durchaus geändert werden müssen, daß mit der Zeit in einem Staate die Veränderungen in den Verhältnissen der Dinge und Menschen, gegen einander sowohl als gegen Auswärtige, so groß seyn können, daß die alten Gesetze durchaus nicht auf sie passen, und also zwecklos oder schädlich sind; daß durch den unstreitigen Fortgang, welchen die Menschen in allen Zweigen der Kenntnisse gemacht haben, auch die politischen Begriffe haben aufgeklärt, und eben deßwegen verändert werden müssen; und daß endlich, so wie es in jedem Producte der Natur einen Zeitpunct der Reife und einen andern des Verfalls und des Untergangs giebt, welcher letztere, so wie z. B. der leibliche Tod nur in einer Umgestaltung, nicht in einer Vernichtung des untergehenden Dinges besteht, – so auch die politischen Körper, oder die Staaten durch ähnliche Perioden hindurch gehen, und daß es zu gewissen Zeiten der Weisheit und der angestrengtesten Kraft der Menschen unmöglich ist, das Leben und die Fortdauer derselben zu erhalten.

Es giebt unter den alten politischen Meinungen und Maximen so augenscheinliche Irrthümer, daß es dem vernünftigen Manne heute zu Tage unmöglich ist, jene noch beyzubehalten. Unter den verschiedenen Ständen haben sich durch die Veränderung der Menschen, aus welchen jeder besteht, auch die Verhältnisse dergestalt verändert, daß dieselbe Gesinnung, dasselbe Betragen des einen Standes gegen den andern unmöglich jetzt schicklich seyn kann, welches vor mehrern hundert Jahren allgemein gebilliget, oder wenigstens vollkommen ruhig geduldet wurde.

Sehr richtig unterscheidet eines der aufgeklärtesten und bescheidensten Mitglieder der constituierenden Versammlung in Frankreich, Rabaud de St. Etienne, die Staatsrevolutionen in drey Classen; in solche, welche der *Personen*, in die, welche der *Sachen*, und in die, welche der *Meinungen* wegen geschehn. Wenn ein verhaßter Regent, oder eine verhaßte Dynastie vertrieben wird, um eine andere Person oder eine andere Familie auf den Thron zu setzen; wenn die Engländer Jacob den zweyten der Krone verlustig erklären, und sie seinem Tochtermanne, dem Prinzen von Oranien, außer der Ordnung zuwenden; so ist diese Revolution mehr ein Wechsel in den Personen, welche den Staat regieren, als eine Veränderung der Verfassung, wonach er regiert wird, obgleich vielleicht das Volk und die Großen diese Gelegenheit ergreifen, ihre Rechte zu befestigen, oder vergeßne wieder hervorzurufen.

Die Völkerwanderungen waren die größten Beyspiele von Revolutionen, die der *Sachen* wegen geschahen. Ein Volk warf sich auf das andre, zerstörte dessen Regierung, und führte seine eigene Verfassung ein, weil es, von Bedürfnissen gedrängt, die Befriedigung derselben suchte, und es brachte eine große Veränderung in den politischen Verhältnissen der Menschen hervor, weil es eine große Verbesserung in seiner physischen Existenz suchte.

Diese beyden Arten von Revolutionen sind *zufällig* und *vorübergehend*. Sie können auch sehr zerstörend seyn: aber ihr Erfolg ist bald entschieden; und eben dadurch wird die mit ihnen verbundene Unruhe und Gefahr vermindert.

Aber eine dritte Art von Revolutionen entstehet aus den veränderten Meinungen und Begriffen, und diese sind von der einen Seite unvermeidlich und unwiderstehlich, von der andern die gefährlichsten und am längsten dauernden unter allen.

Es ist nähmlich offenbar, daß jede Staatsverfassung und jedes Gesetz ihre letzte Stütze in der Meinung der Majorität haben, daß man sich ihnen unterwerfen müsse. – Man irrt sich, wenn man, durch den Schein des sichtbaren Einflusses, den stehende Heere auf die Sicherung des Gehorsams der Unterthanen haben, verblendet, glaubt, daß Gewalt und Armeen allein eine Staatsverfassung schützen können. – Wenigstens muß also in der Armee noch die Gewohnheit, den Befehlshabern zu gehorchen, und die Meinung, daß man ihnen gehorchen *müsse*, herrschen. Man glaube nicht, daß eine Uniform, oder – welches ohne Zweifel mehr thut, die strenge Kriegsdisciplin, die alte Denkungsart unter dieser Classe beständig erhalten, und die Einführung neuer Begriffe und Meinungen auf immer verhindern könne. Auch *sie* sind dem Einflusse der Zeit unterworfen, und schreiten, wiewohl langsamer, mit dem Menschengeschlechte von Einsicht zu Einsicht, oder wenigstens von Meinung zu Meinung fort.

Wenn nun von einem Systeme der Sitten, der Religion, oder der Regierung diese erste, in der Denkungsart der Menschen liegende, Stütze völlig morsch geworden ist; so fällt jenes System unausbleiblich. Zwar nicht sogleich als die Meinungen sich ändern, – weil anfangs dieß im Verborgenen geschieht, und die Menschen nicht sogleich ihre neuen Ueberzeugungen einander mitzutheilen die Gelegenheit, oder das Herz haben. – Aber es geschieht sogleich, als ein dreisterer Mann aufstehet, der das laut zu sagen wagt, was Tausende vor ihm gedacht haben; oder sobald sich zu den *Meinungen* noch eine gemeinschaftliche *Leidenschaft* gesellet, welche die Menschen noch stärker, als jene, mit einander vereiniget.

So ist die Reformation Luthers entstanden. Er würde nicht so viel ausgerichtet haben, wenn nicht in ganz Europa der Zunder schon bereit gelegen hätte, in welchen er nur den Funken durfte fallen lassen. Und so, behauptet Rabaud, sey die jetzige Revolution in Frankreich entstanden, weil der größere Theil der Franzosen über Monarchie und Königswürde, über den Unterschied der Stände, über Justiz- und Finanz-Verwaltung, über Religion und Priester-schaft, anders habe denken lernen, als ihre Vorfahren gedacht haben.

Diese Revolutionen, sagt jener Autor ferner, sind unaufhaltsam. In der That findet man, wenn man die Geschichte der Religionen, der Philosophie, oder auch nur der Volksmeinungen im mensch-lichen Geschlechte studiret, daß die Begriffe desselben gleichsam in einer geraden Linie immer vorwärts gehen, daß sie wenigstens, wenn sie auch Krümmungen machen und von ihrer Richtung abweichen, doch nie auf den alten Punkt, von welchem sie ausge-gangen sind, zurückkehren. Es ist eine aus Gründen nicht ganz zu erklärende, aber wahre Thatsache, daß nie ein System von Mei-nungen, das einst im menschlichen Geschlechte, oder unter den civilisirten Völkern desselben, – welche allein feststehende Mei-nungen und ein System derselben haben, – allgemein herrschend gewesen ist, in der Folge aber nach und nach bezweifelt, und endlich allgemein verworfen worden ist, sey wieder angenommen und von neuem herrschend geworden. Als die alte Religion der Griechen und Römer, welche Jahrhunderte hindurch die Vereh-rung dieser beyden aufgeklärtesten Nationen des Alterthums be-sessen hatte, einmahl ihre Gewißheit und ihre Achtung in den Gemüthern der Menschen verlohren hatte, so war alle Macht und alle Kunst Julians, selbst verbunden mit seinen großen Regenten-tugenden, und mit den Bemühungen einiger sehr scharfsinnigen Männer, seiner Lehrer und Freunde, die Ungereimtheiten der Mythologie und des heidnischen Gottesdienstes vernünftig zu erklären, nicht im Stande, das sinkende Gebäude wieder aufzu-richten, oder die Einführung des Christenthums, welches zu dem Geiste der Zeit, und dem Zustande der menschlichen Kenntnisse besser paßte, zu verhindern. So hat Muhameds Religion über den alten Sabaismus der Orientaler nicht nur den Sieg erfochten, sondern auch die Herrschaft bis heute behauptet. Die Macht des Pabstes und der Geistlichkeit, ehedem so ausgebreitet und so kräftig unterstützt, ist gesunken, um, wie es scheint, nie wieder aufzustehn. Und durch welche Schreckensbilder man auch vor einiger Zeit die Protestanten in Furcht gesetzt hat, als wenn die allgemeine Herrschaft des Pabstes sich wieder näherte: so hat doch nicht nur der Erfolg diese Voraussetzungen nicht wahr gemacht, sondern der Catholicismus scheint seit dieser Zeit noch weit mehr an Ansehn und Einfluß, selbst in den Ländern, wo er vor kurzem noch unbeschränkt herrschte, abgenommen zu haben. Descartes Wirbel werden vor Newtons Attraction und Aristoteles Categorien vor den Kantischen nie wieder aufkommen. Kurz alles beweist, daß Ueberzeugung oder Glaube der Menschen sich durchaus durch Gewalt nicht bestimmen lasse, und unter dem größten Widerstande doch immer dahin fortschreite, wohin sie eben jetzt durch die einleuchtendsten Gründe oder durch das scheinbarste Blendwerk gezogen worden. Und wäre diese Erfahrung allgemein richtig, so würde allerdings auch in Gesetzen und Verfassungen eine Revolution, trotz allem Widerstande der Klugheit und der Macht, zu Stande kommen, wenn diese Revolution wirklich in neuerworbenen Kenntnissen und Ueberzeugungen der Völker ihren Grund hätte.

Doch wenn auch hierüber gestritten werden könnte, so hat doch Rabaud sicher in dem folgenden Punkte recht, daß die Revolutionen dieser Art die langwierigsten und die unruhvollsten sind. Die Ursache ist, weil die Meinungen der Menschen sich nicht *zu gleicher Zeit, und auf einmahl in gleichem Grade* ändern. Einige bleiben noch lange dem alten Systeme anhänglich, indem andre in den Neuerungen schon zu den Extremen fortgeschritten sind; viele bleiben auf mittlerem Wege stehn, und wollen das alte System mit dem neuen, so gut sie können, vereinigen. Daraus entstehet eine große Mannigfaltigkeit von Parteyen, die alle, von der Wahrheit und Güte ihres Systems überzeugt, hartnäckig in Vertheidigung desselben und gegen jede andere Partey, als gegen Feinde der guten Sache, erbittert sind. Die Ursache des Krieges unter Feinden, welche um eines gewissen Interesses willen mit einander streiten, kann dann auf einmahl gehoben werden, wenn eine Partey der andern nachgiebt, oder die Vortheile auf beiden

Seiten ausgeglichen werden: aber eine Feindschaft, die auf der Verschiedenheit der Ueberzeugungen beruhet, kann durchaus nicht auf einmahl gehoben werden, weil die Ueberzeugungen der Menschen sich erst mit der Zeit, nach und nach und langsam ändern, so wie sie neue Einsichten und neue Begriffe bekommen.

So erregte die Reformation noch hundert Jahre, nachdem sie ziemlich ruhig in ihrem Hauptumrisse vollendet worden war, den blutigen dreyßigjährigen Krieg: und selbst der westphälische Friede würde wenig zur Beruhigung von Deutschland und Europa genutzt haben, wenn nicht seit der Zeit die Meinungen der Protestanten und Catholiken sich dem Systeme der allgemeinen Duldung mehr genähert hätten.

Christoph Meiners
Bemerkungen auf einer Reise nach Mainz
in einem Briefe an einen Freund*

Sie wundern sich, liebster Freund, daß ich Ihnen meinen Vorsatz, nach Mainz zu reisen, nicht gemeldet habe! Wie konnte ich aber dieses, da ich mich selbst erst am vorletzten Abend vor unserer Abreise zu diesem kleinen Abentheuer entschloß? Zwey Freunde sagten mir am 25. Jul., daß sie die Absicht hätten, Mainz zu besuchen. Die Gelegenheit, in guter Gesellschaft zu reisen, erweckte in mir und in Herrn .... sehr schnell den Gedanken, die Trümmer der eroberten Stadt, und die so sehr gepriesenen Festungswerke der Franzosen zu sehen. Wenn man weiter nichts braucht, als ein Kleid, und etwas Wäsche einzupacken, so kann man einen Reiseplan eben so geschwind ausführen, als fassen. Wir verließen Göttingen am 27. Julius, und kamen schon am 5. August bald nach Mittag zurück. Zwey volle Tage brachten wir in Mainz, zwey halbe Tage in Frankfurt zu. Die übrige Zeit nahm das Hin- und Herreisen weg. Wir hatten beständig gutes Wetter, ungeachtet es in der Nacht einigemahl heftig regnete.

Vor und während der Hinreise verursachte uns nichts so viele Bedenklichkeiten, und Berathschlagungen, als die Frage: wo wir in der Nachbarschaft von Mainz bleiben sollten, um diese Stadt, und die angränzenden Merkwürdigkeiten mit Muße, und ohne Gefahr besehen zu können. Wir hielten nach den Zeitungsnachrichten, und allgemeinen fliegenden Gerüchten Mainz für einen solchen Pfuhl von unleidlichen Uebelgerüchen, von ansteckenden Seuchen, und allen Arten von Ungeziefer, daß es uns gar nicht in den Sinn kam, in der von den Franzosen kaum verlassenen Stadt selbst zu wohnen. In Frankfurt hörten wir, daß mehrere Reisende sich im Mainzer Hofe, und andern Gasthöfen aufgehalten hätten. Wir nahmen uns also vor, ein Gleiches zu wagen; und nun entstand eine neue Besorgniß, ob wir bey dem großen stets fortdauernden Zusammenfluß von Neugierigen auch Platz finden würden?

* Aus: *Kleinere Länder- und Reisebeschreibungen. Zweites Bändchen*, Berlin 1794, S. 199-234.

Diese Besorgniß war nur zu sehr begründet. Als wir vor dem Mainzer Hofe anlangten, so sagte uns Herr Pahl, bey welchem ich sonst immer abgetreten bin, daß er uns unmöglich aufnehmen könne. Er habe diesen Morgen schon, ich weiß nicht, wie viele Herrschaften abgewiesen, und seit mehrern Tagen hätten in seinem Hause jede Nacht 30, 40 und mehrere Personen, die sich gar nicht hätten abweisen lassen, auf Stühlen und Tischen geschlafen. Vielleicht fänden wir noch in der hohen Burg Platz. Auch hier versagte man uns anfangs die Aufnahme, und nur auf Herrn Pahls Empfehlung gab man uns endlich ein mäßiges Zimmer mit zwey Betten, das in gewissen Stunden keine andere Möbeln, als einen alten Tisch, und einen noch ältern Stuhl hatte. Der Wirth hatte, wie die meisten Einwohner von Mainz, noch nicht Zeit genug gehabt, seine guten in Sicherheit gebrachten Möbeln hervorzusuchen und auszupacken. Am Abend konnten wir nicht einmahl eine Streu für zwey Personen erhalten, entweder weil es wirklich an Stroh, oder weil es an Zeit fehlte, uns eine Streu zurecht zu machen. Das enge Beysammenwohnen, und das Beysammenschlafen war bey dem heißen Wetter die größte Beschwerde der ganzen Reise. Und doch hatten wir noch Ursache uns Glück zu wünschen, daß das Zimmer und die Betten reinlich, Speisen, Wein und Caffee gut, und die ganze Behandlung äußerst billig war.

Sobald wir am 30. Julius, wo wir Morgens in Mainz ankamen, zu Mittag gegessen hatten; so traten wir unsern Lauf an. Ein Miethbedienter war gar nicht aufzutreiben. Wir mußten uns also theils auf unsere geringe topographische Kenntniß von Mainz verlassen: noch mehr aber mußten wir uns durch Nachfragen zu helfen suchen, wobei wir stets die Höflichkeit und Dienstfertigkeit der Mainzer zu bewundern Ursache hatten. Alle Personen, welche wir ansprachen, gaben uns richtigen und umständlichen Bescheid. Manche begleiteten uns sogar eine Strecke Weges, um uns zurecht zu weisen. Diese Dienstfertigkeit war um desto verdienstlicher, da in der ganzen Stadt eine seltsame Verwirrung herrschte, die es den Einwohnern schwer machte, sich zu sammeln, und bisweilen sich nur auf die bekanntesten Dinge zu besinnen. Diese Verwirrung entstand natürlich aus dem lebhaften Eifer, womit alle Familien Zimmer und Häuser reinigen, oder wieder herstellen ließen, und verscharrte Sachen und Waaren hervorzogen und auspackten: aus der Rückkehr von ausgewanderten Freunden und Nachbaren: aus der Ankunft von mehrern Tausenden von Fremden, die insgesammt Dienste brauchten, und allerley Nachrichten verlangten: aus der Wiederbeginnung von lange unterbrochenen Geschäften und Aemtern: aus der Ungewißheit, ob Personen schon wieder da, oder nicht wieder abgereist seyen, wo sie wohnten, u.s.w. – Die Stelle von Miethbedienten vertraten kleine Knaben, deren gewöhnlich vier oder fünf vor dem Mainzer Hofe standen. Ich überließ mich der Leitung dieser Knaben einigemahl. Leider kannten sie nur die berühmtesten Straßen und Plätze, sehr selten aber die Wohnungen von Privatpersonen.

Gleich bey unserm Ausgange fiel es uns auf, daß die Erzählungen von der Verunreinigung der Stadt Mainz im höchsten Grade übertrieben worden. Noch in Frankfurth hörten wir an der Wirthstafel von Fremden, die aus Mainz gekommen waren, daß man durch ausgeschickte Commandos dreytausend Bauern aus der Nachbarschaft zusammen jagen werde, welche die Stadt von dem verpestenden Unrath säubern sollten. – Wir fanden auf mehreren Straßen kleine Haufen von Pferdemist, oder von Kericht an die Häuser gelegt. In einer oder der andern Straße lag auch noch der Schutt der abgebrannten Wohnungen. Nirgends aber trafen wir den pestilenzialischen Gestank an, wovon wir so vieles gehört und gelesen hatten. Es schien mir sogar, als wenn die Straßen und Gaßen von Mainz meine Nase seltener und weniger beleidigten, als sie sonst gethan hatten. – Nur am Tage der Uebergabe der Stadt soll das Ausgießen des faulenden Wassers, was man in allen Häusern zum Löschen aufbewahrt hatte, einen solchen Uebelgeruch erregt haben, daß dadurch mehrere empfindliche Personen bewogen wurden, die Stadt zu verlaßen. Nicht weniger übertrieben waren die Erzählungen von der Verheerung der Stadt Mainz durch die Bomben, Haubitzen, Zündkugeln, und andere Kugeln der Belagerer. Der Herr Graf von ***, den ich auf den Trümmern der Domprobstey antraf, sagte mir; daß man ohngefähr funfzig Brandstellen zähle. Wenn dieser auch hundert wären, wie Andere behaupten, so können Sie doch leicht denken, daß hundert Brandstellen, die durch verschiedene Gegenden zerstreut sind, einer so großen Stadt wie Mainz noch nicht das Ansehen einer zerstörten Stadt geben können. Den traurigsten Eindruck machen die Ruinen der Thürme des Doms, der Höfe und Häuser um den Dom, der ehemaligen Dominicanerkirche, des Dahlbergischen Hofes, und anderer benachbarter Häuser. Das Feuer traf und verzehrte am meisten Thürme, Kirchen, Clöster und adeliche Höfe. Dies konnte ganz natürlich geschehen, da die Belagerer vorzüglich nach hohen und großen Gebäuden zielten, in welchen sie Magazine vermutheten. Gerade dieser Umstand aber: daß das Eigenthum der Geistlichkeit und des Adels am meisten beschädigt worden, bestärkte das Gerücht: daß manche Brände durch die boshaften Hände der Clubbisten entstanden seyen. Ich hielt diese Sage anfangs für eine bloße Wirkung der in Mainz herrschenden Wuth gegen die Clubbisten. Allein ich erfuhr nachher von glaubwürdigen Personen mehrere Dinge, um welcher willen ich das Anlegen von Feuer nicht schlechterdings als eine gehäßige Erdichtung verwerfen kann. Unter andern hieß es den ganzen Tag vorher, ehe das Comödienhaus abbrannte, daß dies Gebäude in der nächsten Nacht würde in Brand geschossen werden. Am Abend sah man in dieser Gegend keine Feuerkugeln, und doch stand das ganze Haus auf einmahl in Flammen. In den Ingelheimischen Hof fielen sieben bis acht Feuerkugeln oder Haubitzen, die alle glücklich getödtet wurden. Nichts desto weniger gerieth der Hof plötzlich in Brand, und nach dem Brande fand man Pechkränze, und andere brennbare Materialien. Beym Löschen leisteten die Weiber viel mehr Dienste, als die Männer. Die männlichen Einwohner waren größtentheils ausgewandert, oder exportirt. Und die zurückgebliebenen wollten entweder, oder durften auch nicht helfen. Die Französischen Soldaten waren, wenn auch nicht immer, wenigstens sehr oft so eifrig im Löschen, daß mehrere darüber ihr Leben einbüßten, und eine noch größere Zahl gefährlich verletzt wurde, indem sie die Güter der Mainzer mitten aus dem Flammen retteten. Auf den Trümmern der ehemaligen schönen Domprobstey hörte ich einen artigen Heßischen Unterofficier, der schon in America gedient, und auch den Zug in Champagne mit gemacht hatte, das Unglück des Krieges mit inniger Wehmut beklagen. Man müßte sagte der fromme Krieger, kein Christ seyn, wenn man bey dem Anblick solcher Verwüstungen ungerührt bleiben wollte. Seine junge Frau, die erst vor Kurzem zum Besuch hergekommen sey, könne gar nicht aufhören, zu weinen, so oft sie die schrecklichen Wirkungen der Batterien der Belagerer wahrnehme. – Die Anzahl der mehr oder weniger beschädigten Häuser ist sehr groß. Einer meiner Freunde zeigte mir in seinem Hause den Gang einer kleinen Kugel, der wirklich mit dem Laufe eines Blitzstrahls eine große Aehnlichkeit hatte. Die Kugel war durch das Fenster eines Zimmers, an welchem sie das Holzwerk beschädigt hatte, hereingekommen, war auf den Boden gefallen, hatte sich hier wieder aufgerafft, eine gegenüber stehende Thür zerschmettert, und sich dann durch das Fenster und Gesimse des zweyten Zimmers einen Ausgang geöffnet – Es ist zu verwundern, daß während der ganzen Belagerung nicht mehr als 17 bis 18 Personen aus der Bürgerschaft getödtet, oder verwundet worden sind.

Ohne Vergleichung niederschlagender, als die Brandstätten in der Stadt, ist der Anblick der Gegend zwischen Mainz und Hochheim, der Anblick von Costheim und den Trümmern der Favorite und Carthause. Schon vor Hochheim bemerkten wir in den Reihen der großen Nußbäume womit die Felder nahe an der Chaußee besetzt sind, häufige Lücken, und sahen aus dem Getraide niedrige grünende Büsche hervorragen. Beym Nachfragen sagte uns unser Kutscher, daß das, was wir für kleine Gebüsche hielten, neugetriebene Zweige seyen, die aus den Wurzeln und Stümpfen der von den Franzosen umgehauenen Fruchtbäume hervorgegangen wären. Diese Erklärung wurde durch viele Stämme bestätigt, die an den Seiten des Weges lagen. Die durch Läger verheerten Plätze vor Hochheim ließen uns ahnden, was wir nachher erblicken würden. So bald wir aus Hochheim herauskamen, so entfalteten sich vor unsern Augen alle Gräuel der Verwüstung, und machten auf mein Gemüth eine viel stärkere Impression, als alles, was mir in der Folge vorkam. Wir sahen die reichen Rebhügel von Hochheim durch Schanzen, Laufgräben, und Batterien aufgewühlt: die herrlichen Weinberge zertreten, und mit Unkraut überwachsen: die verwilderten Reben ohne Stützen, auf den Boden hingestreckt, oder vor dem Winde herschwankend: die zahllosen Haine, oder Reihen von Fruchtbäumen vor Costheim und Cassel von der Erde vertilgt: die Gärten zerstört: die Getraide-Felder nackt und trauernd: Costheim in der Asche: die Thürme des Doms ausgebrannt; die Plätze wo vormals die Favorite, und Carthause prangten, öde und leer: und den Weg mit jammernden Greisen, Weibern, und Kindern aus Costheim angefüllt. Wie viele Jahre werden vergehen, bevor die Quellen der Thränen, die seit der Belagerung geweint worden sind, vertrocknen: bevor Costheim aus seiner Asche emporsteigen: die Gärten, Weinberge und Felder von Fruchtbäumen wieder werden hergestellt werden! Gärten, Weinberge und Felder werden schon lange wieder grünen und blühen, bevor die Einwohner von Mainz zu ihrem vorigen Wohlstande gelangen werden. Das Vermögen der angesehenen Familien bestand noch mehr, als das, der Stifter und Clöster in ihren Weinlägern. Manche von diesen Weinlägern sind während der Berennung und Belagerung der Stadt ohne die geringste Schadenersetzung ausgeleert worden. Andern Besitzern hat man zwar ihre Weine bezahlt, aber so schlecht bezahlt, daß man für Weine, die dreyßigtausend Gulden werth waren, höchtens 8 oder 9000 fl. gab. Eine so starke Garnison als die in Mainz war, brauchte täglich zehen, wie Andere vorgeben, 25 Stückfaß Wein. – Auf der Rückreise konnte ich nicht umhin, den Weinberg hinter der Domdechaney zu besehen, wo die Hochheimer Blume wächst, und wo ich vor acht Jahren so viele, und so reine Freuden der Natur und der Freundschaft genossen hatte. Auch dieses Heiligthum war nicht verschont geblieben. Auch hier hatte man Schanzen aufgeworfen und Laufgräben gezogen, die noch nicht ausgefüllt waren. Unterdessen war dieser Weinberg der Einzige um Mainz und Hochheim, in welchem die Reben wieder gestützt, und das Erdreich gesäubert war. Sehr angenehm war mir die Nachricht, daß das Weinlager des Herrn Domdechanten von Fechenbach von den Franzosen gar nicht angegriffen worden.

Gleich am ersten Tage machten wir einen Spaziergang vor das Gauthor, wo noch gegen fünftausend Mann Hessen im Lager standen. Hier erkundigten wir uns in Ermangelung eines bessern Führers nach den Arbeiten der Franzosen, und den nächsten Hauptbatterien der Belagerer, aus welchen die Stadt und deren Festungswerke am meisten beschossen worden. Die Carlsschanze hatte wenig, viel mehr die Albanischanze gelitten. Die Preußischen Schildwachen erlaubten nicht, daß wir in den Graben der letzten Schanze hineingingen, um die Beschädigungen und Einstürzungen des Brustwerks, oder Walls, genauer zu besichtigen. Mich frappirten besonders die Ueberbleibsel der sogenannten Capelle auf der Albanischanze, in welcher ich einst in Gesellschaft von unvergeßlichen Freunden und Freundinnen frohe Stunden verlebte. Diese Capelle war nicht bloß zusammen geschossen, sondern durch die Gewalt der Kugeln in den innern Raum der Schanze hineingeworfen worden. In der nächsten Preußischen Batterie standen noch zum Theil die Canonen, womit man die Stadt beschossen hatte. Hier konnten wir uns richtige

und deutliche Vorstellungen von Laufgräben, Faschinen, Schanz-
körben, und dem Gebrauch und der Zusammensetzung von beiden in den Batterien der Belagerer machen. Ohngefähr in gleicher
Linie mit der Preußischen Batterie war die große Oesterreichi-
sche diesseits Weißenau, welche man auf dem Platze der ehemaligen Carthause errichtet hatte. Von diesem schönen und weitläuftigen Closter sieht man kaum noch einige Trümmer. Auch die
Favorite ist bis an ihre Fundamente zerbrochen worden. Einige
Bassins und Stuffen von Terrassen sind das Einzige, was man
nicht zertrümmert oder losgerissen hat. Die ganze Oberfläche des
Gartens war mit Graus, und zum Theil zerbrochenen Quadern
bedeckt. Hin und wieder stand ein verwaistes Bäumchen, oder
Stäudchen, welche darüber zu trauren schienen, daß gerade sie
den Untergang des Ganzen überlebt hätten. Es ist unmöglich, die
Empfindungen auszudrücken, welche solche Scenen hervorbringen; und höchst überflüßig wäre es, die Gedanken niederzu-
schreiben, die dadurch in jedem nachdenkenden Gemüth erweckt
werden. Wenn man in den am nächsten gegen die Stadt hin ange-
legten Batterien steht, so sollte man glauben, daß man die Stadt in
wenigen Tagen hätte zusammenschießen können. Betrachtet man
hingegen die entferntesten Batterien bey Hochheim, das eine
Stunde von Mainz liegt; so möchte man es beynahe für unmöglich halten, daß man auch mit den Kugeln der schwersten Stücke
nur Caßel habe erreichen können.

In dem einst so schönen Flecken Costheim, wo viele adeliche und
andere reiche Familien aus Mainz ihre Sommersitze hatten, stehen nur noch sechs Häuser, die aber auch nach allen Richtungen
durchschossen sind. Die Straßen sind durch den Schutt ganz un-
gangbar geworden, und man wird bloß in den von den Franzosen
gemachten Laufgräben herumgeführt. Die meisten Einwohner
haben ihren verheerten Wohnort verlassen. Die Zurückgebliebenen leben in den Kellern ihrer ehemaligen Häuser. Wo man sich
hinwendet, begegnet man Haufen von zerlumpten Kindern, die
um ein Almosen flehen. In der Nachbarschaft von Mainz, und
selbst auf den Straßen dieser Stadt schwärmen fremde Landstrei-
cher umher, die durch das falsche Vorgeben: daß sie in Costheim
alles verlohren hätten, den armen Bewohnern dieses unglücklichen Fleckens einen Theil der ihnen zugedachten Allmosen weg-
stehlen.

Wir haben bey weitem nicht alle Schanzen, Wege, und Gräben

gesehen, welche die Franzosen nach allen Seiten hin angelegt hatten. Wir besuchten nur ihre Werke in Caßel, Costheim, auf der Main- oder von Andern sogenannten Rheinspitze, bey Weißenau, Zahlbach, auf der Petersau, und an der Elisabethen- und St. Albansschanze. Schon die Arbeiten, die wir sahen, sind so zahlreich und weitläufig, und scheinen großentheils so schwer zu seyn, daß man denken sollte: 10000 bis 20000 Menschen hätten sie in einem ganzen Jahre nicht zu Stande bringen können. Am meisten bewundern Kenner die Verschanzungen bey Caßel, und auf der Petersau. Jene sind nach dem Plane von Eikemeyer angelegt, und haben in der That die Höhe von gewöhnlichen Häusern. Das Kunstmäßige an diesen Festungswerken kann ich nicht beurtheilen. So viel leuchtet aber auch einem Unerfahrnen ein, daß die Werke bey Caßel und auf der Petersau eine seltene Vollendung haben, dergleichen den besten Englischen Kunstarbeiten eigenthümlich zu seyn pflegt. Wenn die Franzosen alle Bäume in der Nachbarschaft von Mainz nicht auch deßwegen umgehauen hätten, um die ganze Gegend frey zu machen; so hätten sie es thun müssen, um Holz zu den Pallisaden und Verhacken von Caßel, und den übrigen Schanzen zu erhalten. In dem Zwischenraume zwischen dem Verhacke und den Pallisaden von Caßel waren 70 bis 80 Bombenkessel eingesenkt. Die Belagerten hatten wirklich die Absicht, einen Arm des Mains um die Festungswerke von Caßel herzuleiten. Ein nicht geringer Anfang war schon gemacht. Während der Berennung und Belagerung der Stadt fehlte es allem Anschein nach an Zeit, und Armen, diese Unternehmung auszuführen; oder man hielt sie für unnöthig, da die Stadt nicht von der Caßeler, sondern von der entgegengesetzten Seite am heftigsten angegriffen wurde.

Uebereinstimmenden Zeugnissen zufolge waren die Nöthen, Schrecknisse, und Beschwerden der Einwohner während der Belagerung bey weitem nicht so groß, als man sich auswärts vorstellte. Freylich erregten die ersten Haubitzen, Feuerkugeln und Bomben, und die dadurch verursachten Brände und Schäden eine große Bestürzung und Angst. Selbst diese ersten heftigen Eindrücke brachten nicht immer nachtheilige Folgen hervor. Die Tochter einer Freundinn hatte schon mehrere Monate lang ein schleichendes Fieber. Von diesem Fieber wurde die Kranke auf einmahl durch das Schrecken hergestellt, worein sie der erste Brand in der Nachbarschaft versetzte. Die Genesung war dauerhaft, und die Geheilte versicherte, daß sie sich in ihrem ganzen Leben kaum besser befunden hätte, als während der übrigen Belagerung. Bomben konnten wegen ihrer großen Schwere nur in die dem Walle am nächsten liegenden Straßen geworfen werden. Die Haubitzen hatten die Größe von sechs und dreyßigpfündigen Canonenkugeln. Die erste Haubitze fiel auf den Domplatz, als gerade die ganze Französische Generalität versammelt war, und tödtete den General de Blou, weil dieser sich nicht, wie die übrigen Französischen Offiziere, auf die Erde niederlassen wollte. Die Feuerkugeln waren den Haubitzen in Rücksicht auf Form und Größe ähnlich. Sie waren mit einer unbekannten zündenden Materie gefüllt; machten in ihrem Fluge ein Geräusch, das dem Geräusch eines starken Wasserfalls ähnlich war; und schleppten einen langen feurigen Schweif nach, wodurch sie das Ansehen der prächtigsten Racketen erhielten. Man wagte es eine Zeitlang nicht, sich diesen Feuerkugeln zu nähern, weil man sie zugleich für schmetternde Haubitzen hielt, und in der Meynung war, daß man sie nicht mit Wasser löschen könne. Man entdeckte bald diesen doppelten Irrthum, und nun wurden hundert dieser Kugeln selbst von Weibern ausgelöscht. Die Belagerer schossen gewöhnlich nach einem bestimmten Ziele, oder nach gewissen Plätzen. Eben daher waren die Einwohner, die von diesen Plätzen entfernt waren, fast eben so ruhig und unbesorgt, als in Friedenszeiten. Auf jeden Fall zogen sich die Familien in diejenigen Zimmer, oder Theile der Häuser zurück, in welchen sie, wenn auch eine Kugel ihre Wohnungen treffen sollte, für ihre Personen sicher waren. Das Schlimmste war dieses, daß die Belagerer vorzüglich in der Nacht schossen, wo sie jeden entstehenden Brand am ehesten sehen konnten: und wenn sie durch Feuerkugeln einen Brand erregt hatten, nun schmetternde Haubitzen in dichten Haufen nach derselbigen Gegend folgen ließen, um die Löschenden abzuschrecken, und die Löschanstalten zu verhindern. Nichts destoweniger waren selbst Frauenzimmer vier oder fünf Tage nach dem Anfange der Belagerung im Stande, dem Zuge der Feuerkugeln, wie einer künstlichen Feuerwerkerey stundenlang mit Vergnügen zuzusehen. Der schrecklichste Brand in Mainz war der des Dahlbergischen und Ingelheimischen Hofes; der Erhabenste aber der des Doms, oder vielmehr der des Domthürme. Belagerer und Belagerte wurden durch die außerordentliche Schönheit und Größe der brennenden Domthürme so hingerissen, daß Jene darüber beynahe ihres Vorsatzes zu schaden, und diese ihre eigenen Gefahren vergessen hätten. Nach einem allgemeinen Urtheil ist vielleicht auf der ganzen Erde nie ein entsetzlicheres Feuer erregt worden, als in der Nacht, wo Costheim von allen Batterien der Alliirten erst beschossen, und dann eingenommen wurde. In einer Zeit von anderthalb Stunden, oder sieben Viertelstunden schoß man, wie es heißt, 4 bis 5000 Haubitzen, und 9 bis 10000 andere Kugeln nach Costheim hinein. Durch das brennende Costheim wurde der Kampfplatz der Alliirten und Franzosen so erleuchtet, daß man sowohl von Mainz, als von den Lägern der Alliirten aus die Bewegungen, und besonders das Vorrücken und Zurückweichen der Streitenden deutlich unterscheiden konnte. Während der Canonade zitterte die Erde, als wenn sie von einem heftigen Erdbeben erschüttert würde.

Daß es in der belagerten Stadt nicht am Nothwendigen gefehlt habe, erhellt schon allein daraus, daß weder unter den Einwohnern, noch unter der Garnison, und selbst nicht einmahl in den Lazareten gefährliche ansteckende Seuchen herrschten. Als wir in Mainz waren, zeigte sich die Ruhr, die aber sehr gutartig war. Getraide, Reis, Wein, Caffee, Thee und andere Gewürzwaaren waren im Ueberfluß oder wenigstens in hinreichender Menge vorhanden. Frische Milch war so selten, daß man die wenige Milch, die zum Caffee einer einzigen Person erfordert wurde, mit zwey Gulden wöchentlich bezahlen mußte. Frisches Rindfleisch, oder Kalb- und Hammelfleisch konnte man in den letzten Monaten gar nicht mehr erhalten. Man wirft es den Commissären des Nationalconvents vor, daß sie bey der Uebergabe der Stadt noch eine große Zahl von Kühen für sich allein gehabt hätten, ohne den Kranken stärkende Fleischbrühen reichen zu lassen; und daß sie allenthalben, wo sich etwa ein Kalb oder Schaaf gefunden, Schildwachen hingestellt hätten, damit man ihnen solche Thiere nicht entziehen möchte. Selbst Pferdefleisch war nur selten zu haben, und wenn es zu kaufen war, so mußte man einen kleinen Thaler für ein Pfund geben. Der Geschmack des Pferdefleisches soll von dem des Rindfleisches kaum zu unterscheiden seyn. Auch machte es dem Magen keine Beschwerde: besonders wenn man es in Eßig gelegt, und stark eingepfeffert hatte. Bey der Uebergabe der Stadt hatten die Franzosen noch zweytausend Pferde, von welchen sie wenigstens drey Viertel ohne Schaden hätten entbehren können. Ein Paar Tauben kostete zwey Gulden oder einen Französischen

Thaler: ein gutes Huhn eine halbe Caroline: ein Pfund Oehl, oder Tonnenbutter einen Gulden: ein Pfund frische Butter zwey Laubthaler. Wenn eine Familie einen oder einige Schinken hatte, so schnitt sie nur von Zeit zu Zeit einige dünne Scheiben herunter, um dem Reis, oder den trocknen Hülsenfrüchten, wenn auch nicht einen Fleischgeschmack, wenigstens einen Fleischgeruch zu geben. Als Merlin einst der Preußischen Generalität ein Dejeuner gab, bezahlte er einen welschen Hahn, den er dazu brauchte, mit hundert Livres.

Unter den belagernden Truppen haben sich die Hessen bey Freunden und Feinden die größte und allgemeinste Bewunderung und Liebe erworben. Die Franzosen waren anfangs wegen der Einwohner von Frankfurt am meisten gegen die Hessen erbittert; allein auch sie lernten bald die Tapferkeit der Hessen bewundern, und ihre Menschlichkeit lieben. Das größte Vergnügen auf der ganzen Reise verschaffte uns der Anblick dieser ehrwürdigen Krieger, in deren Gesichtern und Cörpern dauerhafte Gesundheit, geprüfte Stärke, fester Muth, und zugleich eine liebenswürdige Sanftheit und Bescheidenheit unverkennbar ausgedrückt waren. Weder Officiere, noch Soldaten hatten die geringste Spur von dem an sich, was man soldatisches Wesen zu nennen pflegt. Die Hessen hatten vor Mainz, wie in der Champagne, die wenigsten Kranken: ein Factum, welches eben so überzeugend für das gute Betragen der Gemeinen, als für die Einsichten und Sorgfalt ihrer Vorgesetzten spricht. Nachdem ich die biedern Hessen selbst gesehen, und ihr verdientes Lob an dem Schauplatze ihrer tapfern Thaten preisen gehört hatte; so bedauerte ich es auf der Rückreise bey dem abermahligen Anblick des Platzes vor dem neuen Thore von Frankfurt mehr, als jemahls, daß hier einige Hunderte der auserlesensten Krieger durch einen bloßen Mangel von gehörigen Anstalten gefallen waren, ohne sich gegen die von dem Wall auf sie schießenden Feinde wehren zu können. Vor dem Thore vor Frankfurt wird jetzt dem Prinzen von Hessen-Philippsthal ein Denkmahl errichtet.

Ganz unerwartet war es uns, daß wir in Mainz so viele Franzosen antrafen. Manchen sah man es freylich an, daß sie noch krank waren, oder daß sie vor Kurzem krank gewesen seyen. Die Meisten hingegen hatten ein gesundes und munteres Ansehen, und doch waren auch diese bey dem Abmarsch der letzten Colonne noch so schwach, daß sie ihre Waffenbrüder nicht begleiten konnten. Weder Preussen und Hessen, noch die Mainzer fügten den auf allen Straßen herumwandelnden Franzosen die geringste Beleidigung zu. Selbst die Mainzer waren mit dem Betragen der Franzosen im Ganzen vollkommen zu frieden; und wenn bisweilen ein Grund zu klagen entstanden war, so waren es bloß die *Volontaires Nationaux*, welche Anlaß dazu gegeben hatten. Ich hörte es von mehreren Mainzern, daß sie das, was sie von den Nachsuchungen und Räubereyen des *Comité de surveillance* gerettet hätten, dem Edelmuth der Französischen Officiere schuldig seyen. Gleich nach dem Anfange des Bombardements brachten zwey Französische Officiere, die in dem Hause einer meiner Freunde in Quartier lagen, die besten Sachen des Besitzes in Sicherheit; und diese Sorgfalt war um desto lobenswürdiger, da die beyden Officiere meinen vorher exportirten Freund nicht persönlich kennengelernt hatten, sondern sich ihn bloß als einen Mann verpflichteten, der ihnen von einem andern Officier empfohlen worden war. Eben dieser Freund hatte bey seiner Exportation die wichtigsten Briefschaften eines geistlichen Stifts einer treuen Freundinn übergeben. Das *Comité de surveillance* erfuhr es, oder vermuthete es auch nur, daß das erwähnte Frauenzimmer geistliche Güter in Händen habe; und veranstaltete also eine strenge Haussuchung. Die Wittwe hielt die Abgeordneten des Comité unvermerkt so lange in andern Theilen des Hauses auf, bis sie die ihr anvertrauten Papiere aus einem unter dem Bett versteckten Kasten herausgenommen, und einem bey ihr wohnenden Obersten überreicht hatte. Dieser verschloß die Papiere so lange in sein Büreau, als die Untersuchung, und die Gefahr der Untersuchung dauerte, und stellte alsdann seiner Hauswirthin das anvertraute Gut mit der größten Gewissenhaftigkeit zu. – Nicht lange nach der angefangenen Belagerung wurden mehrere hundert Weiber, theils freywillig, theils gezwungen exportirt. Weil die Belagerer glaubten, daß die Franzosen sich dieses Haufens wegen der anfangenden Hungersnoth entledigt hätten; so wollten sie die Flehenden nicht aufnehmen. Nach der Exportation hatte der Commendant von Mainz den Befehl gegeben, daß man die Ausgewanderten oder Fortgeschickten nicht wieder in die Stadt lassen solle, wenn sie auch zurückkehren würden. Die Unglücklichen, die von beyden Seiten zurückgestoßen wurden, mußten also beynahe sechs und dreyßig Stunden bey dem heftigsten Regen ohne alle, oder hinlängliche Nahrungsmittel unter freyem Himmel zu bringen, worüber auch eine Gebährende mit ihrem Kinde umkam. Der General d'Oyré bestand noch immer auf seinem Vorsatze, die Exportirten nicht wieder aufzunehmen. Allein die Französischen Soldaten in Cassel, welche das Jammern der Verlassenen hörten, und ihr großes Ungemach vor Augen sahen, konnten das Elend der Mainzer und Mainzerinnen nicht ertragen. Sie gruben den vor Kälte und Nässe Erstarrten Höhlen, in welchen sie sich gegen Regen und Wind schützen konnten; und gaben ihnen Mäntel und Sättel, damit sie sich erwärmen und ihr Haupt hinlegen könnten. Viele führten Frauen und Mädchen als ihre eigenen Weiber und Töchter zurück, und zwar wählten sie zur augenblicklichen Rettung nicht gerade die Schönsten sondern die Schwächsten und Hülfsbedürftigsten aus. Junge Krieger führten alte Mütterchen, und alte Krieger junge schüchterne Mädchen am Arm. Mehr als ein Drittel der Exportirten waren schon in ihre Häuser zurück gebracht, als der Commendant die Erlaubniß ertheilte, daß alle wieder hereingelassen werden sollten.

Unter den Französischen Truppen in Mainz hatten die Jäger zu Pferde und zu Fuß den Ruhm der höchsten Tapferkeit, der ihnen auch von den Belagerern zugestanden wurde. Aus dem Jägercorps, welches ohngefähr 500 Mann ausmachte, war die *Legion de Merlin* ausgezogen, welche dieser immer zu sich nahm, wenn er etwas sehr schweres oder gefahrvolles ausführen wollte, was er mit den übrigen Truppen auszurichten verzweifelte. Die *Chasseurs à Cheval* fochten nicht auf den Hieb, sondern auf den Stich; und der Angriff mit ihren langen Stichdegen soll beynahe unfehlbar gewesen seyn. Einige dieser Jäger, die wir sahen, unterschieden sich von allen andern Franzosen durch ihre Größe, und ihren Gang, wie durch ihre kriegerische Miene. Unter den 25000 Franzosen, welche in Mainz beym Anfange der Berennung der Stadt waren, fanden sich 6 bis 7000 Linientruppen. Diese zeichneten sich vor den Nationalgarden nicht sowohl dadurch aus, daß sie viel tapferer waren als daß sie das Commando ihrer Vorgesetzten besser verstanden, und pünctlicher befolgten, als die Letztern. Die Ueberfälle des Heßischen Lagers bey Hochheim, und des Preußischen bey Marienborn würden viel entscheidender geworden seyn, als sie wurden, wenn nicht die Nationalgarden bey dem Hessischen Lager auf einander gefeuert, und im Preußischen Lager zu früh gesungen hätten. Die Franzosen sangen und spielten ça ira, und den Marseiller Marsch, sie mochten gesiegt oder verlohren haben. Als Mainz übergeben wurde, waren noch 13000–14000 streitbare Männer, und ohngefähr 2000 Kranke, Verwundete und Genesende übrig. In den Französischen Hospitälern hat man eine musterhafte Reinlichkeit, Sorgfalt, und chirurgische Behandlung der Verwundeten bemerkt.

Eine uns mit allen Fremden gemeinschaftliche Neugierde trieb meine Reisegefährten und mich an, viele Franzosen anzureden. Keiner unter denen, mit welchen wir sprachen hatte es nur gehört, daß Condé erobert, und Valenciennes der Uebergabe nahe sey: daß die Royalisten immer größere Fortschritte machten, und die südlichen Departements dem Nationalconvent den Krieg erklärt hätten. Wenn man die übrigen Französischen Heere nach den Soldaten in Mainz beurtheilen darf; so bekümmern sich die Französischen Krieger an den Gränzen wenig um das, was in Paris vorgeht. *La nation, la patrie* und *la liberté*, besonders *la nation* sind es, wofür sie fechten, und wodurch sie begeistert werden. So wenig sie von den Begebenheiten des Tages wissen; so gut wissen sie es, daß die Willkührlichkeit und Ungleichheit der Abgaben aufgehört haben: daß die Vorrechte des Adels vernichtet worden sind, u.s.w. Stimme, Miene, und Geberden wurden sichtbar feuriger, wenn sie der Aristokraten erwähnten. Die Gefahren und Beschwerden der Belagerung schienen den Muth der Franzosen, mit welchen wir uns zu unterhalten Gelegenheit hatten, gar nicht geschwächt zu haben. Wenn sie nach Frankreich zurückkämen, sagten sie, so würden sie nur eine kurze Zeit ausruhen, und alsdann gleich die Waffen wieder ergreifen. Nur ein Einziger, der bey dem Hospital angestellt, und entweder ein Jude war, oder einem Juden sehr ähnlich sah, glaubte, daß die Preußen immer weiter und weiter vordringen, und endlich nach Paris kommen würden. – Linientruppen und Nationalgarden waren, wie es schien, fest überzeugt, daß die Französische Artillerie gar nicht ihres gleichen habe, und daß die Franzosen jetzt à l'arme blanche , wie sie sagten, oder mit dem Bajonet und Säbel unwiderstehlich seyen. Diese Versicherung begleiteten Mehrere mit einer Geberde, als wenn sie das Gewehr mit aufgepflanztem Bajonet zum Eindringen in den linken Arm legen wollten. Zerlumpte Franzosen sind uns gar nicht vorgekommen. Alle, welche wir Obst oder Brantewein, u.s.w. kaufen sahen, hatten Geld, und Mehrere viel baares Geld. Die Merkmahle des Unterschiedes von Rang und Stand sind unter den Franzosen viel mehr verschwunden, als ein Fremder sich vorstellen kann. Das Wort Monsieur wird gar nicht mehr gehört. Statt dessen braucht man allgemein Citoyen. Keiner zieht vor dem andern den Huth ab. Officiere und Soldaten aßen an derselbigen Tafel, und spielten dieselbigen Spiele. Alles dieses ist Nationalsitte geworden, die sich schwerlich wieder ausrotten lassen wird.

Schon in Frankfurt hieß es allgemein, daß Mainz sich noch mehrere Monate hätte halten können; und dies war auch das gemeine Urtheil in Mainz. Mehl, Wein, Munition und selbst Arzeneyen waren noch im Ueberflusse da. d'Oyré that wenig oder nichts, um die Anlegung der nächsten und gefährlichsten feindlichen Batterien zu hindern, und man beschuldigt ihn auch, daß er das Laboratorium habe anzünden, und das Fouragemagazin vernichten lassen. Selbst den gemeinsten Leuten kommt es verdächtig vor, daß gerade der Commandant und dessen Sohn als Geissel zurück geblieben sind. Ob Merlin und Reubel eben so schuldig seyen, als d'Oyré, darüber sind die Meynungen getheilt. Einige behaupten, Andere verneinen es. Die Letzern hegen die Vermuthung, daß die Furcht, nicht entsetzt, und zuletzt zu Gefangenen gemacht zu werden, die beyden Commissaire des Convents bewogen habe, die von dem General d'Oyré angenommene schimpfliche Capitulation nicht zu verwerfen. Nichts ist falscher, als was Merlin nach den Zeitungen zur Rechtfertigung der Mainzer Capitulation im Convent zu Paris vorgebracht hat: daß nämlich die Mühlen zerschossen worden: daß weder Mehl noch Munition und Arzeneyen vorhanden gewesen; daß die Belagerten Mäuse und Katzen vor Hunger gegessen; daß 80000 Mann Teutscher Truppen Mainz belagert hätten. Es ist unbegreiflich, wie Jemand die Unverschämtheit haben kann, öffentliche Dinge zu behaupten, von welchen 16000 Mitkrieger sogleich das Gegentheil versichern können. Nach diesen wissentlichen Lügen muß man dem Merlin das Schlimmste zutrauen. Uebrigens war dieser Merlin einer der tapfersten Männer der Französischen Besatzung, und führte die stärksten Ausfälle, welche die Franzosen wagten, selbst an. Er war bald General, bald Canonier, bald Repräsentant der Nation. In der letzten Eigenschaft leisteten ihm die Französischen Krieger den unbedingtesten Gehorsam, ungeachtet sie ihn sonst haßten. Sie wissen doch, daß Merlin vormals Advocat in Thionville war? Seine Beredsamkeit soll hinreißend seyn.

Kein Abwesender kann sich einen Begriff davon machen, mit

welcher Wuth man schon in Frankfurt, und noch mehr in Mainz von den Clubbisten sprach. Die feinsten und gemäßigsten Leute trugen kein Bedenken, alle Arten von harten, und selbst niedrigen Schimpfworten gegen die Clubbisten auszustoßen. Der Abscheu gegen die Urheber der Gewaltthätigkeiten, und Räubereyen, die in Mainz verübt worden sind, ist gerecht: nur die Benennung, die man diesen Menschen gibt, ist durchaus unrichtig. Es war nicht der Clubb, welcher bald nach der Einnahme von Mainz errichtet wurde, sondern vielmehr das *Comité de surveillance*, welches die Einwohner von Mainz zwang den Eid der Treue zu schwören, und diejenigen, welche nicht schwören wollten, exportiren, ihre Sachen versiegeln, oder confisciren, und untersuchen ließ: unter welchen Vorwänden die größten Mißhandlungen und die schänd-lichsten Diebereyen verübt wurden. Der Clubb wurde gleich beym Anfange der Blokade von dem *Comité de surveillance* auf-gehoben, weil in Jenem mehrere rechtschaffene Männer waren, welche sich der Vollziehung des Decrets vom 15. December, und den daraus entstehenden gehässigen Zwangsmitteln und Will-kührlichkeiten widersetzten. Merlin beharrte bey dem Grund-satz: daß man die Menschen wider ihren Willen zwingen müsse, frey und nach Französischer Art glücklich zu seyn. Diesen Grundsatz hat Merlin in den letzten Zeiten im Convent selbst verworfen. Die *Comitisten* wandten diesen Grundsatz gegen ihre Mitbürger an, und daraus entstanden die Ungerechtigkeiten wo-durch alle Gemüther, man sollte nicht sagen, gegen die Clubbi-sten, sondern gegen die Comitisten so unversöhnlich aufgebracht sind. Viele dieser Werkzeuge einer willkührlichen Gewalt, mach-ten sich eben so sehr bey den Franzosen, als bey ihren ehemaligen Mitbürgern verhaßt; und eben daher mag d'Oyré es gewagt haben, die so genannten Clubbisten nicht ausdrücklich in die Capitulation einzuschließen. Auch diejenigen, welche an den Clubbisten, oder vielmehr Comitisten die härteste Todesstrafe vollziehen sehen möchten, verabscheuen doch die Treulosigkeit, womit die Franzosen, oder vielmehr ihr General die meisten Teutschen Anhänger verlassen hat. Alle Comitisten, die mit der ersten Colonne ausmarschirten, kamen unangefochten durch: un-ter andern die Professoren Dorsch, und Hoffmann, und der ehe-malige Gastwirth Rüffel. Letzterer ritt in einer prächtigen Husa-renuniform zwischen Merlin, und dem General Dübajet, der die erste Colonne von 7 bis 8000 Mann anführte. Als diese Colonne in Marienborn vor den Preußen vorbeimarschirte, so machten einige Mainzer Bürger Mine, als wenn sie sich an dem Rüffel vergreifen wollten. Sogleich rief Dübajet mit einer äußerst imposanten Stimme, und einer eben so bedeutenden Schwenkung des Degens aus: Je compte sur la loyauté du roi de Prusse: Er wiederholte diese Worte dreymahl, und wandte sich dann zu seinen Soldaten mit den Worten: pas ordinaire, pas lent, silence. Hierauf trat der Herzog von Weimar hervor, und versicherte dem Dübajet, daß man die Capitulation in allen Puncten auf das genaueste halten werde: nach welcher Versicherung die Franzosen und ihre Clienten ungestört fortzogen. Auch mit der zweyten Colonne kamen noch manche Clubbisten durch. Erst bey der dritten Colonne stellten die Mainzer Bürger Glied vor Glied die genauste Untersuchung an, rissen alle Clubbisten, welche sie erkannten, aus der Mitte der Franzosen heraus, und mißhandelten sie auf die unbarmherzigste Art. Mehrere Clubbisten sollen von den Franzosen selbst mit Lachen ausgestoßen worden seyn. Einige blieben bis zum Abmarsch der letzten Colonne, weil sie, eine beyspiellose Verblendung! wähnten, daß sie gar nichts zu fürchten hätten, und daß man ihnen nichts von Bedeutung vorwerfen könne. Nach einem nicht unglaubwürdigen Gerücht sollen alle diejenigen, welche den Franzosen folgen wollten, vermöge eines geheimen Artikels gegen die Mainzischen Geißeln in Landau ausgeliefert werden. Bey dieser Voraussetzung kann man es begreifen, warum man viele Gefangene nach Ehrenbreitstein geschickt hat, da doch die zur Untersuchung der Clubbistensache errichtete Commission in Mainz sitzen soll. Auch läßt es sich dann erklären, warum man es dem Mainzer Pöbel erlaubte, nach Art des Pariser Pöbels Selbstrache zu üben: durch welches Verfahren man sonst fühlen mußte, daß die Polizey verrufen, die nachherige Gerichtspflege verdächtig gemacht, Mitleid gegen die Schuldigen erregt, und viele Unschuldige in Gefahr gesetzt würden, Beschimpfungen und Mißhandlungen zu leiden, welche sie nicht verdient hatten. Gleich am Tage nach unserer Ankunft hieß es, daß man den zersägten und zerhauenen Freyheitsbaum mit Pomp verbrennen, und die Clubbisten unter allerley Hohn zu Zeugen dieser Handlung machen würde. Das Gerüst war wirklich errichtet, und das corpus delicti lag darneben. Am folgenden Tage dauerten Gerüst und Erwartungen des Publikums noch immer fort. In Frankfurt freute man sich darüber, daß die Cärimonie des Verbrennens des Freyheitsbaums, und die Ausstellung der Clubbisten am nächsten Tage vor sich gehen werde. Nach der Rückkehr in Göttingen wird es als gewiß erzählt, daß die Clubbisten unsichtbar geblieben, und Gerüst und Freyheitsbaum verschwunden seyen. Das Aussuchen und Mißhandeln der Clubbisten ging während unsers Aufenthalts in Mainz noch immer seinen Gang fort; und es ist zu verwundern, daß bei den dadurch verursachten Aufläufen nur zwey Häuser geplündert worden sind. Eins dieser Häuser gehörte dem Herrn …, der zwar einigemahl den Clubb besucht hatte, aber mit Vorwissen seiner rechtmäßigen Obern, und eines der vornehmsten Teutschen Heerführer, welchem er auch wirklich die wichtigsten Nachrichten mitgetheilt hatte. Dieser Mann, der nichts weniger, als ein Feind seiner Mitbürger gewesen war, erfuhr es, daß ein Pöbelhaufen gegen seine Wohnung im Anzuge sey. Er gab hievon dem Herrn von … frühzeitige Nachricht, und bat sich zugleich Schutz gegen die Ruhestörer aus. Die angesehene Magistratsperson antwortete: daß sie keine Wache schicken könne, und daß man dem Volke für die Quaalen, welche es ausgestanden, die Genugthuung lassen müsse, sich selbst Recht zu verschaffen. Der Pöbel, unter welchen viele … Soldaten waren, drang heran, plünderte das Haus, mißhandelte den Besitzer, und nicht bloß diesen, sondern auch dessen Bruder, einen Trierischen Geistlichen, der erst kürzlich angekommen war, um seinen Anverwandten, wenn sie etwa in Verlegenheit seyn sollten, mit seinem geringen ersparten Vermögen auszuhelfen. Vergebens rief dieser, daß er ein neu angekommener Fremder, und während der Anwesenheit der Franzosen gar nicht in Mainz gewesen sey. Der räuberische Pöbel nahm ihm hundert Ducaten, eine goldene und silberne Uhr, ein Paar silberne Sporen, u.s.w. und führte ihn, wie den Bruder, unter beständigen Beschimpfungen fort. Glücklicher Weise begegneten die Gebundenen auf der Straße dem Mainzischen General, Herrn von … Der Trierische Pfarrer trug diesem Herrn seine, und seines Bruders Unschuld vor: worauf der Herr General die Volksrichter und ihre Gehülfen gefangen nehmen ließ, und die Gebundenen in Freyheit setzte. Man durchsuchte die Räuber, aber auf eine solche Art, daß von den entwendeten Sachen gar nichts wiedergefunden wurde. – Die Pöbeljustiz ist sich allenthalben gleich.

Angenehmer, als diese letzten Anekdoten, wird Ihnen die Nachricht seyn: daß sich die Hessencasselischen Dörfer in den letzten fünf Jahren außerordentlich verschönert, und hin und wieder so sehr verschönert haben, daß ich sie kaum wieder erkennen konnte. Auch waren die reifen oder reifenden Saaten im Hannöverischen und Hessischen dichter und höher, als in der Wetterau. Auf der ganzen Reise fanden wir keine trefflichere und besser erhaltene Chaußeen, als zwischen Frankfurt und Mainz: welches ich ohne den Augenschein bey den häufigen und schweren Artilleriefuhren, Munitions- und Bagagewägen, welche die Mainzischen Wege in den letzten Zeiten angegriffen haben, für ganz unglaublich gehalten hätte. Unsere Chaußeen waren viel mehr verdorben, oder vernachläßigt, als ich sie sonst je gesehen habe.

Christian Garve
Ein ernsthafter Commentar über einen Scherz*

In der Zeit, da Swift als Schriftsteller noch wenig bekannt, und als Geistlicher und Dorfpfarrer in einer entlegenen Gegend von Irland war, brachte er, nach der Gewohnheit der englischen Geistlichen, – welche eine Pfründe als ein Grundstück ansehen, das sie, nach Gefallen, entweder selbst anbauen, oder durch andere verwalten lassen können, – einen Theil jedes Jahres in London zu. Um aber doch die Pflichten seines geistlichen Standes nicht ganz zu vergessen, verrichtete er, während dieses Aufenthaltes, in dem Hause des Lord Berkeley, zu welchem er einen vertrauten Zutritt hatte, das Geschäft eines Capellans, wohnte den Andachtsübungen der frommen Lady bey, und las ihr gewöhnlich nachher eine moralische, oder geistliche Abhandlung vor. Sie fand eben damahls viel Geschmack an Boyles Betrachtungen, die aus allerley Gegenständen der Natur und Kunst moralische Nutzanwendungen ziehen, und war willens, sie sich alle nach der Reihe von Swift vorlesen zu lassen. Swift, den diese Lectüre nicht eben so gut, als die Gräfinn, unterhielt, suchte sich von diesem Auftrage durch einen Scherz loszumachen. Nachdem er eines Tages abermahls ihr eine Vorlesung aus ihrem Lieblingsautor gehalten hatte, nahm er das Buch heimlich mit sich nach Hause und nähete behutsam einige Blätter hinein, auf die er den folgenden Aufsatz (*Betrachtungen über einen Besenstiel*) geschrieben hatte. Darauf ließ er das Buch wieder unbemerkt an seinen Ort legen. Und als er beym nächsten Besuche von der Dame gebeten wurde, in den Betrachtungen Boyles fortzufahren, öffnete Swift das Buch da, wo die eingeschobnen Blätter waren, und fing sehr ernsthaft an zu lesen: *Betrachtungen über einen Besenstiel.* Die Gräfinn befremdete zwar Anfangs der sonderbare Titel. Indeß verlangte sie, daß Swift fortfahren sollte, weil, wie sie sagte, dieser bewundernswürdige Schriftsteller ihr schon so manchmahl wichtige Belehrungen, bey Betrachtungen unwichtiger Gegenstände, gegeben hätte, daß sie auch hier mehr erwarten könnte, als der undankbare Stoff ver-

---

* Aus: *Vermischte Aufsätze, welche einzeln oder in Zeitschriften erschienen sind. Zweiter Teil*, Breslau 1800, S. 429-467.

spräche. Swift fing nun an, mit pathetischer Stimme, so wie er sonst die Boylischen Betrachtungen zu lesen gewohnt war, seinen eignen Aufsatz abzulesen. Milady Berkeley ahndete noch immer den Betrug nicht: und ob ihr gleich zuweilen der Ton etwas fremd vorkam, so äußerte sie doch noch öfter über den großen Mann ihre Bewunderung, der so vortreffliche Sachen selbst über einen Besenstiel zu sagen wußte.

Nach geendigter Vorlesung, trat Gesellschaft zur Gräfinn herein, und Swift eilte davon, um bey dem folgenden Auftritte, den er vorhersah, nicht gegenwärtig zu seyn. Die Gräfinn, voll von ihrem Autor, fragte jeden aus der Gesellschaft, ob er Boyles Betrachtung über einen Besenstiel gelesen hätte. Kein Mensch wußte etwas von dieser Betrachtung. Sie versicherte, daß sie in ihrem Exemplare stände, und daß Swift sie eben daraus vorgelesen hätte. Das Buch wurde hervorgeholt: und man fand in der That die Betrachtung, aber von Swifts Hand geschrieben. Jedermann lachte, die Gräfinn nannte Swift einen Schalk, und niemand wurde dadurch geärgert. Aber beym Publikum fand das kleine Stück, als es in der Folge abgedruckt wurde, strengere Richter: weil man es, wider Swifts ursprüngliche Absicht, für eine Satyre auf Robert Boyle, einen wirklich verdienstvollen, und allgemein geschätzten Mann, ansah. Für uns ist es nichts mehr, als eine nicht geistlose Posse: die dadurch einiges Interesse mehr erhält, daß die Betrachtung, womit sie schließt, durch die Geschichte unserer Tage so sehr bestätiget wird, daß sie beynahe für diese geschrieben zu seyn scheint. Wie ich dieß verstehe, darüber will ich mich umständlicher erklären, wenn ich zuvor den Swiftischen Aufsatz selbst, in einer freyen Uebersetzung, den Lesern werde vorgelegt haben.

Swifts Meditation über einen Besenstiel

»Diesen jetzt, in einem staubigen Winkel, einzeln und vernachlässigt liegenden Stecken* kannte ich einst als einen jungen Baumstamm, im Walde in einem blühenden Zustande. Er war voll Saft, mit grünenden Zweigen und Blättern bekrönt. Aber jetzt mag die geschäftige Kunst des Menschen immerhin mit der Natur wettei-

* Der Schistische Besen war ein einzelner Stecken, mit daran gebundnen Birkenruthen.

fern, und an den vertrockneten Stamm ein Bündel eben so saftloser und dürrer Zweige anbinden; er ist doch, wenn es hoch komme, nichts mehr, als das Entgegengesetzte von dem, was er zuvor war, ein umgekehrter Baum, der seine Wurzeln in die Höhe streckt, und mit seinen Zweigen den Boden kehrt. Jetzt ist er das Handwerkszeug jeder schmutzigen Stubenmagd, verdammt ihre Arbeit für sie zu thun, und dazu ausersehen, andre Dinge rein zu machen, indem er selbst schmutzig wird. Endlich, wenn er in dem Dienste der Mägde, bis auf den letzten Stumpf, abgebraucht ist: wird er vor die Thür hinausgeworfen, oder zu einem Gebrauche bestimmt, der seinem Daseyn zugleich ein Ende macht, Feuer damit anzuzünden.«

»Ach, sagte ich, indem ich dieß betrachtete, bey mir selbst, mit einem tiefen Seufzer, wahrlich, der Mensch ist nichts besser, als ein Besenstiel. Die Natur schickt ihn in die Welt, munter und rüstig, mit Lebenskraft zum Wachsen und Gedeihen angefüllt. Sein Haupt ist dann mit seinen eignen Haaren geziert, die gleichsam die Zweige der mit Vernunft begabten Pflanze ausmachen. Dieß währt so lange, bis das Beil der Zeit und der Unmäßigkeit seine grünen Aeste abgeköpft hat, und ihn dann, als einen vertrockneten Stamm, mit kahlem Haupte zurückläßt. Dann nimmt er seine Zuflucht zur Kunst, bedeckt sein Haupt mit einem unnatürlichen Bündel von Haaren, die niemahls auf demselben gewachsen sind, füllt sie mit Puder an; und ist noch stolz auf diesen geborgten Schmuck, denn er eine Perücke nennt. – Und doch sollte dieser unser Besenstiel auftreten, und auf die geplünderten Birkenruthen, die er an sich trägt, da sie doch nicht auf ihm gewachsen sind, stolz thun; indeß er über und über mit Staub und Schmutz bedeckt ist,) mag er ihn auch aus dem Zimmer der schönsten Dame ausgefegt haben:) gewiß, wir würden seine Eitelkeit verachten und lächerlich finden. – Welche parteyische Richter sind doch wir Menschen, wenn wir über unsre eigne Vortrefflichkeit und andrer Fehler urtheilen wollen!«

»Doch, der Besen«, sagte ich, »stellt einen umgekehrten Baum vor. Und ich bitte euch, was ist der Mensch anders, als ein Ding, bey dem das Oberste zum Untersten gekehrt, und der Kopf da ist, wo die Fersen seyn sollten. Die zur Regierung bestimmte Vernunft liegt auf dem Boden und kriecht im Staube, indeß die Sinnlichkeit, welcher es zukäme, zu gehorchen, die höchste Stelle einnimmt und den ganzen Menschen beherrscht.«

»Und mit allen diesen Fehlern wirft er sich doch zu einem allgemeinen Reformator auf, will alle Beschwerden in der Welt abthun und die Mißbräuche verbessern. *Er guckt und stöbert in jedem Schmutzwinkel der Natur und der Gesellschaft umher, bringt allen darin versteckten Unrath ans Licht, macht einen gewaltigen Staub, wo zuvor keiner war; und bedeckt sich, während der Zeit, über und über mit eben dem Kothe, den er wegkehren zu wollen vorgiebt.* Seine letzten Tage bringt er, wie sein Bruder, der Besen, in der Dienstbarkeit der Weiber zu: bis er endlich, so wie dieser, bis auf den Stumpf abgenutzt, zur Thür hinausgeworfen, oder dazu gebraucht wird, ein Feuer anzuzünden, wobey andre sich wärmen können.«

Scheint diese letzte Betrachtung nicht recht dazu gemacht, die Helden der Französischen Revolution, diese kühnsten aller Reformatoren, zu schildern? Wer hat mehr, als sie, in allen Winkeln des Staats und der Regierung, herumgesucht, um den verborgensten Schmutz, von gemißbrauchter Gewalt oder von verschwendeten Finanzen, von Ungerechtigkeit oder Vernachlässigung, ausfindig zu machen? und wer hat mehr, mit eben dem Unrathe, welcher ausgefegt werden sollte, sich selbst besudelt, – die willkührliche Gewalt höher getrieben, die öffentlichen Gelder unsinniger verschwendet, bey seinen Ungerechtigkeiten alle Gefühle der Menschlichkeit mehr unterdrückt, und sorgloser die Verwaltung wichtiger Staatsgeschäfte dem Zufalle überlassen, als eben die, welche in Frankreich sich seit sechs Jahren, nach ihrem Vorgeben, mit der Ausrottung aller dieser, in der alten Verfassung eingewurzelten Mißbräuche, beschäftigten? Wer hat mehr des fürchterlichsten Staubes gemacht, und das Land, welches er von erträglichen Uebeln befreyen wollte, mehr mit Blut und Verbrechen bedeckt?

Und dieser üble Erfolg von den Arbeiten derjenigen Menschen, welche Swift mit seinem Besenstiele vergleicht, wenn sie eine zu große Fläche von einem durch zu lange Zeit angehäuften Staube zu schnell reinigen wollen, hat sich nicht bloß bey den Französischen Staats-Reformatoren, in unsern Tagen, gezeigt. Swift hatte einen ähnlichen verunglückten Reformations-Versuch in seinem Vaterlande, zwar nicht selbst erlebt, aber doch von seinen Vätern beschreiben hören, und in manchen noch zu seiner Zeit vorhandenen Spuren beobachten können. Auch die Urheber der großen Staatsveränderungen zur Zeit Carls I., obgleich weit frömmer und in ihren ersten Schriften weit gemäßigter, als die heutigen Französischen, wurden doch zuletzt eben so gewaltthätig, eben so verschwenderisch, und für ihr Vaterland eben so Unheil stiftend, als diese? Einige willkührlichen Anmaßungen der Krone, einige despotischen Handlungen der Klerisey sollten weggeschafft, und für die Zukunft verhütet werden: und an deren Stelle trat die willkührlichste Gewalt eines einzigen Mannes, welcher König, Parlament, Kirche und Volk zugleich unterdrückte.

Fast allenthalben, wo in der Welt *große* Reformen öffentlicher Mißbräuche *plötzlich* haben ausgeführt werden sollen, sind noch größre Mißbräuche erfolgt. Die Gracchen im alten, Arnold von Brescia und Rienzi* im neuern Rom, Marcell, so wie Robertspierre in Paris, alle haben damit angefangen, den Staat zu säubern, und zu seinem alten Glanze, zu den Tugenden und dem Glücke voriger Zeiten, wieder erheben zu wollen; und haben damit geendigt, ihn in noch größerm Verfall und mit verdorbnern Sitten zurückzulassen.

Selbst diejenigen Reformatoren, welche mit weniger Ungestüm zu Werke gegangen, und weise oder glücklich genug gewesen sind, etwas von den entworfenen Verbesserungen wirklich zu Stande zu bringen, haben doch nicht ganz den Vorwurf von sich ablehnen können, daß sie gerade eben die Fehler, welche sie an ihren Obern rügten und um derentwillen sie ihnen den Gehorsam aufsagten, im hohen Grade selbst begingen. Um die Völker von einer tyrannischen Herrschaft zu befreyen, haben sich Privatbürger, wenigstens eine Zeitlang, einer despotischen Gewalt anmaßen müssen: und selten sind große Ungerechtigkeiten, welche Mächtige begingen, von den Schwächern auf eine andre Weise, als mit Begehung ähnlicher Ungerechtigkeiten, bestraft und weggeschafft worden. Selbst unsre protestantischen Glaubensverbesserer, ob sie gleich gegen die Mißbräuche der Römischen Kirche mit keinen andern Waffen, als mit den Waffen der Gründe und der Ueberzeugung, zu Felde zogen, konnten sich doch nicht davor hüten, etwas von dem Gewissenszwange, von der Unduldsamkeit und von der geistlichen Herrschaft, gegen welche sie stritten, bey sich einzuführen.

Woher kommt wohl diese sonderbare Erscheinung? Warum werden die, welche das Unrecht aus der Welt wegzuschaffen suchen,

---

* Siehe die Anmerkung am Schlusse.

so leicht selbst ungerecht; und warum begehen diejenigen, welche große Verbrecher strafen wollen, so leicht ähnliche Verbrechen? – Die Geschichte unsrer Tage giebt uns hierüber zwar nicht neue, aber für uns deutlichere Aufschlüsse, weil die Begebenheiten, woraus wir sie schöpfen, uns näher sind.

Die erste Ursache von den Verbrechen und Unglücksfällen, von welchen große Reformen im Staate und in der Kirche begleitet werden, ist eben die, welche auch viele der Mißbräuche hervorbringt, die zu solchen Reformen die Veranlassung geben.

Es sollten nähmlich die Regierer in der menschlichen Gesellschaft und die Verwalter ihrer Angelegenheiten von Rechtswegen nur eine einzige Sorge haben: das ist, die, ihr Geschäft gut zu verrichten, und den Zweck ihres großen Auftrags, das Wohl der Völker, zu befördern. Es ist ihnen aber gemeiniglich, vermöge ihrer Lage, noch eine andre Sorge unentbehrlich: das ist die, sich auf ihrem Posten zu behaupten und diese ihnen verliehene Macht, Gutes zu thun, die ihnen, bloß in so fern es Macht ist, so viele gerne aus den Händen winden und sich zueignen möchten, ungeschwächt zu erhalten. So müssen zum Beyspiele die Könige selbst, wenn auch auf ihrem Throne noch so gesichert, doch immer darauf denken, bey ihrem Volke ihr Ansehen, und bey den Auswärtigen ihre Macht zu befestigen. Noch weit mehr sind ihre Minister, die nur eine geliehene Macht haben, genöthigt, einen großen Theil ihrer Aufmerksamkeit und ihrer Zeit auf die Mittel zu richten, wie sie sich in ihrem Posten behaupten, ihre Nebenbuhler entfernen, ihre Feinde überwinden oder gewinnen, ihrem Fürsten und dessen Günstlingen, von denen die Fortdauer ihres Ansehns abhängt, gefallen wollen. Diese Sorge der Männer, welche hohe Posten im Staate bekleiden, für die bloße *Erhaltung* ihres Ansehns, hindert ausnehmend den guten *Gebrauch* desselben; zuerst schon deßwegen, weil sie zu einer großen und weitläufigen Beschäftigung wird, die nichts zum Wohl des Staats beyträgt. Sie erschöpft die Kräfte des Mannes in ganz eigennützigen Anschlägen und Unternehmungen, welche, wenn sie auch ungetheilt, seinen großen, gemeinnützigen Geschäften gewidmet wären, kaum zu denselben hinreichen würden.

Dazu kommt aber noch der wichtige Umstand: daß, bey den Mächtigen und Angesehenen im Staate, diese Sorge für ihre Selbsterhaltung auf nichts anders hinausläuft, als einen offenbaren oder geheimen Krieg mit ihren Gegnern zu führen, und sich zu dem Ende eine Partey zu verschaffen, welche diesen Gegnern gewachsen seyn könne. Die, welche ihnen übel wollen, müssen gewonnen oder gestürzt, – die, welche ihnen wohl wollen, müssen empor gehoben und durch Dienstleistungen immer stärker gefesselt werden. Da diesen ihren Maßregeln von vielen entgegen gearbeitet wird, deren Widerstand sie überwinden, oder deren heimlich gelegten Schlingen sie durch List zu entgehen suchen müssen: so kommen sie gar leicht hierbey in Versuchung, von dem geraden Wege der Wahrheit und Gerechtigkeit abzugehen, und sich auch den Gebrauch unredlicher Kunstgriffe zu erlauben. Diese Art zu handeln aber, wenn sie ihnen einmahl bey *demjenigen* Theile ihrer Geschäfte eigen geworden ist, der auf die *Behauptung* ihres Postens abzielt, wird auch leicht bey dem *andern* Theile ihrer Geschäfte herrschend, dem nähmlich, wodurch sie die *Pflichten* ihres Postens *erfüllen*, und ihr Ansehn dem gemeinen Wesen wohlthätig machen sollen.

Ein Fürst, welcher des zweydeutigen und oft unredlichen Spiels der Politik gegen auswärtige Staaten gewohnt geworden ist, – der, welcher seine Vorrechte gegen die Ansprüche und Freyheitsbegriffe seiner Unterthanen zu bewachen nöthig gehabt hat, wird leicht in seiner Staatsverwaltung selbst von denjenigen edlen und menschenfreundlichen Grundsätzen abweichen, die sonst einem obersten und unabhängigen Regenten so natürlich sind. Noch mehr wird ein untergeordneter Staatsverwalter, ein Minister, welcher eine von dem Fürsten ihm nur geliehene Macht besitzt, wenn er immer damit beschäftigt ist, sich Freunde zu erwecken und Feinden zu widerstehn, leicht dabey das sittliche Gefühl und den patriotischen Geist schwächen, die ihn in der Führung seines Amtes leiten sollen.

Vergleichen wir nun mit den *Gewalthabern* der Staaten die *Reformatoren* derselben: so finden wir, daß sie in eben diesem unglücklichen Falle sind, zu ihrer Unternehmung *Macht* zu bedürfen, und diese Macht sich doch erst selbst *schaffen*, und gegen immer während Angriffe *vertheidigen* zu müssen. Sie haben von der einen Seite die größte Veranlassung, von den strengen Vorschriften des Rechts abzuweichen, weil sie mit großen Gefahren umgeben sind, und mit bittern und oft ungerechten Feinden zu kämpfen haben; und sie haben von der andern Seite den scheinbarsten Vorwand, unregelmäßige Schritte, die sie zur Aufrechterhaltung ihres Ansehns thun, durch die großen Endzwecke des gemeinsamen Bestehens, wozu sie dasselbe anwenden wollen, zu entschuldigen.

Jeder Reformator muß, wenn es ihm gelingen soll, sich an die Spitze einer Partey stellen. Wie wollte er, bey dem Hasse und dem Widerwillen, welchen Neuerungen bey einem großen Theile der Menschen unfehlbar erregen, sich selbst schützen und seinen Plan durchsetzen können, wenn er nicht eine Menge Gehülfen hätte, und dieselben zu einer Einstimmung in seine Absichten, und also zu einem gewissen Gehorsam gegen sich zu bringen wüßte? Welche schwere und gefährliche Rolle aber die Rolle eines Parteyhauptes sey, und zu welchen unerlaubten Schritten sie auch den redlichsten Mann verleiten könne: davon hat niemand ein vollgültigeres Zeugniß abgelegt, als der Cardinal von Retz in seiner vortrefflichen Denkschrift über die Unruhen der Fronde, – in welchen er selbst diese Rolle gespielt hatte. »Welche Kleinigkeit«, sagt er, »ist die Kunst, welche ein Fürst oder ein Minister, in einer schon befestigten Regierung, braucht, um ein, zur Verehrung dieser Nahmen schon lange gewöhntes Volk zu regieren, gegen die unendlich schwerere, deren ein Parteyhaupt nöthig hat, um bey Anhängern, die durch kein anderes Band, als durch die zufällige Uebereinstimmung ihrer Meinungen und Leidenschaften, an ihn geknüpft werden, sein Ansehn zu behaupten.«

Diese Schwierigkeiten sind bey der Beherrschung einer Partey, die bloß durch *Meinung* und *Grundsätze* zusammen gehalten wird, wie dieß der Fall bei der Partey eines Reformators ist, noch weit größer, als bey der Beherrschung einer solchen, die durch ein augenblickliches und nahes *Interesse* ihren Zusammenhang erhält, wie es die Partey der Fronde war. Die Anhänger jedes Neuerers, immer bereit ihn zu verlassen oder ihn selbst aufzuopfern, noch mehr geneigt, sich mit ihm zu entzweyen, sobald sich die geringste Verschiedenheit seiner und ihrer Meinungen und Absichten hervorthut, müssen von ihm gleichsam bewacht und immer von neuem gewonnen werden. Wie viel muß er also nicht oft ihren Launen, ihrer Unwissenheit und ihren Leidenschaften nachgeben? Wie oft muß er nicht gegen ihre Feinde härter und gewaltthätiger seyn, als er es selbst für recht hält, um nur ihre Zuneigung nicht zu verscherzen! Wie oft muß er nicht über das Ziel, welches er sich bey seiner Reform gesteckt hatte, hinausgehen, weil er den Haufen, der ihn bey der Ausführung unterstützt, zwar in Bewegung zu setzen, aber nicht zu mäßigen weiß. Wie oft endlich muß er sich nicht zu Betrug und falschen Vorspiegelungen herablassen und die Wahrheit selbst durch Uebertreibungen verfälschen, um nur den Muth seiner Partey zu erhalten, und ihre Thätigkeit nicht erschlaffen zu lassen.

So viel findet der Reformer bey der ihm *ergebenen* Partey, bey seinen eignen *Freunden* und Verehrern zu thun. Aber welche noch weit größre Schwierigkeiten und Gefahren stehen ihm nicht von Seiten seiner *Gegner* bevor, die, zahlreich und erbittert, sich sehr bald zu einem offenbaren Kriege gegen ihn rüsten. Der ansehnlichste Theil dieser Gegner besteht aus den Anhängern des alten Systems, die, mächtig durch das noch bestehende Ansehn der alten Verfassung, auch durch ihre persönliche Würde furchtbar werden. Denn gemeiniglich sind, bey großen Neuerungen, die Begüterten, die Vornehmen, die, welche sich schon Ruhm erworben haben, und die Personen vom höhern Alter am wenigsten geneigt, ihnen beyzutreten. Außer diesen Gegnern findet der Reformator gar bald noch andre unter seinen Anhängern selbst; weil diese, durch die Abweichung von dem alten Systeme, zur Freyheit im Denken gewöhnt, leicht ebenfalls in ihren Urtheilen und Absichten von einander abweichen und also neue Parteyen bilden. Und diese streiten gegen einander mit desto größerer Erbitterung, je genauer sie zuvor mit einander verbunden waren.

In diesen doppelten Krieg mit erklärten Feinden und mit aufrührerischen Anhängern verwickelt, ist der Reformator allen den Versuchungen zur Ungerechtigkeit ausgesetzt, welche der Krieg unglücklicher Weise mit sich führt. Von der einen Seite wird er für seine persönliche Sicherheit besorgt, von der andern wird durch die Größe des Unternehmens sein Ehrgeiz entflammt. Das Dringende der Umstände macht ruhige Ueberlegung oft unmöglich: und Instinct oder Enthusiasmus muß daher in solchen kritischen Augenblicken seinen Entschluß bestimmen. Eben diese Umstände aber schwächen zugleich sein moralisches Gefühl, oder machen ihn gegen die Vorwürfe seines Gewissens taub. Da der Krieg, welchen er zu führen hat, ein bürgerlicher Krieg ist; da er mit Feinden rings umgeben, und nicht immer im Stande ist, sie von seinen Freunden zu unterscheiden: so wirkt alles das, was von jeher die bürgerlichen Kriege zu den grausamsten gemacht hat, – Argwohn gegen einige Personen, alter Groll gegen andre, und die Kränkung fehlgeschlagner Erwartung – auch auf sein Gemüth.

Wenn also die Mächtigen der Erde, auch im ruhigen Zustande der

Dinge, durch nichts so sehr zum Mißbrauche ihrer Gewalt verleitet werden: als durch das, was sie zum Aufrechterhalten ihres Ansehns thun müssen, und wenn die Urheber großer Reformen für die Erhaltung ihres Ansehns noch weit mehr besorgt zu seyn Ursache haben, und weit mehr Mühe finden, diesen Endzweck zu erreichen: so ist es kein Wunder, wenn sie nach und nach zu allen den Maßregeln, welche sie an den alten Gewalthabern so strenge getadelt hatten, verleitet werden, und sich sogar oft noch gewaltthätigere Schritte erlauben.

Dreyerlei Lagen sind für die Sittlichkeit der Menschen vorzüglich gefährlich: ein Zustand *persönlicher Unsicherheit*, eine noch *unbefestigte Herrschaft* und der *Krieg*. In jeder dieser Lagen wird das Gewissen, bey Maßregeln, die es mißbilligt, durch die scheinbare Nothwendigkeit derselben eingeschläfert. Man vergißt entweder die moralischen Gesetze, wenn so dringende physische Bedürfnisse und so heftige Leidenschaften auf uns einstürmen, und wenn man genöthigt ist, so plötzliche Entschlüsse zu fassen; oder man glaubt sich auch zu Ausnahmen von jenen Gesetzen *berechtigt*, wenn man sich, zwischen der Erreichung großer Zwecke und seinem Untergange, gleichsam in die Mitte gestellt sieht.

Alle jene drey Versuchungen kommen bey den Urhebern großer Reformen zusammen. *Zuerst*, mit soviel Klugheit und Mäßigung sie auch im Anfange zu Werke gehn, – so rechtschaffene Gesinnungen und so löbliche Absichten sie auch bey ihrem Unternehmen an den Tag legen mögen: so sind sie doch immer einem großen Hasse derer ausgesetzt, die von ihnen in dem ruhigen Genusse der Vortheile, welche die alten Mißbräuche ihnen brachten, gestört worden sind. Und dieser Haß setzt unvermeidlich ihr Glück, ihre Freyheit und selbst ihr Leben in Gefahr. Sie haben *zweytens*, wenn sie ihre Entwürfe durchsetzen wollen, unumgänglich nöthig, an der Spitze einer zahlreichen Partey zu stehen, die sie beherrschen und nach ihrem Willen regieren. Aber diese Herrschaft beruht auf einem äußerst schwankenden Grunde, auf dem guten Willen ihrer Anhänger, und wird ihnen, weder durch wirkliche Macht, noch durch Herkommen und Gewohnheit gesichert. Sie werden *endlich* in einen hartnäckigen Streit, mit den Anhängern des von ihnen angegriffenen Systems der Religion oder der Regierung, verwickelt; und hieraus allein erklärt sich, warum, wenn der Revolutions-Zustand einige Jahre fortdauert, der Geist der neuen Partey sich immer mehr zu verschlimmern, und das, was aus reiner Liebe der Wahrheit, oder der Gerechtigkeit angefangen worden war, zuletzt eine Sache des Ehrgeitzes, der Herrschsucht und der Rachbegierde zu werden scheint.

Die Erfahrung unsrer Tage hat uns noch eine zweyte Ursache entdeckt, warum Reformen, welche große Veränderungen im bürgerlichen und politischen Zustande der Menschen erfordern, die Uebel, welche sie wegschaffen wollten, nur in andrer Gestalt, oft in größerer Menge, hervorbringen müssen: eine Ursache, auf welche wir schwerlich bey einer Untersuchung der Sache a priori gekommen seyn würden. Diese liegt darin, daß Revolutionen, auf ihrem Fortgange, natürlicher Weise, ihre Häupter und Anführer veränderten, und daß bey Sachen, wo der große Haufe mitwirkt, mit der Länge der Zeit List und Stärke das Uebergewicht über Vernunft und natürliche Absichten erhalten.

Wir wollen zuerst, wie es billig ist, *Reformations-Versuche* im Staate, (von welchen hier allein die Rede ist,) vom bloßen *Aufruhr* oder solchen Unternehmungen unterscheiden, welche bloß den Ehrgeitz und selbstsüchtige Leidenschaften zur Quelle haben. Wir wollen annehmen, welches in der That oft der Fall ist, daß die ersten, welche den Muth fassen, sich alten und von der öffentlichen Macht beschützten Mißbräuchen entgegenzustellen, wirklich von der Liebe des Guten beseelt werden und die Absicht haben, ihre Nation glücklicher zu machen. Wir wollen sogar voraussetzen, – welches sich bey so wenigen aus der Geschichte bekannten Revolutionen findet, – daß diese ursprüngliche Uneigennützigkeit und Tugend der Reformatoren nicht nach und nach durch ihre so gefährliche Lage sey verdorben worden, und daß sie, trotz aller Versuchungen, die Ungerechtigkeiten der Menschen gegen sie durch ähnliche zu erwiedern, ihren ersten Grundsätzen treu geblieben sind. Aber dadurch ist der sittlich gute Gang der Revolution noch nicht gesichert, weil sie selbst, – diese ersten Urheber, – ihres fortdauernden Einflusses auf die Revolution so wenig gewiß sind. Es ist vielmehr nach unsern neuesten Erfahrungen nichts zuverläßiger zu erwarten, als daß sie die Regierung ihres eignen Werks ihren Händen in kurzem entrissen und weit schlechtern Menschen, als sie selbst sind, überliefert sehn.

Die Ursache davon liegt schon in denjenigen Eigenheiten der Revolution, deren ich bey dem ersten Puncte erwähnt habe.

Eben weil die Reformatoren zugleich Parteyhäupter seyn müssen, – eben weil sie einen Krieg zu führen haben, sind sie nur in sofern zu der Rolle, welche sie spielen, gemacht, als sie außer den Einsichten und dem Gemeingeiste, welche einen nützlichen Reformator leiten und beseelen müssen, auch noch den wahren *Herrschergeist* und das *Talent* eines großen *Feldherrn* besitzen. Weil nun diese letzteren Eigenschaften mit jenen erstern so selten in *einer* Person vereinigt sind, und weil das ruhige Nachdenken und das zarte sittliche Gefühl, welches zu Verbesserungs-Entwürfen nöthig ist, mit der Kühnheit, der Festigkeit des Willens und einer gewissen leidenschaftlichen Hitze bey der Ausführung, welche zum Herrschen und zum Kriegführen gehören, sich nur selten verträgt: so sind jene ersten vernünftigen und wohlmeinenden Reformatoren, welche den Streit mit den Mißbräuchen anfingen, selten im Stande, ihn auszufechten. Unter ihren Gehülfen und Anhängern finden sich bald Leute, die, mit der Kunst, die Gemüther des gemeinen Volks zu beherrschen, besser bekannt, oder durch ein feurigeres Blut, durch einen höhern Grad von Enthusiasmus und durch eine geringere physische und moralische Empfindsamkeit zu kühnen Unternehmungen mehr aufgelegt, – sie nach und nach des Vertrauens ihrer Partey und endlich auch alles Einflusses auf die Angelegenheiten derselben berauben.

Wenn wir die Geschichte der Revolutionen untersuchen: so finden wir, daß sie, sobald sie durch eine geraume Zeit fortdauerten, eben denselben Gang, wie die Französische, genommen haben, und daß ihre Urheber und Stifter, je bescheidnere, vernünftigere und menschenfreundlichere Männer sie waren, desto eher von den wüthenden Zeloten ihrer eignen Partey unterjocht worden sind, und in dieser zweyten Revolution entweder ihren Untergang fanden oder zu bloßen leidenden Werkzeugen der neuen Machthaber herabgesetzt wurden. Diese zweyte Generation der Reformatoren, welche an die Stelle der ersten tritt, bringt zu ihrem Geschäfte ein weit geringeres Maß von Einsichten und von moralischem Gefühle mit. Sie fängt immer mehr an, die Sache bloß als Parteysache zu behandeln, und die Erhaltung ihres Ansehns und die Ueberwindung ihrer Gegner zu ihrem letzten Zwecke zu machen; – ein Glück, wenn sie selbst nicht wieder von einem dritten Geschlechte noch heftigerer, noch tiefer zu den Gesinnungen des Pöbels herabsinkender, noch dreister sich über allen Anstand und alles sittliche Gefühl hinwegsetzender Parteyhäupter unterjocht oder verdrängt wird.

Man hat demnach nicht Ursache, sich zu verwundern, daß große und plötzliche Reformen, sobald sie den Staat in große Parteyen theilen und nicht anders, als durch den von der einen Partey erfochtenen Sieg, vollendet werden können, oft mehr Uebel anstiften, als sie verbessern wollen. Sie haben nähmlich alsdann zu ihrer Unterstützung eine große Menge von Menschen, und also auch viele schlechte, unwissende und unsittliche nöthig. Diese, wenn sie zugleich verschlagene, kraftvolle und auf ihren Vorsätzen beharrliche Menschen sind, kommen, bey längerer Fortdauer der Unruhen, sehr leicht in die Höhe und endlich an die Spitze der reformirenden Partey. Und indem sie allen Versuchungen zum Bösen, welche, schon in der alten Ordnung der Dinge, aus der Begierde zu herrschen und aus dem Kriege entstanden, zehnfach ausgesetzt sind, entbehren sie überdieß noch desjenigen Zaums, welcher den ehemahligen Herrschern durch eine feinere Erziehung und durch die ihnen eingeflößte Achtung für äußern Anstand angelegt wurde.

Man kann es überhaupt zu einem Grundsatze annehmen, daß jede große Reform im Staate, und in der Kirche, welche nicht in kurzer Zeit zu ihrem Endzwecke gelangt und daher nicht von denjenigen Personen, welche sie anfingen, geendigt werden kann, der Gefahr, in ihrem Geiste und ihren Endzwecken auszuarten, ausnehmend unterworfen ist.

Dieß gilt, sage ich, selbst von Reformen in Absicht der Religion. Vielleicht ist diejenige, welche im sechzehnten Jahrhundert einen Theil von Deutschland und Europa von dem Joche der Römischen Hierarchie befreyte, eben deßwegen glücklicher, als mehrere vorhergehende Versuche derselben Art, gewesen, weil Luther und Melanchthon, welche, in dem Geiste ächter Frömmigkeit und mit gründlichen Einsichten versehen, diese Reformation anfingen, glücklich genug waren, selbst noch die Zeit zu erleben, wo dieselbe feste Wurzel gefaßt hatte und zu einer dauerhaften und ruhigen Verfassung der kirchlichen Angelegenheiten gediehen war.

Auch unter ihrer Partey gab es hitzige, überspannte Köpfe und wilde Neuerer, welche alle angefangenen Veränderungen auf das äußerste treiben wollten. Auch unter ihr gab es Schwärmer und Enthusiasten, welche, wenn sie die Oberhand behalten hätten, dem Werke der Vernunft und der Frömmigkeit das Ansehn der Thorheit und der Ausschweifung gegeben haben würden; es gab

Ehrgeitzige und Verfolgungssüchtige, welche mit Feuer und Schwert sowohl gegen die alten Rechtgläubigen, als gegen alle Sektirer, die nicht in allen Punkten mit ihren Meinungen übereinstimmten, zu wüthen für erlaubt hielten. Glücklicher Weise behielt der gute und fromme Luther mit seinem Freunde Melanchthon über alle diese Reformatoren der zweyten Generation die Oberhand, und sein Ansehn überlebte das ihrige. Luther war gerade muthvoll und populär genug, um fortdauernd auf seine Partey zu wirken und seinen Feinden zu widerstehn. Er wußte sein Ansehn bey der *erstern* gegen neue sich emporhebende Demagogen zu behaupten und im Kampfe mit den *letztern* aller andern Hülfe, als der Hülfe der Wahrheit, seiner eignen festen Ueberzeugung, seiner populären Beredtsamkeit und seines eisernen Fleißes, zu entbehren.

Wer weiß, ob die hundert Jahre früher von Johann Huß angefangene Religionsverbesserung nicht einen glücklichern Gang würde genommen haben, wenn er, welcher die Irrthümer des herrschenden Religions-Systems und die Mißbräuche des Kirchenregiments zuerst entdeckt und, unbesorgt für seine persönliche Gefahr, zuerst gerügt hatte, – wenn Johann Huß, sage ich, seiner Partey noch eine Reihe von Jahren hätte vorstehen und den von ihm ausgestreuten Saamen hätte zur Reife bringen können? Die Costnitzer Kirchenversammlung glaubte unbedachtsamer Weise, daß sie die ketzerische Partey nicht sicherer ausrotten könne, als wenn sie sie bey ihrer Wurzel, in ihrem Stifter und Urheber angriffe. Sie brachte also Johann Huß mit seinem Freunde Hieronymus auf den Scheiterhaufen. Dadurch that sie aber nichts anders, als daß sie den Böhmischen Sektierern, anstatt eines frommen, gelehrten und allgemein verehrten Hauptes, mehrere bloß ehrgeitzige, unaufgeklärte und wildschwärmerische Anführer gab, die ihr zweifelhaftes Ansehn bey ihrer eignen Partey nur durch eine ausschweifende Härte und Grausamkeit gegen ihre Gegner aufrecht zu erhalten wußten. So artete das, was anfangs nur eine religiöse Verbesserung zu seyn schien, in eine bürgerliche Empörung aus, welche dem Lande Böhmen selbst den Untergang drohte und die benachbarten Länder mit Verwüstungen und Blutvergießen anfüllte.

Hätten in England unter Carl I. Hambden und die Patrioten, welche mit ihm vereinigt den Kampf gegen die despotischen Grundsätze der Krone und die Unduldsamkeit der Geistlichkeit zuerst anfingen, auch denselben zu Ende bringen können: so würde wahrscheinlich der gerichtliche Mord des Königs und der gänzliche Umsturz der Monarchie nicht die gute Sache der Freyheit, welche jene Männer verfochten, geschändet und das öffentliche Wohl, welches sie zum Zwecke hatten, aufs Spiel gesetzt haben. Aber auch hier löseten die Anführer und Häupter der Revolution einander mehr als einmahl ab, und immer war die nachfolgende Generation ausschweifender in ihren Freyheitsideen, selbstsüchtiger und herrschsüchtiger in ihrem Character, gewaltthätiger in ihren Maßregeln, als die vorhergehende. Auf die Presbyterianer, welche zuerst im langen Parlamente die Oberhand hatten, folgten die Independenten: diese vertrieb Cromwell mit seinen Soldaten und setzte das Rump-Parlament ein; dieses wurde von dem Kriegsrathe abgelöset, und die völlig militairisch gewordene Regierung endigte sich zuletzt mit der willkührlichen Herrschaft eines Einzigen.

Können wir zweifeln, daß auch in Frankreich die blutigen Auftritte, welche alle gesitteten Menschen in Europa zugleich empört und mit Mitleiden für diese unglückliche Nation durchdrungen haben, nie erfolgt seyn würden, wenn die Häupter der ersten National-Versammlung, die Fayette, Lally-Tolendal, Clermont-Tonnerre, Monniers, – und selbst Mirabeau, ihr Ansehn bey ihrer Partey behalten und die Bewegungen des Volks, deren Urheber sie waren, fortdauernd regiert hätten? Aber dieß ist eben das Unglück der Revolutionen, und dieß wird immer ihre Geschichte seyn, sobald sie eine geraume Zeit unentschieden fortdauern: daß ihre Direction den Händen ihrer ersten Stifter entzogen und weniger einsichtsvollen, weniger gutdenkenden, aber heftigern, schwärmerischern oder listigern übergeben wird. Wenn, um in der Allegorie Swifts fortzufahren, bey der vorgenommenen Reinigung, der Staub erst so dick ist, daß niemand mehr recht genau seinen Nachbar erkennen kann, *) so reißt dem Reformator der erste, der beste, welcher mehr Kraft, als er, hat, den Besen aus der Hand, und anstatt damit bloß auszufegen, braucht er ihn, seine Feinde oder alle, welche ihm im Wege stehen, damit vor den Kopf zu schlagen.

Für uns gemeine Erdensöhne, die wir den Welt- und Staaten-Reformen nur von weitem zuzusehen, nicht ihnen zu helfen oder zu widerstehen, berufen sind, enthält die Swiftsche Allegorie und deren Auslegung nur *eine* Regel. Das ist die: daß wir uns begnügen sollen, vor unsrer eignen Thüre zu kehren, und daß wir den Unrath daselbst nie so lange sich sollen anhäufen lassen, daß es nöthig wäre, viel Staub zu machen, wenn wir ihn endlich einmahl wegschaffen wollen.

Anmerkung

Zu Seite 282. Tiberius und Cajus Gracchus, zwey Brüder und Volkstribunen in Rom, traten im 7ten Jahrhunderte nach Erbauung der Stadt nach einander auf, um sich der Rechte des Volks gegen die Anmaßungen und Bedrückungen der Großen anzunehmen. Beyde verfolgten diesen Endzweck durch Mittel, die von einer gewissen Seite ungerecht waren, wie z. B. das Agrarische Gesetz; oder durch solche, die eine zu große Umkehrung der Dinge veranlaßten, wie das Gesetz von der Uebertragung der richterlichen Gewalt vom Senat auf den Ritterstand. Beyde verloren in dem Laufe ihrer Unternehmungen das Leben. Aber die Parteyen, welche sie gestiftet oder angeführt hatten, blieben: und durch die Gracchtschen Unruhen wurde der Same zu den folgenden bürgerlichen Kriegen der Römer ausgestreut, deren letztes Ende die Alleinherrschaft des Augustus war.

Arnold von Brescia lebte im zwölften Jahrhundert nach Ch. G., war ein Schüler des Abälard, und wurde durch das Eigenthümliche seiner religiösen Meinungen Theilnehmer und Stütze einer politischen Revolution zu Rom, deren Geist und Zweck mit seinen Begriffen zusammenhing. Er war einer der ersten im Mittelalter, welche den Muth hatten, öffentlich zu sagen, daß die gehäuften Ceremonien des Gottesdienstes eine Ausartung der einfachen und ganz moralischen Religion Christi, und daß die Macht und die Reichthümer der Geistlichkeit ein Hinderniß ihrer Amtsführung seyen. Diese Begriffe und dieser Muth waren zu Rom, wohin sie Arnold im Jahr 1139 brachte, zu einer Zeit sehr willkommen, da ein lebhaftes Freyheits-Gefühl und die Erinnerung an die Größe ihrer Vorfahren in den Einwohnern dieser Stadt erwacht waren, sie einen Senat errichtet hatten und mit nichts geringerem umgingen, als den Pabst, der bisher mit dem Kaiser die Herrschaft über sie getheilt oder um dieselbe gestritten hatte, auf seine geistlichen Würden und Verrichtungen herabzusetzen. Ob Arnold gleich durch den Bannstrahl Innocenz II. aus Rom vertrieben worden war: kam er doch unter einem schwächern Pabste im Jahre 1144 dahin zurück und stand bis 1155 an der Spitze derjenigen Partey, welche die alte freye Verfassung von Rom wieder herstellen wollte. Unglücklicher Weise gesellte sich bey den Römern zu dem Versuche, sich unabhängig zu machen, gar bald das schimärische Project, Macht zu erlangen und unter dem Nahmen des Kaisers über die Welt, oder doch über Italien, zu herrschen. Entwürfe der Art mußten wie Träume verschwinden. Schon Conrad III., dem die Römer die Oberaufsicht über ihre neue Republik auftrugen, verwarf ihre Anerbiethungen und wollte sich lieber mit alten Feinden, den Päbsten, als mit rebellischen Unterthanen verbinden. Friedrich I. ging noch weiter. Er half dem Pabste Hadrian das unsichere Gebäude der Römischen Freyheit zerstören und überlieferte Arnolden, der von neuem aus Rom geflohen war, in seine Hände, unter denen er den gewöhnlichen Ketzertod starb.

Zweyhundert Jahre später (1346–57) erweckte die lange Abwesenheit des päbstlichen Hofes, der in Avignon residirte, verbunden mit den Gewaltthätigkeiten, durch welche die Römischen Großen, bey ihren Befehdungen gegen einander, die öffentliche Ruhe störten, bey dem Volke Roms die Begierde nach Freyheit und republikanischer Verfassung von neuem. Diese Revolution, die mehr, wie die ehemahlige, vom gemeinen Volke ausging und auf eigentliche Demokratie abzielte, wurde von Nicolaus Rienzi geleitet, einem Manne von niedriger Herkunft aber gelehrter Erziehung, der durch die Lesung der Classiker zur Nachahmung altrömischer Großthaten begeistert und durch seine, auf Sinne und Einbildungskraft stark wirkende, Beredtsamkeit zum Demagogen gemacht war. Die ersten Schritte auf seiner politischen Laufbahn in Rom that er, als Notarius des Pabstes, gewisser Maßen unter der Autorität desselben, und mit dem Beyfalle des größten Mannes seiner Zeit, des Petrarch. In kurzem erhob er sich unter dem Titel eines Tribuns, den das Volk ihm ertheilte, zu einem wirklichen Souverain und Gesetzgeber von Rom; wußte den unruhigen Adel zu unterjochen oder doch zur Ruhe zu bringen, nöthigte den Päbstlichen Hof zur stillschweigenden Anerkennung seiner Gewalt, und verschaffte, selbst bey den Italiänischen Staaten, sich Achtung und Ansehn. Aber eben dieser Mann, der im Anfange Gesetze gab, wie ein Kaiser, handelte in der Folge, von seiner eigenen Macht berauscht, oder weil er nun die Fehler seiner Natur ungehindert äußerte, als ein ausschweifender Mensch und ein Bösewicht. So wie sein Ansehn beym Volke sank, stieg die Macht des Adels wieder empor: und er wurde sehr leicht aus Rom vertrieben. Nach sieben Jahren, (1356) während welcher Zeit eine Reihe auf einander folgender Revolutionen Rom zu einem Schauplatze von Mord und Verwüstungen gemacht hatte, trat Rienzi von neuem auf, vom Päbstlichen Hofe selbst dahin gesandt und mit dem Namen eines *Senators* bekleidet. Als *Tribun* hatte er sein Ansehn nicht *erhalten* können; als Senator konnte er sich nicht einmal in den *Besitz* desselben *setzen*. Der *Tribun* war von der Gegenpartey nur *vertrieben* worden; der Senator wurde von seiner eignen Partey, mit allen Beweisen des äußersten Hasses, *ermordet*. Aber lange nach ihm herrschten Krieg und Zerstörung in den Straßen Roms; wo bald die adligen Geschlechter gegen einander, bald alle gegen das Volk oder die Päbstlichen Legaten zu

Felde zogen, bis endlich die Rückkehr der Päbste und die Herrschertalente einiger unter ihnen die geistliche Regierung befestigten, und den Ansprüchen des Volks und der Großen auf gleiche Weise ein Ende machten.

Dasselbe vierzehnte Jahrhundert sahe auch in Frankreich, dem Sitze der uneingeschränktesten monarchischen Gewalt, Begierden nach einer ungewohnten Freyheit erwachen. Ein neuer, vor kurzem erst auf den Thron gekommener Zweig des königlichen Hauses, der Valois, und die gehäuften Unglücksfälle, welche die beyden ersten Könige desselben im Kriege gegen die Engländer betrafen, machten die Großen und das Volk beherzt, sich der Regierung zu widersetzen: aber sie machten sie weder einig noch weise genug, um ein dauerhaftes System der Freyheit zu gründen. Die États generaux vom Jahre 1355 unter dem unglücklichen Könige Johann waren in der Einschränkung der Krone weiter gegangen, als es mit der nöthigen Thätigkeit der Regierung, besonders während eines auswärtigen Krieges, bestehen kann. Die unglückliche Schlacht bey Maupertius und die Gefangennehmung des Königs Johann gaben den Neuerern noch freyeres Spiel und machten den Dauphin, den nunmehrigen Regenten des Reichs, noch abhängiger. Auch bey dieser Revolution oder bey diesem Versuche, eine zu stiften, war Paris an der Spitze des Bürgerstandes, nach der im Texte genannte Peter Marcell als Prévôt des Marchauds, (Berücker der Kaufmannschaft oder vielmehr Haupt des Magistrats) stand an der Spitze der Gemeinde von Paris. Dieser Mann, der schon in den États generaux von 1355 eine Hauptrolle gespielt hatte, wurde nach der Gefangennehmung des Königs und der Staatsversammlung von 1356, in Paris allmächtig. Seine Absichten schienen anfangs redlich, und sein Muth scheint groß gewesen zu seyn. Aber der Widerstand, den er fand, und der Geist seiner Zeit und seiner Partey machten ihn gewaltthätig, und indem er sich zu seinem Schutze den Beystand des Königs Carl von Navarra aussuchte, dem die Geschichte den Beynahmen des Bösen gegeben hat, wurde er zuletzt nur ein Werkzeug in den Händen dieses ehrsüchtigen und ränkevollen Fürsten. Als solcher wurde er auch seiner Partey selbst verhaßt, und endigte sein Leben, wie Rienzi, durch den Dolch eines seiner ehemaligen Anhänger: worauf, nach vielen in Paris und den Provinzen verübten Gräueln, Stadt und Land, einer anarchischen Freyheit müde, sich demüthiger, wie zuvor, unter die willkührliche Macht des Monarchen beugten.

Zu Seite 293. Auch dieß ist ein Unglück der Zeiten einer Revolution, welches zugleich zu großen Verbrechen führt, daß man nie so sicher, als in Zeiten der Ruhe auf die Gesinnung und die Handlungsweise der Menschen oder auf seine eigne Kenntniß von ihnen rechnen kann; daß man daher gegen seine Freunde selbst argwöhnisch wird, und also auch Verläumdungen und Anklagen gegen sie weit leichter Gehör giebt. In Zeiten der Ruhe herrschen das Gesetz und die Gewohnheit über den Menschen, und die Absichten und Regeln seines Eigennutzes und Ehrgeitzes sind bekannt. In Zeiten bürgerlicher Verwirrungen, und wenn große Aenderungen in der Vertheilung der Macht und des Ansehens geschehen, handelt jeder mehr nach seinem eignen Instincte, nach seinem Character, oder nach seinen besondern Verbindungen, kurz nach unbekannten Motiven. Ehrgeitz und Eigennutz finden dann oft außerordentliche und kurze Wege, ihr Ziel zu erreichen, und man kann daher ihre Wirkung auf den menschlichen Willen nicht mehr berechnen. Dieß ist die Ursache von so vielen verrätherischen Freundschaften, die sich in dieser Periode bilden, und von eben so vielen ungerechten Anklagen des Verraths, wodurch Unschuldige in den Augen der neuen Partey verdächtig gemacht und gestürzt werden. Aus diesem doppelten Uebel, aus der wirklichen Untreue *Einiger* und aus den falschen, aber wahrscheinlichen Anklagen gegen Andre entstehen eben diese Spaltungen, – und zwischen den dadurch gebildeten kleinern Parteyen diese bittern Feindschaften, welche zu so unerhörten Grausamkeiten, als wir in Frankreich haben verüben sehen, Anlaß geben. Hierdurch wird überdieß die Aufmerksamkeit von dem ersten Zwecke der Unternehmung ganz abgezogen. Den Bösen wird ein großer Spielraum der Thätigkeit gegeben, die Guten werden muthlos gemacht und entweder selbst in Gegner der zuvor gebilligten Verbesserungen verwandelt, oder zum Stillschweigen und zur Unthätigkeit genöthigt.

J. G. H. Feder
Ueber Aristokraten und Demokraten
in Teutschland*

Auch in Teutschland werden diese Namen itzt so vielfältig ange-
wandt, und so oft mit dem augenscheinlichsten Nachtheil für die
wechselseitige Schätzung derer, die sie von einander gebrauchen:
daß es der Mühe werth zu seyn scheint, genauer zu untersuchen,
was nach den sichersten historischen Datis, oder den wahrschein-
lichsten Vermuthungen, dieselben unter uns bedeuten können.
Zwar weiß ich sehr wohl, daß auch oft mehr im Scherz als im
Ernst diese Namen gegeben werden; daß die itzt so gewöhnlichen
darauf sich beziehenden politischen Streitigkeiten bey vielen
mehr Uebungen des Witzes oder Unterhaltungen des Verstandes
als Herzens Angelegenheiten sind. Und ich kenne mehrere unter
meinen Freunden, die Demokraten sind, so bald sie mit einem
Aristokraten, und Aristokraten, wo sie mit einem erklärten Demokraten es aufzunehmen Anreizung fühlen. Aber so wenig
ernsthaft ist die Sache wirklich nicht immer; und noch weniger
scheint sie es denen, die nach vagen Gerüchten von Teutschen
Aristokraten und Demokraten Begriffe sich machen.
Sonderbar möchte es scheinen, daß alles nur unter diese zween
Begriffe gebracht, von Royalisten fast gar nicht gesprochen wird;
da doch vermuthlich für die politischen Gesinnungen der Meisten
von uns dieser Name der passendste seyn würde. Der Verfasser
dieses Aufsatzes erklärt hiebey ausdrücklich, daß, wenn er genöthigt seyn sollte, sich selbst einen solchen classificirenden Namen
zu geben; er für sich keinen andern, als den eines Royalisten,
schicklich finden könnte. Er ist eben so sehr aus Neigung und
Ueberzeugung, als zufolge seiner äusserlichen Verhältnisse Verehrer Königlicher Rechte und Würden.
Unterdessen lassen sich die beiden gangbarsten Benennungen allerdings so erklären, daß, wer in dem, worüber itzt hauptsächlich
gestritten wird, dogmatisch Partey ergreift, den Demokraten oder
Aristokraten zugezählt werden kann. Für die allgemeinen Be-

* Aus: *Neues Göttingisches historisches Magazin*, hg. von Ch. Meiners
und L. T. Spittler, 2. Band des 1. Stückes, Hannover 1792, S. 544-557.

griffe dieser entgegengesetzten politischen Parteyen läßt sich aus der ursprünglichen Bedeutung der Worte itzt kaum mehr annehmen, als daß die Erstern für Volksrechte streiten, die Andern aber für die Vorrechte der höhern Stände. Aber wenn nicht vielmehr Worte als Begriffe Trennungen machen sollen, so muß man genauere Bestimmungen und Eintheilungen hinzusetzen.

Bey den Demokraten hat man schon längst wüthende, heftige und gemässigte unterschieden. Sollte man nicht auch bey den Aristokraten eben so grosse Unterschiede annehmen können? Aber weil diese Beywörter zum Theil in der Anwendung etwas allzubeleidigendes haben: so wollen wir lieber nur, so wohl Demokraten als Aristokraten, in solche, die es im höchsten, mittlern und geringsten Grade sind, oder in äusserste, heftige, und gemässigte eintheilen. Daß durch diese dreyfache Abtheilung noch nicht alle Unterschiede der Denkarten genau bezeichnet werden; versteht sich. Aber schon durch sie kann vielen nachtheiligen Mißverständnissen begegnet, und manches unbillige Urtheil abgehalten werden.

Also äusserste, und hier ist es kaum möglich des härtern Beywortes sich zu enthalten, doch sagen wir nur – äusserste Demokraten sind diejenigen, die zuförderst alle erbliche Ungleichheiten in der bürgerlichen Gesellschaft verabscheuen, und für eine Schande der Menschheit halten; und kein Opfer zu groß, keine Mittel zu grausam, um diese, wie sie glauben, für die Menschheit höchst schimpfliche und verderbliche Ungleichheit bald möglichst auszurotten. Diejenigen unter ihnen, – wenn es allein auf den Kopf ankäme, könnte man sagen, die am consequentesten fortschließen; aber da andere Triebfedern sich hier auch einzumischen pflegen, kann man vielleicht mit mehr historischer Wahrheit sagen, die am wenigsten dabey zu verlieren haben – wenn sie auch nicht sofort gleiche Vertheilung der Güter fordern, lassen doch merken, daß dieß zu ihrem höchsten politischen Ideal gehöre, dessen Realisirung sie von der Zukunft erwarten. Für diese Leute sind Payne und Mably* neue Propheten und Evangelisten, Robertspierre und Marat Patrioten. Solche Demokraten preisen oder entschuldigen wenigstens alle die scheuslichen Auftritte die seit dem Anfang der Französchen Revolution in Paris, Avignon und

---

* Wegen des nach seinem Tode erschienenen und allgemein ihm zugeschriebenen Buches *des Droits et des Devoirs du Citoyen*.

an andern Orten in Frankreich verübt worden sind. Sie finden es wohl noch bewundernswürdig, daß während der Umwälzung eines so grossen Reiches nur so wenige Tausende von Menschen erwürgt, und nicht ungleich mehr Schlösser zerstört wurden. Es ist ihnen nicht genug, daß man den König abgesetzt und eingesperrt hat; sie wollen auch daß er als Verräther und Beleidiger der Majestät des Volks dem Beil der Gerechtigkeit überantwortet werde. Und sie wünschen nichts sehnlicher, als daß ein solcher Geist der Freyheit sich bald über alle Länder verbreiten möge.

Diesen äussersten Demokraten verdienen diejenigen als Gegenstück gegenüber gestellt zu werden, die jeden Gedanken einer politischen Neuerung gern zum Hochverrath machen möchten; die alles, was besessen wird, für hochheiliges unveränderliches Recht halten, zur Bewahrung jedwedes solchen Rechtes das sicherste Mittel für das beste, und die Einschränkung der Macht, der Freyheit und des Einflusses der nicht privilegirten Stände für das sicherste. Sie halten für nützlich und anständig, denen, über welche sie die erblichen Rechte der Gesellschaft erhoben, ihren Abstand auf jede nur mögliche Weise bey jeder Gelegenheit bemerklich zu machen. Und weil sie davon gehört haben, daß Schriftsteller und besonders Philosophen die Französche Revolution vorbereitet und befördert haben: so sind sie größtentheils erklärte oder heimliche Feinde der Gelehrten und alles desjenigen, wovon Glück und Ansehn der Gelehrten und das Gedeihen gelehrter Anstalten abhängt. In der Seele solcher Aristokraten stieg beym Ausbruch der Französchen Revolution der Gedanke auf – wenn er anders in eines Menschen Seele wirklich existirt hat – Paris wie eine Wiese abzumähen, und dem Volke Heu zum Futter vorzuwerfen.

Heftige Demokraten können diejenigen heissen, die den erblichen Adel zwar nicht für absolut ungerecht, aber doch für überwiegend schädlich halten; und weder seine hypothetische Nothwendigkeit unter gewissen Voraussetzungen, noch das was sich zu seinem Vortheil historisch sagen läßt, in billige Erwägung ziehen. Sie loben es daher uneingeschränkt, daß die Französche National-Versammlung, so wie sie es that, den Adel aufgehoben hat. Und wenn sie gleich nicht überall solche Revolutionen wie die Französche wünschen, und zu erregen gesonnen sind: so ist doch völlige Aufhebung oder möglichste Erniedrigung des Adels ihr entschiedener Wunsch. Deswegen sind ihnen die Volksbewegungen, die hier und da entstehen, eine angenehme Erscheinung; und ohne zu wünschen oder zu erwarten, daß es damit aus Aeusserste kommen werde, sind sie doch geneigt behuf jener ihnen gerecht scheinenden Absichten sie zu gebrauchen.

Gleichwie heftige Demokraten auch dadurch schon sich verrathen, daß gleich beym Namen eines Aristokraten ihre Stirn sich in finstere Falten zieht: so kann für ein äusseres Zeichen eines heftigen Aristokraten angenommen werden, wenn ihn beym blossen Namen eines Demokraten eine kleine Uebelkeit anwandelt; oder wenn das blosse Gerücht von Demokratismus, ohne weitere Untersuchung, hinreichend ist ihm jemanden verächtlich oder verhaßt zu machen; Aristokratismus hingegen bey der Würdigung der Charaktere und Verdienste so fort einen starken Ausschlag giebt. Solche heftige Aristokraten gestehen überhaupt wohl ein, daß es bessere und schlechtere Staatsverfassungen gebe. Aber erstlich wollen sie nicht zugeben, daß blosse speculative Gelehrte sich auch nur auf die entfernteste Weise in Staatsangelegenheiten mengen, oder ihre Meynung darüber sagen, wenn sie nicht von Geschäftsmännern, die diese Angelegenheiten allein zu besorgen haben, ausdrücklich befragt werden. Und dann sind sie eben so wenig geneigt im Guten wichtige Verbesserungen in dem Hergebrachten vorzunehmen, als sie es irgend für recht halten, dergleichen auf eine unehrerbietige Weise zu begehren. Ob sie gleich nicht für Vertheidiger des Despotismus gehalten seyn wollen: so scheint ihnen doch die Französche Revolution so unendlich viel Böses und im Vergleich so gar nichts Gutes hervorgebracht zu haben; daß sie Mittel, die sonst nur der äusserste Despotismus sich erlaubt, nicht mißbilligen, wo sie ihnen nöthig scheinen die Ausbreitung jener politischen Pest aufzuhalten.

Gemässigte Demokraten und Aristokraten nenne ich diejenigen, die zuförderst zwischen theoretischen Meynungen und praktischen Gesinnungen bey sich und andern zu unterscheiden wissen; und wie sie überhaupt die Kluft kennen, die bey den meisten Menschen diese und jene von einander entfernt, also besonders bey den Fragen über die Staatsformen sich nicht leicht erhitzen, weil sie einsehen, wie es bey den nützlichen oder schädlichen Wirkungen derselben am meisten doch immer auf die Menschen ankömmt, die sie in Händen haben, und auf die vielen übrigen Ursachen des sittlichen Zustandes derselben. Unterdessen sind die Demokraten dieser Art erklärte Freunde der wahren Freyheit und der wahren Rechte der Menschheit. In ihrem speculativen System nehmen sie eine eingeschränkte Monarchie, wo das Volk Antheil an der Gesetzgebung hat, und besonders auch ohne seine Einwilligung nicht besteuert werden kann, als die schicklichste Regierungsform für einen grossen Staat, an; und sind insgemein geneigt, unter den wirklichen Europäischen Verfassungen die Englische für die vollkommenste zu erklären*. Bey den theoretischen Grundsätzen der Demokraten von dieser Partey ist es nicht zu verwundern, daß die Französche Revolution im Anfang sie mit erfreulichen Erwartungen erfüllte. Aber mit Entsetzen und Betrübniß wandten sie bald ihr Auge weg von den Greueln, die darauf folgten. Dennoch halten sie nicht für Recht, diese Greuel allein auf die Rechnung der herrschenden Partey zu setzen; sie glauben vielmehr, daß vieles davon durch die Hartnäckigkeit, Unbilligkeit

* Der V. dieses Aufsatzes wird es mir nicht verargen, daß ich hier eine Anmerkung hinzufüge. Allerdings warnen manche Aristokraten gegen die Englische, wie gegen die neuere Französische Verfassung, und suchen die eine, wie die andere herabzusetzen. Wenn Freunde einer vernünftigen Freyheit von der allmählichen Annäherung der Europäischen Staaten gegen die Englische Constitution reden; so halten gewisse Aristokraten dieses schon für eine unüberlegte Anwendung eines auswärtigen Musters, indem ihnen jede Nachahmung anderer guten Verfassungen und Anstalten unüberlegt, und das Zeichen eines nicht guten politischen Kopfs zu seyn scheint, wenn die Umstände nicht vollkommen gleich sind. Am bedenklichsten scheint ihnen die Nachahmung der gleichen Concurrenz der Adelichen und Nichtadelichen zu allen Ehrenstellen, die in England Statt findet, die aber auch in allen ursprünglichen Verfassungen Teutscher Völker, und in unzähligen Italiänischen, Niederländischen, und Teutschen Freystaaten Statt fand. (Man sehe Meiners Geschichte der Ungleichheit der Stände S. 605–609.) Alle diese Völker und Staaten hatten ähnliche, aber nicht übereinstimmende Verfassungen, und noch mehr unterschieden sie sich durch ihre Betriebsamkeit, ihren Handel, ihre Aufklärung, und ihren Reichthum. Gewiß also ist es nicht nothwendig, daß ein Volk den Engländern in allen Stücken gleich seyn müsse, um allen Ständen in Rücksicht auf die Erlangung von Würden gleiche Rechte zu gestatten. Als die Engländer ihre gegenwärtige Verfassung erhielten und vollendeten, waren sie von ihren heutigen Nachkommen fast eben so sehr verschieden, als wir Teutsche es jetzt sind; und doch hielten sie es für gut, bey der Besetzung von Ehrenstellen keine erbliche Vorrechte zu gestatten. Was die jetzigen Engländer mehr sind, als ihre ältern Vorfahren, das haben sie größtentheils ihrer vortrefflichen, wenn gleich nicht mängellosen Verfassung zu danken; und ähnliche Verfassungen werden unter allen Völkern gleichen Ursprungs ähnliche Wirkungen hervorbringen.

und arglistige Politik des Gegentheils veranlaßt worden sey. Auch finden sie keineswegs in der Französchen Constitution alles so fehlerhaft, als andere es vorstellen; sondern manche darinn enthaltene Reformen, z. B. in Ansehung der billiger vertheilten Einkünfte der Geistlichen, der Steuern, der Gerichtsverfassung, der Eintheilung des Landes, und mehreres, in der Speculation wenigstens, sehr viel besser als das was vorher war. Und sie mißbilligen den Gedanken der Vereinigung auswärtiger Mächte zum Umsturz der Französchen Constitution; nicht nur weil sie dieß Unternehmen nicht für recht, sondern auch weil sie es für unmöglich und für eine Quelle neuer noch grösserer Uebel halten.

Diese gemässigten Demokraten sind aber nichts weniger als Freunde von Aufruhr und Gewaltthätigkeit in der Absicht Reformen zu bewirken. Sie glauben, daß diese besser durch die Macht der Wahrheit nach und nach zu Stande gebracht werden. Eben deswegen aber sind sie entschiedene Freunde der Freyheit im Denken und Schreiben, und Verehrer alles dessen, was gründliche, folglich regelmässige Aufklärung befördert. Sie sind überzeugt, daß die Uebel, die aus diesen der Natur vernünftiger Geschöpfe, die nach den Lehren unserer Religion Gottes Ebenbild an sich tragen, und alle zur Erkenntniß der Wahrheit kommen sollen, so angemessenen Bildungs-Mitteln entstehen können, nicht in Vergleich kommen mit den Uebeln, denen ein Staat sich durch Entziehung derselben aussetzt, und in unsern Zeiten um so mehr ausgesetzt, je weniger es itzt noch möglich ist, den Trieb danach zu ersticken, oder alle Wege seiner Befriedigung zu versperren. Sie sind überzeugt, daß die Freyheit ihre Fehler viel leichter verbessern kann, als der Despotismus die seinigen. Sie halten es aber nicht für unrecht, daß offenbare, die natürlichen und die nothwendigen bürgerlichen Gesetze verletzende Mißbräuche der Freyheit bestraft werden.

Diese Demokraten sind weder Feinde noch Verächter des erblichen Adels. Sie halten ihn für eine sehr natürliche Folge anderer in der bürgerlichen Gesellschaft unvermeidlicher Ungleichheiten; und sie erkennen eben so gern die grossen Verdienste, welche mehrere Mitglieder dieses Standes in vorigen Zeiten um das Wohl der Europäischen Länder sich erworben haben oder noch erwerben, als sie mit Entschlossenheit denen ihre Achtung versagen, denen Ruhm der Voreltern den Mangel eigener Würde ersetzen soll. Aber sie glauben, daß in manchen Europäischen Ländern die

Vorrechte des Adels zum Theil zu groß, und manche Anmassungen desselben ohne rechtlichen Grund seyn. Und sie hoffen, daß der aufgeklärtere und billig denkende Theil desselben mehr und mehr sich geneigt zeigen werde, in solche Vorschläge und Unterhandlungen einzugehen, mittelst welcher die zu grossen Ungleichheiten, wo solche wirklich sind, gemässigt, und billige Forderungen der andern Stände befriediget werden können.

Und von diesen Demokraten ist die Denkart einiger der sogenannten Aristokraten im Grunde so wenig verschieden, daß sie ihre Namen gegen einander umtauschen könnten, und vielleicht verwechseln würden, wenn nicht die Geburt oder eine andere Nebenvorstellung ihre Wahl bestimmte. Gemässigte Aristokraten erklären zwar, daß sie nicht gesonnen seyn ihre ererbten, auf die Gesetze und Verfassung des Staates gegründeten Vorrechte sich abtrotzen zu lassen. Aber wie sie lange vor dem Ausbruch des Freyheitsfiebers die Ausübung ihrer Vorrechte freywillig milderten, und künftigen Mißbräuchen eine bestimmtere Grenze entgegensetzten: so sind sie um so geneigter hierinnen fortzufahren, je weniger ihnen Anlaß gegeben wird zu befürchten, daß diese Nachgiebigkeit den Uebermuth des andern Theiles vermehren möchte. Doch sind diese erleuchteten und edelmüthigen Aristokraten auch nicht so trotzig sicher bey ihren hergebrachten Gerechtsamen, daß sie es nicht der Klugheit gemäß hielten, auf die Stimmung der Menge aufmerksam zu seyn, oder nie sich entschliessen könnten, mehr, als sie für sich geneigt wären, oder eher, als sie es Willens waren, von ihren bisherigen Vorzügen aufzuopfern, um ausserdem zu befürchtenden grössern Uebeln vorzubeugen. Solchen gemässigten Aristokraten können auch diejenigen zugezählet werden, welche, ohne selbst vom Adel zu seyn, sich es doch zu einer besondern Pflicht machen, die Vorrechte der höhern Stände mit Vernunftgründen zu vertheidigen, weil ihnen diese Vorrechte eine solche Vertheidigung zu verdienen und in unsern Zeiten zu erfordern scheinen. Diese gemässigten Aristokraten, ob sie gleich im Ganzen die Französche Revolution verabscheuen, und auch die demokratisch-royalistische Constitution für untauglich erklären, gestehen doch gern ein, daß der Uebermuth und die Unwissenheit des grössern Theils der Emigrirten von Adel so wohl als die grenzenlosen Verschwendungen des Hofes und seiner Günstlinge die Revolution begreiflich machen.

Nach der Kenntniß, die ich von Teutschland habe, und nach den Versicherungen solcher glaubwürdigen Männer, die weit mehr als ich, auch durch neuere unmittelbare Beobachtungen, mit den Teutschen Ländern bekannt sind, ist in Teutschland die Anzahl der übertriebensten Demokraten geringer, als die Anzahl eben so sehr ausschweifender Aristokraten; hingegen die Zahl der gemässigten Demokraten ungleich grösser als die der gemässigten Aristokraten. Das Verhältniß der heftigen Demokraten zu den eben so heftigen Aristokraten getraue ich mir nicht zu bestimmen. Aber mit hinreichenden Gründen scheint mir behauptet werden zu können, daß Empörungen von Bedeutung in Teutschland nach den itzigen Dispositionen der Gemüther nicht zu befürchten seyn. Es ist in den meisten Teutschen Ländern zu wenig Bedürfniß, noch zu wenig gerechte Veranlassung, als daß eine durch ihre Anzahl oder ihre Anführer fürchterliche Partey dazu sich entschliessen könnte. So leicht sich auch mancher itzt eine verwegene Rede entfahren läßt: so gut wissen doch die meisten, was bey einer Rebellion gewagt wird, um sich leichtsinniger Weise dazu anzuschicken. Die bisherigen Erfolge der Französchen Unruhen sind doch fürwahr nicht einladend. Eben so wenig die neusten Entdeckungen von der Treulosigkeit und Bestechlichkeit der Urheber derselben, des fast vergötterten Mirabeau und mehrerer der berühmtesten Helden. Der Teutsche fängt nicht so leicht Feuer. Es ist auch unter unserm Volke, Gott Lob, noch mehr Religiosität, als mit aufrührerischem Leichtsinn oder revolutionssüchtiger Schadenfreude sich verträgt. Die ganze Teutsche Reichsverfassung mit ihren vielen von einander unabhängigen und doch einander so nahen Herrschern und Völkerschaften, und der Mangel einer Hauptstadt von allvereinigendem und allbelebendem Einfluß, muß hiebey auch in Betracht gezogen werden.

Mit diesen Gründen der Speculation verbinde man die bisherigen Folgen der Französischen Revolution in Teutschland. Sind sie nicht zusammengenommen ein entscheidender Beweis, daß die Gemüther ungleich mehr wider als für dieselbe eingenommen sind; selbst da, wo die Gegenwart Französcher Heere und die bald schmeichelhaften, bald ungestümen Aufforderungen zur Freyheit das Schlimmste befürchten liessen?

Wenn insbesondere die politischen Gesinnungen der Teutschen nach ihren Schriftstellern beurtheilet werden dürfen: so ergiebt sich auch dabey ein starkes Uebergewicht der Gründe für das, was ich bisher behauptet habe. Unter den Teutschen Schriftstellern, die als Lobredner der Französischen Revolution auftraten, sind einige Männer von verdientem Ansehn. Aber ihre Anzahl ist gering. Und mir ist wenigstens darunter keiner bekannt, der als ein wüthender Demokrat zum Aufruhr gegen die Fürsten oder den Adel gerathen hätte. Darf es hiebey nicht auch für Etwas angerechnet werden, daß von den Göttingischen Gelehrten, unter denen so mancher fleissige Schriftsteller ist, doch auch nicht einer etwas geschrieben hat, was ihm den Vorwurf einer Begünstigung oder Bewunderung der Neufränkischen Ideen zuziehen könnte? Man hat wohl das Gegentheil davon einigen derselben zur Schande anrechnen wollen. Und wenn es Schande wäre: so müßte ich gestehen, daß eher Grund zu diesem, als zu jenem Vorwurf sich auffinden liesse.

Nun ist zwar ganz kürzlich auf eine höchst glaubwürdige Weise angezeigt worden, daß dennoch in gewissen Gegenden Teutschlands die Göttingischen Lehrer des Demokratismus verdächtig gehalten werden. Allein dieß ist leicht zu erklären. Gar nicht Neid, oder Verläumdungssucht setze ich dabey voraus. Es ist nur leidiges Mißverständniß hier, wie bey den meisten Streitigkeiten der Philosophen, der Grund dieses Verdachtes. Die Göttingische Universität hat seit ihrer Stiftung den Ruhm, daß ihre Lehrer einer nicht überall vergönnten Freyheit in der Untersuchung der wissenschaftlichen Wahrheit geniessen. Dadurch muß mancher, der die Wirkungen wahrer Freyheit nicht kennt, nicht weiß, daß vernünftige Menschen nichts sicherer vor dem Freyheitsschwindel bewahrt, als beständiger Genuß der Freyheit, schon zum voraus (*a priori*) überzeugt seyn, daß hier sehr demokratische Gesinnungen herrschen werden. Und die Gesinnungen, die wirklich hier die herrschenden sind, müssen sklavischen Verehrern des Despotismus allerdings ausschweifende Achtung für Freyheit scheinen. Noch leichter könnten gutgesinnte, aber zu flüchtig urtheilende Reisende an einem und dem andern von uns irre werden, wenn sie manche unserer politischen Debatten zur Hälfte belauschten; und nicht wüßten, wie auf einer Universität, die ihre Rechte kennt, und im vollen Genuß ihrer Rechte ist, alles debattirt wird, was auf Wissenschaft Beziehung hat. Manchem muß bey seinem ausschweifenden Aristokratismus freylich auch dieß schon Beweises genug seyn, daß Demokatischer und Jacobinischer Saame ausgestreut werde; wenn er erfährt, daß unsere Lehrer des Naturrechts unveräusserliche Menschenrechte und unwandelbare Grundrechte der Nationen behaupten, und es gerade zu für Ungerechtigkeit erklären, mit Unterthanen, seyen sie schwarz oder weiß, wie mit Vieh zu handeln; daß unsere Lehrer der Staatswirthschaft die Leibeigenschaft, das Lotto und unproportionirliche Auflagen für schädlich erklären; und unsere Geschichtslehrer die Schandthaten der Grossen eben so geschichtsmässig erzählen, als die Verbrechen des Pöbels; vielleicht schon dieß, daß in mineralogischen Sammlungen Steine aus der zertrümmerten Bastille als merkwürdige Reliquien aufbewahret werden. Endlich ist ja auch bekannt, wie Hypochondrie die Augen verblendet und die Urtheile verfälscht; und der hypochondrischen Menschen giebt es in unsern Zeiten viele. Wer kann solchen Mißdeutungen abhelfen! Wer wollte nichtswürdig seyn, um nicht böse zu scheinen!

J. G. H. Feders Anpassung an den Status quo*

Vorrede

Mit diesem Theile beschließe ich eine Arbeit, welcher ich die besten Stunden meiner männlichen Jahre gewidmet habe. Ob *Zusätze*, wie ich sie theils schon niedergeschrieben, theils noch im Kopfe habe, und die dann leicht noch ein kleines Bändchen füllen könnten, unter derselben oder einer andern Aufschrift, oder auch gar nicht nachfolgen werden; mag noch unentschieden bleiben.

So viele Mängel das Bisherige auch an sich hat: so darf ich doch glauben, daß ich für die Absicht, die jedem Schriftsteller die wichtigste seyn muß, zur Beglückung und Veredlung der Menschen etwas beyzutragen, nicht ganz umsonst gearbeitet habe. Ich darf es erwarten von der Kraft der Wahrheiten, welche den Hauptinhalt dieser Untersuchungen ausmachen; die ich zwar nicht erst entdeckt, aber doch auch nicht so vorgetragen und entstellt zu haben fürchte, daß sie die ihnen beywohnende Kraft, unter den Herrschenden Vorstellungsarten, nicht sollten beweisen können. Und ich habe das Vergnügen gehabt, unverdächtige, und zum Theil für mich besonders rührende Versicherungen solcher Wirkungen zu erhalten. Dank sey dafür dem Vater des Lichts und aller guten Gaben! Möge die Kraft der sittlichen Wahrheiten immer stärker auf die Gemüther der Menschen wirken! Denn ohne sie ist doch nichts dauerhaft und wahrhaftig gut; im Widerspruch mit ihnen alle List, Klugheit oder vermeynte Weisheit am Ende doch nur Thorheit.

Mit einer eigenen Besorgniß, von der ich bey der Ausgabe der vorhergehenden Theile noch nichts empfand, sehe ich der Beurtheilung dieses letzten entgegen. Im Bewußtseyn der Reinheit meiner Grundsätze und der Gesetzmäßigkeit meiner Absichten, und bey der mir natürlichen Unbefangenheit und Verdachtlosigkeit hielt ich mich gar nicht fähig, etwas sagen zu können, was der öffentlichen Ruhe und Wohlfarth nachtheilig wäre. Aber Besorgnisse dieser Art sind itzt so fast allgemein und so ungewöhnlich groß geworden; es sind so viele Beweise vorhanden, daß man fast

* »Vorrede«, aus: *Untersuchungen über den menschlichen Willen. Vierter Theil*, Lemgo 1793, S. v-xx.

überall mit verdoppelter Wachsamkeit und geschärfter Strenge alles abzuwenden sucht, was Unordnung in der bürgerlichen Gesellschaft auch nur von ferne bereiten oder veranlassen könnte; daß es keinem Schriftsteller zu verargen oder zur unmännlichen Furchtsamkeit anzurechnen ist, wenn er in dem Falle, solche Materien behandeln zu müssen, die mit den Gründen der gesellschaftlichen Rechte und Pflichten in naher Verbindung stehen, mit ängstlicher Genauigkeit untersucht, ob er auch alles gethan habe, was er konnte, um Anstoß zu vermeiden.

Denn dieß zu thun, ist für jeden Schriftsteller, der zugleich guter Mensch und Bürger seyn will, Pflicht; besonders aber für den Philosophen, den schon sein Name auffordert, in allem mit gutem Beyspiele vorzugehen. Wenn seine letzte Absicht, bey allen seinen Bemühungen, diese ist, Gutes zu stiften; wenn er sich diese Absicht dahin bestimmen muß, zuförderst da es zu stiften, wo er die nächsten und gewissesten Wirkungen zu erwarten hat, unter seinen Zeitgenossen und in seinem Vaterlande; wenn er weiß, wie sehr verschiedene und von dem innern Grunde abweichende Folgen auch die heilsamsten Wahrheiten nach sich ziehen können, wenn Irrthümer sich zugesellen; und weiß, wie leicht dieß in leidenschaftlich angeregten und mit Vorurtheilen erfüllten Gemüthern geschehe: wie kann er, unter solchen Umständen, anders als mit großer Vorsicht Lehren vortragen, die durch Mißdeutung oder übereilte Anwendung schädlich werden würden?

Nie wird der weise Mann es unter seiner Würde halten, Anstoß und Aergerniß, so viel er kann, zu vermeiden; er, dem es ja bekannt ist, wie nöthig es sey, die *Herzen* der Menschen für sich zu haben, wenn man auf ihren *Verstand* mit Vortheil wirken will, wie leicht man durch ein einziges, Misfallen erregendes, Versehn auf lange Zeit außer Stand sich setzen könne, das Gute zu stiften, was man außer dem gestiftet haben würde.

Immer mißtrauisch gegen sein Urtheil, wenn es darauf ankömmt, zur allgemeingültigen Wahrheit es zu erheben, bey viel umfassenden Gegenständen und verwickelten Verhältnissen, wird er, im steten Bewußtseyn, daß er Mensch ist, seine Ueberzeugungen mit geschärfter Strenge prüfen, in Zeiten allgemeiner Gährung, wo jene nachtheiligen Zugesellungen fremdartiger Vorstellungen bey Wahrheiten, die sich auf lebhaft angeregte Triebe beziehen, so besonders zu fürchten sind. Er wird – wenn er die Lehren von Weisheit und vom Menschen nicht bloß im Gedächtnisse, sondern auch im Herzen hat – mißtrauisch werden gegen sich, auch wo seine Gründe die festesten und seine Absichten die reinsten ihm scheinen; durch den Gedanken, ob nicht auch er von der Seuche des Zeitalters, von der leidenschaftlichen Hitze und Parteilichkeit, mit welcher Denkarten und Absichten einander durchkreuzen, unvermerkt angesteckt seyn könne?

Auch die Liebe zur *Wahrheit* kann im *Menschen* Leidenschaft, und dadurch dem Irrthum ausgesetzt werden. Auch das *moralische Interesse* kann im *Menschen* Einseitigkeit der Beurtheilung, Partheilichkeit und Unbilligkeit erzeugen.

Strenge wird sich also prüfen der Freund und Lehrer der Weisheit, der nicht, eitel und thörigt, sich dünket das Ideal zu seyn, was er zur Lehre und Erweckung in Begriffen aufzustellen weiß. Und eben deswegen auch Zurechtweisung, wo er strauchelte, dankbar und bescheiden annehmen.

Wenn er aber alles dieses mit gewissenhaftem Fleiße gethan hat; so wird er auch nicht vergessen, was er seinem Berufe schuldig ist; nicht vergessen, daß der *Rath*, der *Richter*, und der *Lehrer* nicht *auf dieselbe Weise,* wie der gemeine Soldat, Taglöhner oder Diener des Luxus, *gute* Bürger und Unterthanen seyn können. In den unveränderlichen, keinen Zweifel zulassenden Gründen der Gerechtigkeit und Sittlichkeit wird er immer sein höchstes Gesetz verehren; und unerschütterlichen Muth in sich fühlen, für sie, und das Bekenntniß derselben, alles zu dulden und aufzuopfern. Denn der ist nicht werth, Lehrer der Wahrheit und der Pflichten zu heißen, dem Ruhm oder Ruhe mehr gilt, als Wahrheit, und Leben mehr als Pflicht.

Aber wenn er *alles* gethan hat, was Vernunft und Gewissen von ihm fordern: darf er denn nicht auch hoffen, von denen nach Billigkeit gerichtet zu werden, an deren Urtheil ihm am meisten gelegen seyn muß; von den Verehrern der Wahrheit und der Sittlichkeit?

Diese werden ja nicht von ihm fordern, auch in den bedenklichsten Zeiten nicht, daß er nichts sage, was irgend einem Mächtigen mißfallen, oder unter der Menge Mißdeutung veranlassen könnte. Denn was würde, bey einer solchen Einschränkung, von sittlichen Wahrheiten noch zu sagen übrig bleiben? Sie werden es dem Lehrer der natürlichen Gerechtigkeit nicht zumuthen, nichts für ungerecht zu erklären, als was durch positive Gesetze dafür erklärt und von der bürgerlichen Obrigkeit bestraft wird. Denn bey

einer solchen Einschränkung würde die natürliche Gerechtigkeit
etwas den Zufälligkeiten besonderer Denkarten und vorüberge-
hender Bedürfnisse unterworfenes, und die Philosophie zur Sklavin der herrschenden Politik werden, wie sie in der Finsterniß des
Mittelalters Sklavin der kirchlichen Tyranney seyn sollte.

Sie werden es nicht pflichtmäßig oder rathsam finden, daß bey
leidenschaftlichen Gährungen politischer Vorstellungsarten nur
die hitzigsten Köpfe der Gemüther sich bemächtigen; ohne daß
der ruhigere Denker einen Versuch mache, die feindlichen Gesinnungen zu besänftigen, und auf die richtigen Pfade, von welchen
dahin und dorthin abgeirrt wurde, aufmerksam zu machen. Sie
werden es der Philosophie nicht zur Pflicht machen wollen, von
denjenigen Verirrungen ganz zu schweigen, an welche das *vermeynte zeitige* Interesse sich anschließet, ob sie gleich das *wesentliche* Interesse der Menschheit verletzen*.

Es giebt schwerlich einen verderblichern Irrthum, als die Behauptung, daß ächte *Politik* mit der *Sittlichkeit* im Widerspruch seyn
könne; daß die Vorsteher der großen Völkerangelegenheiten
nicht so an die *Grundgesetze* der natürlichen Gerechtigkeit gebunden seyn, als andere Menschen. Denn zu geschweigen der
alles zerrüttenden Gewaltthätigkeiten, für welche durch die Befolgung dieser Meynung eine nie versiegende Quelle eröffnet
werden würde: so ist's ja einleuchtend, daß nichts so sehr im
Stande ist, den Glauben an eine *an sich verbindliche*, von Zwang
und Willkühr unabhängige *Gerechtigkeit* zu schwächen, und den
widersinnigen Reden vom *Recht des Stärkern* Eingang zu verschaffen, somit auch die wahre Ehrfurcht für bürgerliche Ordnung und obrigkeitliches Ansehn zu untergraben, als eben dieselbe. Denn erzwungener, blinder, sklavischer Gehorsam ist nicht
Ehrfurcht, giebt nicht die Sicherheit, und leistet bey weitem nicht
dasselbe. Muß es aber nicht bittern Unwillen oder ärgerlichen

* Nisi enim ii, qui sunt extra ea constituti, per quae irae & odia inflam-
mari solent, meliora & acquiora consulant, quomodo fervari poterunt
humanitatis iura & officia! – Omnino si qua falus rebus nostris, si
emendatio rerum publicarum, si morum, sine quibus legum iudicio-
rumque nulla vis, nullus fructus est, a corruptelis suis liberatio, si de
rebus, quibus laus, gloria, nobilitas, verae imperiorum opes, vera popu-
lorum felicitas ac splendor, continetur, veriores notiones inter omnium
ordinum homines sperandae sunt, a vobis, *Commilitones*, a vestra insti-
tutione, a salubribus praeceptis sapientiae, quibus imbuimini proficisci
illa omnia possunt. v *Progr. Acad. G. A.* ad d. 4 Jun. 1793.

Spott erregen; wenn diejenigen Repräsentanten und Vertheidiger der Gerechtigkeit seyn wollen, deren öffentlichste Unternehmungen die unzweifelhaftesten Ungerechtigkeiten sind? Wenn auch die aus der Bezweiflung *innerlich* verbindlicher Naturgesetze, aus dem abscheulichen Glauben, daß allein die mächtigste Willkühr das Recht bestimme, nothwendig entspringende Geringschätzung aller positiven Gesetze nicht oft in öffentliche Empörung ausbricht: so unterhält sie doch, bey dem ihr so leicht sich zugesellenden Haß gegen die Forderungen und Einschränkungen der Gesetze, den, im Ganzen seiner Folgen vielleicht noch verderblichern, *geheimen Krieg* zwischen den beyden Theilen der bürgerlichen Gesellschaft; bey welchem der eine sich berechtiget hält, *List* und *Betrug* der, wie er wähnet, *willkührlichen Gewalt* des Andern entgegen zu stellen. Ist es etwa schwer, diesen Krieg in den meisten Europäischen Staaten gewahr zu werden?

In den minder bedürftigen Classen oder bey minder lebhaften Charakteren wird wenigstens jeder Funke von *wahrem Patriotismus* durch jenen unseligen Wahn ersticket; den Strohm treiben zu lassen, wie er treibt, wird für die größte Klugheit, und in einer verdorbenen, keiner Besserung fähigen Welt *für sich* zu sorgen, so gut man kann, für die höchste Weisheit geachtet. Was muß der Mann von sittlichem Gefühl bey allem dem empfinden und denken?

Insbesondere aber darf der im Bewußtseyn aller seiner Pflichten gewissenhaft zu Werke gehende Schriftsteller von billigen Richtern erwarten, daß man einzelne Lehrsätze desselben seinem ganzen System gemäß auslege; so wie man bey der Würdigung einzelner Handlungen eines Menschen auf die ganze Aufführung und den sonst erprobten Charakter desselben billiger Weise Rücksicht nimmt.

In jedem System der Moralphilosophie wird gezeigt werden, wie schwer es sey, allgemeine sittliche Grundsätze auf einzelne Handlungen anderer Menschen richtig anzuwenden. Und der Moralist, der seine Lehren nicht bloß für andere hat, wird nichts weniger als geneigt seyn, einen unberufenen Richter fremder Handlungen abzugeben; am allerwenigsten in den so verwickelten politischen Verhältnissen und Angelegenheiten.

In dem dritten Theil dieser Untersuchungen (H. IV. §. 65.) ist gegen die Neigung, ohne Noth andere zu richten und zu verurtheilen, so vieles gesagt worden, daß man dem Verf. großen

Leichtsinn zutrauen müßte, wenn man ihn eben dieser Neigung in einem unverzeihlichen Grade schuldig glauben wollte. So wie von jedem Schriftsteller, im moralischen Fache vorausgesetzt werden kann, daß bey der Aufstellung sittlicher Grundsätze ihm Hauptzweck ist, *Selbstprüfung* bey dem, was geschehen *soll*, nicht vermessene, lieblose Verurtheilung *anderer* in dem, was *geschehen* ist, dadurch zu veranlassen: so ist dieß gewiß auch Wunsch und Absicht des Verfassers in diesen Untersuchungen und allen seinen Schriften gewesen. Besonders bey jenen Lehrpunkten, die auf politische Angelegenheiten und das anscheinende Interesse der Zeiten unmittelbare Beziehung haben. Und so glaubte er dann, die freymüthige Aufstellung gemeinwichtiger sittlicher Wahrheiten um so eher sich erlauben zu können, auch wo aller Gefahr unschicklicher Anwendungen nicht ausgewichen werden kann, je nachdrücklicher er selbst vor diesen Anwendungen gewarnet hat.

Offenherzig bekenne ich nun, daß ich mit den bisher erklärten Gesinnungen diesen letzten Theil meiner Untersuchungen, ehe ich ihn dem Druck übergab, besonders in der Absicht noch einmal durchgelesen habe, alles, was in gegenwärtigen Zeiten der *pflichtmäßigen Vorsicht* zuwider seyn könnte, entweder ganz auszustreichen, oder verhältnißmäßig abzuändern; und daß ich das Eine und das Andere gethan habe, wo ich glaubte, dem Werth und Zwecke des Ganzen unbeschadet es thun zu können. Sollte ich demohngeachtet durch Unbestimmtheit der Ausdrücke noch irgend Grund zum Anstoß übrig gelassen haben: so bitte ich deswegen zum voraus um Verzeihung; denn ich halte mich auch hierinne nicht für untrüglich. Wollte aber jemand meine Absichten in Verdacht ziehen: so stehe er dafür seinem innern Richter; wie ich dem meinigen. Die Beruhigung, die eigenes *Bewußtseyn* giebt, soll fremdes Urtheil nicht schwächen. Wichtige und nie ohne große Gefahr verkennbare Wahrheiten nicht sagen, wann und weil sie verkannt werden, wäre eine Maxime, welche die wesentlichen Zwecke des öffentlichen Unterrichts verletzte. Es darum nicht thun, *weil es doch zu nichts helfen werde*, ist ein Gedanke, der von den heiligsten Pflichten ab und gerades Weges zum moralischen Indifferentismus, in der allerschädlichsten Beziehung, (S. §. 64.) führt. Oder weil man sich und den Seinigen Schaden und Verdruß dadurch zuzöge? – Darauf antwortete der größte Lehrer sittlicher Wahrheiten: *Wem Vater oder Mutter,*

Bruder oder Sohn lieber ist, als – Wahrheit; der hat keinen Theil an der Wahrheit. Und ferner: Wer sein Leben verliert um der Wahrheit willen, der wird es erhalten; und wer es, mit Verleugnung ihrer, erhält, der wird es verlieren.

Göttingen im August 1793.

J. G. H. Feders autobiographische Ausführungen zur Begründung seiner Schritte*

Zehntes Kapitel
Anstellung als Director am Georgianum.
Von der Französischen Revolution in Beziehung auf mich und meine Schicksale

Die Amputation, die meinem Autor- und Docenten-Ruhme durch die critischen Revolutionen in der Philosophie widerfuhr, war verschmerzt; mein Gemüth war durch Grundsätze völlig darüber beruhigt; das Glück meiner Familie durch einige vortheilhafte Ereignisse gehoben; die Verhältnisse gegen meine Collegen waren, wie immer, im Ganzen erfreulich; auch schien mein Auditorium in dem Maaße wieder zahlreicher zu werden, wie das Vertrauen auf die neue Philosophie, durch die unter ihren Schülern selbst entstandenen Streitigkeiten, geschwächt wurde; einige wackere junge Leute wurden, wie ich weiß, in der Absicht nach Göttingen geschickt, um eine andere als jene, mehr und mehr verdächtig werdende, Philosophie zu lernen: als schnell nach einander zwey Anfragen an mich ergingen, ob ich wohl geneigt sey Göttingen zu verlassen?

Der eine Antrag, den ich zwar nicht ganz ablehnte, gegen den ich aber auch Neigung so wenig äußerte als empfand, bezog sich auf eine Stelle, deren baldige Erledigung man erwartete. Da nichts aus der Sache geworden ist: so trage ich Bedenken, nähere Erklärung darüber zu geben**. Nur konnte ich bey dieser Gelegenheit gut wahrnehmen, daß einige Personen meine Versetzung der Universität zuträglich erachteten: so sorgfältig man auch diese Absicht verbarg. Etliche Jahre später dachte man vielleicht nicht mehr so.

Aus einer anderen Quelle entsprang der zweite Antrag; den ich

---

* Aus: *J. G. H. Feder's Leben, Natur und Grundsätze*, Leipzig 1825, S. 129-154.
** Dieß Bedenken fällt nun (1810) weg. Ich sollte, wenn Jung's Tod erfolgte, hier in Hannover Bibliothecar werden. Und – auf eine andere Art wurde ich dieß in der Folge auch wirklich.

annahm. Ich bewahre die Acten für meine Familie und die vertrautesten Freunde. Hier darf ich nur so viel daraus anzeigen, daß ich bey der Errichtung des *Georgianum*, vom ersten Anfange an, zu Rathe gezogen, und alles, worin man freie Wahl hatte, meinen Wünschen gemäß eingeleitet wurde.

Bey dem auf die verbindlichste Weise von dem Minister geäußerten Wunsche, daß ich für die zu errichtende Erziehungs-Anstalt einen Director vorschlagen, oder, was er am liebsten sähe, diese Stelle selbst annehmen möchte, blieb die Schwierigkeit, mein Einkommen zu verbessern, oder nur dem bisherigen gleich zu machen, nicht unberührt. Aber nach meiner Denkart machte mich dieser Umstand am wenigsten besorgt; und die Art, wie ich mich darüber, aufrichtig und unbefangen, in meiner Antwort äußerte, hat vielleicht am meisten dazu beigetragen, daß meine Wahl zum Director genehmigt wurde*.

Um dieß verständlich zu machen, muß ich ein wenig weit ausholen, und von den Folgen der *Französischen Revolution* in Beziehung auf mich, meine Denkart und Schicksale, etwas sagen. Auch dieß soll mit der mir natürlichen, und in diesem Nachlasse besonders zu erwartenden, Offenherzigkeit geschehen.

Daß ich mich zu *einigen* derjenigen Grundsätze bekannt habe, die beym Ausbruche der Französischen Revolution zur Rechtfertigung gebraucht und gemißbraucht wurden, erweisen meine Lehrbücher.

Vor und nach derselben aber bestritt ich, in meinen Vorträgen über *das Naturrecht*, diejenigen antimonarchischen und antiaristocratischen Behauptungen des Rousseau stundenlang auf's geflissentlichste, mit welchen man die begangenen Ungerechtigkeiten und wilden Schwärmereien vertheidigen wollte; die Unveräußerlichkeit der Volkssouverainität; die Abhängigkeit aller, auch der höchsten, Obrigkeiten, und aller bürgerlichen Würden und Gerechtsamen, von der Willkühr der Majorität des Volkes; die Unverträglichkeit eines erblichen Adels mit dem Naturrechte

---

* »Lorsque le ministre Hanovrien qui réside près l'électeurroi, proposa M. Feder à sa Majesté pour diriger le Georgianum, *je le connais,* dit le prince; *n'est-il pas de ces têtes de béliers qui veulent tout renverser?* Sans le pamphlet (des »famélique abbé« nämlich) jamais cette question n'eût été faite. Le ministre fut obligé d'entrer dans des détails justificatifs, *qui ravirent un tems précieux an bien de l'état:* et heureusement pour cétte fois, un juste fut sauvé.« *Mangourit Voyage en Hannovre* etc. p. 122. (H.)

oder dem allgemeinen Besten. Jungen Democraten unter meinen Zuhörern war deswegen manches, was ich sagte, Aergerniß oder Thorheit.

Zum volleren Verständnisse, und zur genaueren Würdigung, dieser meiner auch damaligen Denkart, kann Manchem folgende Schilderung des Geistes der Zeit behülflich seyn. »Catherine avoit voulu confier l'éducation de son fils au célèbre d'Alembert; elle avoit reçu avec distinction Diderot; Raynal exilé de France avoit été traité à Berlin (unter Friedrich Wilhelm II.) comme un grand homme opprimé. Le grand Frédéric, toute sa vie, avoit autant montré d'enthousiasme pour la philosophie que d'amour pour la gloire militaire. Joseph II. combattoit dans ses états les préjugés religieux; et universellement en Europe, le seul moyen d'être considéré et d'acquérir une réputation brillante *dans les cours*, étoit de soutenir les principes populaires de la philantropie, et de parler le language de la liberté. Partout on dédaignoit les grands qui tiroient vanité de leur noblesse; partout on méprisoit l'attachement de l'Espagne aux superstitions monacales; partout on parloit de Rousseau, de Voltaire, d'Helvetius, de Mably, de Montesquieu, avec un enthousiasme qui enflammoit la jeunesse pour leur morale et leurs principes; partout l'histoire, les romans et les théâtres tournoient les préjugés en ridicule, et respiroient l'opposition à la puissance, l'admiration pour la liberté et l'amour de l'égalité; partout enfin le triomphe de la démocratie américaine, secouant le joug de la monarchie anglaise, avoit été applaudi et célébré, et plusieurs monarques prodignoient les lauriers à ceux de leurs sujets, qui avoient été combattre an delà des mers pour un peuple contre un roi.« *Histoire des principaux événemens du règue de Frédéric Guillaume II. par Ségur II,* 47 ff.

Ich bin mir nur eines *vorrevolutionären* Grundsatzes der französischen Regierung bewußt, über welchen ich lebhaften Unwillen empfand, und auch äußerte: daß kein Unadeliger zu hohen Officierstellen in der Armee, gleich den Adeligen, gelangen sollte.

Aber diejenigen Grundsätze, die ich und alle unbefangenen Rechtsphilosophen mit den revolutionären Denkarten gemein hatten, waren im Anfange dieser Periode schon hinreichend, Verdacht und Widerwillen zu erregen. Einmal waren es die Philosophen und ihre Lehren, denen man die greuelvollen Empörungen zuschrieb; cum nemo in sese vellet descendere!

Freilich gaben nicht nur Feinde, sondern auch Freunde Veranlassung zu diesem Verdachte. So hatte einer der Mainzer Clubisten einen Aufsatz gemacht, in welchem er mich so apostrophirte: »Und Du, Feder, der du mich zuerst die Rechte der Menschheit kennen lehrtest, du siehest, wie sie mit Füßen getreten werden, und schweigst!« Zum Glücke kam es nicht so ins Publicum. Ich habe die Anecdote aus seinem Munde. Er hat für seinen Enthusiasmus büssen müssen.

Wahr ist es, daß Manches von dem, was vor der Revolution ohne Bedenken schriftlich und mündlich geäußert werden konnte, nunmehr auch in den mit Mäßigung und Billigkeit urtheilenden Gemüthern Besorgnisse erregen mochte. Von mir selbst weiß ich, daß ich, bey der Revision eines Theiles der *Untersuchungen über den Menschlichen Willen* zu einer neuen Auflage, stutzig ward vor einigen Stellen, und mich selbst fragte, wann und mit welchen Gesinnungen ich so geschrieben hatte. Wahr ferner, daß die Freunde der Freiheit und der Menschenrechte, beym Anfange der Revolution, ihre Freude und Hoffnungen nicht immer mit der nötigen Klugheit und Mäßigung an den Tag legten. Nicht nur in meiner Familie bezeugte ich es laut, wie glücklich ich mich schätzte, solche große, für die Menschheit ersprießliche, Veränderungen noch zu erleben*; sondern gegen eben denselben Staatsminister, der mich in meine gegenwärtige Lage versetzt hat, sprach ich mit gleicher Unbefangenheit über die Französische Revolution; zu der Zeit nämlich, wo man noch eine der Englischen** ähnliche Verfassung erwartete; als ich in seiner Gesell-

---

* »Cest un déplorable aveuglement, que celui de cette multitude de prétendus sages qui, après avoir pris plus ou moins part à la révolution, profitent aujourd'hui de l'obscurité de leur rôle précédent, pour annoncer qu'ils ont tout calculé, tout prévu. – Bien peu de personnes ont la bonne foi d'avouer aujourd'hui l'opinion qu'elles avoient alors; mais que ceux de mes lecteurs qui veulent être impartiaux, consultent sur ce sujet leur conscience et leur mémoire.« *Mounier De l'influence attribuée* etc. 29 u. 95. Der bekannte Dr. Price in London schloß um diese Zeit eine Predigt mit der Ausrufung: What an eventful period is this! I am thankful that I have lived to it; and I could almost say: *Lord*, now lettest Thon Thy servant depart in peace; for mine eyes have seen Thy salvation.« *Memoirs of the reign of George* III. vol. IV. 267.

**Nach dem Urtheile des eben angeführten Schriftstellers Segür: (vol. II. p. 64) »Une constitution respectable et tranquille, monument le plus rare qu'ait peut-être offert la sagesse dés hommes; où les trois passions politiques, qui agitent en tout temps les esprits et bouleversent les empires, la démocratie, la monarchie et l'aristocratie, paroissent avoir

---

schaft beym sel. Geh. Justizrath Böhmer speiste. Aber der einsichtsvollere Staatsmann, der selbst in den *Braunschweig-Lüneburgischen Annalen* für das Recht der dienenden Klassen mit großer Freimüthigkeit sich geäußert hatte, sah mich mit einem sehr bedeutenden und freundlich warnenden Blicke an, und sagte: *Sie können sich freuen? Sie sehen die Folgen nicht, die aus der Revolution, wenn sie gelingt, für England und für uns entstehen müssen?* So war es.

Es muß noch mehr eingestanden werden. Obgleich ohne alle böse Absicht, und ohne directe Gefahr, sprachen, beym Anfange der Revolution, auch manche unter uns über politische Gegenstände und Verhältnisse mit einem – ich kann nicht anders sagen als – Leichtsinne, über welchen man hernach wohl selbst erstaunte.

So erinnere ich mich sehr bestimmt, daß an der Tafel unserer

conclu un traité propre à satisfaire à la fois la raison, la nature et la vanité, en réunissant la force du pouvoir royal, le respect attaché aux noms illustres, la tranquillité du droit sacré de propriété, la douceur de l'égalité, et tous les appas offerts à l'ambition, à l'industrie et aux talens. Eben derselbe unbefangene und hellsehende Beurtheiler sagt S. 93: Dès que ces grands événemens furent connus en Europe, ils agitèrent les esprits et partagèrent les opinious; les plébéians, les hommes lettrés, et parmi la jeune noblesse tous les partisans des idées philosphiques, se livrèrent à l'enthoisiasme, et conçurent l'espérance de voir réaliser tous leurs systèmes de justice, de bonheur et de liberté. Und S. 97: Enfin, à cette époque, qu'on appele encore les beaux jours de la révolution, tous les cœurs étoint tellement emportés par l'opinion générale, que ceux même, qui souffroient le plus de ce nouvel ordre de choses, par les atteintes portées à leur fortune, à leur amour-propre et à leur sùreté, se laissèrent un moment entrîner à cette ardeur générale. – Que vouloit, qu'espéroit alors toute la France? Une constitution monarchique et libre, qui garantît la sùreté des personnes et des propriétés, qui laissât au trône tout le pouvoir nécessaire pour maintenir l'ordre intérieur et pour faire respecter la nation par les étrangers, et qui garantît au peuple le droit de n' être soumis, qu' aux loix et qu' aux impôts, qui auroient obtenu son consentement.« Der berühmte Burke hat bekanntlich die schrecklichen Vergehungen der französischen Revolutionsmänner früher vorausgesehen als Andere; zu Anfang des J. 1790. Aber wie viel fehlte doch an der Wahrheit seines damaligen Urtheils: France is in a political light to be considered as *expunged* out of the system of Europe. Whether she can ever appear in it again as a leading power, is not easy to determine – *most assuredly* it will take *much time* to regain her former active existence. *Gallos quoque in bellis floruisse audivimus* may possibly be the language of the rising generation.« *Memoirs* etc. S. 270.

319

Königlichen Prinzen, als das von einem Privatmanne angegebene Project, den Göttingischen Wall abzutragen, beurtheilt wurde, ich Pütter, der nahe bey mir saß, und eben so fleißig als ich diesen fast einzigen beschatteten Ort in der Nähe der Stadt besuchte, mit den Worten anredete: »*Nicht wahr, Herr Geheimer Justizrath, wenn man uns den Wall nehmen will: so rebelliren wir*? Der bedachtsame P. empfand das Unschickliche dieses Scherzes besser als ich, und antwortete ernsthaft: *Ich lasse mir alles gefallen, was meine Oberen beschließen.*

Besser, wenn gleich auch nicht ganz untadelhaft, war die Antwort, die ich einem Franzosen gab, dem Hofmeister der jungen Barone Dieterich aus Strasburg, die damals in Göttingen studierten; als er bey einer Bemerkung, die nicht ganz zu widerlegen war, hinzusetzte: »Eh bien, faites une révolution!«* »Voyons auparavant comment la vòtre finira.« Dieser Freund der Revolutionen denkt vermuthlich jetzt auch anders. Bey den Leiden seines Freundes, der Maire Dieterich, unter Robespierre, soll er sich edel benommen haben.

Besonders nachtheilig aber ward für mich, und manchen meiner Collegen, der mit zu vielem Eifer erregte und verbreitete Verdacht gegen die *Illuminaten*, zu denen man uns zählte. Hiervon in dem nächsten Kapitel.

Unsere Oberen in Hannover hatten Ursache, auf die schriftlichen Aeußerungen der Professoren über die revolutionären Grundsätze aufmerksam zu seyn. Nicht bloß aus Besorgniß der nachtheiligen Folgen, die für die öffentliche Ruhe oder den guten Ruf der Universität daraus entstehen möchten, sondern auch aus Furcht vor einer strengern unmittelbaren Verfügung, wenn dergleichen etwa durch einen der eigenmächtigen, in- oder ausländi-

---

* Ein gegen den Leichtsinn, womit damals dieß Wort ausgesprochen wurde, abstechendes Gegenstück sey folgende Stelle aus einem trefflichen Buche, dessen Hauptzweck ist, Abscheu gegen Revolutionen einzuflößen: Abstraction faite de tout intérét public, c'est un terrible mot à prononcer que celui de révolution. L'homme qui le premier prononce ce mot, sait-il par qui il sera répéte et commenté! contre qui il sera interprété! pense-t-il qu'il le sera peut-être contre lui-même? Á-t-il réfléchi sur la latidude que ce mot présente à l'ambition, à l'audace, à la haine, à la vengeance, à la cupidité! Et quand il a l'imprudence d'ouvrir à toutes les passions un champ immense, peut-il raisonnablement se flatter de les comprimer à son gré?« *(Ferrand) Théorie des révolutions* III, 262 f.

schen, geheimen Aufseher berichtet würde. Es befremdet mich jetzt noch weit weniger, als zur Zeit, da es sich ereignete, was mir bey Gelegenheit eines Aufsatzes in dem *Neuen Historischen Magazin* meiner Freunde Spittler und Meiners widerfuhr: *Ueber Aristocraten und Democraten in Teutschland.* Eigentlich hatte Meiners über diesen Gegenstand für das Magazin einen Aufsatz gemacht, und zur freundschaftlichen Beurtheilung, ehe er ihm den Druck übergeben wollte, mir zugeschickt. Da ich nun bey mehreren Stellen desselben Anstoß befürchtete, und doch der Arbeit das Todesurtheil nicht schlechtweg sprechen wollte: so erbot ich mich den Hauptinhalt desselben auf meine Weise einzukleiden und unter meinem Namen drucken zu lassen; welches mein Freund sich gefallen ließ. Aber gerade eine Stelle, die ganz mein war, mißfiel am meisten, weil man sie auf den eben abgeschlossenen Vertrag mit England wegen Ueberlassung der Hannöverischen Truppen bezog; an den ich nicht dachte, und nicht denken konnte, weil ich noch nicht das Mindeste davon wußte. Die anstößige Stelle war ohngefähr – ich führe sie aus dem Gedächtnisse, aber im Wesentlichen gewiß richtig an – diese: »Wahr ist es, daß unsere Lehrer der Staatswirthschaft die Leibeigenschaft mit möglichster Beförderung der Industrie und des allgemeinen Wohlstandes für unvereinbar, und unsere Lehrer des Naturrechts »*Unterthanen, wie Vieh, zu verhandeln für offenbare Ungerechtigkeit erklären.*« Wie gesagt, ich dachte dabei nicht an das, wohin es in Hannover allernächst gedeutet wurde; auch mehr an Gutsherren leibeigener Unterthanen, (wegen einer Anecdote, die ich kurz vorher gehört hatte, daß ein solcher in Pommern, nachdem er sein Geld verspielt, gegen Preußische Werber, Bauern seines Gutes auf Karten setzte,) als an die teutschen Fürsten, die ihre *gezwungenen* Soldaten an Holländer und Engländer nach Africa, West- und Ost-Indien hin verkauften. Uebrigens kann unter unbefangenen Beurtheilern nur *eine* Stimme darüber seyn, daß ein solcher Menschenhandel der grausamste Mißbrauch der Regenten-Gewalt sey. Wenn, wie in der Schweiz, zu solchen auswärtigen Kriegsdiensten *Freiwillige* sich finden, so ist dieß etwas Anderes; sie können wenigstens nicht über Gewalt sich beschweren. Obgleich starke *moralische* Bedenklichkeiten obwalten, gegen den Entschluß sich herzugeben zu auswärtigen Kriegen, deren Gerechtigkeit man so wenig zu beurtheilen im Stande ist, und ohne die Verpflichtung, die bey den Angelegenheiten des Vaterlandes Unterthanen den Einsichten und Beschließungen ihrer Regenten unterordnet.

Der Verweis, den die Herausgeber des Magazins erhielten, war nicht sanft; und wurde, wie billig, mir von ihnen zugetheilt. Spittler, in dem schon der Keim zum Minister lag, erwiederte mir auf die Rechtfertigung meines Satzes: »Thut nichts, ich würde den Verweiß auch gegeben haben.« Er schmerzte mich sehr. Nicht sowohl, dieß kann ich betheuern, wegen der schlimmen Folgen, die für mich daraus entstehen möchten, als des Verdachtes wegen, der gegen meine Gesinnungen erregt zu seyn schien. Ich säumte daher nicht, einem der Minister, von dem ich mehrere Beweise eines besonderen Vertrauens und Wohlwollens hatte, meine ehrerbietige, aber freimüthige Vertheidigung zuzuschicken. Er hatte, ob sie gleich nicht in gehöriger Form eingekleidet war, die Güte solche mitzutheilen; und ich erhielt unter der Hand die Versicherung, daß sie ihren Zweck nicht verfehlt habe. Einen guten Theil derselben habe ich der Vorrede zum vierten Bande der *Untersuchungen über den menschlichen Willen* einverleibt.

H., der bey Verfertigung seiner Vorreden zu den halbjährigen LectionsCatalogen gern auf die neusten Vorfälle und Verhältnisse anspielte, so wie er zu seinen Programmen Gegenstände wählte, die mit den zeitigen großen Ereignissen in Verbindung standen, that Ersteres auch bey dieser Gelegenheit. Die Einleitung zum Lections-Verzeichnisse handelte de studio novarum opinionum rerumque; und es ward darin bemerkt, wie man um so leichter darauf verfalle oder dazu verleitet werde, quo quis vehementiori et fervidiori animi impetu, quove magis *ingenua* et *candida* indole etc. Daß das Letztere mir gelten sollte, und nebenher auch wohl an *Voltaire's Candide* und *Ingénu* gedacht ward, ist mir noch immer nicht unwahrscheinlich. Es kam auch zwischen uns zu einigem Wortwechsel, wegen einer Anzeige von *Struve's* Schrift über *Aufruhr und aufrührerische Schriften*, die er mir zwar selbst zum Recensiren zugeschickt hatte, wovon er aber jetzt, wegen des neuen Vorfalls, die Anzeige nicht wollte einrücken lassen. So streng und vorsichtig der kluge Mann war, wenn er glaubte, daß die Umstände es erforderten: so ließ er sich doch selbst, eben in seinem Programmen, bisweilen so freimüthig und stark aus, als kaum einer seiner Collegen; freilich in lateinischer Sprache, und unter allerley feinen Wendungen.

Bald darauf entstand in Hannover die wohlthätige Gesellschaft zur Unterstützung der Militär-Witwen und Waisen; und ich wurde zu einem auswärtigen Mitgliede derselben ernannt. Daher die kleine Schrift *Moralisches Vademecum für Soldaten*, deren Honorarium ich für den Zweck der Gesellschaft bestimmte. Den ersten Gedanken dazu gab mir ein Traum; wo ich unter Soldaten zu seyn, und zu ihren Pflichten sie zu ermahnen glaubte. Mit lebhafter Erinnerung daran erwachend, dachte ich: so etwas könntest du ja drucken lassen – zum Besten der Witwen und Waisen. Diese kleine Schrift trug vielleicht viel dazu bey, meine patriotischen Gesinnungen in ein günstigeres Licht zu setzen; obgleich sie nicht aus der Absicht, dieß zu bewirken, entsprang.

In die Zeit der Französischen Revolution fiel auch mein zweites Prorectorat (1794) und wurde mir durch den öffentlichen Unfug, den ein großer Theil der Studierenden mit dem Marseiller Marsch und dem *Ça ira* trieb, auf eine oder etliche Wochen unangenehmer und mühsamer gemacht als es sonst war*. Das Verfahren des academischen Gerichts wurde in Hannover zu gelinde befunden. Mein besonderes Benehmen half vielleicht den Glauben an die Gesetzmäßigkeit meiner Gesinnungen dort befördern. Bey den jungen Leuten hingegen, die, was auch manchem Erwachsenen schwer wird, nicht begreifen konnten, welchen Unterschied in der Würdigung der Französischen Begebenheiten ein Zeitraum von etlichen Jahren macht, und was für einen gebildeten Menschen der Gedanke an Pflicht ist, nahm die Beschuldigung, daß

---

* Der nachmals durch die Zeitungen nur all zu bekannt gewordene Livländische Baron von Knorring, der im J. 1802 in Frankreich sein Leben in einem Duelle verlor, bewies sich, obgleich kaum erst auf der Universität angekommen, bey diesem Unfuge besonders geschäftig. Ich entdeckte das Gute in seinem Charakter leicht genug, um mehr für seine Ausbildung mich zu interessiren, als unwillig über ihn zu werden; und ließ es nicht an herzlichen, väterlichen Ermahnungen fehlen. – Es ist mir dieser Vorfall in mancher Hinsicht lehrreich gewesen. Unter Andern konnte ich auch bey dieser Gelegenheit mich überzeugen, wie unrecht es wäre, junge Leute nach einzelnen solchen Vergehungen, muthwilligen Streichen in Gesellschaft mehrerer, zu beurtheilen; und dergleichen Vergehungen, ohne anderweitige Beweggründe, hart zu ahnden. Ich erfuhr in der Folge, daß einige der trefflichsten, zum Theil auch genauer mit mir verbundenen Jünglinge, entweder durch das studentische *point d'honneur* in den Strom hineingezogen, oder auch aus Liebe zur Freiheit und der damals herrschenden Democratomanie, Antheil genommen hatten.

ich Aristocrat nicht sowohl sey, als aus Politik scheinen wolle, nach diesem Ereignisse natürlich noch mehr zu.

Wie ängstlich vorsichtig man um diese *Zeit mitunter* auch in Göttingen war, keinen Anstoß zu geben, mag folgende Anecdote beweisen. Da mich die Reihe traf, die jährliche Preisaufgabe der philosophischen Facultät zu bestimmen, schlug ich das Thema vor: De iure suffragii in societate aequali. Bloß wegen des Ausdruckes societas aequalis schien einigen der achtbarsten Mitglieder dasselbe bedenklich. Theils was ich zur Aufklärung des Sinnes sagte, theils Schlözer's lebhafte Unterstützung, überwältigten die Bedenklichkeit; und die Sache hatte nicht die mindeste unangenehme Folge. Schlözer's Sohn, der nachmalige Professor in Moskau, erhielt den Preis.

Eilftes Kapitel
Ueber meine Theilnahme an der Verbindung der Freimaurer und Illuminaten

Bis gegen das Frühjahr 1782, also bis in mein 42stes Jahr, hatte ich mich überall keiner geheimen Verbindung zugesellt; und meine Grundsätze waren dagegen; ob ich gleich für viele Mitglieder des FreimaurerOrdens, auch als solche, die günstigsten Vorurtheile hegte, und mit ihnen in genauer Freundschaft stand.

Im Anfange des gedachten Jahres schrieb mir ein Mann, den ich während seines Aufenthalts in Göttingen, einige Jahre vorher, hatte lieben und hochschätzen lernen, und noch hochschätze, mit welchem ich manche Stunde über *MenschenVeredlung* und *MenschenVereinigung*, besonders aber über Bildung junger Leute aus den höheren Ständen, philosophirt, auch wohl mitunter ein wenig geschwärmt hatte – von W. aus, daß *Etwas der Art*, wie wir uns in jenen vertrauten Stunden gedacht hatten, wirklich vorhanden, oder doch im Werden sey. Ein Mittel, Menschen, der Verschiedenheit der Religionen und des Standes ungeachtet, einander näher zu bringen, überhaupt gemeinschädliche Vorurtheile im Stillen von Grund aus anzugreifen, und für diese Zwecke besonders junge Leute von Stand durch diensame Anleitungen und Uebungen fortzubilden. Mehrere angesehene Männer seyen in dieser Verbindung, und er *habe mich bereits* als ein würdiges Mitglied *vorgeschlagen*, unter dem Namen meines Lieblings Marc Aurel.

Mein Freund K., damaliger Vorsteher der Maurerey in Göttin-gen, werde mir sofort mehr von der Sache sagen können, wenn ich einzutreten Lust hätte. Zugleich lud er mich aufs freund-schaftlichste ein, bey einer schönen Gelegenheit, die sich eben dazu anbot, ihn und die Lieben * * in * * zu besuchen, und auf der Rückreise in W. mich in den Orden der Freimaurer, als den Vorhof jener Verbindung, aufnehmen zu lassen; weil er wohl vermuthete, daß ich in Göttingen, unter jungen Leuten, dazu nicht geneigt seyn würde.

Wie K. vor Freude glühte, als ich auf einem Spaziergange, zu dem ich ihn in dieser Absicht abholte, meinen Entschluß eröffnete, ist mir noch lebhaft erinnerlich. Die Reise nach * * folgte bald dar-auf; und schon da wurden mir die ersten Hefte für die *Minerva-len* mitgetheilt. Die Sache gefiel mir im Ganzen sehr. Nach mei-ner natürlichen, *allerdings oft zum Fehler gewordenen*, Neigung, überall stärker vom Guten, als von Mängeln und Gebrechen, mich ergreifen zu lassen, sah ich das Gute in den aufgestellten Zwecken, und vergrößerte dieses nach meinen eigenen Vorstel-lungen und Wünschen; bemerkte und ahndete nicht das Tadelns-würdige oder Bedenkliche in den Anstalten und Mitteln. Mein Enthusiasmus ging bald so weit, daß ich selbst meinem Freunde die Besorgnisse, die ihm, wegen eines in der Sache thätigen Man-nes, entstehen wollten, zu benehmen mich beeiferte! Wie oft mag nicht, in noch wichtigern Fällen, und mit viel nachtheiligern Fol-gen, manchem ehrlichen Manne dasselbe begegnet seyn! Selbst vom JacobinerClub sagt der scharfsichtige Ségur: Ceux qui en conçurent l'idée, étoient bien loin d'en prévoir les funestes consé-quences. – Le club de Paris fut d'abord composé d'hommes actifs, mais honnêtes; trompés par leur zèle, mais si éloignés d'intentions coupables, que leur faute principale fut de ne pas connoître les hommes, de les croire meilleurs qu'ils ne sont, et de penser qu'ils avoient plus besoin d'aiguillon que de frein.

Da ich, nur für den Zweck eingenommen, über die Formalitäten wegsehend, *weder von diesem noch von irgend einem der nach-folgenden Hefte eine Abschrift behalten*, sondern mir nur biswei-len einiges daraus angemerkt, aber auch dieses schon lange ver-nichtet habe: so kann ich nicht wissen, ob das, was mir damals mitgetheilt wurde, mit den im Druck erschienenen Minervalgra-den genau übereinstimmte; vermuthe und glaube es aber.

Bey Gelegenheit meiner Rückreise von Mainz, wohin ich, von

den Grafen von Stadion und ihrem würdigen Erzieher, damals Canonicus Kolborn, nachmals Bischof Freiherr von Kolborn († 1816) eingeladen, in Gesellschaft zweier Grafen Bentingk und ihres Hofmeisters Hr. Thomann die Reise gemacht hatte, wurde ich in Wetzlar – denn jetzt kann ich die Namen ohne Bedenken ganz hersetzen – durch den C. G. R. v. D. in Beiseyn weniger Freunde, und überall nicht sehr feierlich, mit den *drey gemeinen* Graden der Feimaurerey bekannt gemacht. Nach meiner Zurückkunft in Göttingen fing ich an, den Versammlungen, denen K. vorstand, zu besuchen, und nicht lange hernach übernahm ich das Amt des Bruders Redner.

Außer Göttingen habe ich nur zweimal Freimaurer-Versammlungen beigewohnt. Die Hannöverische bey einer Durchreise, kurz nach meiner Zugesellung; noch so neu und unwissend in den Maurerischen Gebräuchen, daß ich mir kaum zu helfen wußte, als man mir die Ehre erwies, drey dortige Mitglieder zur Aufnahme in den dritten Grad vorzubereiten. Zufällig traf sichs auch, daß ich in Rothenburg an der Fulde zum Besuche bey einem Verwandten war, als die bekannten Freimaurer und Illuminaten, Baron Knigge und Mauvillon, daselbst eine Loge errichteten; wo ich denn nicht gut vermeiden konnte Antheil zu nehmen, und mit Insignien, ich weiß nicht welches hohen Grades, die Knigge mir umhing, den Act feierlicher machen zu helfen. Auch da sprach ich über die *moralischen* Zwecke der Maurerey; in einer Versammlung, die mehrere von Göttingen her mir sehr liebe junge Männer enthielt. Ich benutze die Gelegenheit, da ich des Hauptbeförderers des Illuminatismus, v. Knigge hier gedenke, lange nach seinem Tode, die Achtung zu bezeugen, die sein Buch *über den Umgang mit Menschen*, welches ich erst spät, nach der vierten Auflage las, mit eingeflößt hat. Es beweis't, daß auch seine Denkart in Vielem sich geändert hat.

Dieser mein Zutritt blieb weder meinen Collegen, noch meiner Familie ein Geheimniß; und die älteren Mitglieder dieser letztern müssen sich noch wohl erinnern, wie ich immer mit ausnehmender Aufheiterung aus diesen Versammlungen zurück kam. Ich bereue dieses an sich nicht. Ich bin mir bewußt, Gutes mit befördert, insbesondere alles mehr auf pädagogisch-moralische Zwecke hingeleitet, die täuschenden Erwartungen wichtiger Geheimnisse und anderer Maurerischer Thorheiten kräftig bestritten, und Manchen von Abwegen abgehalten zu haben. Gleich bey der ersten Vorbereitung in der D. K., und bey der Erklärung der symbolischen Handlungen und des Teppichs, hatte ich Gelegenheit genug dazu; und benutzte sie ohne Scheu und mit Beifall. Ich las auch nicht ein Mahl die gewöhnlichen Vorschriften ab; sondern sprach überall frey, wie ich es den Zwecken und Umständen angemessen erachtete.

Auch habe ich in dieser Verbindung die menschliche Natur von einigen Seiten kennen gelernt, wie außerdem wohl nie geschehen wäre. Ich habe gesehen, wie Stärke und Schwäche im menschlichen Geiste sich wunderbar vereinigen; wie Menschen das Bessere verschmähen, und das bey weitem Schlechtere mit Rührung und mit Staunen anhören können, wenn jenes einfach und gewöhnlich, dieses außerordentlich und willkührlich gehoben erscheint; überhaupt wie fast unbegreiflich die Menschen von Zufälligkeiten abhängen, und abhängig gemacht werden können.

Dennoch würde ich, wenn ich, mit allem was ich darin erfahren habe, noch einmal zu leben anfinge, nie wieder in irgend eine geheime Gesellschaft eingehen. Denn *gefährlich* sind sie allemal für die *unparteiische* Beobachtung der allgemeinen Menschen- und Bürgerpflichten; leicht auch für die Gradheit des Characters.

Sobald ich Maurer war, wurden mir mehrere *Hefte* der *Illuminaten* mitgetheilt. In eine Versammlung derselben bin ich nie und nirgends gekommen. In Göttingen war überall keine solche. Die Meinung der mit den Illuminaten in Verbindung gekommenen dortigen Freimaurer war wohl eigentlich nur die: von dieser neuen Verbindung für die Maurerey Vortheil zu ziehen, ihr mehr Interesse, vielleicht auch mehr Unabhängigkeit zu verschaffen.

Aber gleich in den ersten Heften, die ich hier erhielt, war mir Einiges anstößig; ich erklärte meine Bedenklichkeit dagegen bescheiden und ehrerbietig zwar, doch verständlich, in einem *Primo*. Man dankte mir dafür, bat mich, ferner mit Freimüthigkeit meine Zweifel anzuzeigen, und versprach auf eine verbindliche Weise, meine Erinnerungen zu benutzen. Bald darauf theilte man mir und den übrigen Verbundenen in Göttingen einen Grad mit, der uns alle stutzig machte; mir insbesondere und noch einem Bruder auf's höchste mißfiel; ich glaube es war der *Schottische Ritter*. Ich erklärte, daß ich mit der Sache nichts mehr zu thun haben wollte. *Und dabey hätte ich denn freilich beharren sollen.* Aber dieß ist eben einer der schlimmsten Umstände bey dergleichen Verbindungen; einer der stärksten Gründe dagegen, wie vielen guten Anschein sie auch für sich haben mögen; daß die Trennung, auch wenn sie geschehen sollte, durch mancherley Rücksichten erschwert wird.

Durch einen angesehenen und liebenswürdigen Mann von sanftem Character – R. – der, wie ich glaube, deswegen von H. nach G. kam, ließ ich mich bewegen zu bleiben. Man stellte mir vor, daß nicht alles für alle sey; daß, um *alte Maurer* anzuziehen oder beizubehalten, manches ihren höheren Graden Aehnliche auch in dem IlluminatenOrden seyn müsse, und daß ich bald überzeugt werden solle, welche unbeschränkte Freiheit, ganz allein *nach ihren* Einsichten und auf ihre Weise das Gute, was der Orden beabsichtige, zu bewirken, gebildeten und bewährten Männern verstattet werde. Der *RegentenGrad*, den ich bald darauf erhielt, war wirklich hierzu geeignet.

Unterdessen will ich nicht verschweigen, daß in den weiter vorgekommenen Aufsätzen manches enthalten war, was, *nach meiner jetzigen An- und Einsicht*, mich dennoch zum gänzlichen Lossagen hätte bestimmen sollen. Um Dieses aber recht zu verstehen, und kein zu *hartes* Urtheil zu fällen, über mich und so viele andere Männer, die bey gleichen Gesinnungen mit mir arglosen Antheil an dieser Verbindung nahmen, muß man Folgendes bedenken:

1) Vor der, um ihrer Greuel willen abscheulich gewordenen, Französischen Revolution hatte Vieles noch gar nicht *das Interesse*, nicht *das Ansehen*, nicht *den Sinn*, den es durch sie erhalten hat. Man konnte Manches den damaligen Verhältnissen nach wahr, wenn gleich zu stark oder zu unbestimmt ausgedruckt, erachten, wofür man sich jetzt entsetzt. Ich glaube fest, daß W. selbst, der Stifter des IlluminatenOrdens, bey seinen Paradoxen bey weitem das nicht gedacht, und die weit aussehenden Pläne nicht gehabt hat, was und welche man ihm hernach zuschrieb; ob ich gleich seine Absichten und Triebfedern nicht alle rechtfertigen will.

2) In den höheren Graden geheimer Gesellschaften *alltägliche* Wahrheiten in *alltäglicher* Einkleidung vorzutragen, muß den Stiftern solcher Orden abgeschmackt dünken. Sie glauben etwas Paradoxes, wenigstens hochklingendes oder ungewöhnlich ausgedrücktes, sagen zu müssen. Gutherzige Zuhörer oder Leser denken dann: *es ist so böse nicht gemeint.* Sie nehmen sich das Gute

und Wahre heraus; ahnden das Gift nicht, das Andere, unter gewissen hinzukommenden Umständen, daraus bereiten und einsaugen können. Ich habe nichts dagegen, wenn man diese Bemerkung zu einem neuen *Argumente gegen die geheimen Orden* machen will.

3) *Protestationen* unsererseits unterblieben nicht. Einiger, die Marc Aurel machte, geschieht ausdrücklich Erwähnung in den *OriginalBriefen*.

Sobald diese Briefe mir zu Gesichte kamen, und Unsittlichkeiten des Stifters des I. O. aus denselben bekannt wurden, war auch mein Widerwille dagegen entschieden; und die ganze bisherige Täuschung hatte ein Ende. Kurz vorher, vielleicht weil man die Catastrophe voraussah, wollte man die Direction des Ganzen einem sehr geschätzten Fürsten, unter meiner Zuziehung, übergeben. Es kam nicht dazu. Aber als *Bischof*, ich weiß nicht mehr über welche Provinz, habe ich einen *Hirtenbrief* erlassen; von dem ich zwar auch keine Abschrift behielt, aber nach aller meiner Erinnerung glaube, daß er ohne Bedenken gedruckt werden möchte. Außer diesem, und einem EmpfehlungsCertificate, für den zu früh verstorbenen Professor Brandis, welches ich mit unterschrieb, kann nichts von meiner Hand in den Acten des Illuminatismus vorkommen.

Auch meine Theilnahme an der Freimaurerey wurde immer kälter, als K. Göttingen verließ; obgleich Freund S. den Hammer führte. Und nach den Greueln der Revolution, schon geraume Zeit bevor die Göttingische Loge, wie S. *wünschte*, aufgehoben wurde, besuchte ich die Versammlungen *nie* wieder. Eben so wenig in Hannover; wo doch mehrere angesehene Männer, und darunter einige meiner geschätztesten Freunde, Mitglieder waren.

Ob und wie weit die Maurerey und der IlluminatenOrden auf die schrecklichen *politischen Umwälzungen* in Europa Einfluß gehabt haben, kann ich nicht entscheiden. Es läßt sich ein solcher, wenigstens entfernter, Einfluß als möglich denken. Von wirklich dahin gerichteten Bemühungen ist mir nichts bekannt.

Was das Verhältniß der Freimaurerey zur *Religion* anbelangt; so ist wohl nicht zu zweifeln, daß sie zur Verminderung des intoleranten Sectengeistes eben so gut benutzt worden ist, als zur Mäßigung des *Kasten-Stolzes*. Aber ich glaube, daß sie der Achtung nicht nur für die natürliche, sondern selbst für die *christliche*

Religion, im Ganzen eher Vorschub als Nachtheil gebracht habe. Eines solchen Vorschubes bedarf sie nicht, und muß sie nicht bedürfen, kann man sagen. Recht gut; wenn alles in der Welt nach reinen Begriffen ginge, oder so wie es gehen sollte. Aber man bedenke, was bey vielen Menschen, sonderlich in der sogenannten großen Welt, *Meinungen* und *Achtung für Meinungen* gründet und unterstützt. Wenigstens ist so viel gewiß und bekannt: *Glaube an Gott und Unsterblichkeit* sind Grundartikel, ohne deren schriftliche Anerkennung niemand aufgenommen wird; und auch *Juden* sind ausgeschlossen von den gesetzmäßigen Logen.

Ueberhaupt hat die sonderbare Verbindung so viele und so verschiedene Seiten, daß, wenn man diese einzeln zum ausschließenden oder hervorstechenden Gesichtspuncte wählt, man die Sache sehr anziehend, verdienstlich, ehrwürdig, und auch langweilig, lächerlich, wo nicht abscheulich, finden kann. Wer nun hierbey überlegt, wie Weniges in der Welt anzutreffen seyn möchte, was, wenn alles zusammen, oder das mancherley Zufällige und Wesentliche nach einander, in Betracht gezogen wird, ganz beifallswürdig erscheint: der wird schon dadurch zu einem milderen Urtheil über diejenigen, die an der Freimaurerey Antheil nahmen, bewogen werden. Wenn es wohl keinen Zweifel leidet, daß Viele durch die eitele, träumerische Begierde nach verborgener Weisheit, Geheimnissen dieser oder jener Art, angelockt wurden; oder durch den schmeichelnden Gedanken, mit angesehenen Männern in eine vertrauliche Gemeinschaft zu kommen, durch sie vielleicht geschwinder sich zu heben, oder sonst verdeckter zu bewirken, was frey öffentlich sich nicht so gut bewirken ließe; oder durch die Aussicht eine Gelegenheit mehr zum Schmausen, ein Hülfsmittel mehr gegen die Langeweile zu haben: so ist es auch gewiß, daß die anscheinende, oft wahre, Herzlichkeit im Umgange der Brüder für Manchen das Anziehendste war. Für manchen Großen vielleicht auch das noch nicht erstickte Verlangen nach Stunden eines zwanglosen natürlichen Zusammenseyns mit guten, liebenswürdigen, für das gewöhnliche Leben nur durch ihren bürgerlichen Rang entfernt gehaltenen Menschen. Und selbst das Kleinlichste in der Sache angesehen; in Vergleichung mit andern gesellschaftlichen Zeitvertreiben, deren man sich nicht schämt, sind auch die feierlichen Tändeleien der Brüder so unverzeihlich nicht, als sie bey strengerer Beurtheilung scheinen. *Wenn* einst noch die Freimaurerey von den veralteten Lappen finsterer

Zeiten sich völlig entledigte, *ganz* für moralische Zwecke bestimmte und ausbildete: so könnte sie vielleicht *ein* nützliches Triebrad im *allumfassenden* Systeme der Erziehungs- und Regierungskunst abgeben; vorausgesetzt, daß es immer Menschen, die durchaus so etwas haben wollen, gäbe. Uebrigens bleibt wohl immer das wahrste, was über Freimaurerey im Allgemeinen gesagt werden kann, Nicolai's Ausspruch, in der, seiner Schrift über das Verhältniß derselben zum *TempelOrden* angehängten, Allegorie: *Wo der rechte Mann ist, da ist der rechte Mantel.* Es kommt dabey Alles auf das Personale an. Darum müßte, um höhere Zwecke zu erreichen, viel strenger bey der Aufnahme verfahren werden. Nicht, die Beiträge zu vermehren, durch den bürgerlichen Rang der Mitglieder der Loge Ansehen und Schutz zu verschaffen, niemanden zu beleidigen u. s. w. müßten Motive dabey seyn. Aber wird man diese wohl je davon abhalten können?

So weit hatte ich geschrieben, als durch Baruel's Buch das Gerede über Illuminatismus und Illuminaten aufs Neue um mich her entstand. Da hatte ich den Gedanken, dieses Fragment meiner Lebensgeschichte, mit oder ohne meinen Namen, im Drucke erscheinen zu lassen. Aber Freunde widerriethen es. Einer derselben motivirte seine Bedenklichkeiten auf eine Weise, bey der ich selbst die Nothwendigkeit einsah, noch einige Erläuterungen hinzuzusetzen. Sie folgen hier, nebst dem Billet meines Freundes; desselben trefflichen Mannes, der Baruel's Buch in den Götting. Gel. Anz. Jahrg. 1799 beurtheilt hat. Eine freimüthige und, wenigstens nach meiner Ansicht, billige Beurtheilung; deren Beherzigung denjenigen empfohlen werden kann, für die, was ich hier gesagt habe, noch nicht hinreichend ist, eine arglose Theilnahme am IlluminatenWesen begreiflich zu machen*.

»Mit der Offenheit, mit der ich gegen Jedermann in einer Angelegenheit die ihm wichtig ist, und besonders gegen einen Freund rede, muß ich Ihnen, liebster Herr Hofrath, sagen, daß ich Ihren übrigen Freunden darunter vollkommen beitrete, daß anliegender Aufsatz, so genugthuend er für mich ist, der dessen zu Ihrer richtigen Beurtheilung gar nicht bedurfte, für das mit Ihnen und dem Ordenswesen unbekannte Publikum nicht befriedigend seyn würde.

---

* Nachstehendes ist der Abdruck des von meinem Vater hier beigelegten Originals, unter welches er seine Erläuterungen beigeschrieben hatte.

1) Können Sie nicht mehr angeben, welche Grade Sie gelesen haben.

2) Erklären Sie Ihre Zufriedenheit mit dem RegentenGrad. Dieser, der höhere RegentenGrad nemlich, ist derjenige, der den meisten Widerwillen erregt hat. Wahrscheinlich meinen Sie den niedern RegentenGrad.

3) Würde das Publikum fragen: Merkte denn Marc Aurel gar nicht, daß der christlichen Religion im Orden die natürliche Religion untergelegt werden sollte, was in den höhern gedruckten Graden doch so bald sichtbar wird? und wenn Er es merkte, konnte Er, seine privat Ueberzeugung mag seyn wie sie will, ein solches Verfahren billigen, Er, der im gemeinen Leben auch gegen vertrautere Bekannte, sich stets so vorsichtig über religiöse Sachen äußerte?

4) Wie war es möglich, daß Er, der Mann der in Schriften und Vorträgen sich so lebhaft gegen JesuiterMoral erklärte, die Ohrenbeichte erdulden konnte, die den Minervalen auferlegt war; daß Er seinen Abscheu nicht gegen schlechte Mittel zu erkennen gab, wenn auch gleich der beste Zweck durch sie befördert werden sollte?

Ich, der ich Sie und ihren Standpunkt kenne, kann mir diese Fragen hinreichend beantworten. Sie haben an junge Männer und deren Bildung bey den *quibus-licet* gedacht, nicht an solche, die in Bedienungen standen, deren Geheimnisse sie verrathen sollten.

Aus diesen Gründen gehe ich von meiner vorigen Meinung vollkommen ab und glaube, daß Sie auf keinen Fall weder schriftlich noch im Druck die Anlage jetzt übergeben müssen; es sey denn, daß man so etwas von Ihnen fordere; was aber gewiß nicht geschehen wird.

Verzeihen Sie meine Weitläuftigkeit meiner Freundschaft.«

Zu diesen sehr gegründeten Bemerkungen meines einsichtsvollen Freundes füge ich, als einige Erläuterung, bey:

1) Bey der *strengsten Wahrhaftigkeit*, die ich mir, wie überhaupt, so besonders in dieser Angelegenheit zur Pflicht gemacht habe, glaube ich doch mit Zuversicht sagen zu dürfen, daß ich sicher nicht alles, was von Graden des Illuminatismus in den Druck gekommen ist, erhalten habe. Denn

a) Habe ich bey der Durchblätterung des Buches *Spartacus' und Philo's letzte Arbeiten* Dinge gelesen, vor denen ich mich so entsetzte, daß ich nicht begreifen könnte, wie ich sie je hätte ertragen mögen.

b) Spricht man jetzt von einem Grade L'homme Roi; von einem solchen Grade habe ich aber nicht die mindeste dunkele Erinnerung.

c) Weiß ich, daß noch höhere Grade, *Mysterien*, angekündigt waren, von denen ich nie etwas gelesen habe.

d) Glaube ich mich zu erinnern, daß das *Höchste* und *Letzte*, was ich erhielt, eine Art von *Idealismus* war, wie W. hernach mit seinem Namen drucken ließ; da ich sie dann in den G. G. A. recensirte.

2) Was die Untergrabung der christlichen Religion anbetrifft, so

a) War dieß eben einer der Puncte, wogegen ich mich nachdrücklich erklärte; wie aus den gedruckten Briefen zu ersehen ist.

b) Glaubte ich übrigens, *nach dieser Protestation*, diese geheime Mittheilung des Naturalismus, durch Andere, noch eher dulden zu können, als vieles in der Art was öffentlich geschah.

3) Ueber die *Ohrenbeichte* der Minervalen wurden freilich auch mißfällige Anmerkungen gemacht; zur Entschuldigung aber gesagt, daß es eine Probe für die Klugheit oder Dummheit der Novizen sey; da ja einem jeden frey stehe, was und wie er wolle zu beichten.

4) Gegen den wenigstens zweideutig durchscheinenden Grundsatz, daß der Zweck die Mittel heiligen könne, erklärte ich mich kräftig in meinen *ersten Quibuslicet*, worauf eben die vorher schon erwähnte verbindliche Antwort erfolgte. Nicht ohne Hinsicht auf diese Verbindung habe ich diesen wichtigen Punct der Moral ausführlich erörtert in den *Untersuchungen über den W. W.* Th. III. §. 61.

Mounieur's Buch *de l'Influence attribuée aux Philosophes, aux Francmaçons et aux Illuminés sur la revolution française*, welches 1801 erschien, kann noch mehr beitragen zur Berichtigung der Urtheile über diesen Gegenstand. Die Art, wie meiner darin gedacht wird, ist zu ehrenvoll, als daß ich sie anführen dürfte.

J. A. Eberhard
Ueber Staatsverfassungen
und ihre Verbesserung*

IX
Gleichheit

Eine Demokratie – es sey eine völlige, oder eine solche repräsentative, worin alle Bürger Repräsentanten seyn können – setzt eine völlige Gleichheit unter allen Bürgern voraus. Findet sich aber eine solche unter ihnen? Wenn es vernünftig und für den Staat wohlthätig seyn soll, daß alle Bürger ein völlig gleiches Recht haben zu den Beschlüssen in den Staatsberathschlagungen mitzuwirken: so müssen sie auch durch gleiche Fähigkeiten und Kenntnisse dazu geschickt, und durch gleiche Bewegungsgründe dazu interessirt seyn. Sie müssen nicht durch Erziehung und Lebensart verschieden seyn, so daß der größte Theil derselben durch Handarbeit bloß haben ihre körperlichen Kräfte ausbilden können, und nur der geringste durch Geistesarbeit auch ihre Verstandeskräfte. In einem großen und sehr gebildeten Staate wird aber immer diese Ungleichheit sehr groß seyn, und desto größer, je größer und gebildeter er ist. In einem solchen Staate, wird daher gerade bey weitem der größte Theil denjenigen Bürgern, die ihre Fähigkeiten und Kenntnisse zur Regierung geschickt machen, unfehlbar überlegen seyn. Wenn also die Beschlüsse nach der Mehrheit der Stimmen genommen werden: so werden sie mehrentheils nothwendig schlecht ausfallen müssen, es sey, daß die Stimmenden ihren eignen unvollkommenen Einsichten und ihren eigenen rohen Leidenschaften folgen, oder – wovor sie nichts wird schützen können – von den Ehrgeizigen zu verderblichen Maaßregeln, es sey gewonnen oder mit fortgerissen werden.
Eine gewisse Gleichheit des Verstandes und des Interesse ist also zur politischen Gleichheit, oder zu der gleichen Theilnahme an

---

* Bd. 1, Berlin 1793; Bd. 2, Berlin 1794. »Gleichheit«, Bd. 1, S. 53-66;
»Uneingeschränkte Monarchie – Despotismus«, ebd., S. 72-84; »Staatsverbesserungen, ebd., S. 84-99; »Greuel und Unheilbarkeit der Anarchie«, Bd. 2, S. 51-66; »Volksdespotismus«, ebd., S. 80-87.

der Ausübung der Souveränitätsrechte nothwendig. Die neueste Französische Constitution* gründet auch ihre völlige politische Gleichheit auf eine angeborne, allgemeine und unverlierbare völlige Naturgleichheit. Ist dieses aber diejenige angeborne und erworbene Gleichheit der natürlichen Verstandeskräfte und der erlangten Kenntnisse, die zu weisen, gerechten und wohlthätigen Beschlüssen in den öffentlichen Berathschlagungen geschickt machen?

Hier offenbart es sich auch dem ungeübtesten Auge, wie verderblich oft der Mißbrauch der Worte sey. Es giebt eine gewisse Gleichheit der Menschen, mit der sie alle geboren werden; das ist aber eine Gleichheit der angebornen Rechte, die sie auch, entweder gar nicht, oder nur durch ein Verbrechen, verlieren können. Das Recht des eigenen Urtheils bringen alle Menschen mit auf die Welt, und es kann ihnen nie genommen werden; das Recht auf seinen ehrlichen Namen ist allen Menschen angeboren, und keiner kann es anders, als durch eine ehrlose That verlieren.

Diese rechtliche Gleichheit der Menschen in und außer dem Staate ist unleugbar. Zu ihrem Schutze ist der Staat errichtet, zu ihrer Sicherung soll die Regierung verwaltet werden. Allein diese Verwaltung erfordert Tugenden und Kenntnisse, die eine Gleichheit der Geisteskräfte voraussetzen, die in der ganzen Natur nicht angetroffen wird, so wie eine Gleichheit der Vermögensumstände, ohne die keine Gleichheit der Erziehung und der Ausbildung der menschlichen Kräfte zu erwarten ist, und welcher die Natur, der Zufall, verbunden mit den verschiedenen Graden des Kunstfleißes, der Thätigkeit und der Erfindungskraft, ohne Unterlaß entgegen arbeitet. Die Natur zweckt nirgend auf völlige Gleichheit ab; sie strebt nach Reichthum und nach einer Mannichfaltigkeit, in den Theilen, die durch wechselseitige Bedürfnisse und Dienste Einheit und Vollkommenheit in das Ganze bringen. Sie hat das Weltgebäude nicht aus einerley Himmelskörpern, nicht aus lauter Fixsternen, nicht aus lauter Planeten zusammengesetzt, sie hat ihnen nicht gleiche Größe und Entfernungen gegeben; sie hat unsere Erde nicht aus Einem Elemente gebildet: sie hat nur gewollt, daß alle diese so ungleichen Kräfte nach vorgeschriebenen unwandelbaren Gesetzen auf einander wirken, sich

---

* S. *Discours de Condorcet* in dem Moniteur. 1973. No. 49.

gegenseitig Gränzen setzen und so dem allgemeinen Wohl dienen sollten. So hat sie auch gewollt, daß die Bürger eines Staates ungleiche Kräfte haben und durch diese auf eine ungleiche Art zu dem Besten desselben mitwirken sollen. Sie alle gleich machen wollen, und dem Wohlklange einer angenehmen Harmonie eine ununterbrochne Monotonie vorziehen, würde nicht bloß, wie in der Musik, einen unerträglichen Uebelklang, sondern auch, da diese Gleichheit unmöglich ist, eine Unordnung und einen Widerstreit der Kräfte hervorbringen, der alle Ruhe und Glückseligkeit entfernen und sich mit der Zerstörung des Ganzen endigen müßte.

x

Fortsetzung Gleichheit

In unserer letzten Vorlesung haben wir gesehen, daß der politischen Gleichheit der völligen Demokratie in einem großen und sehr gebildeten Staate die ungeheure Ungleichheit der Geistesfähigkeiten und der Glücksgüter entgegen stehet. Wie hat man diese Schwierigkeit zu heben gesucht? – Wir wollen bey dem letzten anfangen, weil es sich am kürzesten abmachen läßt.

Das erste und handgreiflichste Uebel, das aus dem großen Abstande zwischen dem äußersten Reichthume und der äußersten Armuth in den europäischen Staaten entstehet, ist, daß sie den Armen in eine unvermeidliche Abhängigkeit von dem Reichen setzt und die Dürstigkeit dem Ueberflusse verkäuflich macht. Wie hilft man diesem Uebel ab? wie kömmt man dieser Besorgniß zuvor? – Durch eine Hypothese, die alles was uns die tägliche Erfahrung zeigt, und was uns die Vernunft von der menschlichen Natur lehrt, gegen sich hat. »Wir haben es nicht für möglich gehalten, sagt Condorcet in seiner Empfehlung des neuen Constitutionsplans, daß das Daseyn einer solchen Abhängigkeit in einer wahrhaftig freyen Constitution, und bey einem Volke, wo die Liebe der Gleichheit der unterscheidende Charakter ist, möglich sey«*. Sollte diese Liebe der Gleichheit in allen Fällen siegen, wo sie mit einem dringenden Interesse, mit der Besorgniß für sein nothdürftiges Auskommen, mit der Hofnung seine bitterste

* S. Moniteur. 1793. No. 49.

Noth auf einmal zu endigen, zu kämpfen hat; sollte sie stärker seyn, als die Liebe, sich einmal satt zu essen, wenn der Hunger anfängt unerträglich zu werden; ja sollte in dieser Lage eine so unfruchtbare Gleichheit ein großes Gut scheinen, oder die Gefälligkeit seine Stimme der Meinung eines Reichen zu verkaufen, wenn man in einem so entfernten und ungewissen Interesse, als das allgemeine Wohl ist, schwerlich selbst eine hat, so sauer werden? Gewiß die Liebe der Gleichheit muß große Wunder verrichten, wenn sie dieses verrichtet; bisher hat sie noch nicht über solche Naturgesetze gesiegt.

Die andere Schwierigkeit wird durch eine andere eben so grundlose Hypothese gehoben. Da man nämlich nicht alle Menschen zu der Höhe der Dinge erheben kann: so setzt man alle Dinge zu dem niedrigsten Maaße der Menschen herab. Man erklärt das Richteramt für etwas so leichtes, daß es ein jeder Pferdeknecht verrichten, und die Kriegeskunst für etwas so eiteles, daß ein jeder Pikenträger der erste Feldherr seyn kann. Und um das wahr zu machen, bringt man auch wohl alle Geschäfte auf ihre erste Kindheit zurück, verbannt alle Kriegeskunst, verwirft alle Rechtswissenschaft, um das Anführen der Kriegsheere und das Entscheiden der Rechtsstreite den niedrigsten Fähigkeiten erreichbar zu machen. Es ist bekannt, daß zu allem diesen bereits mehrmal der Vorschlag in Frankreich geschehen ist. Und anders kann man auch zu der völligen politischen Gleichheit nicht gelangen. Denn es ist leichter, die Geschäfte zu den Menschen zu erniedrigen, als die Menschen zu der Höhe der Geschäfte zu erheben; und so oft man noch das letztere plötzlich versucht hat, ist immer nur das Erstere erfolgt.

Eine gänzliche Gleichheit einführen, würde also nichts anders heißen, als den Mann von größerm Werth zu dem Manne von geringerm Werthe herabsetzen; denn es ist nicht möglich, durch einen Federstrich aus einem rohen Menschen einen gebildeten, und aus einem unwissenden einen aufgeklärten zu machen. Man kann durch alle Maschinen in der Welt keinen Zwerg zu einem Riesen ausdehnen; wenn man sie gleich machen will, muß man den Riesen zerhacken. Und auch dieses hat man in Frankreich nicht ermangelt, wenigstens dem Scheine nach zu thun. Die Großen haben sich dem niedrigsten Volke gleichgemacht, sie haben ihr Costume angenommen, sie haben sich die Haare abgeschnitten und Schnurrbärte angebunden, um so wenigstens die Gleichheit einer Maskerade herauszubringen. Und dieses würde weiter nichts als lächerlich seyn, wenn sie sich nicht auch zu den niedrigsten Sitten herabgewürdigt, der Rohigkeit des Volkes durch Verleugnung aller feinern, ja aller menschlichen Empfindungen geschmeichelt, und so die allgemeine Gleichheit in der allgemeinen Verwilderung gefunden hätten.

Je mehr sich eine Nation vervollkommnet, desto mehr thut sich Ungleichheit in derselben hervor: Ungleichheit der Verstandeskräfte, Ungleichheit der Glücksgüter, Ungleichheit der Stände. Diesen vielen Ungleichheiten muß nothwendig die politische Ungleichheit angemessen werden, wenn die Regierung der Geschäfte, ja selbst die Ordnung und Ruhe im Staate nicht leiden soll.

Wenn wir also auf einen Zustand des Staates, worin die politische Gleichheit und Selbstregierung der Nation möglich und unschädlich ist, kommen wollen, so müssen wir in Gedanken zu seiner ersten Kindheit zurückkehren. Das wird sich am leichtesten an der Geschichte der europäischen Staaten deutlich machen lassen.

In der Kindheit dieser Staaten konnten alle Freyen mit ziemlicher Gleichheit an ihrer Regierung Theil nehmen. Die Geschäfte waren noch sehr einfach, und erforderten ihre Versammlung nur selten und auf kurze Zeit. Eine kurze Zeit reichte jedes Jahr, da sich die Fränkische Nation auf dem Marsfelde versammelte, hin, die wenigen neuen Gesetze zu machen, die für das Bedürfniß des ganzen Jahres nöthig waren. Die Staatsgeschäfte waren sehr wenig künstlich und verwickelt; denn der Aufwand des Staates, der größtentheils nur zum Kriege nöthig war, erforderte keine öffentliche Finanzen, da es keine besoldete Heere gab, und das ganze Aufgebot den Krieg auf seine eigene Kosten führte; die Regierung beschäftigte sich sehr wenig mit der Rechtspflege, indem sie sehr wenigen und unverwickelten Fälle von den Gemeinen selbst durch ihre Mannengerichte entschieden wurden, und das was jetzt zur peinlichen Rechtspflege gehört, wurde durch Befehdungen und Selbstrache abgemacht.

Wir müssen indeß in einen noch frühern Zustand der Gesellschaft zurückgehen – denn auch in dem heroischen Zeitalter einer Nation finden wir einen Unterschied der Stände – wir müssen zu dem Zustande der Wilden hinaufsteigen, wenn wir eine völlige Gleichheit finden wollen. Hier ist alles völlig gleich: denn hier hat die Nation keine Angelegenheit, als sich gegen wilde Thiere, und, wenn sie Nachbarn hat, gegen andere Wilde zu wehren; alles ist sich völlig gleich, an Armuth, Rohigkeit und Stupidität. Das müßte eine Nation werden, wenn sie zu der ursprünglichen Gleichheit zurückkehren wollte. Und dahin müßte die Französische Nation gelangen, wenn es ihr mit ihrem Grundsatze der Gleichheit ein Ernst seyn und sie auf dem betretenen Wege fortgehen sollte.

Es ist daher eine unbegreifliche Verblendung, die Vertilgung aller Ungleichheit in einer großen Nation für einen Schritt zu einer höhern Vollkommenheit zu halten. Denn der erste Schritt zu einiger Kultur wird gerade dadurch bemerkbar, daß sich Einige unter ihr durch Weisheit, Künste und gebildetere Sitten über den großen Haufen erheben. Der auf seiner Niedrigkeit zurückbleibende Theil, verliert dadurch nichts, daß sich die übrigen erheben, so wie er nichts gewinnt, wenn er sie sich wieder gleich macht. Wer dieses wünschen könnte, der müßte auch wünschen, daß alle Berge von der Oberfläche der Erde vertilgt würden, in deren Schooße die Quellen sind, die ihre Gewässer in die Ebnen ergießen, die Felder befruchten, und Seen und Flüsse bilden, die so viele Segnungen des Nutzens, der Bequemlichkeit und Annehmlichkeit verbreiten. Wenn aber der Aermere und Niedrigere sich beklagen wollte, daß er nicht *der* Reichere und Höhere ist, der sich seiner Vorzüge nicht durch Schwelgerey, Müssiggang und Weichlichkeit unwürdig macht, der vielmehr der Wohlthäter seines Vaterlandes ist, – wenn er darüber sollte klagen dürfen: so müßte auch das Thal klagen können, daß es nicht ein Berg ist.

XII
Uneingeschränkte Monarchie –
Despotismus

Wir wollen jetzt zuerst untersuchen, ob der Regent, der einige oder alle Theile der Regierung verwaltet, sie ganz unabhängig oder von dem Volke abhängig verwalten solle? Diese Frage heißt mit andern Worten so viel: ob seine Verordnungen ihre verbindliche Kraft haben, ohne von dem Volke bestätigt zu seyn, ob sie das Volk vernichten könne? Es fällt in die Augen, daß bey einigen der Gang der Staatsverwaltung ganz unmöglich seyn würde, wenn man der Regierung auf diese Weise die Hände binden wollte. Das würde insonderheit der Fall mit allen Kriegsoperationen und auswärtigen politischen Verhandlungen seyn. Bey der Ausübung der gesetzgebenden Gewalt würden alle die Schwierigkeiten eintreten, die die Selbstregierung des ganzen Volkes in einem weitläuftigen, volkreichen und sehr künstlichen Staate haben würde.

Man hat also in einigen europäischen Reichen, z. B. in England, dem Monarchen noch andere Repräsentanten zugeordnet, deren Beystimmung zu jedem Gesetze erfordert wird; und man hat eine solche Verfassung eine eingeschränkte Monarchie genannt. Diese Repräsentanten verwalten nebst dem Monarchen dieses Recht, als ein völlig unabhängiges Souveränitätsrecht; und beide sind zusammengenommen so unabhängig, wie in einer uneingeschränkten Monarchie der König allein. Das Volk hat also in einer eingeschränkten Monarchie die Ausübung der Souveränität eben so wenig beybehalten als in der uneingeschränktesten.

Es soll hier nicht untersucht werden, ob und worin die eine Art der Monarchie vor der andern vorzuziehen sey. Die Regierungsformen werden, wenigstens ihrem größten Theile nach, durch den Zufall der Begebenheiten gebildet, es sey, daß diese Begebenheiten allgemach und unvermerkt, oder mit plötzlichen Erschütterungen ihre Veränderungen herbeyführen. Wichtiger ist es für diejenigen, die unter einer uneingeschränkten Monarchie leben, zu wissen, wie diese Verfassung zum allgemeinen Besten könne genutzt und immer mehr vervollkommnet werden. Diejenigen, welche auf die Frage, welches ist die beste Regierungsform? geantwortet haben: eine jede ist gut, wenn sie mit Weisheit verwaltet wird, haben nicht allein etwas Wahres, sondern auch das allein Nützliche und Anwendbare über diese Frage gesagt. Es hat in den republikanischen Staaten und in den eingeschränkten Monarchien so gut Bedrückungen, Kriege, Verschwendung, ungeheure Staatsschulden gegeben, als in den uneingeschränkten Monarchien; so wie es in diesen bürgerliche Freyheit, unparteyische, aufgeklärte, menschliche und schnelle Rechtspflege, weise Staatsökonomie, Liebe des Friedens und öffentliche Staatsschätze gegeben hat.

Die Quelle aller falschen und unbilligen Urtheile über den Werth einer Verfassung liegt darin, daß man gewöhnlich die Uebel, die man fühlt, der Verfassung zur Last legt, indeß sie oft ihren Grund in andern Uebeln haben, die durch keine Regierungsform in der

Welt können gehoben werden. Ein abergläubisches Volk ist unter einer republikanischen Verfassung so gut abergläubisch, als unter einer monarchischen, und ein barbarisches würde eine republikanische Verfassung, gesetzt, daß es derselben fähig wäre, nicht milde, weise und aufgeklärt machen. Man hat in dem republikanischen *Genf* so gut Ketzer verbrannt, als in dem monarchischen *Frankreich*. Hingegen kann ein weises, aufgeklärtes und tugendhaftes Volk auch unter einer monarchischen Verfassung einer glücklichen und wohlthätigen Regierung genießen. Es ist daher eine parteyische und übelwollende Schätzung derselben, wenn man alle die Uebel, die der Despotismus unter einer rohen und barbarischen oder unter einer ausgearteten und verderbten Nation verursacht, auf die Rechnung der uneingeschränkten Monarchie setzt, und diese mit jenem in eine Klasse bringt. Der Despotismus ist eigentlich gar keine Regierungsform, es ist die Verderbniß von allen. Die Rohigkeit, die Unvernunft, die Leidenschaft des Despoten mißbraucht ihre Gewalt, wirft alle Formen der Gerechtigkeit vor sich her um, und behandelt die Sicherheit, das Eigenthum, die Wohlfahrt, und das Leben des Bürgers mit gleichem willkürlichem Frevel, es mag der vielköpfige Despot einer Demokratie und Aristokratie, oder der einköpfige einer Monarchie seyn. Die blutigen Urtheile der Volksrichter vom 2. September in Paris sind gewiß wenigstens um nichts besser, als die Urtheilssprüche eines Visirs in Konstantinopel, eines Scherifs von Marokko und eines Dey von Algier.

Auf der andern Seite kann Eigenthum, Ehre, Wohlfarth und Leben bey einem aufgeklärten Volke durch weise und bleibende Gesetze und durch verständige rechtschaffene und wohlbewachte Handhaber derselben, wenn sie gemeinschaftlich berathschlagen, und an beständige und unverletzliche Formen gebunden sind, eben so gut gesichert werden, als in jeder andern Regierungsform.

Wenn daher die Monarchie in dem türkischen Reiche seit so vielen Jahren ein wilder Despotismus geblieben ist, indeß sie sich in den mehresten christlichen Reichen zu einer ordnungsvollen Verfassung gebildet hat, die die Keime zu immer größerer Vervollkommnung in sich hält: so kann das nur seinen Grund in solchen Umständen haben, die das erstere in seiner weichlichen Rohigkeit erhalten, indeß sie in den letztern die immer fortschreitende Entwickelung einer vernünftigen Thätigkeit befördern. Eine kurze historische Zergliederung, dieser Umstände, wird uns am besten davon überzeugen, und uns den Keim der Vollkommenheit, der in unsern Verfassungen liegt, entdecken lassen; sie wird uns lehren, wie wir diesen Keim zu pflegen haben, um unsere Verfassungen immer mehr zu vervollkommnen und unter denselben einer immer sicherern, reinern und größern Glückseligkeit zu genießen.

Das türkische Reich ist eben so, wie die christlichen, aus den Eroberungen halbwilder Völkerschaften entstanden. Es brachte aber bereits eine Religion in die eroberten Länder, ja seine Kriegszüge hatten die Ausbreitung dieser Religion zum Theil zur Absicht. Diese Religion gründete sich auf ein göttliches Buch, das alle Aufklärung unnöthig und unmöglich machte. Da es aber in den völligen Rohigkeit der Nation entstanden war, in der Periode ihrer Unmündigkeit, worin noch Künste und Gewerbe unbekannt waren, worin die Rechtsstreite noch ohne viele Umstände und Formalitäten abgethan wurden, worin die Vielweiberey und die Sklaverey der Weiber unanstößig war, da es seine Verehrer auf immer aus aller Verbindung mit den gelehrten Nationen des Alterthums setzte: so mußte es die ursprüngliche Rohigkeit und Unwissenheit aller Nationen, die es annahmen, verewigen, und alle Hindernisse der Geistesbildung durch die grobe Sinnlichkeit, auf die es allen Genuß des Menschen herabsetzte, auf immer heiligen. Zu diesen schon so großen Hindernissen einer künftigen Bildung kam noch die Vereinigung der geistlichen und weltlichen Herrschaft in der Person eines bloßen kriegerischen Despoten. Denn es ist bekannt, daß der türkische Kaiser, als Nachfolger der Kalifen und durch sie des Mahomed, das Haupt der muselmanischen Religion ist.

Die Stifter der christlichen Reiche hingegen hatten bey ihren Kriegeszügen nichts weniger zum Zwecke als die Ausbreitung ihres Glaubens, sie hatten selbst noch nicht einmal eine Nationalreligion, es war ihnen daher nicht schwer, die Religion der Ueberwundenen anzunehmen; und dieser Uebergang zu der Religion einer gelehrten Nation, diente nicht allein dazu, ihnen nach und nach ihre Kenntnisse mitzutheilen, sondern auch den neuentstandenen Staaten eine freyere Verfassung zu geben, die in der Folge in eine gesetzmäßige Regierung uneingeschränkter Monarchien überging. Die Diener ihrer neuen Religion konnten sich der natürlichen Ueberlegenheit, die früh oder spät der Verstand über die Unwissenheit haben muß, bedienen, nicht allein ihre gläubigen Barbaren, an den Fesseln der Religion zu leiten, sondern auch in den Nationalversammlungen sich als ein eigener Stand ihnen an die Seite zu stellen, die Geschäfte zu leiten und bey der Gesetzgebung den Vorsitz zu führen. Die Eroberer, die nicht, wie die Türken, bloße Nomaden waren, gegnügten sich, die Ueberwundenen zu leibeigenen Ackerbauern zu machen, und von ihren Diensten und Abgaben zu leben. So bildeten sich zwey Stände, die Geistlichkeit und der Adel, und in der Folge in den Städten, ein dritter Stand, die vor der Hand wenigstens hinderten, daß die Monarchie nicht frühzeitig in willkührliche Herrschaft ausarten konnte.

Allein in der christlichen Religion selbst, in welche die Geistlichkeit die rohen Eroberer einweihete, lag ein fruchtbarer Keim künftiger Kultur und Aufklärung verborgen. Sie enthielt die strengste, erhabenste Moral, und stellte den Gläubigen, anstatt ihre Sinnlichkeit zu begünstigen, ein Muster von Vollkommenheit vor, dem sie nicht anders, als durch Uebung und Verbesserung ihrer edelsten Geisteskräfte, näher kommen konnten. Was aber das wichtigste war, und in der Folge der Geistesbildung einen entscheidenden Schwung gab – die Urkunde der christlichen Religion war in einer Sprache geschrieben, worin die Denkmähler des Geistes, des Witzes, und der Erfindungskraft des geistreichsten Volkes auf dem Erdboden, und die gelehrten Kenntnisse des griechischen Alterthumes, oder vielmehr aller gebildeten und aufgeklärten Menschen enthalten waren. Sie schützte also nicht allein diese Denkmähler vor dem Untergange, sondern sie machte auch ihr Studium nothwendig. Die Sprache des Gottesdienstes in den Abendländischen Reichen war die Sprache der Römer, des zweyten Volkes nach den Griechen, das durch seine Kultur, seine Gesetze und seine Geisteswerke berühmt war. Es mußten also Schulen errichtet werden, wo das römische Recht, die griechische und römische Litteratur und Philosophie neben der christlichen Theologie gelehrt und studiert wurden. Die Nothwendigkeit, die Abschriften von allen Geisteswerken des Alterthums zu vervielfältigen, brachte endlich die Buchdruckerkunst hervor, – eine Kunst, durch welche, noch außer den Schulen, Kenntnisse, Aufklärung, Mittheilung der Gedanken und Publicität so befördert wurden, daß sich in jedem Staate bald eine hinlängliche Anzahl solcher Männer finden mußten, die die Regierungen erleuchten, und in den Gerichtshöfen und Rathscollegien der öffentlichen Verwaltung mit ausgebreitetern und reifern Kenntnissen vorstehen konnten.

So war der Grund zu einer gesetzmäßigen Regierung gelegt, und nachdem die meisten europäischen Reiche sich immer mehr der Verfassung einer uneingeschränkten Monarchie näherten: so konnten die Regenten die Staatsverwaltung nur durch solche ordentlichen Gerichtshöfe, Departements und Landescollegien führen, die in ihren Berathschlagungen und Beschlüssen an Gesetze, an eine vorgeschriebene Ordnung und einen regelmäßigen Gang ihrer Geschäfte gebunden waren. Die Glieder dieser Landescollegien waren in den Schulen zu ihren künftigen Geschäften vorbereitet, und in den geringern und leichtern Arbeiten zu den höhern und schwerern zugezogen; sie wurden nach sorgfältigen Prüfungen der ältern Räthe gewählt, und nach ihren Verdiensten in den niedrigern Stellen dem Regenten vorgeschlagen.

Das ist die weise Organisation der Regierungen der gegenwärtigen uneingeschränkten Monarchien von Europa; und wer wird leugnen, daß eine solche gesetzmäßige Einrichtung für die Sicherheit und Glückseligkeit der Bürger wohlthätig sey? Sie enthält alle Anlagen in sich, wodurch sie nicht allein sich selbst immer mehr vervollkommnen, sondern auch alle Mängel und Gebrechen, die sich von den unvollkommnern Stuffen der Civilisation herschreiben, unvermerkt und ohne gefährliche Unterbrechung der Ordnung heben, und Anordnungen und Einrichtungen, die ursprünglich gut waren, die aber fehlerhaft geworden, oder den folgenden Zeiten nicht mehr angemessen sind, durch bessere und passendere ersetzen kann.

XIII
Staatsverbesserungen

Wenn die bürgerliche Gesellschaft, wie der einzelne Mensch, von dem Unvollkommnern zu dem Vollkommnern hinaufsteigen muß: so kann es keine geben, die nicht immer einiger Verbesserungen bedürfe. Und dieser Verbesserungen ist sie durch die gesetzmäßige Regierung einer Monarchie, die ich Ihnen in unserer letzten Vorlesung beschrieben habe, am meisten empfänglich. Hier können sie am leichtesten ohne Gewaltthätigkeit, Streit und

Zerrüttung vorgeschlagen, am ruhigsten überlegt und eingeführt werden. In dem Tumulte der Leidenschaften kann darüber nicht ruhig berathschlagt, und in dem Kampfe der Parteyen deren Anmaßungen sie oft rege machen, können sie selten ohne die größte Gefahr unternommen und durchgesetzt werden. Bürger republikanischer Staaten gestehen selbst, daß in ihrem Vaterlande ein neues Gesetzbuch, wie das preußische, nicht würde unternommen und ausgeführt werden können.

Es würde daher die gefährlichste und strafbarste Unbesonnenheit seyn, an irgend eine, es sey große oder kleine, Staatsverbesserung durch eine Revolution zu denken. Wer nur diesen Gedanken, in einer noch so großen Entfernung, fassen wollte, der muß weder wissen, was eine Staatsrevolution ist, noch was sie für unübersehliche Folgen hat.

Eine Staatsrevolution ist die Aufhebung der bestehenden Regierungsform. Die Regierung wird durch eine solche gewaltsame Veränderung dem bisherigen Regenten aus den Händen gerissen; die bisherigen Gesetze verlieren ihre Kraft, und die Obrigkeiten werden außer Autorität und Thätigkeit gesetzt. Die einzige öffentliche Macht, die in dem Kriegesheere bestand, und die nach den Verordnungen der Regierung die innere Ruhe erhielt, muß erst durch einen allgemeinen Aufstand des Volkes erobert werden. Die Ströme von Bürgerblut, die bey dieser Gelegenheit fließen, so schreckliche Uebel sie sind, können doch mit andern weit schrecklichern kaum in Vergleichung gestellt werden. Die alte Verfassung ist abgeschaft, aber eine neue ist nicht sogleich an ihre Stelle gesetzt. Dieser Zustand ist die *Anarchie*, und er ist ein fürchterlicher Zustand. Er ist zuförderst ein Zustand der Gesetzlosigkeit, weil die bisherigen Gesetze ihre Kraft verlohren haben, und die neuen weder schon gemacht, noch angenommen und eingeführt sind. Das Volk, das nicht mehr unter seiner bisherigen Verfassung steht, ist sich nunmehr selbst überlassen. Wenn es auch möglich wäre, daß es nicht die Zügellosigkeit mit seiner neuen Freyheit verwechselte, welches doch, und zwar gerade bey dem großen rohen Haufen, unvermeidlich ist: so befindet es sich doch in der gefährlichen Nothwendigkeit der Selbsthülfe, und fällt also in alle Greuel des Naturstandes zurück, dem es zu seinem eigenen Wohl hatte entsagen müssen.

Alle politischen Schriftsteller und unter ihnen die überspanntesten Lobredner der Staatsrevolutionen, erkennen es, daß jede gewaltsame Veränderung einer Staatsverfassung durch die Anarchie gehen müsse – und die Natur der Sache, wie wir eben gesehen haben, lehrt es eben so wohl als Erfahrung; – sie erkennen, daß die Anarchie ein großes Uebel sey, ein größeres vielleicht, als alle die Uebel, von denen die Nation sich hat zu befreyen gesucht; allein sie halten dieses Uebel für nothwendig, um durch dasselbe zu der glücklichen Verfassung zu gelangen, wovon sie das Ideal zu realisiren hoffen. Allein sie denken sich dieses Uebel, so groß sie es sich immer denken mögen, noch bey weitem nicht groß genug; sie überlegen nicht, ob sie auch auf diesem fürchterlichen Wege zu ihrem Ziele gelangen werden, und ob sie es auf einem ruhigern nicht sicherer und geschwinder erreichen würden.

Daß man sich die Greuel der Anarchie nicht ganz so scheußlich vorstellt, als sie hernach wirklich erfolgen, ist darum so natürlich, weil man dabey schwerlich alle Umstände in Anschlag bringt, und auch nicht einmal in Anschlag bringen kann, da viele durch zufällige und unvorhersehbare Umstände herbeygeführt werden; ob man gleich bey einem so schrecklichen Spiel auch die kleinste Möglichkeit nicht übersehen sollte. Indeß weiß ich nicht, wie folgende Betrachtungen einem aufmerksamen Beobachter entgehen können.

1. Die Auflösung der Verfassung muß nothwendig in einem altgewordenen Staate, von einem großen Umfang, einer ansehnlichen Bevölkerung, einer großen Ungleichheit der Stände nach ihrer Bildung, Erziehung und Vermögensumständen, einem sehr verfeinerten und vielleicht verderbten Staate, eine lange greuelvolle Anarchie nach sich ziehen. In dem langen Laufe der Jahrhunderte haben sich so viele Quellen der Erbitterung, so viele verwickelte Rechte, so viel durch Verjährung zu Rechten gewordene Mißbräuche, so viele Saamen der Zwietracht gesammelt, so viele zu rächende Bedrückungen gehäuft, daß, wenn endlich der durch so viele Gewässer genährte, durch so langen Widerstand aufgeschwellte Strom der Leidenschaft den Damm der Ordnung durchbricht, er nothwendig, lange, weit und mit größtem Ungestüme wüthen muß. Ein kleiner, oder ein zwar großer, aber noch neuer Staat, worin die Glücksgüter noch gleich, die Lebensart noch einfach, die Sitten unschuldig, die rechtlichen Verhältnisse wenig und unverwickelt, worin noch die Beschwerden der Stände gegen einander unerhört wären, ein solcher Staat könnte vielleicht nach aufgehobner Verfassung eine Zeitlang ohne gewaltsame Ver-

zuckungen fortleben. Wie wenig das aber in unsern zusammengesetzten, so mannichfaltig in einander greifenden Staatsmaschinen
möglich sey, das hat die Erfahrung hinreichend gelehrt.

2. Selbst die Ueberspannung der Kräfte, womit das Volk die alte
Ordnung der Dinge und die sie erhaltende öffentliche Macht um-
stoßen muß, giebt seinen Bewegungen einen Ungestüm und eine
Heftigkeit, mit der es noch lange zu handeln fortfährt, so lange
bis es ermattet oder einem Joche entgegen gerennt ist, das desto
unerträglicher seyn wird, je neuer und schwerer es seyn muß.
Daß hie und da einige ruhige, verständige und großmüthige Bürger Beyspiele von großen Aufopferungen geben, kann dem allgemeinen Uebel nicht abhelfen. Denn so wie in einer Musik nicht
alle Stimmen zu mißtönen brauchen, um das ganze Conzert zu
verderben, so ist auch in einem Volke die wilde Unordnung einiger Theile hinreichend, um Schrecken und Unsicherheit zu verbreiten und das Ganze in ein unruhiges Chaos zu verwandeln.

3. Es ist aber auch unleugbar, daß eine Nation durch dieses wilde
Chaos nicht wieder zu einer gesetzmäßigen Ordnung einer frey-
ern Verfassung gelangen kann. Das hat bereits die Erfahrung in
andern Reichen bestätigt, und fängt auch schon an, es in Frankreich zu bestätigen. Die Leidenschaften, womit das ganze Werk
begonnen ist, fahren fort ihre Heftigkeit allen Berathschlagungen
und Handlungen der Nation mitzutheilen; diese Leidenschaften
entflammen alle Parteyen, die nicht ermangeln, gar bald sichtbar
zu werden; treiben sie in entgegengesetzter Richtung gegen
einander, und suchen sich mit eben den blutgierigen Mitteln zu
vertilgen, womit sie ihren gemeinschaftlichen Feind vernichtet
haben. Die Werkzeuge des ersten Umsturzes fahren fort mit gleicher blinden Wuth zu wirken, womit sie angefangen haben; und
ehrsüchtige Anführer stellen sich an ihre Spitze, um die Unordnung zu verewigen oder ihre herrschsüchtigen Entwürfe auszuführen.

Unter den erstern Beförderern der Revolution sind ohne Zweifel
einige, die zu der gehoften Verbesserung, nach ihrer Meinung,
jeden Schritt dazu vorbereitet haben, deren Papiere bereits alle
Pläne enthalten, worin das künftige System vollständig verzeichnet ist. Allein vergebens sehen sie an dem andern Ufer den
Leuchtthurm brennen, auf den sie zusteuern, sie werden bey jedem Schritte von widrigen Winden von ihrem Laufe abgetrieben,
und endlich in das weite Meer der allgemeinen Unordnung ge-

worfen, wo sie Ufer und Leuchtthurm aus den Augen verlieren. Die Ursachen von diesem unvermeidlichen Uebel sind so natürlich, daß sie sie hätten vorhersehen können.

Sie konnten zuförderst leicht vorhersehen, daß wenn sie selbst ihre eigenen Entwürfe zu der neuen Ordnung mitbringen, es nicht an andern fehlen würde, die auch die ihrigen haben. Wenn der Fall am besten kömmt: so wird eine jede Partey der andern etwas nachgeben, sie wird einige Vorschläge, bald ihrer Gegner bald ihrer Nebenbuhler durchgehen lassen, um wieder einige von den ihrigen durchzusetzen, bis durch das immer wechselnde Nachgeben ein Ganzes entsteht, dessen Theile nicht mehr zu einander passen, und welches zuletzt das Schicksal erfahren muß, das die erste Französische Constitution bereits erfahren hat, daß es in sich wieder zurückfällt, weil es nicht ausgeführt werden kann.

Sie hätten aber *hiernächst* den noch schlimmern, und – wie die Erfahrung bewiesen hat – eben so möglichen Fall vohersehen sollen, daß es unter den neuen Staatsreformatoren viele geben werde, die – wie der edle Graf Clermont Tonnerre von sich selbst gestanden hat – zu dem großen Werke ohne alle Vorbereitung und Kenntnisse, und also ohne allen Plan kommen würden; daß sich zu diesen gefährliche falsche Patrioten gesellen könnten, die den verderblichen Plan mitbringen, die Verwirrung zu verewigen oder in der gesetzlosen, geraubten Herrschaft eines Usurpators zu endigen.

Die allgemeine Unordnung ist ein erwünschter Schauplatz für alle, die nichts zu verlieren haben und in den Trümmern der öffentlichen Wohlfahrt viel zu gewinnen hoffen. Die erregten Begierden der rohen Menge erwarten mit Ungeduld den Augenblick, wo sie den Raub der Reichen theilen werden, und belustigen sich bis dahin in dem gefährlichen Müssiggange, worin sie die Häupter der Parteyen mit dem öffentlichen Schatze unterhalten. Diese Häupter selbst treiben die Plünderungen ungescheut, über die sie, wenigstens stillschweigend, einverstanden sind, die durch keine höhere Macht gehindert werden können, und denen die getrennte Nation ruhig zusehen muß. Diesen falschen Patrioten, an denen es in den Zeiten der Anarchie nie fehlen wird, ist es gewiß gleich, wenn sich die Unordnung zuletzt in der Herrschaft eines Usurpators endigt. Sie tragen wenigstens alles dazu bey, dieses einzige mögliche Rettungsmittel unvermeidlich zu machen.

Da sie alles unterdrücken, was nicht mit ihnen durchaus gemeine Sache macht, und immer einige unter ihnen die übrigen in der Zügellosigkeit hinter sich lassen, da sie immer, so wie sie an Mißbrauch der Gewalt stärker werden, an Anzahl und Umfang abnehmen: so muß sich die Pyramide dieser Machthaber immer mehr zuspitzen, bis sie sich in dem Schlußsteine eines einzigen Tyrannen endigen wird. Das war ihr Schicksal in England. Die *Presbyterianer* unterdrückten zuerst den König, die *Independenten* die Presbyterianer, und Kromwell Alle.

Wenn dieses die wahre Gestalt der Anarchie ist, so läßt sich wohl schwerlich hoffen, daß sie der Durchgang zu einem glücklichern Zustande seyn könne. So wie es in einer Musik, wenn die Sänger einmal aus dem Takte gekommen sind, sehr schwer ist, sich wieder zusammenzufinden, und zwar desto schwerer je vielstimmiger und künstlicher sie ist: so schwer ist es einer Nation, aus der Anarchie zur Ordnung zu gelangen, und zwar ebenfalls desto schwerer, je größer und je gebildeter sie ist. Wenn also die Vertheidiger der Anarchie selbst gestehen, daß sie ein größeres Uebel ist, als das Uebel, das sie heilen soll, und die Hofnung, daß sie diese Heilung herbeyführen werde, beynahe so gut, als nichts ist; so ist es die strafbarste Unbesonnenheit, das Glück einer Nation in die gefährliche Krisis zu bringen, worin es das Opfer unwissender Empiriker, vermessener Marktschreyer und boshafter Giftmischer werden kann. Ein verständiger und rechtschaffner Mann wird nie sein und der seinigen ganzes Vermögen in einer Lotterie wagen, worin das große Loos noch so beträchtlich wäre; und eine große Nation sollte ihre ganze Glückseligkeit auf das schnöde Spiel einer wilden Anarchie setzen dürfen, um den Versuch zu machen, ein Ideal zu realisiren, das aller Wahrscheinlichkeit nach, zwar ein schönes aber wesenloses Bild ist, das durch keine Menschenhand zur Wirklichkeit gezogen werden kann, und dessen Realität vielleicht in dem ganzen Glücksrade der Weltbegebenheiten nicht enthalten ist.

Sie sehen also, daß die einzige sichere, wohlthätige und vernünftige Art, wie eine Nation ihre Regierung und ihre bürgerlichen Einrichtungen zu verbessern hat, keine andere seyn kann, als durch die Erhaltung ihrer Constitution in einem Zustande der Ordnung und Ruhe sich mit diesem großen Werke zu beschäftigen. So wird sie sich am wenigsten übereilen, so wird sie am reiflichsten überlegen, und am ruhigsten beschließen, so am be-

sten die Parteyen in dem Gehorsame der Gesetze halten, so allem
Hasse und allen Gewaltthätigkeiten zuvorkommen, zu jeder Verbesserung die bequemste Zeit wählen, die genugsam vorbereite-
ten ausführen, die bedenklichen und zu Zerrüttung führenden
aufschieben, und so dem allmähligen Gang der Natur folgen können, um die Mißbräuche, wenn sie dazu reif sind, zu vertilgen,
und dem Bedürfniß ihrer Abschaffung entgegen zu kommen,
wenn der größere Theil der Nation über ihren wahren Vortheil
aufgeklärt und belehrt genug ist, das Bessere, auch mit Aufopferung seines vermeynten Privatnutzens, wo nicht mit Dankbarkeit, doch mit Resignation anzunehmen.

XXV
Greuel und Unheilbarkeit
der Anarchie

Zu den Gründen, welche der Klugheit gebieten, die Staatsverfassung durch keine gewaltsame Revolution zu vernichten, gehöret
drittens die greuelvolle und unheilbare Anarchie, welche die un-
ausbleibliche Folge davon ist.
Daß diese Anarchie nicht ausbleiben könne, lehrt die Natur der
Sache. Die alte Verfassung ist vernichtet, und eine neue ist nicht
sogleich an ihre Stelle gesetzt. Dieser Zustand, worin ein Volk
keine gesetzmäßige Verfassung hat, ist die Anarchie. Dieser Zustand dauert so lange, als keine *gewisse*, erkennbare und allgemein
anerkannte Macht des Staates vorhanden ist. Die Macht aber,
deren sich die Volksanführer zu ihren Absichten bedienen, kann,
so wie sie selbst, jeden Augenblick ändern und ändert wirklich, je
nachdem bald die eine, bald die andere Faktion die größte und
herrschende ist. Heute sind es die Nationalgarden, morgen die
Sansculotten, in Kurzem vielleicht dieses Kriegesheer, bald darauf
ein anderes. – Noch größer wird die Anarchie, wenn die einzelnen Theile des Reiches selbst gegen einander aufstehen, wenn eine
Provinz gegen die andere die Waffen ergreift und der bürgerliche
Krieg in sichtbare Flammen ausbricht. Die Regierung der Volksanführer kann die Gewaltthätigkeiten keiner Parthey hindern; sie
kann sich nur derjenigen zu ihren Absichten bedienen, welche in
dem Augenblicke die stärkste ist, und deren Untergang auch ih-

ren eigenen nach sich zieht. Das ist die wahre Bemerkung eines Schriftstellers, der selbst ein Mitglied der ersten Nationalversammlung war: »Kann es denen, welche die Constitution von Frankreich noch bewundern, unbekannt seyn, daß die Usurpatoren, nachdem sie alle Springfedern zerbrochen haben, sie nicht zu ihrem eigenen Vortheile wieder herstellen können*?«

Es ist daher auch kein Beweis von dem Aufhören der Anarchie, daß die Volksanführer Befehle geben, welche befolgt werden. Denn diese Befehle werden nur von derjenigen Parthey durchgesetzt, welche die stärkste ist, und deren sich die Häupter bedienen, um durch sie das übrige Volk in der Unterdrückung zu erhalten, und es zu der Befolgung ihrer Befehle zu zwingen.

Dieser Zustand ist aber durch seine Greuel und durch seine Unheilbarkeit gleich schrecklich.

Denn 1) er setzt das Leben Aller unaufhörlich in gleiche Gefahr; es ist ein Zustand des Mordens und des Blutvergießens. Die herrschende Parthey kann nicht mit Sicherheit hoffen, immer die herrschende zu seyn. Um es zu bleiben, muß sie sich mit allen Werkzeugen des Mordes bewaffnen; sie muß, wie jede herrschende Parthey in Frankreich, das Schrecken auf die beständige Tagesordnung setzen. Allein auch ihre Stunde schlägt endlich, und sie blutet früh oder spät unter ihren eigenen Mordwerkzeugen. So sehen wir alle Tage eine Parthey nach der andern auf eben dem Wege zum Blutgerüste wandern, auf welchem sie kurz vorher ihre Feinde dahin geschickt hat.

Das Leben der ruhigsten Bürger ist dabey nicht in besserer Sicherheit. In dem unaufhörlichen Kampfe der Partheyen muß es nothwendig in beständiger Gefahr schweben. Jeder Sieg hat seine Opfer; kein Ueberwundener kann dem Blutgerüste entgehen; dahin müssen alle, die dem Sieger verhaßt oder verdächtig sind. Und das kann ein jeder werden, wenn er unter dem unbedeutenden Haufen nur einigermaßen hervorsticht, so wenig er an den öffentlichen Angelegenheiten mag Theil genommen haben. Der Privathaß eines Mächtigen kann ihn auf die Proscriptionsliste setzen, die Anführer können unter einander über seinen Kopf handeln, und die blutgierige Gefälligkeit des Einen ihn für die gegenseitige Aufopferung einem Verbündeten Preis geben. So vereinigten sich Octavius und Antonius über die Opfer, die der eine dem andern

---

* Mounier Récherch. sur les causes etc. Vol. II. p. 188.

zur Befriedigung seiner Rache überlassen wollte. In dieser Lage der Sachen darf auch niemand hoffen, schuldlos zu bleiben. Denn bey dem steten Wechsel der herrschenden Parthey können alle Handlungen, die zu ihrer Zeit völlig unschuldig waren, selbst die erlaubtesten Verbindungen mit Personen, die zu der besiegten Parthey gehören, strafbar werden. So ist es jetzt ein todeswürdiges Verbrechen in Frankreich: Er war ein Freund von La Fayette, von Dumourier, von Brissot, von Hebert, von dem Könige, obgleich zu einer Zeit, da der König noch zu der Constitution gehörte, und diese Partheyhäupter Götzen des Volkes waren. Die Marquise von Marboeuf wurde zum Tode verdammt, als überführt, die Mitschuldige einer Verschwörung gegen die Freyheit des Französischen Volkes zu seyn, weil sie eine Anzahl Morgen Acker, anstatt mit Korn, mit Luzerne hatte besäen lassen*. Ja endlich die Entfernung von den öffentlichen Angelegenheiten muß dem Ruhigen und Unschuldigen zum Fallstrick werden; seine Unthätigkeit, seine Mäßigung selbst ist ein Verbrechen. Man hört jetzt in Frankreich beständig, man lieset unter den Anklagepunkten der Verurtheilten den Vorwurf: Er gehört zu den Moderirten. Denn Mäßigung muß nothwendig da ein Verbrechen seyn, wo es die Selbsterhaltung der Strafbaren erfordert, daß niemand unschuldig sey, daß alle die Verewigung der Anarchie wünschen und jedermann die Wiederkehr der Ordnung fürchte, wo die Menge der Verzweifelten nie groß genug seyn kann, und wo niemand so unschuldig seyn darf, um bey der Wiederherstellung einer gesetzmäßigen Ordnung Verzeihung zu hoffen.

Die Heucheley des Verbrechens und die Uebertreibung der Tyranney wird daher von Vielen für eine Maßregel der Klugheit gehalten. Sie hoffen sich als die bewährtesten und unverdächtigsten Patrioten auszuzeichnen, wenn sie alle an Wuth und Tyranney übertreffen. Allein auch diese müssen erfahren, daß ihnen ihre vermeynte Klugheit zum Fallstrick gereicht. Denn wenn die Mächtigern unter den Volksanführern den Untergang derselben zu ihren Absichten nöthig finden, so müssen sie, wie Anacharsis Cloots, als *Ultrarevolutionisten*, das Blutgerüst besteigen.

Was diesen Zustand ganz besonders schrecklich macht, ist, daß jede Anklage nichts geringeres als den Tod des Beklagten zur

* S. Gaz. nat. de France. 1794. 4. Fevrier.

Folge haben darf. Denn so bald er den Volksanführern gefährlich oder ihren Absichten hinderlich ist: so muß er ganz aus dem Wege geräumt werden. Es liegt in der Natur der Anarchie, daß wer einmahl vor ihrem schrecklichen Tribunale erschienen ist, nicht unter den Lebendigen bleiben kann. Denn nach diesem Todeskampfe haben seine Ankläger von seiner Freundschaft nichts mehr zu hoffen, und von seiner Rache alles zu fürchten.

Ich sehe nicht, wie in diesem Zustande, worin die ganze Nation in Henker und Missethäter geteilt ist, ein Mensch sicherer seyn kann, als in einer Stadt, worin die Pest wüthet, oder die jeden Augenblick mit Sturm eingenommen werden soll, und wo bey der allgemeinen Trauer der Familien, deren wenige ohne Opfer der Tyranney sind, noch der Trost der mitleidigen Theilnehmung fehlt, wo der Sterbende unter dem Jubelgeschrey der Mordlust seiner Mitbürger fällt, und wo Furcht vor Verrath, Angeben, Ausspähen und Verläumdung alle Erquickung der Vertraulichkeit des gesellschaftlichen Umganges verbannt.

Das ist nur ein unvollkommnes, aber getreues und durch die Erfahrung bestätigtes Gemälde von den Greueln der Anarchie. Man muß es einem jeden so nahe, als möglich, vor das Auge rücken, damit er vor dem frevelhaften Leichtsinne erschreckte, durch die Vorspiegelungen von unbestimmter Freyheit und Gleichheit die durch Gesetze gebundenen Leidenschaften roher und ehrgeiziger Menschen zu entfesseln.

2) Das ist die Anarchie – in einem großen Volke, das einer sehr künstlichen und zusammengesetzten Verfassung bedarf! Und diese Anarchie ist *unheilbar*.

Sie ist unheilbar, so bald alle Formen zerbrochen sind, woraus eine neue Ordnung der Dinge könnte zusammengefügt werden; und sie wird es immer mehr, je länger sie dauert. Anfangs sind noch nicht alle Trümmer der alten Formen, noch nicht alle Gewohnheiten, die noch von den alten Formen zurückgeblieben waren, verloren gegangen. Mit der Zeit verschwinden alle Eindrücke der Ordnung, alle Züge der Gesetzmäßigkeit, und die ganze Nation gleicht einem zerstörten Gebäude, das in einem Haufen Steine da liegt, die der Zufall zusammengeworfen hat. Wer soll diese zerstreuten Materialien wieder in ihr Fachwerk einpassen, nachdem es zerstört ist? wo ist der Baumeister, der dieses künstliche Fachwerk wieder zusammenfügen soll?

Die Nation kann sich zu dem schwersten aller menschlichen

Kunstwerke, zu einer festen gesetzmäßigen Verfassung, nicht unmittelbar selbst vereinigen. Da sie zahlreich und auf einer großen Fläche vertheilt lebt: so kann sie sich nicht versammeln; da sie aus so ungleichartigen Elementen, von dem Aufgeklärtesten bis zu dem Rohesten, und aus diesen immer am meisten zusammengesetzt ist: so kann sie nicht mit Ruhe und Weisheit berathschlagen; da das Interesse ihrer Glieder ins Unendliche getheilt ist: so wird sie sich schwerlich über einen einzigen Punkt verstehen können; und gleichwohl, wenn sie nur über Einen Hauptpunkt getheilt bleibt: so ist alle Vereinigung in den übrigen vergebens; denn alle Artikel ihres Staatsgesetzbuches müssen genau unter einander zusammenhängen, alle Fugen des Staatsgebäudes in einander passen und sich gegenseitig unterstützen. Das alles wird noch schwerer werden, wenn Viele durch die Zerstörung der alten Ordnung gelitten haben, und unter der täuschenden Hoffnung, sie wieder herzustellen, alle Vereinigung zu einer neuen zu verhindern suchen. Die Nation wird also zu diesem Geschäfte Bevollmächtigte bestellen.

Allein wie, wenn dieser neue Volkssenat sich nicht vereinigen kann? wenn die Bevollmächtigten in denselben mit ganz verschiedenen Entwürfen kommen, und aus den ungleichartigen Theilen dieser Entwürfe ein Ganzes zusammensetzen, das nicht ausgeführt werden, oder dessen Ausführung nicht dauern kann? wenn sogar Einige, die ihr Interesse an die zerstörte Verfassung bindet, die neue; und Andere, welche die Befriedigung ihrer Herrschsucht in der Fortdauer der Anarchie finden, alle Ordnung hindern, worin sie nicht hoffen können, allein zu herrschen? Dann muß sich nothwendig der Volkssenat in Partheyen theilen, die unter den Fahnen ihrer Häupter gegen einander fechten; die Pyramide der Herrscher muß sich immer mehr zuspitzen, bis sie sich in dem Schlußsteine eines verwegnern, verschlagenern und glücklichern Usurpators endigt. Diese Auflösung des Knotens in dem großen Drama, das die Französische Nation seit fünf Jahren vor den Augen der Welt spielt, haben wir schon in einer unserer vorigen Vorlesungen vorhergesehen, und die neuesten Begebenheiten scheinen diese Vorhersehung ihrer Erfüllung sehr nahe gebracht zu haben.

So wäre denn diese mächtige, geistreiche und jetzt so unglückliche Nation durch einen Kreis von Elend zu dem Punkte der Herrschaft eines Einzigen wieder zurückgekommen, von dem sie mit dem Anfange ihrer Revolution ausgegangen war. Was hätte sie nun gewonnen, das sie ohne Revolution nicht weit besser hätte erhalten können? was hat sie nicht verloren, das sie vielleicht in langer Zeit nicht wieder gewinnen kann? Und gleichwohl muß sie sich glücklich schätzen, wenn sie in diesem Hafen einen Theil ihres verlornen Glücks und ihrer Ruhe wiederfindet. Denn auch diese Hoffnung ist noch so gewiß nicht; selbst die Erfüllung eines so wenig trostvollen Wunsches ist weder so leicht noch so nahe.

Dieser Wunsch ist nichts weniger als tröstlich. Denn so uneingeschränkt auch der Despotismus der alten Verfassung immer mag gewesen seyn, so kann doch der Despotismus der neuen nicht geringer werden, da keine Formen vorhanden sind, in welche man irgend eine Einschränkung einpassen könnte. Wäre aber die Oberherrschaft in der alten Verfassung eingeschränkt gewesen, so würden die Einschränkungen, deren Formen durch ihren Umsturz zerbrochen wären, nicht können wiederhergestellt werden. Nachdem in Frankreich die verschiedenen Stände; Corporationen und Gesetze, die der Königlichen Gewalt Gränzen setzten, sind vertilgt worden: so kann nun die Herrschaft des Usurpators, der auf den Trümmern erhoben wird, keine Schranken erhalten. Wollte man sagen, daß er sie in dem Widerstande der bewaffneten Nation selbst finden werde: so würde doch dieser Widerstand nicht anders, als durch Insurrection können geltend gemacht werden. Der Kampf zwischen der Nation und dem neuen Despoten würde eine mehr oder weniger lange Zeit unentschieden bleiben; und wenn er endlich noch so bald zum Vortheile der Nation ausfallen sollte: so würde sie doch selbst durch diesen Sieg in alle Greuel der Anarchie wieder zurückfallen, woraus sie sich eben erst in den Hafen der Gewalt eines Einzigen gerettet hatte.

Dieser Widerstand ist aber auch nicht so leicht geltend zu machen. Die Erfahrung hat gelehrt, wie viele günstige Umstände zusammentreffen müssen, wenn die getheilte Macht eines zerstreueten und getrennten Volkes die concentrirte Gewalt eines Einzigen besiegen soll, und die Geschichte beweiset, daß die Völker immer von einer neuen despotischen Herrschaft Mißhandlungen ertragen, welche in der alten Verfassung auch den Geduldigsten würden empört haben; es sey, daß das noch frische Andenken an die Uebel der Anarchie sie geduldiger gemacht, oder daß der lange Kampf derselben ihre Kräfte erschöpft, die kühnen

Anführer aus dem Wege geschafft oder ihren Muth geschwächt, oder daß die neue Herrschaft bessere Maßregeln genommen, um sich gegen jeden Widerstand in Sicherheit zu setzen.

Allein selbst dieses Ende der Anarchie ist weder so gewiß noch so leicht zu erreichen. Wenn auch die große Masse des Volkes so weit unterdrückt oder der Unordnung müde ist, daß es jedes Ende derselben, wo nicht wünscht, sich doch wenigstens gefallen läßt: so muß der künftige Despot auch noch das Kriegesheer, es sey durch sich selbst oder durch seine Freunde, in seinen Händen haben; und wenn er auch von dieser Seite sicher ist: so können unvorhergesehene Vorfälle alle seine Hoffnungen vereiteln, er kann in so stürmischen Zeiten noch immer durch heimliche Gewalt fallen. Sein Fuß stand schon auf den Stufen des Thrones, und ein verborgener oder verachteter Feind schleudert ihn wieder in den Abgrund zurück.

So groß sind die Uebel der Anarchie, und so unheilbar sind sie!

4. Volksdespotismus

Ein *vierter* Grund, warum die Klugheit verbietet, die Bande der Staatsverfassung aufzulösen, ist, daß dadurch alle Gewalt in die Hände des Volkes oder eigentlich des Pöbels fallen kann. Diese Gefahr ist desto schrecklicher, je zahlreicher das Volk und von je verschiednerer Bildung und Vermögensumständen es ist. Denn um desto elender werden die niedrigeren Bürgerklassen seyn, und je elender sie sind, desto roher und in ihrer Verwilderung fürchterlicher.

Die ersten Regierungshandlungen dieses losgelassenen Ungeheuers werden einzelne Frevelthaten seyn, die man der Nationalrache zuschreibt, und als eine unvermeidliche Ausübung der Volksgerechtigkeit entschuldigt. Wenn sie die Volksanführer auch nicht billigen oder wenigstens nicht veranlassen, so werden sie doch bald nicht den Muth, bald nicht die Macht haben, sie zu hindern. Denn es giebt in den Revolutionen einen Zeitpunkt, wo die neuen Anführer zwar Verbrechen befehlen, aber nicht hindern können*.

* Tacit. Hist. L. I. c. 45.

Wenn sie aber diese Frevelthaten nicht hindern, wenn sie das Volk selbst dazu anreitzen: so werden sie zuletzt für ihre eigne Sicherheit zittern müssen. Es war daher ein Fehler von den gefährlichsten Folgen, daß die erste Nationalversammlung die Mordthaten des Pariser Pöbels erlaubte; denn damit rechtfertigte sie alle künftigen: alle Greuel waren zum voraus dadurch gerechtfertigt, daß die Revolution sie unvermeidlich mache. Diejenigen, welche die Gewaltthätigkeiten gegen den erblichen Repräsentanten der Nation billigten, billigten schon zum voraus alle Gewaltthätigkeiten gegen sich selbst; und der in den Annalen der Französischen Revolution so berüchtigte Danton, der vor dem Revolutionsgerichte sagte: man richtet uns hier bloß pro forma; hätte bedenken sollen, daß er den tugendhaften und unglücklichen König auch nur pro forma gerichtet hatte. Der eben so bekannte Barnave sprach sich mit der Frage: »ist dieses Blut denn so rein?« sein eigenes Urtheil.

Das sich selbst überlassene Volk wird schwerlich anders, als zum Verderben thätig seyn können. Denn seine Natur bringt es mit sich, daß die Mehresten das mitmachen, was sie sich nicht anzufangen getrauen. So kommen die größten Frevelthaten zu Stande; wenige wagen sie, mehrere wünschen sie, und alle dulden sie.

Man bringt bey diesen Gewaltthätigkeiten vielleicht die Verderbung der Volksmoral durch die Gewohnheit des Anblickes solcher Scenen von Mord und Blutvergießen, die Abstumpfung des Gefühls der Menschlichkeit an der Todesangst der Leidenden, nicht genug in Rechnung. Je weiter es hiermit kommt, desto dringender wird das tägliche Schauspiel blutiger Auftritte, und man kann allemahl zum Voraus auf das scheußliche Beyfallklatschen bey jeder Hinrichtung rechnen; denn das sind, wie Voltaire sagt, die *Trauerspiele des rohen Pöbels*. Und diese grausenvolle Freude nach einem in Verbrechen zugebrachten Tage ist, nach der tiefgedachten Bemerkung des Tacitus[*], das letzte und schrecklichste aller Uebel der Volksherrschaft.

So übt nun das Volk die Souveränetät aus, die man ihm nach der Vernichtung der Staatsverfassung aufgedrungen hat. Diese Regierung des Volkes kann nie etwas anders, als der unumschränkteste und wildeste Despotismus seyn. Der Despotismus ist, wie wir gesehen haben, nichts anders, als die Ausübung der Herrschaft

---

[*] Ebend. cap. 47.

nach vernunftloser Willkühr. Alle Herrschaft muß daher nothwendig despotisch seyn, die nicht nach vorhergehender vernünftiger Ueberlegung und Berathschlagung ausgeübt wird. Sie ist folglich alsdann nie despotisch, wenn sie zur Beförderung des gemeinen Wohls, und nicht ohne ordnungsmäßige Berathschlagung gebracht wird. Zu dem Ende müssen aber die Geschäfte nur von denen verwaltet werden, von deren Tüchtigkeit zu weisen Berathschlagungen man versichert ist, und zwar so, daß man auch überzeugt seyn kann, daß alle Beschlüsse zu Befehlen und Verfügungen ohne fremden Einfluß von Leidenschaften und Interesse, bloß nach den sichersten Gründen des gemeinen Besten, und einer unpartheyischen Gerechtgkeit zufolge reiflicher Berathschlagungen, sind gefaßt worden. Dazu sind aber Gesetze unentbehrlich, welche die Ordnung und die Formalitäten der Berathschlagungen und der danach zu fassenden rechtskräftigen Beschlüsse vorschreiben; es ist eine Oberaufsicht nöthig, welche darüber wacht, daß diese Gesetze beobachtet werden. Alles dieses ist in der uneingeschränkten Monarchie einer gebildeten und aufgeklärten Nation möglich. Wo die Ausübung der Herrschaft in den Händen eines rohen Barbaren ist, da ist es freylich nicht möglich. Eben so wenig ist es aber auch dann möglich, wenn ein ganzes großes Volk die Herrschaft selbst ausübt. Denn

1. Kann ein großes Volk nicht berathschlagen, weil es sich nicht versammeln kann;

2. würden seine Leidenschaften, wenn es in einen Haufen zusammengedrängt wäre, sich nur zu desto größerem Ungestüm entflammen;

3. ist die Mehrheit roh und unwissend; sie würde also die Stimme der Weisern unterdrücken und bey dem geringsten noch so schwachen Widerspruche in Gewaltthätigkeiten ausbrechen; und endlich

4. hat das Volk keine Macht neben sich, die es an die gesetzmäßige Ordnung binden könnte.

Da das Volk in einer ungeheuren Masse also nicht nach vernünftiger Ueberlegung handeln, da es durch nichts genöthigt werden kann, seine Leidenschaften durch Gesetze einzuschränken: so muß es seine Herrschaft nothwendig nach vernunftloser Willkühr ausüben; alle Herrschaft der ganzen Masse eines großen Volkes ist also vermöge der Natur der Dinge nothwendig Despotismus.

Hieraus folgt, daß man nicht einmal den niedrigsten Klassen des Volkes die Ausübung irgend eines Theils der Souveränetätsrechte anvertrauen kann. »Das heißt nicht sagt Mounier*, »die letzte Klasse des Volkes begünstigen, daß man ihr politische Rechte anvertrauet. Man könnte ihr kein verderblicheres Geschenk machen. Denn sie halten sie von ihren Arbeiten ab, und bringen Unordnungen hervor, wovon sie am Ende selbst das Opfer wird. Ihr wahres Glück ist nicht daran gebunden, daß sie solche Rechte genieße, sondern daß sie in solche Hände niedergelegt werden, die würdiger sind, Gebrauch davon zu machen.«

---

* Mounier Réch. sur les causes, qui ont empeché la France, de devenir libre. Vol. li. p. 250

J. J. Engel
Sicherheit*

Sicherheit

Nur zu oft mochten Fürsten, in dieser letzten aufrührerischen Zeit des Jahrhunderts, für sich selbst oder für ihre Kinder zittern. Jenes schwarze Gewitter im Westen, mochten sie sagen, hat sich bis über die Alpen gewälzt; was kann es hindern, sich auch über den Rheinstrom zu wälzen? Der verderblichen Dünste, die es nähren können, giebt es auch hier; und wie, wenn es näher zöge, um mit aller seiner Wuth auch über den vaterländischen Fluren zu donnern?

Das Rathsamste bei dieser schrecklichen Möglichkeit wäre wohl das: daß man nicht zu sorglos im gegenwärtigen Sonnenstrahl spielte, sondern dem fürchterlichen Phänomen, um es von seinem Horizont entfernt zu halten, mit aller der Kraft entgegenwirkte, die dem Menschen in der sittlichen Natur so viel mehr, als in der körperlichen, zu Theil ward.

Daß es mit diesem Entgegenwirken gelingen werde, wenn es nur durch weise Mittel und mit ausdaurendem Ernste geschieht, das scheint die Sinnesart des Volks zu verbürgen. Ruhig, standhaft, bieder, treu, muß es guten, und wenn auch nur erträglichen, Fürsten weit weniger Sorge, als die meisten übrigen Völker, machen. Es hat von seiner Anhänglichkeit an gerechte, menschenliebende Herrscher die sprechendsten rührendsten Beweise gegeben: aber am Ende freilich hat auch das taubenartigste Geschöpf seine Galle: und zu sehr oder zu lange gereizt, geängstigt, gemartert, braucht es, instictmäßig, alle ihm verliehene Kraft, um sich der Angst und der Qual zu entladen.

Wie schon hieraus erhellt, so wäre kein Mittel, sich zu sichern, gewagter und also sinnloser, als wenn man Strenge und Druck vermehrte, und die Zügel der Regierung auf einmal so kurz faßte, als möglich. Eben dieser ängstliche, zuletzt unerträgliche Zwang könnte zu einer Wuth verleiten, die das sonst gutmüthige Volk über alle Schranken hinausrisse, und den unweisen Führer von

* Aus: *J. J. Engels Schriften*. Dritter Band: *Der Fürstenspiegel*, Berlin 1802, S. 322-335.

seinem Sitz herab unter die Räder seines eigenen Wagens würfe. Ein noch wenig denkendes, wenig gebildetes Volk mag sich bis zu dumpfem Sklavensinne erniedrigen lassen; mit einem schon aufgeklärtern, zum Nachdenken erwachten, wird so ein Versuch schwerlich glücken.

Gleich unweise, und bei grausamen Mitteln gewiß auch gleich gewagt, würde das Bemühen seyn, der Aufklärung selbst entgegenzuarbeiten, und dadurch daß man Dummheit und Aberglauben an ihre Stelle setzte, dem Sklavensinne den Weg zu bahnen. Wer einmal von den Phantomen, womit die Menschheit in den Kinderjahren gegängelt ward, die Seele frei hat, der verschmäht es auf immer, sie wieder anzunehmen; ihm sie aufdringen wollen, kann keinen andern Erfolg haben, als ihn in Harnisch zu jagen und zu erbittern. Herrscher, die zu unsern Zeiten sich für höhere, von Gott geheiligte Wesen gäben, und in dieser Eigenschaft blinde Verehrung, blinden Gehorsam verlangten, würden ihren Zweck so ganz verfehlen, daß sie nur verhaßter und verächtlicher würden.

Also auf diesem Wege, daß man den Zustand des Volks oder selbst das Volk verschlechtert, scheint das Ziel, nach dem man strebt, nicht erreichbar. Und so schlage man denn lieber den andern bessern Weg ein, der nicht, wie jener, im Sumpfe, sondern auf trockner lichter Höhe liegt, und wo man sich weder zu fürchten hat, daß man versinken, noch, wenn man glücklich hindurchkömmt, von Schande triefen werde. Man kehre die Grundsätze und die Verfahrungsweise, mit denen es nicht hat gelingen wollen, gerade um, und sehe zu, ob es dann eher gelingt. – Lässt sich nichts von Verschlechtrung erwarten: so versuche man es mit Verbessrung; will die einmal angebrannte Fackel sich nicht wieder auslöschen lassen: so trage man sie mit eigener Hand dem Volke vor; steht der Thron auf Furcht und auf Elend nicht sicher: so stelle man ihn auf Dankbarkeit und auf Wohlfahrt, – vielleicht, dass er dann weniger wankt.

Was wollen denn Völker, wenn sie ihrem angestammten Herrscher den Gehorsam aufkündigen, und das Panier des Aufruhrs erheben? Wollen sie in die Wälder zurück, in denen ihre Urväter, als einzelne, nackte, bei aller Freiheit elende Wilde umherschweiften? Wollen sie wieder die Eichel zu ihrer Kost machen, und ihren Trunk mit hohler Hand aus dem Bache schöpfen? Oder wollen sie Völker bleiben, und also in Gesellschaft, in bürgerlicher Vereinigung fortleben? – Wenn sie, wie Niemand zweifelt, dieses Letztere wollen: so müssen sie denn auch fortfahren wollen, Führer zu haben, nur kluge und gute Führer; Gesetzen Folge zu leisten, nur weisen und milden Gesetzen; gemeinschaftlich Lasten zu tragen, nur mäßige, nicht erdrückende Lasten. Sich ein Volk zu denken, das zwar das Eine, aber nicht das Andere wollte, das die Vortheile gesellschaftlicher Vereinigung, aber zugleich die volle Freiheit des Wilden wünschte; das hieße, sich ein Volk von lauter Wahnwitzigen denken.

Angenommen nun, die ersehnte Verbesserung des Zustandes biete sich freiwillig dar; der kluge gute Führer, dem man zu folgen wünscht, sei in der eignen Person des Fürsten vorhanden; die mildere Gesetzgebung, die Erleichterung der Lasten, nach der man strebt, sei von seiner eigenen Weisheit, Volksliebe, Sparsamkeit, Staatswirthschaft zu hoffen: ist es denkbar, daß ein Volk nicht lieber in Ruhe diese Wohlthaten sollte entgegennehmen, als durch blutigen, gefahrvollen Kampf sie erringen wollen? daß es den eben hervorbrechenden schönen Frühling mit allen seinen Lieblichkeiten verachten, und schlechterdings auf die Schöpfung eines neuen Himmels, einer neuen Erde bestehen sollte? Ohne vorhergehendes wüstes, finstres Chaos giebt es solcher Schöpfungen nicht: alle Elemente des aufgelösten Staats würden erst in fürchterlicher Unordnung durch einander gewirbelt werden, und dann würde in Angst zu erwarten stehen, was für ein neuer Staatskörper aus der gährenden, brausenden Masse nach langem Kampf sich entwickeln mögte. Möglich immer, daß es ein besserer, aber auch eben so möglich, daß es ein schlechterer wäre, als der zerstörte. Und auf diese Gefahr hin sollte ein Volk es wagen, und den ganzen langen, oft so unseligen Zeitraum zwischen Umsturz der alten und Feststellung der neuen Verfassung durchleben wollen? sollte mitten in der schönsten Hoffnung, die ein weiser guter Fürst ihm giebt, Entschließungen fassen, wie sie nur die äußerste Noth, nur die wildeste Verzweiflung entschuldigt? – Mag eine so traurige Hirnepidemie unter Völkern auch möglich seyn; unter dem unsrigen, das einen so gemässigten Himmel und einen so ruhigen Puls hat, ist sie gewiß wenig wahrscheinlich.

Versuche es nur der Prinz, der mitten unter den jetzigen Stürmen seine Nächte ruhig durchschlafen mögte – ruhig, nicht wegen der Rasereien fremder Völker, deren Folgen auch ihn treffen können, aber wegen der Gesinnung des eignen – versuche er's, sich wahrhaft weise und gut, und mit dieser Weisheit und Güte unablässig thätig zu zeigen; kenne er durchaus keinen Unterschied zwischen seinem eignen persönlichen, und zwischen dem Vortheile des Volks; suche er jeden gerechten Wunsch zu befriedigen, jede gegründete Klage abzustellen; erleichtre er durch Beschränkung der eignen Ausgaben, durch besser berechnete Staatswirthschaft, durch sorgfältige Aufmerksamkeit auf jede Nahrungs- und Reichthumsquelle, den Unterthanen die Last; verleihe er, ohne Ansehen der Person, kräftigen Schutz gegen gewaltthätige Unterdrückung, und sei er selbst von allen Unterdrückungen fern; zerbreche er jede der Menschheit unwürdige Fessel, und gönne allen die volle Freiheit, welche die Freiheit der Übrigen zuläßt; befehle er nie ohne Gründe, und nie ohne wahre, einleuchtende, vom eignen Besten des Volks entlehnte Gründe; treffe er Anstalten, um das von ihm bewirkte Gute auch für die Zukunft zu sichern; und um Alles zusammenzufassen, zeige er in jeder seiner Handlungen, Gemeinsinn, Bürgersinn, Vatersinn: er wird inne werden, daß, je länger er dieses Weges fortgeht, desto mehr ihn alle Unruhe verläßt; daß, je würdiger er sich des Vertrauens vom Volke macht, desto mehr sein eigenes Vertrauen zum Volke zunimmt. Nur zaudre er nicht, bis sich schon die ersten Spuren anhebender Gährung zeigen und seine Tugend das Ansehen von Furcht hat; denn Furcht macht verächtlich, und Verachtung ist gefahrvoller, als Haß: freie, edle, großmüthige Wirkungen seines Geistes und Herzens müssen alle jene Wohlthaten scheinen; und dann laß immer, nahe an seinen Gränzen, furchtbare Gewitter toben! Über diese Gränzen hinüber zieht keines; sein eigener Thron wird von keinem Donner erschüttert, sein eigenes Scepter durch keinen Blitzstrahl ihm aus der Hand geschlagen. Wenn schon jedem Verdienste geringerer Art ein Grad von Hochachtung folgt; so muß einem so großen fürstlichen Verdienste unausbleiblich Verehrung, tiefe, dankbare Verehrung folgen.

Soll diese Verehrung höher steigen, so daß sie Anbetung werde – und das wird sie, wenn sie sich innig mit Liebe mischt –: so verbinde der Fürst mit jenen ersten, wesentlichsten Regententugenden noch die: daß er gegen Alle, auch die Niedrigsten im Volke, Zuneigung und Achtung beweise; daß er den Zutritt zu sich Jedem offen lasse, den Natur oder Wichtigkeit seines Anliegens zur eigenen Person des Fürsten hinführt; daß, wenn er Bitten bewilligt, es nicht mit Stolz, sondern mit Güte; wenn er sie abschlägt, es nicht mit Härte, sondern mit Bedauren geschehe; daß er Liebesbeweise des Volks freudigdankbar erwiedre, und oft und gern, ohne blendenden Prunk, ohne durch seine Gegenwart zu belästigen, mit Vertrauen, aber zugleich mit Würde, vor den Unterthanen erscheine. Ein Fürst von anerkanntem Hohem Verdienst, der so den Fürsten verbirgt, und sich so ganz nur als Mensch zeigt, wandelt eben darum als ein Gott unter den Menschen. Ihn begleitet die Herrlichkeit, ihn umgiebt die Sicherheit eines Gottes.

Junge Prinzen, die Ihr zu Regenten bestimmt seid! Ihr habt nach Westen gesehen, und Ihr habt zittern gelernt. Sehet nach Nordosten, und lernet aufhören zu zittern!

suhrkamp taschenbücher wissenschaft
Geschichte, Sozialgeschichte
Zeitgeschichte, Dokumentation

suhrkamp taschenbücher wissenschaft
Geschichte, Sozialgeschichte
Zeitgeschichte, Dokumentation

Rosenbaum: Formen der Familie. stw 374

Rosenbaum (Hg.): Familie und Gesellschaftsstruktur. stw 244

Rossi: Vom Historismus zur historischen Sozialwissenschaft. stw 699

Saage: Arbeiterbewegung, Faschismus, Neokonservatismus. stw 689

Schulze (Hg.): Europäische Bauernrevolten der frühen Neuzeit.
stw 393

Tibi: Der Islam und das Problem der kulturellen Bewältigung sozialen
Wandels. stw 531

Vranicki: Geschichte des Marxismus. 2 Bde. stw 406

207/1/8.87